KB143988

자분탐상검사

(Magnetic Particle Testing)

한국비파괴검사학회

韓 起 秀 著

NODE MEDIA
노드미디어

| 머리말 |

1960년대 초에 도입되어 반세기의 역사를 지니고 있는 우리나라의 비파괴검사 기술은 원자력 발전설비, 석유화학 플랜트 등 거대설비·기기들에서부터 반도체 등의 소형 제품에 이르기까지 검사 적용대상도 다양해져 이들 제품의 안전성 및 품질보증과 신뢰성 확보를 위한 핵심 요소기술로서의 중심적인 역할을 분담하게 되었다.

특히 한국비파괴검사학회의 활동 중 비파괴검사기술자의 교육훈련 및 자격인정 분야에서는 그 동안 꾸준한 활동으로 산·학·연에 종사하는 많은 비파괴검사기술자를 양성하였고, ASNT Level III 자격시험의 국내 유치, KSNT Level II 과정의 개설을 위시하여 최근에는 ISO 9712에 의한 국제 표준 비파괴검사 자격시험의 도입을 준비 중에 있다.

이에 학회에서는 비파괴검사기술자들의 교육 및 훈련에 기본 자료로 활용하는 것 뿐만 아니라 비파괴검사 분야에 입문하는 분들이 비파괴검사를 체계적으로 이해하고 관련 실무지식을 체득할 수 있는 비파괴검사 이론 & 응용을 각 종목별로 편찬 보급하고 있다. 이 교재는 1999년도에 초판으로 발행된 비파괴검사 자격인정교육용 교재 4(자분탐상검사)의 개정판이다.

책은 마음의 양식이요 지식의 근본이라 했다. 지식정보화의 시대를 살아가는데 지식은 미래의 값진 삶을 지향하기 위한 원천이다. 특히 전공 교재는 특정 영역의 체계적이고 가치 있는 내용을 담고 있는 지식의 근원이요 터전이다

본 비파괴검사 이론 & 응용은 비파괴검사 분야에 입문하는 자 및 산업체의 품질보증 관련 업무에 종사하는 초·중급 기술자는 물론 고급기술자 모두가 필수적으로 알아야할 비파괴검사 기술의 개요와 타 전문 분야와의 연관성 등에 한정하여 기술하고 있다. 아울러 이 교재에서는 현재 산업 현장에서 적용이 시도되고 있거나 연구개발 중에 있는 각종 첨단 비파괴검사 방법의 종류와 특징도 소개하고 있다

끝으로 본 교재의 출판에 도움을 주신 노드미디어(구. 도서출판 골드) 사장님과 자료 및 교정에 협조하여 준 서울과학기술대학교 비파괴평가연구실의 김용권 박사와 대학원생들에게 심심한 사의를 표하는 바이다.

2011년 10월
저자 씀

| 목차 |

CONTENTS

제1장 ━ 자기탐상시험의 기초 이론

제1절 자기탐상시험의 개요 ……………………………………… 1
  1. 자기탐상시험의 일반 …………………………………… 1
  2. 자기탐상시험의 산업적 응용 ………………………… 1

제2절 자기탐상시험의 용어 정의 ……………………………… 3

제3절 자기탐상시험의 기초 지식 ……………………………… 9
  1. 전기의 기초 ……………………………………………… 9
    가. 정전기 ……………………………………………… 9
    나. 도체와 부도체 ……………………………………… 9
    다. 전하와 전류 ………………………………………… 9
    라. 전압 ………………………………………………… 10
    마. 저항 ………………………………………………… 10
    바. 옴의 법칙 …………………………………………… 10
  2. 자기의 기초 ……………………………………………… 11
    가. 자석 ………………………………………………… 11
    나. 자기 유도 …………………………………………… 12
    다. 자계 ………………………………………………… 14
    라. 자력선 ……………………………………………… 15
    마. 자화와 자속밀도 …………………………………… 19
  3. 전류에 의한 자계의 발생 ……………………………… 22
    가. 직선 전류가 만드는 자계 ………………………… 22
    나. 원형 전류가 만드는 자계 ………………………… 25
    다. 코일에 의한 자계 ………………………………… 26
  4. 강자성체의 자화 ………………………………………… 29
    가. 자화곡선 …………………………………………… 29

　　　　　나. 철강 재료의 자기특성 ··· 32

　　　　　다. 교류 자화에서의 표피효과 ·· 34

　　　5. 반자계 ··· 35

　　　6. 자기회로 ··· 38

　　　7. 결함으로부터의 누설자속 ··· 39

　　　8. 자속밀도의 분포 ··· 43

　　　9. 자계 분포 ··· 45

　　　　　가. 직류의 자계 분포 ·· 46

　　　　　나. 교류의 자계 분포 ·· 49

제2장 ─ 자분탐상시험

제1절 자분탐상시험의 일반 ·· 53

　　　1. 기본 원리 ··· 53

　　　2. 시험방법의 분류 ··· 54

　　　3. 특징 ··· 54

제2절 자분탐상시험의 순서 ·· 56

　　　1. 시험의 순서 ··· 56

　　　2. 자분모양의 식별성 ··· 56

　　　3. 전처리 ··· 57

　　　　　가. 전처리의 필요성 ·· 57

　　　　　나. 전처리 방법 ·· 58

　　　4. 자화 ··· 59

　　　　　가. 자화방법의 종류 ·· 59

　　　　　나. 자화방법의 분류 ·· 61

　　　　　다. 자화방법의 선정 ·· 63

　　　　　라. 각종 자화방법의 특징 ·· 64

　　　　　마. 자화전류의 종류와 선정 ·· 79

　　　　　바. 자화전류치의 설정 ·· 81

　　　　　사. 규격에서 규정하고 있는 자화전류치 ·· 83

　　　　　아. 자화전류의 통전시간 ·· 87

　　　　　자. 탐상 유효범위의 설정 ·· 88

　　　5. 자분의 적용 ··· 88

　　　　　가. 자분의 선택 ·· 89

　　　나. 건식법과 습식법 ·· 90
　　　다. 연속법과 잔류법 ·· 92
　　　라. 자분모양의 형성에 영향을 미치는 인자 ···················· 93
　　6. 자분모양의 관찰 ·· 95
　　　가. 관찰 시기 ··· 95
　　　나. 자분모양의 관찰방법 ··· 96
　　　다. 의사모양 ··· 99
　　　라. 결함 자분모양의 판정 ·· 104
　　7. 자분모양의 기록 ··· 105
　　　가. 사진 촬영에 의한 방법 ·· 105
　　　나. 스케치에 의한 방법 ··· 106
　　　다. 전사에 의한 방법 ·· 106
　　8. 탈 자 ··· 107
　　　가. 탈자를 필요로 하는 경우 ··· 107
　　　나. 탈자를 필요로 하지 않는 경우 ·································· 107
　　　다. 탈자의 방법 ·· 107
　　　라. 탈자의 확인방법 ·· 110
　　9. 후 처 리 ··· 112
　　　가. 후처리의 필요성 ·· 112
　　　나. 후처리의 방법 ··· 112
　　10. 시험의 기록 ··· 113

제3장 ┿ 자분탐상시험 장치와 시험 재료

　제1절 자분탐상시험 장치 ·· 115
　　1. 탐상기의 종류와 자화방법 ·· 116
　　　가. 극간법에 사용하는 자화장치 ···································· 116
　　　나. 통전법과 코일법에 사용하는 자화장치 ······················ 120
　　2. 자화기기 ··· 125
　　　가. 직접 접촉법에 의한 자화기기 ···································· 125
　　　나. 비접촉법에 의한 자화기기 ·· 128
　　　다. 부속품 ··· 130
　　　라. 자분탐상장치의 선택 ·· 131
　제2절 자분 산포기와 장치 ·· 132
　　1. 습식용 자분 산포기와 장치 ·· 132

　　　　가. 수동식 습식 자분(검사액) 산포기 ‥‥‥‥‥‥‥‥‥‥‥‥‥ 132

　　　　나. 자동 순환식 습식 자분 산포장치 ‥‥‥‥‥‥‥‥‥‥‥‥‥ 133

　　2. 건식용 자분 산포기 ‥‥‥‥‥‥‥‥‥‥‥‥‥‥‥‥‥‥‥‥‥ 133

　　　　가. 수동식 건식 자분 산포기 ‥‥‥‥‥‥‥‥‥‥‥‥‥‥‥‥ 134

　　　　나. 자동 송풍식 건식 자분 산포기 ‥‥‥‥‥‥‥‥‥‥‥‥‥ 134

　　3. 사용상의 주의 사항 ‥‥‥‥‥‥‥‥‥‥‥‥‥‥‥‥‥‥‥‥‥ 135

제3절 부속 장치 ‥‥‥‥‥‥‥‥‥‥‥‥‥‥‥‥‥‥‥‥‥‥‥‥‥ 136

　　1. 자외선조사장치 및 검사실 ‥‥‥‥‥‥‥‥‥‥‥‥‥‥‥‥‥‥ 136

　　　　가. 자외선조사장치 ‥‥‥‥‥‥‥‥‥‥‥‥‥‥‥‥‥‥‥‥ 136

　　　　나. 검사실 ‥‥‥‥‥‥‥‥‥‥‥‥‥‥‥‥‥‥‥‥‥‥‥‥ 138

　　2. 탈자기 ‥‥‥‥‥‥‥‥‥‥‥‥‥‥‥‥‥‥‥‥‥‥‥‥‥‥‥ 138

　　3. 자기 계측기 ‥‥‥‥‥‥‥‥‥‥‥‥‥‥‥‥‥‥‥‥‥‥‥‥ 140

　　　　가. 자속계 ‥‥‥‥‥‥‥‥‥‥‥‥‥‥‥‥‥‥‥‥‥‥‥‥ 140

　　　　나. 테슬라 미터 ‥‥‥‥‥‥‥‥‥‥‥‥‥‥‥‥‥‥‥‥‥‥ 140

　　　　다. 마그네트 게이트 미터 ‥‥‥‥‥‥‥‥‥‥‥‥‥‥‥‥‥ 140

　　　　라. 교류 자계 자속계/교류 전압계 ‥‥‥‥‥‥‥‥‥‥‥‥‥ 141

　　　　마. 휴대용 자기 검출기(magnetic field Indicator) ‥‥‥‥‥‥ 141

　　　　바. 자기 컴퍼스(나침반 : compass Indication) ‥‥‥‥‥‥‥ 141

　　4. 특수 자분탐상시험장치 ‥‥‥‥‥‥‥‥‥‥‥‥‥‥‥‥‥‥‥‥ 142

　　　　가. 듀오백법에 의한 방식 ‥‥‥‥‥‥‥‥‥‥‥‥‥‥‥‥‥ 142

　　　　나. 회전 자계에 의한 방식 ‥‥‥‥‥‥‥‥‥‥‥‥‥‥‥‥ 142

　　　　다. 진동자계에 의한 방식 ‥‥‥‥‥‥‥‥‥‥‥‥‥‥‥‥‥ 143

　　5. 시험에 필요한 기구와 재료 ‥‥‥‥‥‥‥‥‥‥‥‥‥‥‥‥‥ 143

　　　　가. 자외선 강도계 ‥‥‥‥‥‥‥‥‥‥‥‥‥‥‥‥‥‥‥‥ 143

　　　　나. 조도계(lux meter) ‥‥‥‥‥‥‥‥‥‥‥‥‥‥‥‥‥‥‥ 144

　　　　다. 전처리 기구와 재료 ‥‥‥‥‥‥‥‥‥‥‥‥‥‥‥‥‥‥ 145

　　　　라. 조명기구 및 관찰기구 ‥‥‥‥‥‥‥‥‥‥‥‥‥‥‥‥‥ 145

　　　　마. 침전관 ‥‥‥‥‥‥‥‥‥‥‥‥‥‥‥‥‥‥‥‥‥‥‥‥ 146

제4절 자분 ‥‥‥‥‥‥‥‥‥‥‥‥‥‥‥‥‥‥‥‥‥‥‥‥‥‥‥‥ 147

　　1. 자분의 성질 ‥‥‥‥‥‥‥‥‥‥‥‥‥‥‥‥‥‥‥‥‥‥‥‥ 147

　　　　가. 자분의 자기적 성질 ‥‥‥‥‥‥‥‥‥‥‥‥‥‥‥‥‥‥ 147

　　　　나. 자분의 입도 ‥‥‥‥‥‥‥‥‥‥‥‥‥‥‥‥‥‥‥‥‥ 147

　　　　다. 자분의 비중 ‥‥‥‥‥‥‥‥‥‥‥‥‥‥‥‥‥‥‥‥‥ 148

　　　　라. 자분의 색조와 휘도 ‥‥‥‥‥‥‥‥‥‥‥‥‥‥‥‥‥‥ 148

　　2. 자분의 종류 ‥‥‥‥‥‥‥‥‥‥‥‥‥‥‥‥‥‥‥‥‥‥‥‥ 149

　　　　가. 형광 자분 ‥‥‥‥‥‥‥‥‥‥‥‥‥‥‥‥‥‥‥‥‥‥ 150

　　　　나. 비형광 자분 ‥‥‥‥‥‥‥‥‥‥‥‥‥‥‥‥‥‥‥‥‥ 150

다. 건식 자분과 습식 자분 ……………………………………………… 151

라. 특수 자분 …………………………………………………………… 151

마. 에어로졸형 자분 …………………………………………………… 152

바. 콘트라스트 페인트(contrast paint) ……………………………… 152

3. 검사액 ……………………………………………………………………… 153

가. 자분 분산매 ………………………………………………………… 153

나. 검사액의 성질 ……………………………………………………… 154

다. 검사액의 농도 ……………………………………………………… 155

라. 분산매의 성질 ……………………………………………………… 156

마. 검사액 속의 자분의 침강속도 분포 ……………………………… 156

바. 검사액 만드는 법 …………………………………………………… 156

제5절 표준시험편 및 대비시험편 ……………………………………………… 158

1. 시험편의 사용 목적 ……………………………………………………… 158

2. A형 표준시험편 …………………………………………………………… 158

가. A형 표준시험편의 종류와 특성 ………………………………… 158

나. A형 표준시험편의 사용 방법 …………………………………… 162

3. C형 표준시험편 …………………………………………………………… 164

가. C형 표준시험편의 종류와 특성 ………………………………… 164

나. C형 표준시험편의 사용방법 …………………………………… 165

4. B형 대비시험편 …………………………………………………………… 166

가. B형 대비시험편의 종류와 특성 ………………………………… 166

나. B형 대비시험편의 사용방법 …………………………………… 166

5. ISO 대비시험편 …………………………………………………………… 166

가. 1형(type 1) 대비시험편 …………………………………………… 166

나. 2형(type 2) 대비시험편 …………………………………………… 168

6. 자분탐상용 ASME 시험편(파이형 자장 지시계) ………………… 169

7. 링 시험편(Ring specimen) ……………………………………………… 170

제4장 ┤ 탐상장치와 재료의 관리

제1절 탐상장치의 관리 ………………………………………………………… 175

1. 일상점검 …………………………………………………………………… 175

가. 탐상장치의 작동 기능 ……………………………………………… 176

나. 탐상장치의 종합 성능 ……………………………………………… 176

다. 자외선조사등의 점검 ……………………………………………… 177

    2. 검사장소의 밝기와 어둡기의 점검 ·················· 178
    3. 정기점검 ·················· 178
        가. 설치형 자분탐상장치 ·················· 178
        나. 극간식 탐상기 ·················· 181

제2절 탐상 재료의 관리 ·················· 185
    1. 자분의 성능 점검 ·················· 185
    2. 검사액의 성능 점검 ·················· 185
        가. 검사액 농도의 점검 ·················· 186
        나. 검사액의 외관검사 ·················· 187
        다. 검사액의 성능 점검 ·················· 187
        라. 검사액의 적심성 점검 ·················· 187
        마. 검사액의 점도시험 ·················· 187

제3절 안전 관리 ·················· 188

제5장 — 자분모양의 해석과 평가

제1절 결함의 유해성 ·················· 191

제2절 자분모양의 해석과 평가 ·················· 194
    1. 자분모양의 해석 ·················· 194
        가. 판정 대상이 아닌 자분모양(nonrelevant indication) ·················· 194
        나. 판정 대상 자분모양(relevant indication) ·················· 199
    2. 자분모양의 평가 ·················· 203

제6장 — 자분탐상시험의 적용

제1절 탐상에 필요한 기본사항 ·················· 207
    1. 탐상의 기본사항 ·················· 207
        가. 자화방법의 선택 ·················· 208
        나. 자화조건의 결정 ·················· 208
        다. 자분의 선택 ·················· 209

　　라. 자화전류 파형의 선택 ··· 210
　　마. 표면상태의 확인 ·· 211

제2절 자화방법에 의한 탐상의 기초 ·································· 212

1. 극간법에 의한 자분탐상시험 ·· 212
　가. 탐상에 필요한 기초지식 ·· 212
　　↳ 1) 극간법의 특징 ··· 212
　　↳ 2) 휴대형 극간식 탐상기 ··· 214
　　↳ 3) 극간식 탐상장치의 자계의 세기 및 가장 결함을 검출하기 쉬운 방향 ·· 214
　　↳ 4) 자극 간격과 시험체에 흐르는 자속 ································· 215
　　↳ 5) 자극 주변의 불감대 ··· 216
　　↳ 6) 자극과 시험 면의 접촉상태 ··· 217
　　↳ 7) 결함을 가장 잘 검출하기 위해 필요한 자극의 배치와 결함 방향과의
　　　　 관계 ·· 217
　　↳ 8) 자극 간의 탐상 유효범위 ··· 221
　　↳ 9) 탐상기의 인상력(lifting power) ····································· 222
　나. 용접 구조물의 탐상 ··· 224
　　↳ 1) 사용 기자재의 준비 ··· 224
　　↳ 2) 시험준비 및 전처리 ··· 224
　　↳ 3) 자극의 배치 및 탐상피치(pitch)의 설정 ···························· 225
　　↳ 4) 구조물의 용접부에 대한 자분의 적용 ······························· 230
　　↳ 5) 의사모양과 그의 확인방법 ··· 232
　　↳ 6) 극간법에 의한 탈자 ··· 233
2. 축 통전법 및 전류 관통법에 의한 자분탐상시험 ····················· 234
　가. 탐상에 필요한 기초지식 ·· 234
　　↳ 1) 축 통전법 및 전류 관통법에 있어서 전류와 자계의 관계 ·············· 234
　　↳ 2) 축 통전법에 대한 자화의 특징 ······································· 235
　　↳ 3) 전류 관통법에 대한 자화의 특징 ····································· 236
　　↳ 4) 자화 조작할 때의 주의사항 ··· 237
　나. 기계부품 탐상의 기초 ··· 238
　　↳ 1) 시험준비 및 전처리 ··· 238
　　↳ 2) 탐상순서 및 탐상구분 ··· 238
　　↳ 3) 검사액의 적용방법과 통전시간 및 관찰방법 ························· 238
3. 프로드법에 의한 자분탐상시험 ·· 239
　가. 탐상에 필요한 기초지식 ·· 239
　　↳ 1) 전류와 자계의 관계 ··· 240
　　↳ 2) 자화의 특징 ··· 240
　　↳ 3) 자화 조작할 때의 주의사항 ··· 241
　나. 용접부 탐상의 기초 ··· 241

↳ 1) 시험준비 및 전처리 ··· 241
↳ 2) 전극의 배치 및 탐상 피치의 설정 ························· 241
↳ 3) 검사액의 적용방법과 통전시간 및 관찰방법 ··········· 244

4. 코일법에 의한 자분탐상시험 ··································· **244**
  가. 탐상에 필요한 기초지식 ·· 244
   ↳ 1) 전류와 자계의 관계 ······································· 244
   ↳ 2) 자화의 특징 ·· 245
   ↳ 3) 자화 조작할 때의 주의사항 ····························· 247
  나. 기계부품 탐상의 기초 ·· 248
   ↳ 1) 시험준비 및 전처리 ·· 248
   ↳ 2) 검사액의 적용방법과 통전시간 및 관찰방법 ········· 248
   ↳ 3) 탈자 ··· 249

5. 자속 관통법에 의한 기계부품 탐상의 기초 ·············· **250**

제3절 제작할 때의 자분탐상시험 ·································· **251**

1. 강판에 대한 자분탐상시험 ····································· **251**
  가. 강판의 종류 ··· 251
  나. 대상이 되는 결함 ·· 251
  다. 자화방법과 자화전류 및 자분의 적용 ····················· 254

2. 봉강에 대한 자분탐상시험 ····································· **255**
  가. 봉강(棒鋼)의 종류 ·· 255
  나. 대상이 되는 결함 ·· 255
  다. 자화방법과 자화전류 및 자분의 적용 ····················· 256

3. 강관에 대한 자분탐상시험 ····································· **256**
  가. 강관의 종류 ··· 256
  나. 대상이 되는 결함 ·· 256
  다. 자화방법과 자화전류 및 자분의 적용 ····················· 257

4. 주단강품에 대한 자분탐상시험 ······························ **257**
  가. 주단조품(鑄鍛造品)의 종류 ·································· 257
  나. 대상이 되는 결함 ·· 259
  다. 자분탐상시험 ··· 264

5. 용접부에 대한 자분탐상시험 ·································· **271**
  가. 용접 ·· 271
  나. 용접의 각 단계별 자분탐상시험 ···························· 272

제4절 보수검사에 이용되는 자분탐상시험 ····················· **283**

1. 보수검사의 목적 ··· **283**

2. 대상이 되는 결함 ··· **283**
  가. 강판, 강관, 주단강품 및 기계 가공품 ···················· 283

　　　나. 용접부 ·· 284

　　　다. 압력용기 ·· 290

　　　라. 교량, 기타 대형 강구조 용접물 ················ 292

　　　마. 항공기, 기타 기계부품 ························· 293

제5절 자화 고무법(Magnetic Rubber Inspection) ·········· 299

제6절 보고서 작성 ··· 301

　　1. 탐상조건에 관한 기록 ···························· 301

　　2. 탐상결과의 기록 ································· 303

　　　가. 스케치를 하는 기본 기술 ···················· 303

　　　　↳ 1) 선을 그리는 방법 ························ 303

　　　　↳ 2) 용도에 따른 종류 ························ 304

　　　나. 탐상결과를 스케치하는 방법 ················· 305

　　　　↳ 1) 평판 용접부 ···························· 305

　　　　↳ 2) 곡면의 용접부 ·························· 311

　　　　↳ 3) 필릿 용접부 ···························· 312

　　　　↳ 4) 봉의 가공품 및 관 등 ···················· 312

제7절 자분탐상시험에 관한 규격 ·························· 316

　　1. 한국산업규격(KS)의 자분탐상시험 규격 ··········· 316

　　2. ASTM의 자분탐상시험 규격 ···················· 316

　　3. ISO (국제 표준화기구)의 자분탐상시험 규격 ······· 317

　　4. 한국산업규격(KS D 0213)과 ASME 코드(Sec. V)와의 비교 ········ 318

제7장 ━ 누설 자속 탐상시험

제1절 누설 자속 탐상시험의 일반 ························ 327

　　1. 누설 자속 탐상시험의 종류 ····················· 327

　　2. 누설 자속 탐상시험의 특징 ····················· 329

　　3. 결함 누설 자속과 그의 검출 ···················· 329

　　　가. 결함과 결함 누설 자속 ······················ 329

　　　나. 결함 누설 자속의 검출 ······················ 331

　　4. 누설자속 탐상장치 ···························· 333

　　　가. 누설자속 센서 ····························· 333

　　　나. 장치의 구성 ······························· 336

　　　다. 자화방법과 특징 ·· 337
　　　라. 탐상 헤드와 추종장치 ·· 339
　　　마. 시험체 표면의 주사 ·· 340
　　　바. 대표적인 누설 자속 탐상장치 ·· 341
　　5. 누설 자속 탐상시험의 적용 ··· 343
　　　가. 대비시험편 ··· 343
　　　나. 의사 신호 ··· 345

제2절 누설 자속탐상시험의 실제 ···································· 346

　　1. 봉강의 탐상 ··· 346
　　2. 강관의 탐상 ··· 347
　　3. 빌릿(billet)의 탐상 ·· 351
　　4. 강판의 탐상 ··· 352

제3절 기타 누설 자속탐상법 ··· 352

　　1. 자기기록 탐상법(= 녹자 탐상법, magnetography) ············· 352
　　2. 복합 자계 탐상법(複合磁界探傷法) ································· 353
　　3. 자기 광학 탐상법(磁氣光學探傷法) ································· 353
　　4. 누설 자속 탐상시험 방법의 규격 ··································· 354
　　　가. 시험방법에 관한 규격 ·· 354
　　　나. 누설 자속 탐상시험 방법을 규정한 재료 규격 ················· 354

제1장 자기탐상시험의 기초 이론

제1절 자기탐상시험의 개요

1. 자기탐상시험의 일반

자기탐상시험(磁氣探傷試驗, magnetic testing)은 결함 등과 같은 불연속부가 있는 강자성체를 자화했을 때, 불연속부 가까이의 공간에 자속(magnetic flux)이 누설되는 것을 검출하여 불연속부의 존재 및 위치를 찾아내는 방법으로 자분탐상시험(磁粉探傷試驗, magnetic particle testing)법, 누설 자속탐상시험(漏洩磁束探傷試驗, magnetic leakage flux testing)법, 자기기록 탐상시험(磁氣記錄探傷試驗 또는 녹자 탐상시험, magnetographic testing)법의 3종류로 분류한다. 자분탐상시험법은 시험체에 자계를 유도시키거나 유도시킨 다음에 시험체의 표면에 자기 인력(magnetic attraction)을 가지는 매체(자분)를 뿌려 불연속을 찾아내는 방법이며, 누설 자속탐상시험법은 탄소강과 같은 철강 재료를 자화했을 때 불연속으로부터 자속이 누설되는 것을 자기(磁氣) 센서(sensor)를 사용하여 직접 누설 자속을 측정함으로써 결함을 평가하는 방법으로 누설 자속을 정량적으로 측정하는 방법이다. 그리고 자기기록 탐상시험법은 자기녹음 테이프 등의 기록용 자성체를 탐상 면 가까이에 배치하고 시험체를 자화해서, 결함 누설 자속을 기록용 자성체에 전사(녹자, 錄磁)시킨 다음, 검출기로 전기신호를 추출하여 결함을 검출하는 방법이다.

이 방법들은 비교적 간단한 장치와 조작에 의해 누구라도 쉽게 시험을 할 수 있으나, 자기현상이라는 그다지 보편적이 아닌 현상을 이용하는 기술이므로 적절한 장치와 조작법을 선정하여 확실한 시험을 하기 위해서는 전기(電氣)와 자기(磁氣)에 관련된 개념, 철강 재료의 자화와 자기적 성질 그리고 시험조건의 설정 등 이와 관련된 필요한 기초지식 등에 대하여 이해하고 있어야 한다.

2. 자기탐상시험의 산업적 응용

자기탐상시험은 자기적 성질을 이용하는 방법으로, 철강 재료인 강자성체로 한정하지만, 이 시험들은 파괴의 출발점이 되는 표면 결함 및 표면 가까이에 있는 불연속에 대하여 검출 감도가 높고, 조작이 비교적 간단하기 때문에 오래 전부터 널리 활용되고 있는 방법이다. 최근에는 탐상장치 및 보조 재료, 시험기술 등에 많은 개량이 더해지고, 각종 자동화 기술도 도입되어 생산 라인 등에서 뿐만 아니라 각종 제품 및 구조물 등에 사용되고 있는 판(plate), 관(pipe), 봉(bar) 및 주조품 등의 소재인 철강 재료와 기계가공이나 용접 등의 사용목적에 따라 가공이 행해지는 제품에 대하여 산업적으로 널리 적용되고 있다. 특히 다른 시험방법보다 조작이 간단하고, 탐상이 정확하며 경제적이어서 철강 제품에 대한 시험 및 압력용기와 석유화학 공장의 배관 등의 정기적인 보수검사에서 표면 결함, 즉 균열 검출을 위하여 많이 활용되고 있다.

시험체에 균열이 있을 경우, 균열은 응력의 집중으로 파괴 등의 위험이 가장 높기 때문에 표면 및 표면 가까이의 모든 균열을 검출하기 위해서는 균열에 대한 검출 감도가 높은 자기탐상시험이 가장 효과적이다.

자분탐상시험법의 결함 검출 감도는 시험체의 표면상태 및 자기특성, 시험체 속에 흐르는 자속밀도, 결함과 자화방향이 이루는 각도 등에 따라 영향을 미치지만, 누설 자속탐상 시험법과 자기기록 탐상시험법은 누설자속을 전자기(電磁氣)적으로 검출하기 때문에 탐상의 자동화가 쉬워서 산업공장의 생산 라인에 설치되어 활용되고 있으나, 시험체의 형상이 복잡하면 적용이 곤란한 점 등으로 아직 많이 활용되지 못하고 있다. 자기탐상시험을 적용할 수 있는 것은 자석에 끌리는 강자성체이어야 하므로, 오스테나이트계 스테인리스 강과 같이 자석에 끌리지 않는 것은 시험대상이 되지 않는다.

제 2 절 자기탐상시험의 용어 정의

자기탐상시험에서 사용되는 용어에 대한 설명이다.

1) 시험(Test, Examination)

   우리말로 시험이라 번역되는 단어지만 다음과 같이 따로 정의되고 있다.

   ○ Test : 일련의 물리적 조건, 화학적 조건, 분위기 조건 또는 실제 운전 조건하에 대상물을 놓고, 대상물이 지니고 있는 능력이나 기능이 규정된 요구사항에 합치하는지를 결정 또는 평가하는 것으로, 주로 파괴적(破壞的) 방법으로 행해지는 경우에 사용된다.

   ○ Examination : 재료, 기기(component), 공급품 또는 현재 사용되고 있는 것과 같은 대상품을 조사하여, 미리 조사 연구를 하여 정해 놓은 요구사항에 합치하는지를 결정하기 위하여 행하는 방법으로, 검사(inspection)의 일부를 구성하는 것이다.

2) 검사(inspection) : 비파괴적(非破壞的) 방법에 의하여 재료, 기기(component), 공급품, 부품, 부속품, 시스템, 과정(process), 구조가 미리 결정해 놓은 품질의 요구에 합치하는지를 결정하는 품질관리의 한 국면(局面)을 가리키는 용어이다.

3) 건전부(sound area) : 시험체가 비파괴검사의 지시로부터는 이상이 없다고 판정되는 부분.

4) 흠(flaw) : 비파괴시험에 의해 검출된 불완전 또는 불연속부.

5) 불연속부(discontinuity) : 비파괴검사에서 지시가 결함·조직·형상 등의 영향에 의해 건전한 부분과 다르게 나타나는 부분. 재료나 기기의 물리적 구조나 형상이 의도적 또는 우연히 단절된 것을 말한다.

6) 결함(defect) : 크기, 형상, 방향, 위치 또는 특성이 규격, 시방서 등에서 규정하는 판정기준을 초과하여 불합격되는 결함. 즉 시험하여 명확히 이상하다고 판단되는 불연속부를 말한다.

7) 검출감도(detectability) : 어느 정도 작은 결함까지 검출할 수 있는지를 나타내는 능력의 척도. 검출능이라고도 한다.

8) 자성체(magnetic substance) : 자계(자기장)에 넣었을 때 자화되는 물질. 물질의 자화에 따라 강자성체, 상자성체, 반자성체로 구별한다. 강자성체는 자계 속에서 강하게 자화되는 물질이며, 상자성체는 약하게 자화되는 물질. 그리고 반자성체는 자계방향과는 반대방향으로 약하게 자화되는 물질이다. 자분탐상시험에는 상자성체 중의 하나인 강자성체가 주된 시험대상이다

9) 자력선(line of magnetic force) : 자계의 분포상태를 나타내기 위하여 편의상 가상한

곡선 군(群). 자력선의 접선방향은 그 점에 있어서 자계의 방향을 나타내며, 단위 면적 당 자력선의 수는 자계의 세기를 나타낸다. 자계의 모양을 나타내는 데는 자력선이 사용되지만, 물질 속의 자력의 모양을 나타내는 데는 자력선과 동일한 생각에 입각해서 자속선을 사용한다.

10) 투자율(magnetic permeability) : 자계의 세기에 대한 자속밀도의 비율로, 자계의 영향을 받아 자화할 때에 생기는 자속밀도 B와 자계의 진공 중에서의 자계의 세기 H와의 비. 즉 투자율(μ)은 $\mu = B/H$로 정의된다.

11) 보자력(coercive force) : 어떤 재료의 자기이력곡선에서 자속밀도가 "0"을 나타내는 자계의 값. 강자성체를 포화될 때까지 자화한 후 자속밀도를 "0"으로 감소시키는데 필요한 반대방향의 자계의 세기를 말한다. 영구자석은 보자력이 높은 것이 좋다. 항자력이라고도 한다.

12) 보자성(retentivity) : 물질을 자화한 후에 자화력을 제거해도 어느 정도의 자화상태를 나타내는 물질의 성질.

13) 자계(磁界, magnetic field) : 자화된 물체나 전류가 흐르는 도체에 자기력이 미치는 내부 또는 공간. 자기장(磁氣場) 또는 자장(磁場)이라고도 한다.

14) 반자계(demagnetizing field) : 시험체를 자화했을 때 시험체에 생긴 자극에 의해 발생하여 가해진 자계를 감소시키는 자계. 이 자계는 처음 가해진 자계와는 반대방향을 향하고 있기 때문에 시험체에 작용하는 자계(유효 자계)를 감소시킨다. 반자계의 크기는 시험체의 형상과 치수 비에 따라 변한다. 반자기장(反磁氣場)이라고도 한다.

15) 누설 자계(stray magnetic field) : 강자성체를 자화했을 때, 끝부분이나 결합부에 생긴 누설 자속에 의한 자계. 균열 등의 결함부에 생기는 자계를 결함 누설 자계라 한다.

16) 유효 자계(effective magnetic field) : 시험하는 부분에 실제로 작용하는 자계. 예 : 코일법에서 가해진 자계로부터 반자계를 뺀 자계를 말한다.

17) 잔류 자계(residual field) : 자계를 제거해도 재료에 잔존하는 자계.

18) 자기(magnetism) : 자석이 갖는 특유한 물리적인 성질. 자석이 철 조각을 끌어당기는 것과 같은 현상의 근원이 되는 것을 자기라 부른다.

19) 잔류자기(residual magnetism) : 자계를 제거해도 시험체에 잔존하는 자기.

20) 자화(magnetization) : 물체가 자성을 지니는 현상. 즉 외부자계의 영향으로 원자들이 일정한 방향으로 배열하는 것을 자화라고 한다. 자화된 물질은 그 자신이 자석처럼 다른 강자성체를 잡아당길 수 있다.

21) 자속(磁束, magnetic flux) : 자기회로에서의 자력선의 총수. 자계는 자력선을 따라 흐른다는 개념에서 자력선의 다발(束)을 자속(자기력선속이라고도 함)이라 한다. 자

계의 세기는 자력선의 방향에 직각인 단위 면적을 통과하는 자속선의 수로 정의된다. 단위는 MKS 또는 SI 단위계에서는 웨버(Wb)이다. $1\,Wb = 1\,T \cdot m^2$이며, T는 Tesla(테슬라)이다. CGS 단위계에서는 맥스웰(Mx)($1\,Mx = 10^{-8}\,Wb$)이다.

22) 자속밀도(magnetic flux density) : 단위 면적을 수직으로 지나는 자력선의 수. 자속밀도는 자계의 세기를 나타내며, 자계의 세기를 측정하는데 사용한다. 단위(SI)는 테슬라(T : Tesla) 또는 웨버(Wb/m^2)를 사용한다. 자속밀도 B는 자계의 세기 H, 투자율 μ와의 사이에 $B = \mu H$의 관계가 있다.

23) 잔류 자속밀도(residual magnetic flux density) : 자기 포화상태에서 자화를 감소시켜서 자계를 제거해도 자성체에 잔류하고 있는 자속밀도.

24) 자화곡선(magnetizing curve, hysteresis curve) : 강자성체의 자계의 세기와 자속밀도의 관계를 나타내는 곡선이다. 상자성체와 반자성체의 자화곡선은 직선이 되지만, 강자성체는 자계를 걸어 그 크기를 점차로 증대시키면 자속밀도는 복잡하게 변화한다. 이 곡선은 강자성체의 자기적 성질을 표시하는데 이용한다. 자기 히스테리시스 곡선 또는 자기 이력곡선이라고도 한다.

25) 자기 저항(magnetic reluctance) : 자기회로에서 기자력과 자속의 비. 자기회로에서의 자속의 흐름을 방해하는 저항을 말한다. 자기저항은 전기회로에서의 전기저항과 비슷하다.

26) 자기 포화(magnetic saturation) : 강자성체를 자화할 때 자계의 세기를 점점 증가시키게 되면 자속밀도도 증가하는데, 어느 점에 이르게 되면 자계의 세기를 증가시켜도 자속밀도가 증가되지 않는 현상.

27) 선형 자화(longitudinal magnetization) : 시험체의 길이방향 축에 평행한 방향으로 자속선이 흐르도록 하는 자화.

28) 선형 자계(longitudinal magnetic filed) : 자속선이 시험체의 길이방향 축에 평행하게 흐르는 자계.

29) 원형 자화(circular magnetization) : 원형 자계가 발생하도록 자화하는 것. 축 통전법, 직각 통전법, 전류 관통법, 프로드법, 자속 관통법에 의한 자화가 원형자화이다.

30) 원형 자계(circular magnetic filed) : 도체의 한쪽 끝에서 다른 쪽 끝으로 전류를 흘렸을 때, 도체의 주위에 발생하는 자계.

31) 자화전류(magnetizing current) : 시험체에 자속이 발생되도록 하기 위해 사용하는 교류 또는 직류 전류. 시험체를 자화하기 위하여 코일 또는 강자성체 등에 흘리는 전류를 말한다.

32) 직류(direct current) : 전류의 흐름이 한 방향으로 계속되는 전류. 줄여서 DC 라고 쓴다.

33) 교류(alternating current) : 전류의 흐르는 방향이 시간에 따라 주기적으로 변하는 전류 또는 전압. 줄여서 AC라 부른다.

34) 충격전류(impulse current) : 사이러트론, 사이리스터 등을 사용하여 얻은 1펄스의 자화전류.

35) 맥류(pulsating current) : 주기적으로 크기가 변화(단, 극성은 불변)하는 자화전류. 일반적으로 교류를 정류하여 얻는다. 직류에 교류성분이 포함된 맥동전류를 말한다.

36) 자분(magnetic particle, magnetic powder) : 자분탐상시험에서 탐상 면에 적용하여 자분모양을 형성시키는 강자성체의 미세한 분말. 회색, 흑색, 갈색, 형광 자분이 있다. 분산매의 차이에 따라 건식자분과 습식자분으로 나누며, 관찰방법 차이에 따라 형광 자분과 비형광 자분으로 분류한다.

37) 검사액(magnetic ink, suspension) : 습식법에 사용하는 자분을 분산·현탁시킨 액. 분산매로는 백등유가 많이 이용되고 있으나 인화성이 있고 냄새가 많이 나기 때문에 최근에는 물에 적당량의 억제제를 첨가한 것을 사용한다. (자분) 현탁액이라고도 한다.

38) 형광 자분(fluorescent magnetic particle) : 자외선의 조사에 의해 형광을 발하도록 처리한 자분.

39) 비형광 자분(visible magnetic particle) : 형광을 발하는 처리를 하지 않은 자분으로, 가시광선 아래에서 자분모양을 관찰하는 자분. 흑색, 흰색, 갈색 등 여러 가지 색깔이 있으며 탐상 면에 따라 선택해서 사용한다.

40) 분산매(carrier fluid, vehicle) : 자분을 잘 분산시킨 상태에서 시험체의 표면에 적용하기 위한 매체가 되는 기체 또는 액체.

41) 건식법(dry method) : 자분의 적용방법의 하나로, 건조된 자분을 공기에 분산시켜 탐상 면에 적용하는 방법. 자분탐상시험에서 강자성체의 입자(자분)를 건식 분말형태로 뿌려서 사용하는 방법을 말한다.

42) 습식법(wet method) : 자분 적용방법의 하나로, 자분을 적당한 액체에 분산·현탁시켜서 사용하는 방법.

43) 자분모양(magnetic particle pattern) : 자분탐상시험에서 탐상 면에 자분이 부착되어 만들어진 모양.

44) 의사모양(false indication, nonrelevant indication) : 결함 이외의 원인에 의하여 나타나는 자분모양. 이 모양은 자분탐상시험에서 누설 자계에 의해 실제로 형성되는

자분모양이지만 이 자분모양을 만드는 조건은 의도적, 우발적 또는 얻고자 하는 유해한 결함과는 관계없는 무관련 지시이다. 재질 변화의 경계, 단면 치수의 급변부 등에서 생기는 결함부나 그 외의 장소에서 발생하는 자분모양이 이에 해당한다.

45) 도체 패드(contact head) : 시험체의 국부적 손상(燒損)을 방지할 목적으로 시험체와 전극 사이에 끼워서 사용하는 것으로, 축 통전법, 프로드법 등 시험체에 직접 통전하는 자화방법에서 사용한다. 시험체에 전류의 흐름을 원활하게 하기 위하여 사용하며, 시험체를 고정시키거나 지지(支持)시킬 수 있는 기능도 한다.

46) 정류식 자화장치(rectifying equipment) : 교류를 직류 또는 맥류로 변환시켜 자화전류를 공급할 수 있는 자화장치. 정류 장치라고도 한다.

47) 탈자(demagnetization) : 자화된 시험체의 잔류자기를 필요한 한도까지 감소시키는 것. 교류 탈자와 직류 탈자가 있다.

48) 연속법(continuous method) : 자화전류를 흘리면서 또는 영구자석을 접촉시키면서 자분의 적용을 완료하는 방법. 시험체가 자화되고 있을 때 건조상태의 자분이나 적당한 매질에 현탁시킨 자분을 적용하는 방법으로서, 잔류법보다 강한 자계에서 자분이 사용되기 때문에 검출감도가 높다. 특히 재료 내부에 존재하는 결함에 대해서는 잔류법보다 유효하다.

49) 잔류법(residual method) : 자화전류를 끊은 후 자분을 적용하는 방법으로, 시험체 내의 잔류자기를 이용해서 자분모양을 형성시키는 방법이다.

50) 탐상유효범위(effective area for flaw detection) : 시험 실시범위 내에서 1회의 자화와 자분의 적용 조작으로 시험할 수 있는 탐상 면의 범위.

51) 표피효과(表皮效果, skin effect) : 강자성체를 교류 전류로 자화할 때 자기가 표면 근처에 몰리게 되는 현상.

52) 이방성(異方性, anisotropy) : 물질의 물리적 성질이 그 방향에 따라 다른 것. 즉 물질에 있어서 공간적으로는 균일하지만 방향에 따라서는 균일하지 않은 물리적 성질을 말한다.

53) 전기 전도율(electrical conductivity) : 물질 내에서 전류가 잘 흐르는 정도를 나타내는 물질 고유의 값. 고유 전기저항(R)의 역수로서 간단히 전도율(傳導率) 또는 도전율이라고도 한다. 전도율(σ)의 단위는 S/m(siemens/meter) 또는 $\mho/m$(mho/meter)이다.

54) 시방서(specification) : 시방서는 발주자가 수주자에 대하여 제시하는 기술문서로, 어떤 대상물에 대하여 어떤 기능이나 품질수준이 요구되는지, 품질 경영 시스템을 규정한 ISO 9001에서 고객 요구사항이라 부르고 있는 내용을 문서화한 것이다. 즉

요구사항이 만족되는지 여부를 결정하는 절차, 방법을 나타내며, 제품, 재료, 제조법이 각각에 만족하지 않으면 안 되는 일련의 요구사항을 상세하게 세목(細目)에 대하여 기술한 문서이다.

55) 절차서(procedure) : 절차서는 수주자가 발주자에 대하여 제시하는 기술문서로써, 발주자의 (각 고객) 요구사항에 대하여 어떻게 대처하는지의 내용을 구체적으로 정리한 문서이다. 사용할 방법, 이용할 장치와 재료 및 작업 순서가 포함된다. 절차서는 시험행위를 달성하기까지의 절차, 순서를 체계적으로 작성한 시험행위의 계획서로써, 해당 승인기관(관, 공, 발주자)에 의해 승인된 경우에 비로소 유효한 기술문서가 된다. 따라서 이 문서에는 규격에서 다루지 않은 방법과 장치, 재료 등 사용할 것을 미리 승인을 받기 위하여 포함시켜도 된다. 다만 이때에는 방법과 장치, 재료를 사용하는 결과가 규격에서 요구하고 있는 결과와 동등 또는 그 이상의 결과가 얻어지는 것을 확인한 결과나 앞으로 확인하기 위한 시험계획을 제시해야 한다.

56) 지시서(instruction) : 이미 확실히 증명된 절차서나 규격, 기준 및 시방서에 따라 실시해야 하는 정확한 실시 절차를 문서화 한 것으로, 실제 시험작업에 임하는 검사원에게 절차서에는 특정되어 있지 않은 시험기기나 시험절차 등에 관하여 보다 구체적으로 상세하게 지시사항을 정리한 것이다.

제 3 절 자기탐상시험의 기초 지식

1. 전기의 기초

가. 정전기

정전기(靜電氣, static electricity)는 마찰로 인하여 생기는 전기처럼 물체 위에 정지하고 있는 전기이다. 즉 마찰한 물체가 띠는 이동하지 않는 전기를 말한다. 유리막대나 플라스틱 자를 비단헝겊으로 문지르면 물체 사이에는 서로 끌어당기는 힘이 생기므로, 유리막대나 플라스틱 자에 가벼운 종이조각을 가까이 하면 잘 달라붙는다. 이 힘을 전기라 하고, 유리막대, 플라스틱, 비단 천과 같이 전기를 띠는 물체를 대전체(electrified body)라 한다. 마찰로 인하여 생긴 전기처럼 흐르지 않는 전기, 즉 정지하고 있는 전기라고 해서 이것을 정전기라 한다. 예를 들면 습도가 낮은 건조한 겨울철에 털이 많은 스웨터를 벗다가 따끔한 정전기를 느낀다든지 금속으로 된 문고리를 잡다가 전기가 통한 일 등은 모두 정전기 때문에 일어나는 것이다. 이처럼 습도가 매우 낮은 날에 스웨터를 벗을 때나 털 카펫 위를 걸을 때 수만 볼트의 정전기가 생길 수 있다. 그러나 정전기는 전압(電壓)만 높을 뿐 전류(電流)는 아주 짧은 순간에만 흐르기 때문에 정전기로 인해 큰 부상을 입는 경우는 극히 드물다.

나. 도체와 부도체

은(Ag), 구리(Cu), 알루미늄(Al) 등과 같이 전기 또는 열에 대한 저항이 매우 적어 전기나 열을 잘 전달하는 물체를 도체(導體, conductor) 또는 전도체(電導體)라 한다. 도체는 전기의 도체와 열의 도체로 구분하는데, 전기의 도체는 전기가 잘 통하는 물질이고 열의 도체는 열을 잘 전달하는 물질이다. 전기가 전혀 통하지 않는다거나 열이 전달되지 않는 물질은 없으므로, 도체와 부도체는 전달이 가능한지가 아니라 상대적인 전달의 정도로 구분한다. 즉 고무나 나무 같은 물체는 전기나 열을 전달하지만 그 크기가 매우 적기 때문에 부도체(不導體, non-conductor) 또는 절연체(絶緣體, insulator)라고도 한다. 그리고 도체와 부도체의 양쪽 성질을 갖는 물체가 반도체(半導體, semi-conductor)이다.

다. 전하와 전류

일반적으로 물체는 전기적으로 중성을 띠고 있다. 그러나 물체를 마찰하면 + 또는 − 의 전기를 띠게 된다. 이와 같이 전기적으로 +(양전하)나 −(음전하) 전기를 띠는 물체가 대전체이며, 대전체가 가지는 전기를 전하(쿨롱 ; C)라 한다. 전하(電荷, electric charge)는 + 또는 −의 값을 가지는데, 동일한 부호의 전하 사이에는 서로 밀어내는 반발력

[repulsive force = 척력(斥力)이라고도 함]이 작용하며, 다른 부호의 전하 사이에는 서로 잡아당기는 흡인력[attractive force = 인력(引力)이라고도 함]이 작용한다. 이는 마치 자석의 흡인력이나 반발력과 비슷하다. 가장 작은 대전체는 −의 전하를 갖는 전자이다. 전하는 e로 표시하며, $e = -1.602 \times 10^{-19} C$(Coulomb)의 값을 갖는다. 전하는 도체 내에서는 자유로이 움직일 수 있는데, 이 전하가 이동하는 것이 전류(電流)이다. 1초 간에 $1C$(쿨롱)의 비율로 전하가 흐를 때의 전류를 $1A$(ampere)라 한다. 즉 $1A$ = $1C/sec$(쿨롱/초)이다. 전류의 방향은 양전하가 흐르는 방향이 +가 된다.

라. 전압

물이 높은 곳에서 낮은 곳으로 흐르는 것처럼 전하는 전위(電位, electric potential)가 높은 곳에서 낮은 곳으로 이동한다. 이때의 전위 차이를 전압(電壓, voltage)이라 한다. 즉 도체 내에 있는 2점 사이의 전기적인 위치 에너지의 차이(전위차, 電位差)를 말한다. 그래서 낮은 곳보다 높은 곳에서 떨어지는 물이 더 많은 에너지를 갖고 있듯이, 전압이 높을수록(전위차가 클수록) 더 많은 전기 에너지를 갖고 있다. 높이 차이가 없으면 물이 흐르지 않듯이 전위차가 없으면 전압은 0이 되며 전류는 흐르지 않는다. 전압을 나타내는 단위는 V(볼트, volt)이며, $1V$는 $1C$(쿨롱)의 전하가 2점 사이에서 이동하였을 때에 하는 일이 $1J$(줄, joule)일 때의 전위차이다. 그리고 도체의 내부에 전위의 차이를 만들고 전하를 이동시켜 전류를 통하게 하는 원동력을 기전력(起電力, electromotive force)이라 한다. 기전력의 SI 단위는 J/C(줄/쿨롱)이며, 볼트와 같다.

마. 저항

물체에 전류가 통과하기 어려운 정도를 나타내는 수치를 전기저항(electric resistance) 또는 간단히 저항(抵抗)이라고 한다. 즉 전기의 흐름에 대한 저항을 말한다. 따라서 전기저항이 크면 전류가 잘 통하지 않고 전기 전도율(electrical conductivity)이 낮게 된다. 전기저항의 크기를 나타내는 단위는 Ω(ohm)이다. 1Ω은 $1V$(볼트)의 전압으로 $1A$(암페어)의 전류가 흐를 때의 저항이다. 저항 값은 물질의 종류에 따라 다르다. 은과 구리는 전기저항이 가장 적은 금속이기 때문에 전선을 만드는 재료로 많이 사용되고 있다. 또한 전기저항은 길이에 비례하고 단면적에 반비례한다.

바. 옴의 법칙

균일한 단면적을 가진 도체의 2점 사이에 전위차(또는 전압) V(V)가 있을 때, 도체에 전류 I(A)가 흐른다고 가정하면, V 와 I 사이에는 비례관계가 있다. 비례상수를 R이라 하면 식은 $V = R \cdot I$ 가 된다. 이것을 옴의 법칙(Ohm's law)이라 한다. 이 비례상수를 도체의 저항이라 한다. $1V$의 전위차로 $1A$의 전류가 흐를 때의 저항의 단위를 1Ω이라 한다. 옴의 법칙은 전기회로 내의 전류, 전압, 저항 사이의 관계를 나타내는 매우 중요한 법칙으로 다음과 같은 전기적 의미를 지니고 있다.

① 저항 R에 전압 V를 가하면 $I = V/R$ 의 전류가 흐른다.

② 저항 R에 전류 I가 흐르고 있을 때에는 그 저항의 양끝에는 $V = R \cdot I$ 의 전위차 가 생긴다.

2. 자기의 기초

가. 자석

물체들 중에는 철(Fe)이나 니켈(Ni)과 같은 금속을 끌어당기고 수평으로 매달면 남북을 가리키는 성질을 가지는 물체가 있다. 이러한 성질을 자성(磁性) 또는 자기(磁氣, magnetism)라 하고, 자기를 지닌 물체를 자석(magnet)이라 한다. **그림 1-1** 과 같이 막대 자석을 쇠못들이 있는 곳에 넣으면, 자석의 양쪽 끝 부분에는 쇠못들이 많이 부착되지만 자석의 중앙부 부근에는 거의 부착되지 않는다. 이것은 자석의 양쪽 끝 부분이 흡인력이 강하기 때문인데, 이 흡인력이 가장 강한 양쪽 끝 부분을 자극(磁極, magnetic pole)이라 한다.

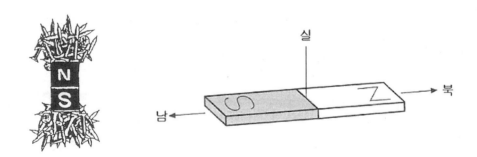

그림 1-1 자석에 쇠못이 부착된 모양   그림 1-2 자극의 결정 방법

또한 **그림 1-2** 와 같이 막대자석의 중심을 실로 매달고 수평으로 자유롭게 회전할 수 있도록 하면 자침(磁針, magnetic needle)과 같이 남북을 가리키며 정지하게 되는데, 이때 북쪽을 가리키는 극을 자석의 N극, 남쪽을 가리키는 극을 자석의 S극이라 한다. 이것은

지구(地球)가 큰 자석으로, 그 자극이 지구상에 자계를 만들고 있기 때문이다. 자극은 또한 자극 상호 간에도 힘을 미치는데, 이 자극의 힘의 세기로 자극의 세기를 비교한다. 이와 같은 자석의 상호작용을 자기라 한다. 또한 자기적인 힘이 미치는 장소를 자기장(磁氣場), 자장(磁場) 또는 자계(磁界, magnetic field)라 한다. 자극의 세기는 그 자극이 지니고 있는 자기량(磁荷라 한다)의 크기로 나타내며, 단위는 Wb(웨버, weber)를 사용한다.

자석의 모양은 막대자석(bar magnet), U자형의 말굽자석(horseshoe magnet), 이밖에 나침반(compass)과 같이 소형의 영구자석을 수평면에서 자유롭게 회전할 수 있게 만든 자침(magnetic needle)이 있다. 이 자석들은 모두 N 극과 S 극으로 되어 있으며, 1개의 자석에서 N 극과 S 극의 양 자극의 세기는 서로 같다. 또한 자석을 절단하여 둘로 나누어도 각각 N 극과 S 극을 갖는 자석이 된다. 그래서 자석의 경우에는 단독적인 자극은 존재하지 않는다. 그러나 **그림 1-3** 과 같이 막대자석을 굽혀 완전한 고리(環)모양을 만들어 양 끝을 녹여 붙이게 되면 극이 없어져서 폐회로(閉回路)가 된다. 고리모양의 일부 또는 전부가 절단되면 극이 다시 나타난다.

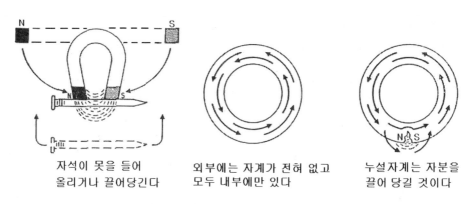

자석이 못을 들어
올리거나 끌어당긴다

외부에는 자계가 전혀 없고
모두 내부에만 있다

누설자계는 자분을
끌어 당길 것이다

그림 1-3 절단된 자석에서 나타나는 극

나. 자기 유도

자계(자기장) 속에 어떤 물질을 넣으면 물질은 일반적으로 많든 적든 자기를 띠게 되는데, 이것을 자화(magnetize)되었다고 하며, 이 현상을 자기 유도(magnetic induction)라 한다. 이와 같이 자계 속에 넣었을 때 자화하는 물질을 자성체(magnetic substance)라 한다. 따라서 거의 모든 물질은 조금이라도 자성체이다. 대부분의 물질은 자계 속에 있을 때만 자계의 세기에 따라 자화된다.

자성체를 크게 분류하면 외부자계와 같은 방향으로 자화되는 상자성체(常磁性体, paramagnetic substance)와 반대방향으로 자화되는 반자성체(反磁性体, diamagnetic

(a) 상자성체

(b) 반자성체

그림 1-4 자성체의 자화의 방향

substance)의 2종류로 나눈다. 이 모양을 그림으로 나타내면 **그림 1-4(a) 및 (b)**와 같다. 즉 자계가 오른쪽 방향으로 향하고 있다고 하면 상자성체는 **(a)**와 같이 자성체의 오른쪽 끝에 N극이 생기고, 왼쪽 끝에 S극이 생긴다. 이들 N극과 S극은 그 세기가 서로 같다. 이러한 현상을 자기 유도현상(磁氣誘導現象)이라 하며, 상자성체는 그 양끝으로 자기를 유도 또는 자화되었다고 한다. 이에 반해 반자성체는 **(b)**와 같이 자성체의 왼쪽 끝에 N극이 생기고, 오른쪽 끝에 S극이 생긴다. 예를 들면 상자성체인 Al에 강한 자석을 가까이 하면 Al 과 자석 사이에는 흡인력(attractive force)이 생긴다. 그러나 반자성체인 Cu 에 강한 자석을 가까이하면 Cu 와 자석 사이에는 반발력(repulsive force)이 생긴다. 상자성체에 속하는 물질에는 Al, Sn, Pt, Ir, Mn, Cr, O_2, N_2, 공기 등이 있으며, 반자성체에 속하는 물질에는 Cu, Ag, Au, Si, Pb, Zn, Bi, C, S 등이 있다. 상자성체 중에서 자화의 세기가 특히 강한 것을 강자성체(强磁性體, ferromagnetic substance)라 한다.

강자성체에 속하는 물질에는 Fe, Ni, Co 및 오스테나이트 계 스테인리스 강 등을 제외한 대부분의 철강(鐵鋼) 재료 등이다. 이 강자성체가 바로 자계에 강하게 작용하므로 자분탐상시험을 하는데 가장 적합한 재료이다. 그러나 강자성체의 자화는 온도 상승에 따라 원자의 열(熱)운동의 증가에 따라 차츰 약해져서 어느 온도에 도달하면 상자성체가 되어버린다. 이때의 온도를 자기변태(magnetic transformation) 온도 또는 큐리(Curie) 온도라 부르는데, 이 온도 이상에서는 자기적 특성을 잃어버리므로 자분탐상시험을 적용할 수 없다. Fe의 큐리 온도는 768℃, Co는 1,120℃, Ni은 353℃이다. 강자성체에 비해 자석에 흡착되지 않는 물질을 비자성체(非磁性體, nonmagnetic substance)라 한다. 이와 같이 물질에 따라 자성체의 종류가 다른 것은 물질을 구성하는 원자(原子) 또는 분자(分子)의 구조에 바탕을 두고 있다.

다. 자계

자석의 N극과 S극을 일시적으로 분리시킨다고 하면, 자극 사이에는 정전기의 경우와 똑같이 쿨롱의 법칙(Coulomb's law)이 성립한다. 진공 속에서 두 자극 사이에 작용하는 자기력을 측정해보면 「이 힘은 두 자극의 세기의 곱에 비례하고 두 자극 사이의 거리의 제곱에 반비례함을 알 수 있다.」 이것이 자기력에 대한 쿨롱의 법칙이다. 이를테면 r(m) 떨어진 2개의 점 자극 $m_1(Wb)$ 및 $m_2(Wb)$의 사이에 작용하는 힘 F(N)는 다음과 같다.

$$F = k\frac{m_1 \cdot m_2}{r^2}$$

k는 비례상수이며, $k = \dfrac{1}{4\pi\mu}$ 이다. μ는 물질의 투자율이다.

진공 속에서는 $k_o = \dfrac{1}{4\pi\mu_o}$ 이므로, 쿨롱의 법칙은 다음의 식 (1. 1)이 된다.

$$F = \frac{m_1 \cdot m_2}{4\pi\mu_o r^2} \quad \cdots\cdots\cdots\cdots\cdots\cdots\cdots\cdots\cdots\cdots\cdots\cdots\cdots\cdots\cdots \text{(1. 1)}$$

여기서 m_1 , m_2 : 자극의 세기, 단위는 Weber[Wb]

   r : 자극 간의 거리, 단위는 미터[m]

   F : 자기력, 단위는 뉴우턴[N]

   μ_o : 진공의 투자율이라 하며, $\mu_o = 4\pi\times10^{-7} H/m$이다.

m_1, m_2가 같은 극(N 극 끼리 또는 S 극 끼리)이면 반발력, 다른 극(N 극과 S 극)끼리면 흡인력이 작용한다. 이와 같이 자기의 힘이 미치는 공간을 자계(磁界, magnetic field)라 하며, 그 받는 힘의 강약(强弱)으로 자계의 세기(magnetic field intensity, 자계의 강도라고도 함) $H (A/m)$를 나타내고 있다. 즉, 세기 $m_1(Wb)$의 자극이 그 주위에 만들고 있는 자계의 세기는 그 자계 속에 놓인 단위 자극에 작용하는 자기력(magnetic force)으로 정의된다. 그러므로 **그림 1-5**와 같이 자극 m_1으로부터 $r (m)$떨어진 점 P에 있어서의 쿨롱의 힘은 **식 (1. 1)**에서 $m_2 = 1Wb$라 놓으면 $F = m_1/4\pi\mu_o r^2$가 되며, 이것이 그 점에서의 자계의 세기와 같게 된다.

$$H = \frac{m_1}{4\pi\mu_o r^2} \quad \cdots\cdots\cdots\cdots\cdots\cdots\cdots\cdots\cdots\cdots\cdots\cdots\cdots\cdots\cdots\cdots \text{(1. 2)}$$

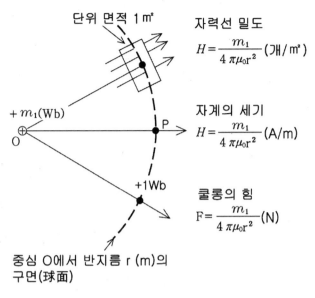

자력선 밀도

$$H = \frac{m_1}{4\pi\mu_0 r^2} \text{(개/㎡)}$$

자계의 세기

$$H = \frac{m_1}{4\pi\mu_0 r^2} \text{(A/m)}$$

쿨롱의 힘

$$F = \frac{m_1}{4\pi\mu_0 r^2} \text{(N)}$$

단위 면적 1 ㎡

$+m_1$(Wb)

O

P

+1Wb

중심 O에서 반지름 r (m)의
구면(球面)

그림 1-5 점 자극에 의한 임의의 1점에서의 자계의 세기

자계의 세기는 자계 속에 놓인 단위 자극(1 Wb)에 작용하는 힘의 크기로 정의하며, 세기와 방향을 갖는다. 자계의 방향은 단위 자극의 북극(N 극)에 사용하는 힘의 방향으로 정하고 있다. 즉, 자계 속에 넣은 자침의 N 극이 향하는 방향이 자계의 방향이 되는 것이다.

라. 자력선

자계는 진공 속을 포함하여 모든 물체 속에 존재한다. 다만, 예외로서 초전도 물질(superconductor) 속에는 자계가 존재하지 않는다. 자석의 주위에는 자계가 있으나 육안으로는 볼 수가 없다. 그러나 막대자석 위에 종이를 깔고 그 위에 철분(쇳가루)을 뿌리게 되면 **그림 1-6** 과 같은 모양이 형성되는 것을 관찰할 수 있다. 자극으로부터 철분으로 연결된 선이 많이 나와 다른 쪽의 자극까지 이어지고 있으며, 자극 가까이에는 이 선이 촘촘하며 멀어지면 드물어진다. 그리고 작은 자침(磁針)을 놓으면 자계의 방향은 이 선을 따르는 것을 알 수 있다. 이와 같이 자계의 세기는 각각의 위치에서 크기와 방향을 지니고 있다. 이와 같은 양을 벡터(vector)라 한다.

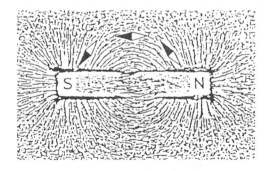

그림 1-6 막대자석에 의한 철분모양

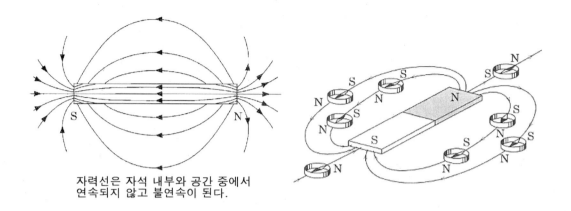

자력선은 자석 내부와 공간 중에서
연속되지 않고 불연속이 된다.

그림 1-7 자력선의 분포(막대자석)　　　　그림 1-8 막대자석 주위의 자계의 방향

　자계의 방향은 N 극에서 나와서 S 극으로 향하는 방향이 ＋가 된다. **그림 1-6**의 철분 (쇳가루)으로 나타내는 선을 자력선(magnetic line of force ; 자기력선이라고도 함)이라 한 다. 즉 각 점에 있어서 접선의 방향이 그 점의 자계의 방향과 일치하고 있는 곡선을 말한 다. 이 자력선은 자계의 모양을 가시적으로 나타낸 선으로, N 극에서 나와 S 극으로 들어 가는 폐곡선이다.

　자력선은 다음과 같은 성질이 있다.
　① 자력선의 방향은 자계방향과 평행하며, N 극에서 나와서 S 극으로 들어간다.
　② 자력선은 도중에서 서로 교차되거나 분리되지 않는다.
　③ N 극에서 나온 자력선은 반드시 S 극에서 끝나며, 도중에 소멸되거나 발생하지 않는다.
　④ 자력선 위의 1점에서 그은 접선의 방향은 그 점에서 자계의 방향을 나타낸다.
　⑤ 자력선의 밀도는 그 점에서의 자계의 세기를 나타낸다.
　⑥ 자력선이 밀집된 곳(자력선의 간격이 좁은 곳)일수록 자계의 세기가 세다.
　⑦ 자계의 방향에 대해 직각인 단위 면적당을 통과하는 자력선 수에 따라 자계의 세기를
　　 나타낸다.

　그림 1-6 의 모양을 알기 쉽게 그림으로 나타내면 **그림 1-7** 이 된다. 그리고 자석 근 처에 방위 자침(方位磁針, magnetic needle)을 놓은 경우에는 **그림 1-8**과 같이 자력선의 방향으로 방위 자침이 향한다.
　식 (1.2)에서의 자계의 세기 H는 **그림 1-5** 와 같이 반지름 r(m)인 구면(球面)에서의 $1m^2$ 당의 자력선 수로도 정의할 수 있다. 그러면 반지름 r(m)의 구(球)의 표면적 $1m^2$

을 흐르는 자력선 수, 즉 m_1(Wb)의 자극이 나오는 전체 자력선 수 N(개)는

$$N = H \times 4\pi r^2 = \frac{m_1}{\mu_o}$$ .... (1. 3)

이 된다. 즉 1Wb의 자극에서는 $1/\mu_o$개의 자력선이 나오는 것이 된다.

자석의 같은 극(N 극과 N 극 또는 S 극과 S 극)끼리와 다른 극(N 극과 S 극) 사이에 형성된 철분(쇳가루) 모양을 각각 **그림 1-9(a)** 및 **(b)**에 나타낸다. 그리고 **그림 1-9** 의 모양을 모식도(模式圖)로 나타내면 **그림 1-10** 과 같다.

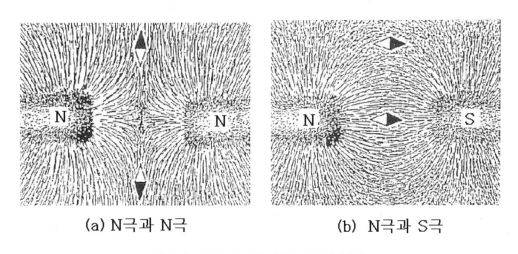

(a) N극과 N극   (b) N극과 S극

그림 1-9 자극 사이의 철분모양의 분포

그림 1-10(b) 은 S 극과 S 극의 경우를 나타내고 있지만, 자력선의 화살표의 방향은 **그림 1-10(a)** 에 나타낸 N 극과 N 극의 경우와는 반대가 된다. 같은 극끼리는 반발력이 생기며, 다른 극끼리는 흡인력이 생긴다.

그런데, 자력선을 전체로 생각하면 묶음(束) 모양으로 되어 있기 때문에 자속(磁束, 자기력선속이라고도 함)이라 한다. 기호 ϕ(파이)(단위는 Wb [Weber]) 로 표시한다.

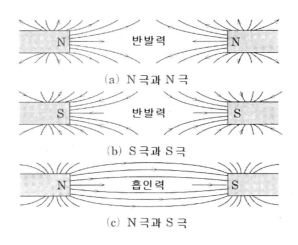

(a) N극과 N극

(b) S극과 S극

(c) N극과 S극

그림 1-10 자극 사이의 자력선의 분포

즉, 자속의 방향에 대하여 직각으로 절단한 면을 지나는 단위 면적당 자속선수를 말한다. 이를테면 면적 $S(m^2)$를 지나는 자속을 $\phi(Wb)$라 하면 단위 면적당 자속의 량 $B(T)$는 식 (1. 4) 와 같이 된다.

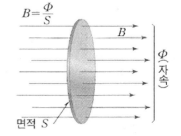

$$B = \frac{\phi}{S} \quad \cdots\cdots\cdots (1.\ 4)$$

이 B 를 자속밀도(磁束密度, magnetic flux density. 자기력선속밀도라고도 함)라 한다. 단위는 SI 단위로는 T [Tesla]를 사용하며, MKS 단위로는 Wb/m² 이다. $1\,T$는 자계의 방향과 수직으로 놓여 있는 길이 $1m$의 도선에 $1\,A$의 전류가 흘러서 도선이 받는 힘이 $1\,N$이 될 때의 자계의 세기이다. 즉, $1\,N\ /\ A\cdot m$이다. 그리고 한 자극으로부터 총량 $m_1(Wb)$의 자속이 방사상(放射狀)으로 균일하게 나온다고 한다면, 자극으로부터 $r(m)$ 떨어진 점에서의 구(球)의 표면적은 $4\pi r^2(m^2)$이기 때문에 그 점에서의 자속밀도 $B(T)$는 식 (1. 5) 가 된다(그림 1-11 참조).

$$B = \frac{m_1}{4\pi r^2} \quad \cdots\cdots\cdots (1.\ 5)$$

그러므로, 식 (1. 2) $H=\dfrac{m_1}{4\pi\mu_o r^2}$ 의 H와 비교하면 식 (1. 6) 이 된다.

$$B=\mu_o H \quad\text{··· (1. 6)}$$

즉, 세기가 H인 자계가 존재함에 따라 공간에는 자속밀도 B가 생긴다고 할 수 있다. H가 벡터인 것과 같이 B도 각각의 위치에서 크기와 방향을 갖고 있기 때문에 벡터이다. 각 점에 있어서 접선의 방향이 그 점의 자속밀도의 방향과 일치하고 있는 곡선을 자속선 이라 한다. 따라서 공간에서는 자력선과 자속선은 일치하게 된다(**그림 1-13** 과 같이 자석 내부의 자속선의 분포는 **그림 1-7** 에 나타낸 자력선의 분포와 다르다는 것에 주의해야 한다).

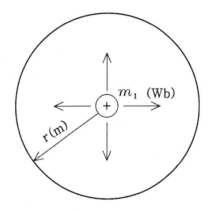

그림 1-11 자극 m_1 에서 발생하는 자속

■ **참고 :**

　자속 [ϕ] : 어떤 표면을 통과하는 자력선의 수에 비례하는 양. 단위 : Weber[Wb]
　자속밀도 [B] : 균일하게 자화된 시험체에서 단위 면적당의 자속선의 수.
　　　　　　단위 : 테슬라(Tesla) 또는 Wb/m²

마. 자화와 자속밀도

　강자성체는 각각 작은 자기량을 가지고 있는 작은 자석[이것을 자구(磁區, magnetic domain) 또는 자기구역 이라고도 함]들이 모여 있는 집합체라고 간주할 수 있다. 그러나 강자성체끼리 가까이 해도 이들 사이에는 흡인력도 반발력도 발생하지 않으며, 자계를 걸기 전에는 자기를 띠지도 않는다. 이것은 **그림 1-12(a)** 와 같이 강자성체를 구성하고 있는 무수(無數)히 많은 작은 자석은 각각 무질서하게 모여 있어 전체적으로는 자기적으로 상쇄되어 자석의 성질을 나타내지 않기 때문이다. 이러한 상태에 있는 강자성체에 **그림 1-12(b)** 와 같이 자석의 S극을 가까이 하면, 가까이한 강자성체 쪽에는 자기 유도에 의해 N극이 형성되기 때문에 서로 끌어당기게 된다. 따라서 걸어준 자석의 세기(자계의 세기) 가 강해짐에 따라 자계의 방향으로 향하는 자석의 수가 많아져서, 마침내는 자계의 방향으로 평행하게 작은 자석이 나란하게 된다. 가까이한 자석의 S극에 가까운 강자성체의 표면에는 N극이 생긴다. 이 상태를 강자성체가 자화된 것이라고 한다.

개개의 작은 자석은 각각 자기량을 가지고 있기 때문에 자계의 방향으로 방향을 바꾼 자석만큼 평형(平衡)이 깨어져서 자계의 방향으로 자기량이 발생하며 그 방향으로 자기량의 흐름이 생긴다고 할 수 있다. 이렇게 새로 발생한 자기량과 처음에 걸어준 자계가 가지고 있는 자기량과의 합을 자속(ϕ)이라 하며, 단위 단면적 당의 자속 (자속을 그 통로의 단면적으로 나눈 것)을 자속밀도(magnetic flux density)라 한다. 자속밀도는 자화의 세기를 근사적으로 나타내는데 사용한다.

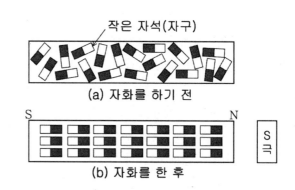

그림 1-12 자화에 의한 자구의 변화도
(강자성체에 자석의 S극을 가까이 했을 때 발생하는 현상)

이를테면, 코일에 전류를 흘리게 되면 자계가 생긴다. 자계의 세기를 H(A/m)라 하면 식 (1. 6)에서 알 수 있듯이 $B=\mu_0 H$ 로 주어지는 자속밀도 $B(T)$가 존재하게 된다. 이 때의 자속선의 수는 적다. 이 코일 속에 강자성체의 막대(예를 들면 철심)를 넣으면, 이 막대는 자화되어 강한 자석이 된다. 이 때문에 자속선의 수는 매우 증가한다. 또 막대 속의 자속밀도는 $B=\mu_0 H$ 으로 주어지는 크기보다도 훨씬 많아지게 되어 식 (1. 10)과 같이 된다.

$$B=\mu_0 H+J \quad\text{..} (1.\ 10)$$

여기서, J 는 자화의 세기(T)이다. 일반적으로 $\mu_0 H$ 는 J 에 비해 작기 때문에 강자성체에 있어서는 B 와 J 는 거의 같다고 할 수 있다.
J 와 H 사이의 관계식은

$$J=xH \quad\text{..} (1.\ 11)$$

이 된다. 여기서, 비례상수 x 즉, 외부로부터 가해진 자계의 세기와 자성체의 자화의 세기의 비를 자화율(magnetic susceptibility, H/m)이라 하며, 식 (1. 11)을 식 (1. 10)에 대입하면 식 (1. 12)가 된다.

$$B = (\mu_0 + x)H \quad\text{(1. 12)}$$

가 된다. 여기서, $\mu_0 + x = \mu$ 라 놓으면

$$B = \mu \cdot H \quad\text{(1. 13)}$$

이 된다. 여기서 μ 가 자성체의 투자율(透磁率, permeability)이며, 단위는 H/m(Henry/meter)이다. μ_o 는 진공의 투자율로, $\mu_o = 4\pi \times 10^{-7} H/m$이다.

그리고, 식(1. 14)와 같이 투자율 μ 와 진공의 투자율 μ_o 와의 비를 μ_s (μ_r 로 표시하는 경우도 있다)로 표시하며, μ_s 를 비투자율(比透磁率, relative permeability)이라 한다.

$$\mu_s = \frac{\mu}{\mu_o} \quad\text{(1. 14)}$$

또한 μ_s 는 식 (1. 15)의 관계도 있다.

$$\mu_s = \frac{\mu}{\mu_o} = \frac{(\mu_o + x)}{\mu_o} = 1 + \frac{x}{\mu_o} \quad\text{(1. 15)}$$

식 (1. 15)에서 x/μ_o 를 비자화율(比磁化率, relative susceptibility)이라 한다. 비자화율의 값은 상자성체에서는 +로 $10^{-6} \sim 10^{-3}$ 정도의 값을 가지며, 반자성체에서는 −로 -10^{-5} 정도의 값을 갖는다. 그러므로 식(1. 15)에 의해 비자성체의 비투자율은 $\mu_s \fallingdotseq 1$ ($\therefore$ 비자성체는 $B = \mu_o H$ 가 된다)이 된다. 그러나 강자성체에서의 비투자율 값은 수백에서 수만의 값[코발트 : 250, 니켈 : 600, 철(0.2% 불순물) : 5,000, 순철 : 200,000 등]을 갖는다. 따라서 자속밀도 B와 자계의 세기 H와의 사이에는 식 (1. 14)에서 $\mu = \mu_o \mu_s$이므로

$$B = \mu H = \mu_o \mu_s H \cdots\cdots (1.\ 16)$$

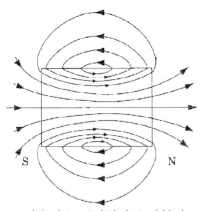

이 된다. 식 (1. 16)의 투자율 μ 는 물질 속을 자속이 통하기 쉬움을 나타낸다. 즉, 투자율이 높을수록 자속을 통하기 쉽고, 자속의 흐름에 대하여 저항이 적게 된다. 자화에 의해 강자성체 내에 생긴 자속은 결코 끝임이 없이 이어져서 **그림 1-13** 과 같이 한 바퀴 돈다. 자속이 강자성체로부터 공간으로 나온 곳을 N 극, 그리고 들어가는 곳을 S 극이라 하며, N 극에서 나온 자속은 반드시 S 극으로 들어간다. 즉, 자속은 순환하고 있는

자속선은 강자성체의 내부와
공간 중에서도 연속되어 있다

그림 1-13 영구자석의 자속선의 분포

자기량인 것이다. 이것은 전기의 경우 전류가 전기회로 속을 한 바퀴 돌아 흐르며, 그 사이에 결코 전류의 중간이 없는 것과 같다. 또한 자속이 공간으로 나오면 공간에는 자계가 형성된다.

3. 전류에 의한 자계의 발생

가. 직선 전류가 만드는 자계

전류가 흐르고 있는 도선 가까이에 자침(magnetic needle)을 가져가면 자침이 움직이는 것을 관찰할 수 있다. 이것은 전류가 흐르고 있는 주위에는 자계가 발생한다는 것을 의미한다. **그림 1-14** 와 같이 하얀 두꺼운 종이에 구멍을 뚫어 그곳에 긴 직선의 가는 도선을 통과시키고 전류(직류)를 흐르게 한 다음 미세한 철분(쇳가루)을 뿌리면 도선을 중심으로 동심원(同心圓, concentric circle) 모양으로 철분 모양이 형성된다. 이것은 **그림 1-15** 와 같이 직선 도선의 전류 주위에는 도선을 중심으로 하여 동심원 모양의 자계가 형성되는 것을 의미한다. 이 동심원 모양의 선이 자력선이다. 이 자계의 방향은 전류가 흐르는 방향으로 오른 나사를 진행시켰을 때 나사가 회전하는 방향과 같다. 이 모양을 **그림 1-15** 에 나타낸다. 이 현상을 앙페르(암페어)가 발견했기 때문에 이것을 앙페르의 오른 나사의 법칙(Ampere's right handed screw rule ; 자계의 방향을 정하는 법칙)이라 한다. 이 관계는 앙페르(암페어)의 오른손 법칙(Ampere's right hand rule)으로도 표현할 수 있다.

그림 1-16 과 같이 도선을 오른손으로 쥐고 엄지손가락을 전류방향으로 향하게 하였을 때, 나머지 손가락이 나타내는 방향이 전류 둘레에 만들어지는 자계의 방향이 된다. 이것이 앙페르(암페어)의 오른손 법칙이다.

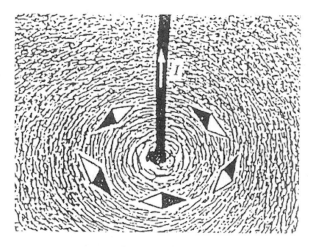

그림 1-14 직선 도선에 전류를 흘렸을 때의 자력선의 분포

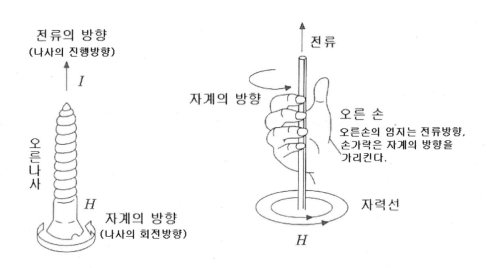

그림 1-15 직선 전류 주위의 자계

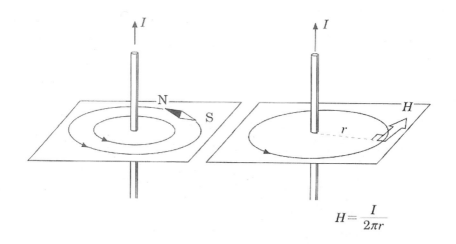

$$H = \frac{I}{2\pi r}$$

그림 1-16 앙페르의 오른 나사의 법칙

아주 긴 도선에 I(A)의 전류를 흘렸을 때 도선의 중심에서 r(m)떨어진 위치에서의 자계의 세기 H (A/m)는 다음과 같은 식 (1. 17)이 된다. 이것도 앙페르(암페어)에 의해 밝혀졌다.

$$H = \frac{I}{2\pi r} \;\; (\text{A/m}) \;\; \cdots\cdots\cdots\cdots\cdots\cdots\cdots\cdots\cdots\cdots\cdots\cdots\cdots\cdots\cdots\cdots\cdots \;\; (1.\ 17)$$

■ **참고 :**

위의 식 (1. 17)은 H의 단위가 Oe(oersted)일 경우는 식 $H = \frac{1}{5} \cdot \frac{I}{r}(Oe)$을 사용했으나,

H의 단위가 A/m(ampere/meter)이므로, 식은 $H = \frac{I}{2\pi r}(A/m)$이 된다.

다시 말해, 위 식에서 반지름 r 은 단위가 cm 이므로, 이것을 m 로 환산하고

$1Oe = \frac{10^3}{4\pi}(A/m)$을 대입하면 $H = \frac{1}{5} \cdot \frac{I}{(100)r} \cdot \frac{10^3}{4\pi} = \frac{I}{2\pi r}(A/m)$이 된다.

그리고 **그림 1-17** 과 같이 I(A)의 전류가 흐르는 도체를 N 개를 묶고, 이 도체 주위를 자계의 방향으로 한 바퀴 도는 임의의 경로를 생각할 때, 이 경로의 미소(微小)부분의 길이 Δl_1, $\Delta l_2 \cdots$ 와 이들 부분의 자계의 세기 H_1, $H_2 \cdots$ 와의 곱의 총 합계는 경로에 상관없이 항상 NI(기자력)과 같게 된다. 이것을 앙페르의 주회적분의 법칙(Ampere's circuital law)이라 한다. 식으로 표시하면 식 (1.18)이 된다.

$$H_1 \cdot \Delta l_1 + H_2 \cdot \Delta L_2 + \cdots + H_n \cdot \Delta L_n = NI \quad \cdots\cdots\cdots\cdots\cdots \quad (1.\ 18)$$

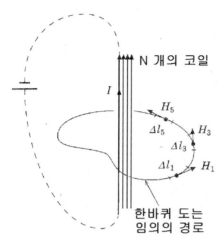

그림 1-17 앙페르의 주회적분의 법칙

나. 원형 전류가 만드는 자계

직선 도선과 마찬가지로 원형모양의 도선에 전류가 흐를 때에도 도선 주위에 자계가 형성된다. 그러나 원형 전류 주위에 생기는 자계의 분포는 직선 전류 주위에 생기는 자계의 분포와는 크게 다르다. **그림 1-18** 과 같이 두꺼운 종이에 원형 도선이 뚫고 지나가게 장치하고 쇳가루를 뿌린 다음 전류를 흘려주면, 쇳가루가 도선을 중심으로 2개의 작은 동심원을 그리며 퍼지는 것을 알 수 있다. 이때 도선의 주위에 자침을 놓아 보면 원형 전류에 의한 자계의 방향을 알 수 있다.

전류가 흐르는 원형 도선을 아주 작게 나누면 무수히 많은 도선이 된다. 이러한 작은 직선 도선들에 흐르는 전류에 생기는 자계를 합성하면 원형 전류 주위의 자계가 된다.

그리고, **그림 1-19** 와 같이 반지름이 r(m)인 원형모양으로 1회 감은 도선에 I(A)의 전류를 흘리면 원형 전류의 중심에서의 자계의 세기 H(A/m)는 식 (1. 19)가 된다.

$$H = \frac{I}{2r} \ \text{(A/m)} \quad \cdots\cdots\cdots\cdots\cdots\cdots\cdots\cdots\cdots\cdots\cdots \quad (1.\ 19)$$

이 경우에도 전류의 흐르는 방향과 그것에 의하여 형성되는 자계의 방향은 앙페르의 오른 나사의 법칙을 따른다. 즉 원의 중심에서의 자계는 오른 나사를 원형 전류의 방향으로 돌리면 오른 나사가 진행하는 방향으로 형성된다.

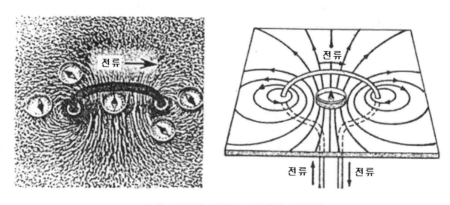

원형 도선을 휘감는 자계가 생긴다

그림 1-18 원형전류가 만드는 자계

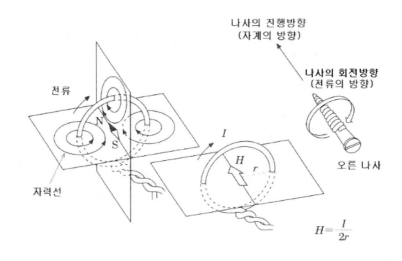

그림 1-19 원형으로 1회 감은 코일 주위의 자계

다. 코일에 의한 자계

  도선을 지름보다 길이가 긴 형태의 원통모양에 균일하게 감은 것을 일반적으로 솔레노이드(solenoid)라 한다. 솔레노이드의 코일에 전류를 통하여 만들어지는 자계는 하나 하나의 코일에 의해 만들어지는 자계를 합성하는 것이다. 코일 주위에서의 자계는 막대자석 주위의 자계모양과 같으며 코일 내부에서는 자계가 거의 균일하다. 코일에 전류를 통하면 그림 1-20 과 같이 코일 내부의 자계는 그 축에 평행하게 되며, 오른 나사를 전류의 방향으로 돌리면 오른 나사의 진행방향으로 형성된다. 코일의 길이가 그 지름에 비해 아주 길면 자계의 세기는 어느 곳에서도 균일하게 된다. 솔레노이드 1m 당 감은 수를 n_o 이라 하고 솔레노이드에 흐르는 전류를 I(A)라 하면, 솔레노이드 내부의 자계의 세기 H는 식 (1. 20)이 된다.

$$H = n_o I \quad \cdots\cdots\cdots\cdots\cdots\cdots\cdots\cdots\cdots\cdots\cdots\cdots\cdots\cdots\cdots (1.\ 20)$$

즉, 이때 자계의 세기 H 는 코일의 치수에 관계없이 n_o 과 I 와의 곱에 비례한다. 실제로 균일한 자계를 얻기 위하여 코일이 이용되고 있다. 코일 내부에 철심을 넣고 코일에 전류를 통하면 더욱 강한 자계를 얻을 수 있는데 이 원리에 의하여 만들어진 자석이 전자석이다. 전자석은 전류의 세기를 변화시켜 강한 자석과 약한 자석을 자유로이 만들어 사용할 수 있는데, 강한 전자석을 만들 때에는 전류의 세기가 커야 하므로 코일을 촘촘히 감아야 한다.

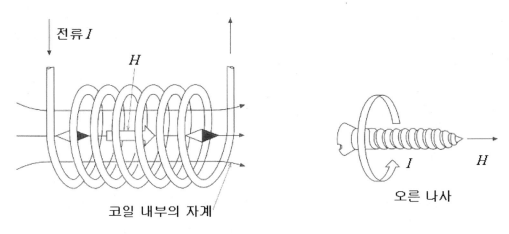

그림 1-20 코일 내부의 자계

✋ 1) 유한(有限)길이 코일에 의한 자계

반지름 $a(m)$, 길이 $l(m)$ 그리고 감은 수가 n 회인 코일에 전류 I (A)가 흐르고 있을 때, 코일 축 위에서의 중심 자계의 세기 H_o (A/m)는 식 (1. 21)이 된다.

$$H_o = \frac{1}{2} \cdot \frac{nI}{\sqrt{a2 \quad + (l/2)^2}} \quad \cdots\cdots\cdots\cdots\cdots\cdots\cdots\cdots\cdots\cdots\cdots (1.\ 21)$$

즉, 코일 내부의 자계의 세기는 코일에 흐르는 전류와 코일 감은 수를 곱한 것에 비례하며, 코일의 길이와 지름이 크게 될수록 약해진다.

코일 내부의 자계의 세기는 코일 내부에서 균일하지 않고 코일의 중심 축 위에서는 코일 중앙부분이 가장 강하고, 코일의 끝부분으로 갈수록 약해져서 코일 끝의 자계의 세기는 중심의 약 50~60%로 감소한다(코일의 길이가 길어질수록 50%에 가까워진다). 또한 코일의 반지름 방향에서는 중심부가 가장 약하고 코일의 내벽(안쪽 벽)에 가까울수록 강해진다. 코일 속의 자계의 세기는 코일에 흐르는 길이와 지름이 클수록 약해진다.

✎ 2) 환상(環狀) 코일에 의한 자계

환상 코일(solenoid)은 그림 1-21 과 같이 고리(바퀴)모양으로 균일하게 도선을 감은 원형의 코일로서, 토로이달 코일(toroidal coil)이라고도 부른다. 강재의 자기특성을 측정하는 등에 자주 사용되고 있는 코일이다. 환상 코일의 자계는 코일의 외부에는 존재하지 않고 내부에만 존재하며, 그 세기는 어느 곳에서도 균일하게 되어 있다. 코일 축이 만드는 원의 반지름을 r, 도선 감은 수를 n 회, 환상 코일에 흐르는 전류를 $I(A)$ 라 하면 지력선은 0 을 중심으로 하는 동심원이 되므로, 앙페르의 주회적분의 법칙에 의해 자계의 세기 H(A/m)는 식 (1. 22)으로 주어진다.

$$H = \frac{nI}{2\pi r} \ \ (\text{A/m}) \ \cdots\cdots\cdots\cdots\cdots\cdots\cdots\cdots\cdots\cdots\cdots\cdots\cdots\cdots\cdots \ (1.\ 22)$$

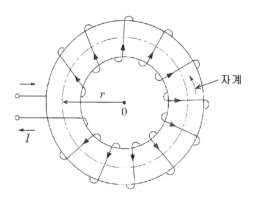

그림 1-21 환상 코일

즉, 자계의 세기 H 는 코일에 흐르는 전류 I 와 코일의 감은 수 n 의 곱에 비례하며, 코일의 중심으로부터 거리 r (반지름)에 반비례한다.

4. 강자성체의 자화

가. 자화곡선

강자성체를 자화하면 강자성체 속에 새로운 자속이 발생하여, 그 자속밀도는 자계의 세기에 의존하여 변화한다. 강자성체 속에 생긴 자속밀도 B 와 자계의 세기 H 와의 관계를 나타내는 곡선을 자화곡선(magnetization curve) 또는 $B-H$ 곡선이라 한다. 상자성체와 반자성체인 경우의 자화곡선은 직선(直線)이 되지만, 강자성체인 경우는 자계를 작용시켜 그 세기를 점차로 증가시키면 자속밀도 B 가 **그림 1-22** 와 같이 복잡하게 변화한다. 자화곡선은 직류를 사용하여 측정한다.

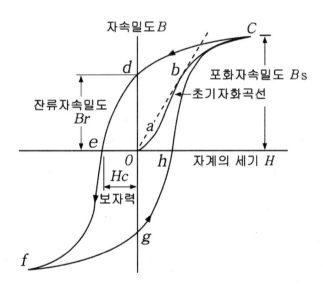

그림 1-22 자화곡선

① 자화된 적이 전혀 없는 강자성체를 밖에서 자계를 걸어 자계의 세기 H 를 증가시키면 H 가 적은 값일 때는 $0a$ 부분과 같이 자속밀도 B 의 증가 비율이 완만하지만 점차 H 를 증가시키면 ab 와 같이 B 는 급격히 증가한다. 또 H 를 증가시키면 b 점 (최대 투자율의 점)부근을 경계로 B 의 증가 비율은 감소되어 완만하게 증가하며 결국에는 조금밖에 증가하지 않게 된다. 이것은 강자성체가 c점에서 자기적으로 포화(飽和)되었음을 나타낸다. 포화점 c 의 B 의 값을 포화 자속밀도(saturation magnetic flux density)라 하며 Bs 로 표시한다(자기적으로 포화되어 있을 때는 자화의 세기 J

는 일정한 값을 가진다). 곡선 0abc를 초기 자화곡선(initial magnetization curve) 또는 처녀 자화곡선(virgin curve)이라 한다. B 와 H 의 사이에는 $B = \mu H$ 의 관계가 있기 때문에 투자율 μ 는 초기 자화곡선 0abc 상의 임의의 점과 원점 0 점을 잇는 직선의 기울기로써 주어진다.

② Bs 에 도달한 후 점 c 에서 H 를 감소시키면 B 는 처음의 곡선을 따르지 않고, 다른 곡선인 cd 곡선을 따라 감소하며, H 가 "0" 이 되어도 B 는 $0d$ 의 값을 갖는다. 이것을 잔류 자속밀도(residual magnetic flux density ; Br)라 한다. 이 현상을 이용하면 자화를 하면 전류를 끊어도 자기가 남아 있기 때문에 뒤에서 설명할 잔류법에 의한 자분탐상시험을 할 수 있게 된다. 이 값은 포화점 이하의 상태에서 자계의 세기를 "0" 으로 돌린 경우에는 여기에 나타낸 Br 보다도 작게 된다.

③ 다음에 H 를 반대방향으로 가하면 즉, 처음에 전류를 흘린 방향과 반대방향으로 전류를 흘리면 B 는 급격히 감소하여 H 가 $0e$ 일 때 "0" 이 된다. 이때의 H 의 값 $0e$ 를 보자력(coercive force) 또는 항자력(reluctance)이라 하며, Hc 로 표시한다.

④ 다시 반대방향으로 H 를 증가시키면 B 는 곡선 ef 를 따르며, (-)의 포화점 f 에 도달한다. 점 f 에서 반대방향으로 H 를 감소시키면 B 는 곡선 fg 를 따르며, 점 g 는 (-)의 잔류 자속밀도를 나타낸다.

⑤ 또 다시 H 를 처음 방향으로 가하면 B 는 곡선 ghc 를 따라 결국 점 c 에 도달한다. 점 h 는 보자력 Hc 와 반대방향으로 같은 값의 점을 나타낸다.

⑥ 이렇게 해서 $cdefghc$ 로 표시되는 폐곡선이 얻어진다. 이 과정의 $cdefghc$ 는 몇 번 반복해도 똑같이 되는데, 이렇게 1 바퀴 도는 자화곡선을 자기 이력곡선(磁氣履歷曲線, magnetic hysteresis curve)이라 한다. 자기 이력곡선은 위의 설명과 같이 가해진 자계에 대한 자화도를 그린 곡선이다.

⑦ 이와 같이 자화곡선은 이력현상을 나타내기 때문에 강자성체인 B_1, B_2 및 B_3의 크기의 자계를 걸어준 다음, 자계를 "0" 으로 하면, 자속밀도는 **그림 1-23** 의 점선표시와 같이 변화하여 각각 B'_1, B'_2 및 B'_3의 자속밀도가 된다. 이러한 잔류자기를 갖는 강자성체에 다시 자계를 걸어주면 **그림 1-23** 의 실선과 같은 경로를 따르는데, 이것은 점선과는 다르게 된다. 이와 같이 강자성체의 자화는 자기적인 이력(잔류자기)에 따라 영향을 받는다. 즉, 자화곡선으로 둘러싸인 면적에 의해 영향을 받는다. 이 영향은 자화가 약한 경우에는 현저하고, 포화에 가까운 자화를 걸어준 경우에는 무시할 수 있다.

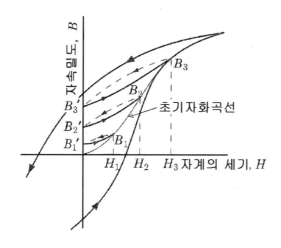

그림 1-23 잔류자기가 있는 상태에서의 자화곡선

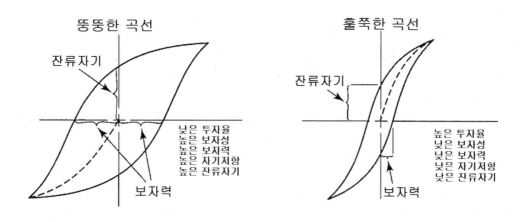

그림 1-24 자기이력곡선의 특성

⑧ 자기이력곡선의 특성을 살펴보면 자기이력 현상이 강할수록 폐곡선 내부의 면적이 커지며, 자기이력 현상이 없는 물체는 하나의 곡선으로 나타난다. 자기이력곡선의 형태는 물질에 따라 다르며, 같은 물질이라도 열처리, 기계적 처리에 따라 변한다. 폭이 뚱뚱한 곡선(Br과 Hc가 큰 것)은 큰 자기저항(magnetic reluctance)을 가지는 물질이어서 자화하기는 곤란하지만, 이러한 물질은 높은 잔류자기와 높은 보자성(保磁性.

retentivity)을 갖고 있어서 좋은 자석을 만들기도 한다. 폭이 홀쭉한(Br 과 Hc 가 작은 것) 곡선은 낮은 잔류자기를 가지므로 자화하기는 쉽다. 이러한 물질은 낮은 보자성(낮은 잔류자기)을 가지며, 작은 자기저항을 가지므로 전자석을 만들기에 적합하다. 이들 관계를 **그림 1-24** 에 나타낸다.

나. 철강 재료의 자기특성

강자성체의 대표적인 것은 철강 재료이다. 철강 재료는 주로 페라이트(ferrite), 시멘타이트(cementite), 펄라이드(perlite), 오스테나이트(austenite)라 부르는 조직으로 되어 있다. 가장 일반적인 페라이트는 저온에서는 강자성이지만, 자기 변태온도인 768℃ 이상의 고온에서는 상자성을 나타낸다. 강 속의 탄소량에 따라 이들의 혼합비가 변화하기 때문에 자기특성(magnetic property)도 변화한다. 철강 재료의 자화곡선은 합금성분(특히 탄소 함유량), 가공상태 및 열처리[풀림(annealing, 어닐링), 담금질] 등에 따라 크게 변화한다. 철강 재료에서는 일반적으로 탄소 함유량이 많을수록, 냉간 가공비가 클수록 또한 담금질(quenching)의 효과가 클수록 포화에 필요한 자계의 세기 및 보자력의 값은 높아지며, 포화 자속밀도 및 잔류 자속밀도는 낮아진다.

그림 1-25 에 각종 구조용 탄소 강의 초기 자화곡선을 나타낸다. S10C, S25C, S45C 그리고 S55C와 탄소량이 많아짐과 동시에 전체적으로 $B-H$ 곡선은 오른쪽 아래의 방향으로 이동하고 있다. 또 같은 탄소량을 함유한 재료에 있어서도 풀림(annealing)한 재료와 담금질한 재료를 비교하면 $B-H$ 곡선에는 큰 차이가 있음을 알 수 있다. **그림 1-25** 의 풀림(annealing)한 재료와 같이 자계의 세기가 약한 범위에서 투자율이 높으며, 포화 자속밀도가 큰 재료를 자기적으로 연(軟)하다고 한다. 그리고 담금질한 재료와 같이 자계의 세기가 약한 범위에서 투자율이 낮은 재료를 자기적으로 경(硬)하다고 한다.

표 1-1 에 각종 철강 재료의 포화 자속밀도, 포화자계, 잔류 자속밀도, 최대 투자율 및 보자력을 나타낸다. 여기서 최대 투자율이란 **그림 1-22** 에 나타낸 초기 자화곡선에서 원점을 지나는 직선의 기울기를 종축으로부터 점차로 감소시켰을 때에 초기 자화곡선과 접한 때의 직선의 기울기로 주어진 양을 말한다. 자계의 세기 H 와 투자율 μ의 관계를 나타내면 **그림 1-26** 과 같이 된다. 이와 같이 μ의 값은 H 에 따라 여러 가지로 변화한다.

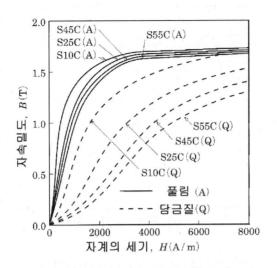

그림 1-25 각종 탄소강의 초기 자화곡선의 예

표 1-1 각종 철강 재료의 자기특성

강(鋼)의 종류[*1]		포화자속 밀도(T)	포화자계 (A/m)[*2]	잔류자속 밀도(T)	최대 비투자율	보자력 (A/m)
탄소강	S10C (A)	1.70	4,000	1.00	2,200	175
	S25C (A)	1.70	4,000	1.24	1,250	240
	S35C (A)	1.70	4,000	1.19	1,150	430
	S35C (Q)	1.70	8,000	1.13	250	2,870
	S45C (A)	1.68	4,000	1.26	1,000	600
	S45C (Q)	1.68	8,000	1.22	200	3,340
	S55C (A)	1.66	4,000	1.22	900	640
	S55C (Q)	1.66	8,000	1.02	170	3,580
구조용 강	SC46 (T)	1.60	4,000	1.00	1,400	200
	SC49 (T)	1.60	4,000	1.35	1,000	360
	SCM4 (R)	1.40	8,000	0.86	260	1,430
	SC42 (A)	1.60	8,000	0.80	1,200	280
기타	SUJ2 (A)	1.60	12,000	1.23	700	955
	SK3 (A)	1.60	8,000	1.22	730	800
	SK3 (Q)	1.60	16,000	0.70	230	3,500
	SKH3 (T)	1.00	4,000	0.78	340	1,110

〖 강의 종류 〗[*1]: (A) : 풀림(annealing, 어닐링) (Q) : 담금질(quenching)

(T) : 담금질 · 뜨임(tempering) (R) : 냉간가공

〖 포화 자계 〗[*2] : 포화에 필요한 자계의 세기의 가늠치

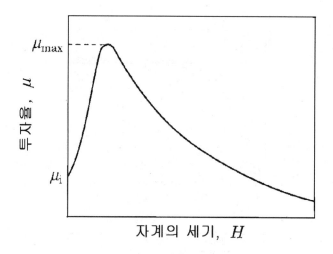

그림 1-26 투자율과 자계의 세기와의 관계

다. 교류 자화에서의 표피효과

강자성체의 판을 직류(DC)를 사용하여 자화하면 강자성체 속의 자속밀도는 거의 균일하게 된다. 그러나 교류(AC)를 이용하여 자화하면 균일한 세기의 자계를 걸어 주어도 강자성체 속의 자속밀도는 균일하지 않고, 표면에서 최대가 되고, 표면으로부터 내부로 들어갈수록 지수 함수적으로 감소한다. 이 모양을 **그림 1-27**에 나타낸다. 이것을 교류 자속의 표피효과(skin effect)라 한다.

자속밀도가 표면 값의 1/e = 1/2.712 = 0.368(약 37%)이 되는 깊이를 표피의 두께[또는 침투 깊이(depth of penetration)라고도 함] δ 라 한다.

$$\delta = 1 / \sqrt{\pi f \mu \sigma} \quad \cdots\cdots\cdots\cdots\cdots\cdots\cdots\cdots\cdots\cdots\cdots\cdots\cdots\cdots\cdots\cdots (1.\ 23)$$

f : 주파수(Hz), μ : 투자율(H/m), σ : 전도율(electric conductivity)이다.

표피의 두께는 교류의 주파수, 전도율 및 투자율이 높을수록 적어지며, 50~60 Hz의 상용 교류로 탄소강을 자화했을 때의 표피의 두께는 약 $2{\sim}3mm$이다(그림 1-26 에 나타낸 것과 같이 최대 투자율을 지나면 자계의 세기가 강해짐과 동시에 투자율이 낮아지기 때문에 표피의 두께는 이것보다 크게 되는 경우도 있다). 표피효과는 자속뿐만 아니라 전류의 경우에도 발생한다.

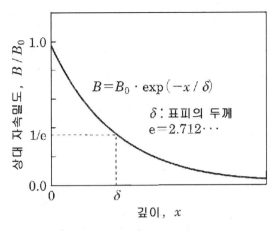

그림 1-27 교류 자화에서의 표피효과

일반적으로 교류를 사용하여 자분탐상검사를 할 때의 δ 의 값은 $2mm$ 전후이다. 그러나 μ 의 값이 작아지면 다시 δ 의 값은 커진다. 이 표피효과로 인하여 교류 자화에서의 자속밀도는 표피의 평균치로 밖에 측정할 수 없다. 그러므로 교류에 의한 자화곡선은 직류의 경우와는 다르다.

5. 반자계

긴 유한길이 코일의 내부 자계(양쪽 끝부분은 제외)는 코일의 축 방향을 향하고 있으며 자계의 세기는 일정하다. 이러한 자계(코일이 만드는 자계의 세기를 H_o라 한다) 속에 **그림 1-28** 과 같은 비교적 짧은 막대의 강자성체를 넣으면 이 강자성체는 자화된다. 자계의 방향을 오른쪽으로 하면 강자성체의 왼쪽에는 S 극이, 그리고 오른쪽에는 N 극이 형성된다. 자극이 만드는 자계의 방향은 N 극에서 S 극으로 향하는 방향이므로, 이 경우에는 코일의 자계와는 반대방향으로, N 극과 S 극에 의한 자계(자계의 세기를 H'라 한다)가 강자성체 속에 생기게 된다. 그러므로 실제로 강자성체에 작용하는 자계의 세기 H (이것을 유효자계의 세기라 한다)는

$$H = H_o - H' \qquad\qquad\qquad\qquad\qquad (1.\ 24)$$

이 된다. 이와 같이 강자성체에 나타나는 자극 때문에 생기는 반대방향의 자계를 반자계(反磁界, demagnetizing field) 또는 반자기장(反磁氣場)이라고도 한다.

반자계의 세기 H' 는 강자성체의 자화의 세기 J 에 비례하며, N/μ_o 를 비례상수라 하면 식 (1. 25)이 성립한다.

$$H' = \frac{N \cdot J}{\mu_o} \quad\cdots\cdots\cdots\cdots\cdots\cdots\cdots\cdots\cdots\cdots\cdots\cdots\cdots\cdots\cdots\cdots\cdots\cdots \quad (1.\ 25)$$

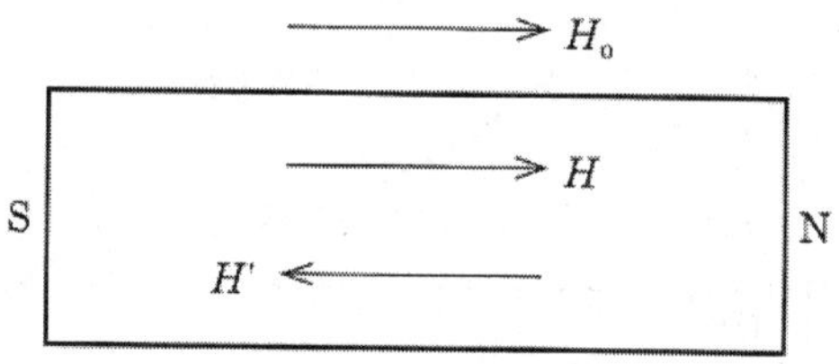

$$\begin{array}{c} \longrightarrow H_o \\ \hline \text{S} \quad \longrightarrow H \quad \text{N} \\ H' \longleftarrow \\ \hline \end{array}$$

H_o : 외부 자계의 세기
H : 유효 자계의 세기
H' : 반자계의 세기

그림 1-28 강자성체 속의 자극의 형성

위 식에서 N 를 반자계 계수라 한다. 반자계 계수는 강자성체의 형상과 치수비에 따라 정해진다. 즉, 강자성체의 자계 방향의 길이와 이에 직각인 방향의 길이와의 비에 크게 좌우되며, 자계의 방향으로 길수록 작아지고, 짧을수록 커진다.

강자성체의 비투자율(比透磁率, relative permeability)을 μ_s 라 하면 강자성체에 작용하는 유효자계의 세기 H 는 다음 식 (1. 28)과 같이 된다.

식 (1. 10)의 $B = \mu_o H + J$ 에서

식 (1. 25)의 $J = \dfrac{\mu_o H'}{N}$ 를 대입하면

$$B = \mu_o H + \frac{\mu_o H'}{N}$$

$$H' = \frac{N}{\mu_o}(B - \mu_o H) \quad\cdots\cdots\cdots\cdots\cdots\cdots\cdots\cdots\cdots\cdots\cdots\cdots\cdots\cdots\cdots\cdots \quad (1.\ 26)$$

B와 H사이에는 $B = \mu H$ 의 관계이므로,

이 식과 $H' = \dfrac{N}{\mu_o}(B - \mu_o H)$ 을 식 (1. 8)에 대입하면

$$H = H_o - H'$$

$$= H_o - \frac{N}{\mu_o}(\mu H - \mu_o H) \quad\cdots\cdots\cdots\cdots\cdots\cdots\cdots\cdots\cdots\cdots\cdots \quad (1.\ 27)$$

위 식을 정리하면

$$H = \frac{H_o}{1 + (N/\mu_o)\,(\mu - \mu_o)}$$

$$= \frac{H_o}{1 + N(\mu_s - 1)} \quad \cdots\cdots\cdots\cdots\cdots\cdots\cdots\cdots\cdots\cdots\cdots \quad (1.\ 28)$$

그림 1-29 에 지름 D 그리고 길이 L 의 원기둥을 축 방향으로 직류 자화하는 경우의 원기둥 중앙부의 반자계 계수 N 과 비(比) L/D 의 관계를 나타낸다. 또 주요 L/D 와 N 의 관계를 표 1-2에 나타낸다. N 은 L/D 가 작아짐과 동시에 급격히 커지게 된다.

표 1-2 주요 L/D 와 N 의 관계

L/D	N
0	1.0
1	0.27
2	0.14
5	0.04
10	0.017
20	0.006

이를테면, 원기둥모양 시험체의 중앙부에 800A/m 의 유효자계의 세기를 걸어준다고 할 때의 H_o 와 L/D 의 관계를 그림 1-30 에 나타낸다. 다만, H = 800A/m 에서 μ_s = 1,200 으로 계산했다. 예를 들어 L/D = 6의 경우에는 H_o = 400 × 약 80 은 약 $32kA/m$ (32,000A/m)의 자계의 세기를 필요로 한다(1,000/4π ≒ 80).

L/D 가 적어지게 되면 더 강한 H_o 를 필요로 한다. 이와 같이 반자계가 작용하는 경우에는 강자성체에 어느 크기의 유효자계의 세기를 작용시킨다고 하면 L/D 가 적어짐과 동시에 아주 강한 자계의 세기를 걸어 주지 않으면 안 된다.

위에서는 L 을 강자성체가 자화되는 방향의 길이로 하고, D 를 이것에 직각인 방향의 길이로써 취급했다. 보다 구체적으로는 L 은 강자성체에 발생한 자극에서 자극까지의 길이이다. 또한 D 는 자화되는 부분의 단면적으로부터 구한 길이(면적이 같은 원의 지름)이다. 예를 들면 긴 코일을 사용하여 이 코일 속에 원기둥 모양의 시험체가 쏙 들어가 있는 경우, 자극은 강자성체의 양 끝부분에 발생하기 때문에 자극에서 자극까지의 길이와 강자성체의 길이는 일치한다. 그러나 코일이 짧아 원기둥모양 시험체의 일부분만이 길이방향으로 자화되는 경우, L 은 강자성체의 길이보다 짧아진다. 또한 교류를 사용하여 자화한 경우에는 표피효과 때문에 D 는 강자성체의 지름보다 적어진다.

다음에 자계의 속에서 강자성체를 꺼낼 경우를 생각한다. 앞에서 설명하였듯이 강자성체는 한번 자계를 걸어주면 자계의 세기를 "0"으로 해도 자속이 잔류한다. 이것은 잔류 자속밀도에 해당하는 자극이 남아 있는 것을 나타낸다. 즉, 외부에서 걸어준 자계가 없어져도 반자계는 남는다.

반자계는 잔류 자속밀도의 방향과 반대방향이기 때문에 잔류 자속밀도는 저하한다. 이 저하의 정도는 보자력이 낮을수록 크며, 보자력이 높은 경우에는 그다지 저하되지 않는다. 최근 1mm 이하 두께의 자석이 사용되고 있는데, 이것은 보자력이 높은 재료가 사용되고 있기 때문이다.

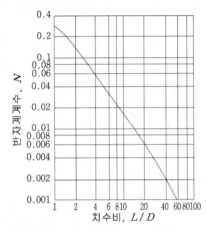

그림 1-29 반자계계수 N과 원기둥의 L/D의 관계 곡선

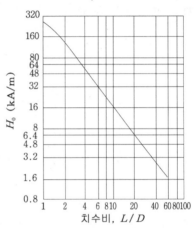

그림 1-30 원기둥 시험체의 중앙부에 $800A/m$의 자계의 세기를 작용시키는데 필요한 코일의 자계의 세기 H_o

N 이 "0"이라 생각해도 좋은 예로서는 환상(環狀)의 강자성체를 환상 코일(solenoid)을 사용하여 자화한 경우를 들 수 있다. 이 경우에는 자극이 형성되지 않기 때문에 반자계는 존재하지 않는다. 그러므로 식 (1. 22)의 $H = \dfrac{nI}{2\pi r}$ 으로 주어지는 자계의 세기가 그대로 강자성체에 작용한다. 일반적으로 자기 특성은 이러한 상태에서 측정되고 있다.

6. 자기회로

자속은 회로를 한 바퀴 도는 동안, 그 사이에 증가되거나 감소되지 않고 연속되는 것이다. 이러한 자속의 회로를 자기회로(磁氣回路, magnetic circuit) 또는 자로(磁路)라 한다. 자기회로는 전기회로와 비교하면 알기 쉽다.

전기회로에서는 전류 I (A), 기전력(electromotive force) E (V) 및 전기저항 R (Ω)의 사이에는 옴의 법칙(Ohm's law)이 성립한다.

$$E = I \cdot R$$

자기회로에서는 전기회로의 전류에 해당하는 것이 자속 $\phi\,(Wb)$, 기전력에 해당하는 것이 기자력(起磁力, magnetomotive force) $F\,(A)$ 그리고 전기저항에 해당하는 것이 자기저항 $R\,(A/Wb)$이며, 전기회로에서와 똑같이 $F = \phi \cdot R$ 이 성립한다. 또한 F 와 R 은 각각 다음과 같이 설명된다.

■ **참조 :**
자기회로와 전기회로의 각각의 대비는 다음과 같다.
기자력 : 기전력, 자속 : 전류, 자기저항 : 전기저항, 투자율 : (전기)전도율

기자력(F)은 자계의 세기를 좌우하는 것으로 전자석의 경우, 코일에 흐르는 전류(i)와 코일 감은 수(n)를 곱한 것에 비례한다($F = 0.4\pi n\ i$). 또한 기자력은 자계의 세기와 자기회로의 길이를 곱한 것과 같다. 그러므로 자기회로의 길이가 같으면, 기자력을 크게 하면 자계의 세기는 강해진다.
자기저항(R)은 자기회로의 단면적(S)과 투자율(μ)과의 곱에 반비례하며, 자기회로의 길이(L)에 비례한다($R = L/\mu S$, 전기저항은 도체의 단면적과 전도율을 곱한 것에 반비례하며, 도체의 길이에 비례한다).
이것으로부터 시험체를 전자석의 자극 사이에 놓고 자화하는 경우, 자극과 시험체 표면과의 틈(gap)이 크게 되면 자기저항이 커져서 자속이 감소하기 때문에, 시험체 속의 자속밀도가 저하할 가능성이 있음을 알 수 있다.

7. 결함으로부터의 누설자속

강자성체를 자화하면 시험체 내부에는 자기의 흐름이라고 하는 자속이 발생한다는 것을 이미 설명했다. 여기서는 이 자속의 흐름을 차단하는 결함이 있는 경우에 어떤 현상이 발생하는가에 대하여 설명한다. 자속은 강자성체 속에서는 아주 쉽게 흐르지만 비자성체 속에서는 흐르기가 어렵다.
강자성체의 표면 또는 표면 부근에 결함 등의 불연속부가 있으면, 그 부분의 자기저항이 급증하여 공간의 자기저항과의 차이가 작아지게 된다. 전기회로에서는 도체의 전도율(傳導率, electrical conductivity)이 $10^7\ S/m$의 차수(order)인데, 절연체(공기도 절연체의 일종이다)의 전도율은 $10^{-12}\ S/m$ 차수이기 때문에, 이 둘을 비교하면 10^{19}에 달해, 전류

가 도체의 외부로 누설되지는 않는다. 그리고 강자성체의 비투자율(比透磁率)은 수십에서 수만의 차수이기 때문에, 공기의 1 과 비교하여 그다지 큰 차이는 없다. 이 때문에 자기회로에서는 자속이 강자성체의 외부로 쉽게 누설하게 된다. 이 누설된 자속을 누설 자속(漏洩磁束, leakage flux)이라 한다.

만일 자속이 흐르는 경로(자기회로)의 도중에 균열과 같은 불연속부가 있으면, 결함에는 강자성체가 존재하지 않기 때문에 자속이 흐르기 어렵게 된다. 따라서 자속의 흐름이 결함에 의해 차단되어 **그림 1-31** 과 같이 대부분의 자속은 결함이 있는 곳에서 결함부를 우회(迂廻)하여 흐르게 되고 동시에 강자성체의 표면 및 표면 가까이의 자속은 결함의 근방에서는 공간으로 누설한다. 이것은 강자성체 속의 결함 부근을 흐르는 자속이 많을수록, 자속을 차단하는 결함의 면적이 클수록, 그리고 결함의 위치가 강자성체의 표면에 가까울수록 많아진다. **그림 1-31** 과 같이 표면에 결함이 있는 시험체를 축 방향으로 자계를 작용시켜 자화한 경우에 대하여 알아본다.

① 자화가 약하여 자속이 적은 경우(시험체 속의 자속밀도가 낮은 경우)에는 자속은 공간으로 거의 누설하지 않고(조금은 누설), 결함부(결함의 옆이나 결함 아래)를 우회하여 흐른다. 즉 자화가 자기 포화점 이하로 약할 때(시험체 속의 자속밀도가 낮은 경우)의 투자율은 공기의 수 백배 이상이므로 강자성체의 속은 아주 자속이 흐르기 쉽다. 이 때문에 강자성체의 표면에 결함이 있어도 **그림 1-31(a)** 와 같이 자속은 공간으로 거의 누설하지 않고(조금은 누설), 결함의 옆이나 결함 아래로 우회하여 흐른다.

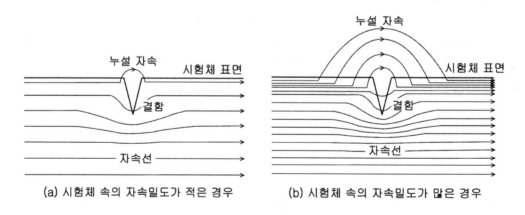

(a) 시험체 속의 자속밀도가 적은 경우   (b) 시험체 속의 자속밀도가 많은 경우

그림 1-31 결함으로부터의 누설자속의 변화

② 조금 강하게 자화하면 시험체 속에 자속이 급격히 늘어나 결함부를 우회할 수 없게 되어 자속이 시험체 표면으로 누설되게 된다. 즉 시험체 속의 자속 밀도가 어느 정

도 이상 높아짐에 따라 투자율이 낮아지기 때문에, 강자성체의 우회하는 길의 자기 저항은 점차로 커져서, **그림 1-31(b)** 와 같이 공간으로 누설하는 자속도 점차로 많아진다.

③ 더욱 강하게 자화하면 시험체 속의 자속은 포화상태(포화 자속밀도)에 가깝게 되어 결함으로부터의 누설자속은 증가하지만 결함부 이외의 정상적인 부분으로 누설하는 자속도 많아진다. 즉 시험체 속의 자속밀도가 포화상태(포화 자속밀도)에 가깝게 되면 공간으로 누설하는 자속도 급격히 증가한다. 그렇지만 결함이 없는 정상적인 부분에 누설하는 자속도 많아진다. 이것은 결함이 자속의 흐름에 대하여 저항하기 때문이다. 결함은 자속의 흐름에 대한 자기저항이 다른 부분에 비해 아주 크기 때문에, 자속이 결함을 피해 가려고 한다. 자화가 약하면 시험체의 투자율이 높기 때문에 시험체의 자기저항은 적어서 자속은 결함을 우회하여 시험체 속을 흐르며, 자화를 강하게 하면 투자율이 점차로 낮아지며 시험체의 자기저항이 증대되어 시험체 속을 우회하는 것도 공기 중으로 우회(누설)하는 것도 큰 차이가 없어지므로, 결함부에서 누설자속이 서서히 나타나서 자화곡선 상의 어깨 점까지 자화하면 결함부로부터 누설자속이 많아진다.

그림 1-32 의 시험편을 사용하여 누설 자속밀도와 시험체 속을 흐르는 자속밀도와의 관계를 구한 결과를 **그림 1-33** 에 나타낸다. 이 그림에서는 시험체 속을 흐르는 자속밀도가 약 $1.3T$ 이상이 되면 누설 자속밀도는 급격히 높아지고 있음을 알 수 있다. 이 $1.3T$ 의 자속밀도는 $B-H$ 곡선에서 H 의 증가에 대한 B 의 증가가 완만하게 되는 곳(초기 자화곡선의 어깨 부분)으로, 포화 자속밀도의 약 80% 의 값이다. 결함으로부터의 누설 자속밀도는 강자성체의 표면 근방이 가장 높고, 표면으로부터 멀어짐에 따라 급격히 감소한다.

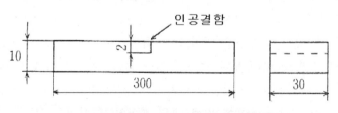

그림 1-32 결함이 있는 시험체의 형상과 크기

결함으로부터의 누설 자속밀도는 결함 폭이 같아도 결함 깊이가 얕은 범위에서는 그 깊이에 거의 비례한다. 또한 결함 깊이가 같은 경우에는 결함 폭이 커짐과 동시에 일반적으로 누설 자속밀도는 높아지지만 비례관계는 아니다. 강자성체의 표면 가까운 내부에 결함이 있어도 표면 공간으로 자속이 누설한다. 누설 자속의 분포는 결함의 위쪽을 중심으로 반원에 가까운 모양으로, 결함의 위치가 표면으로부터 멀어질수록 그 중심은 표면으로부터 멀어진다. 그러므로 표면 결함일 때는 누설 자속의 분포는 예리하게 나타나지만, 내부 결함이면 흐릿하게 된다. 또한 결함의 위치가 내부로 들어갈수록 더욱 흐릿하게 나타난다.

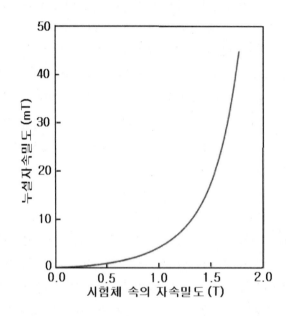

그림 1-33 결함 누설자속밀도와 시험체 속의 자속밀도와의 관계

이 모양을 **그림 1-34** 에 나타낸다. 내부 결함으로부터의 누설 자속밀도는 표면 결함에 비해 낮고, 결함의 위치가 표면에서 멀어질수록 감소한다. 결함으로부터의 누설 자속밀도는 결함 부근의 자속밀도가 영향을 미치므로, 내부 결함의 누설 자속밀도는 표면 결함에 비해 강자성체의 표면으로부터 보다 깊은 곳의 자속밀도가 영향을 미친다. 강자성체 속의 자속밀도의 분포가 다른 직류 자화와 교류 자화의 경우, 내부결함의 누설 자속을 비교하면 **그림 1-35** 와 같이 교류는 직류에 비해 매우 적어진다. 이것은 교류의 표피효과 때문에 시험체의 표면 가까이에서 자속밀도가 높고, 내부로 들어가면 급격히 낮아지기 때문이다.

강자성체를 자화했을 때에 누설 자속이 생기는 곳은 결함부의 부근만이 아니다. 예를 들면 ① 코일 속에서 자화된 강자성체의 양 끝부분. ② 자석으로 자화한 경우, 철심의 접

축 부분. ③ 포화 자속밀도 이상이 되도록 강한 자계의 세기를 걸어준 경우. ④ 투자율이
나 단면적의 급변부가 있는 경우. ⑤ 다른 강자성체를 접촉시킨 경우에도 그 부분에 자속
이 누설되어 자분이 흡착되므로 주의해야 한다.

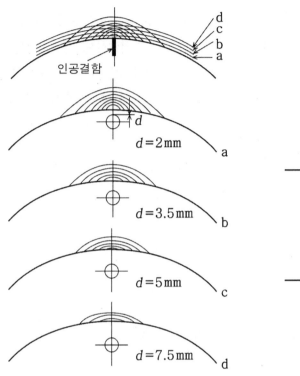

그림 1-34 내부에 결함이 있을 때의
누설자속의 모양

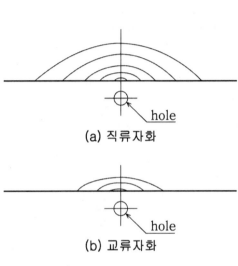

그림 1-35 내부에 결함이 있을 때의 자화
전류의 종류에 따른 누설자속의
차이

8. 자속밀도의 분포

그림 1-33 에 나타낸 것과 같이 결함에서의 누설 자속밀도는 강자성체 속의 자속밀도
에 큰 영향을 미친다. 앞에서 설명했듯이 전류에 의해 자계를 발생시킬 수 있기 때문에 식
$B = \mu H$ 을 이용하여 자속밀도 B의 분포를 구할 수 있다.

예를 들면, 반지름 $a = 0.03m$ 의 원기둥에 $I = 500A$ (직류)의 전류를 흘린 경우를 생
각한다. 이때 자계의 세기 H 와 반지름 r 의 관계는 **그림 1-36** 과 같이 된다. 그런데,

원기둥의 재질이 비자성체($\mu_s = 1$)와 강자성체($\mu_s = 1,000$)인 경우에 대해서 B 와 r 의 관계를 비교하면, **그림 1-37(a)** 와 **(b)** 가 된다. $\mu_s = 1$ 인 경우에는 **그림 1-36** 에 나타낸 H 와 r 의 관계와 정성적으로는 같다. 또 $a = 0.03m$ 에 있어서는 $B = 3.33 \times 10^{-3}T$ 로 작다.

한편 강자성체의 경우에는 B 의 분포가 크게 바뀐다. $a = 0.03m$ 에 대한 강자성체에서는 $B = 3.33T$ 로 매우 높은 값을 가지고 있다. 같은 위치에서도 공기에서는 $B = 3.33 \times 10^{-3}T$ 로 작은 값밖에 되지 않는다. 이것은 강자성체의 비투자율이 1,000 으로 큰데 대해, 공기의 비투자율은 1 로 작은 것에 기인한다. 이와 같이 강자성체에 있어서는 B 가 높게 되기 때문에 자분탐상시험이 가능하게 된다.

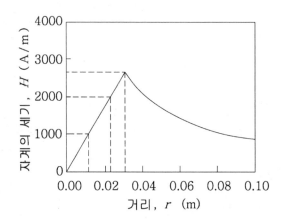

그림 1-36 원기둥의 내부와 외부 자계의 세기의 분포(예)

다음에, **그림 1-38(a)** 와 같은 $B - H$ 곡선에서 반지름 $a = 0.03m$ 의 원기둥에 $I = 500A$ 의 전류(직류)를 흘린 경우를 생각한다. 이때 H 와 r 의 관계는 **그림 1-36** 과 같다. **그림 1-36** 으로부터 각종 r 에 대한 H 를 구하기 때문에 **그림 1-38(a)** 를 이용하여 각각의 H 에 대응하는 B 를 구할 수 있다. 이렇게 하여 B 와 r 의 관계를 구하면 **그림 1-38(b)** 가 된다. 이 경우에도 $a = 0.03m$ 의 강자성체와 공기에 대한 B 에는 큰 차이가 생기고 있다.

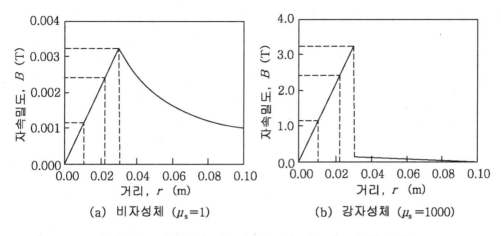

(a) 비자성체 ($\mu_s = 1$)   (b) 강자성체 ($\mu_s = 1000$)

그림 1-37 원기둥의 내부와 외부의 지속밀도의 분포(예)

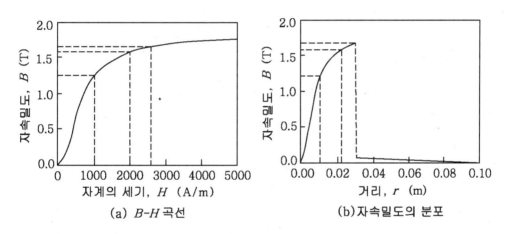

(a) $B-H$ 곡선   (b) 자속밀도의 분포

그림 1-38 실제의 $B-H$ 곡선과 원기둥 내부와 외부의 자속밀도의 분포

9. 자계 분포

여기서는 시험체의 재질 및 형태에 따른 자계의 분포를 알아보기로 한다. 시험체의 재질은 강자성체와 비자성체로 구분하며, 시험체의 형태는 봉(bar)형과 실린더(속이 빈)형으로 구분하여 설명한다. 실린더형 시험체는 전류 관통봉(중심도체)을 사용하여 시험한다. 전류가 흐르는 도체 내부 및 외부의 자계의 세기는 도체의 길이, 지름, 재료 등에 따라 변하는 것을 알 수 있다.

가. 직류의 자계 분포

1) 봉(棒, round bar)형 비자성체

구리 봉과 같은 비자성체에 전류(직류)가 흐를 때 내부와 외부의 자계분포는 **그림 1-39** 와 같이 자계의 세기가 봉의 중심에서는 "0"(zero)이나, 봉의 외부 표면에 이르기 까지 비례적으로 증가하여 표면에서 최대가 된다. 그리고 봉의 표면에서의 자계의 세기는 거리에 따라 함수적으로 줄어든다. 이것을 정리하면 다음과 같다.

(1) 자계의 세기는 봉의 중심에서는 "0"(zero)이 되며, 점차 증가하여 외부 표면에서 최대가 된다.

(2) 봉의 외부 표면에서의 자계의 세기는 봉의 반지름(R)이 증가할수록 감소한다. 즉 봉의 표면에서의 자계의 세기를 F 라 하면 봉의 중심으로부터 거리가 $2R$ 떨어진 곳에서의 자계의 세기는 $F/2$ 가 되고, $3R$ 떨어진 곳에서의 자계의 세기는 $F/3$ 가 된다.

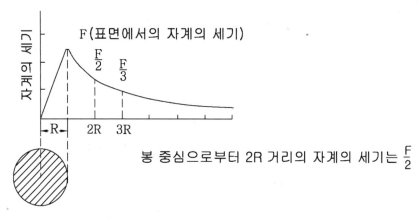

그림 1-39 봉형 비자성체의 자계 분포

(3) 전류가 증가하면 자계의 세기도 비례하여 증가한다. 즉 전류를 2 배로 하면 자계의 세기도 2 배가 된다.

(4) 봉의 외부에서의 자계의 세기는 **그림 1-39** 와 같이 봉의 중심으로부터의 거리에 따라 감소한다. 즉 봉의 중심으로부터 반지름의 2 배인 곳의 자계의 세기는 표면에서의 자계의 세기의 1/2 이다.

🦕 2) 봉형 자성체

철(Steel)과 같은 봉형 자성체에 전류(직류)가 흐르면, 봉 내부에서의 자계의 세기는 철의 투자율 때문에 봉형 비자성체보다 더 크게 나타난다. 즉 봉의 중심에서의 자계의 세기는 비자성체와 같이 "0"(zero)이지만, 봉의 외부 표면에서의 자계의 세기는 철(자성체)의 투자율(μ) 에 따라 $\mu \times F$ 가 된다.

그림 1-40 과 같이 전류량과 반지름이 같으면 자성체나 비자성체나 봉의 외부의 자계의 세기는 같다.

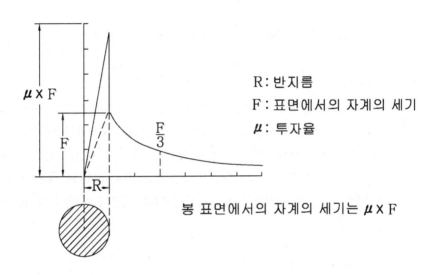

R : 반지름
F : 표면에서의 자계의 세기
μ : 투자율

봉 표면에서의 자계의 세기는 $\mu \times F$

그림 1-40 봉형 자성체의 자계 분포

🦕 3) 실린더형 비자성체

실린더(cylinder)형 비자성체 내에 전류(직류)가 흐르면, 구멍의 속은 공간이므로 전류가 흐르지 않아서 자계가 형성되지 않으나, 실린더형 외부 표면에서의 자계의 분포는 봉형의 경우와 비슷하게 거리가 멀어짐에 따라 함수적으로 감소한다. 내면(內面)에서의 자계 분포는 그림 1-41 과 같이 내부 표면에서 "0"(zero)인 자계는 비교적 급격히 증가하기 시작하여 외부 표면에서 최대가 된다. 실린더형 비자성체와 봉형 비자성체가 바깥지름이 같고, 전류량이 같으면 외부 표면의 자계의 세기는 같다.

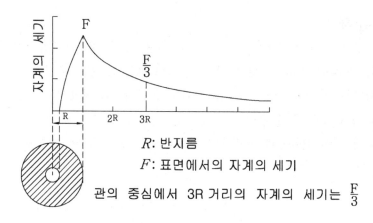

R: 반지름

F: 표면에서의 자계의 세기

관의 중심에서 3R 거리의 자계의 세기는 $\frac{F}{3}$

그림 1-41 실린더형 비자성체의 자계의 분포

4) 실린더형 자성체

실린더형 자성체에 전류(직류)가 흐르면, 외부 표면에서의 자계의 세기는 자성체의 투자율에 따라 다르므로 투자율 인자를 고려해야 한다. 실린더형 자성체의 내면에는 전류가 흐르지 않으므로 내면에서의 자계의 세기는 "0"이며, 외부에서의 자계의 분포는 표면에서 급격히 감소된 후 거리의 증가에 따라 자계의 세기는 약해진다. 그리고 **그림 1-42** 와 같이 바깥지름과 전류량이 같으면 실린더형 자성체에서 외부 표면의 자계의 세기는 봉형 자성체와 동일하다.

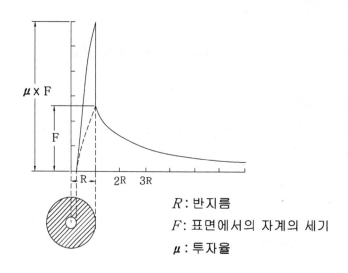

R: 반지름

F: 표면에서의 자계의 세기

μ: 투자율

그림 1-42 실린더형 자성체의 자계 분포

🖐 5) 전류 관통봉(central conductor)을 사용한 경우의 자계의 분포

일반적으로 파이프(pipe), 튜브(tube), 링(ring), 플랜지(flange), 너트(nut)와 같이 속이 비어 있는 실린더형 시험체의 내면(內面) 결함을 검출하기 위해서는 봉형 또는 실린더형 도체(전류 관통봉 또는 중심도체라 함)를 시험체 속의 중앙에 끼우고, 이 도체에 전류를 흘려서 시험한다. 그런데 만일 자화할 때 이 도체를 시험체의 한 쪽면에 치우쳐서 배치하면 도체에 가까운 부분의 자계의 세기는 강해진다. 그러나 여기서는 **그림 1-43** 과 같이 실린더형 시험체의 중앙에 도체를 위치시킨 경우에 대하여 설명한다. 이때 도체에 자화전류를 통전하면 자계의 세기는 실린더형 시험체의 내부 표면에서 최대가 된다. 그리고 전류 관통봉 내의 자속밀도는 도체의 표면에서 최대이며, 전류 관통봉 외부의 도체와 시험체의 투자율(μ)에 따라 순간적으로 증가한다. 그 후 거리가 증가함에 따라 외부 표면에 까지 감소한다. 시험체 외부에서는 앞에서와 같이 동일 곡선으로 감소한다.

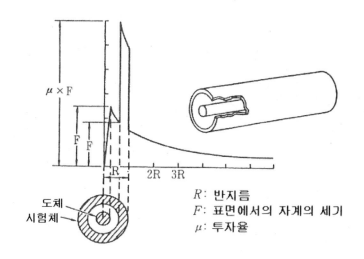

그림 1-43 전류 관통봉을 사용한 실린더형 자성체의 자계 분포

나. 교류의 자계 분포

교류는 자성체 표면으로만 집중해서 흐르는 특성이 있어, 일반 주파수(60 cycle)에서도 이 경향이 나타난다. 따라서 자화전류의 주파수에 따라 달라지게 되는데 주파수가 높을수록 자계는 표면으로 집중된다. 이 현상이 표피효과(skin effect)이다.

🖐 1) 봉형 자성체의 자계 분포

봉형 자성체에 교류가 흐를 때, 봉의 내부의 자계의 분포는 **그림 1-44** 와 같이 봉의 외부 표면에 가까워질수록 표피효과로 인하여 급격히 증가하고, 표면에서 멀어질수록 완만하게 약해진다. 봉의 외부의 자계의 세기는 언제나 직류를 사용했을 때와 동일하게 감소한다. 그러나 교류를 사용하면 자계는 세기와 방향이 일정하게 변한다.

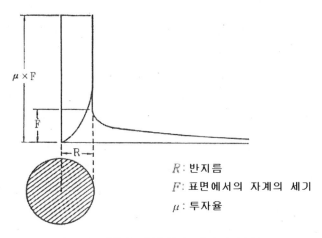

R : 반지름
F : 표면에서의 자계의 세기
μ : 투자율

그림 1-44 봉형 자성체의 자계의 분포

✎ 2) 실린더형 자성체의 자계의 분포

교류를 자화전류로 사용했을 때 실린더형 자성체의 자계의 분포도 **그림 1-45** 와 같이 외부 표면에 가까워질수록 표피효과로 인하여 자계의 분포가 집중되어 나타난다.

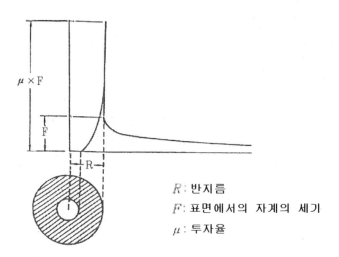

R : 반지름
F : 표면에서의 자계의 세기
μ : 투자율

그림 1-45 실린더형 자성체의 자계의 분포

익 힘 문 제

1. 자기탐상시험에 대하여 설명하시오.
2. 시험의 단어인 Test 와 Examination 이 어떻게 다른지 설명하시오.
3. 시방서와 절차서에 대하여 설명하시오.
4. 이방성을 설명하시오.
5. 자기력에 대한 쿨롱의 법칙(Coulomb's law)에 대하여 설명하시오.
6. 자성체를 분류하고, 각 자성체에 속하는 물질에는 어떤 것이 있는지 예를 들어 설명하시오.
7. 자화곡선에서 자계의 세기와 자속밀도의 관계를 자세히 설명하시오.
8. 앙페르의 오른 나사의 법칙(Ampere's right handed screw rule)에 대하여 설명하시오.
9. 교류 자화에서의 표피효과(skin effect)에 대하여 설명하시오.
10. 철강 재료의 자기 특성에 대하여 설명하시오.
11. 결함으로부터의 누설자속에 대하여 설명하시오.
12. 봉형과 실린더(cylinder)형 자성체의 자계분포를 설명하고 시험체 표면의 자계의 세기를 비교하시오.
13. 다음 용어에 대하여 설명하시오.
    ① 자력선 :
    ② 자속밀도 :
    ③ 보자력 :
    ④ 자기저항 :
    ⑤ 투자율 :

제 2 장   자분탐상시험

제 1 절   자분탐상시험의 일반

1. 기본 원리

　강자성체의 시험체에 자계를 작용시키면, 앞에서 설명하였듯이 시험체는 자화되어 자속이 발생한다. 이때 시험체의 표면(surface) 및 표면 근방(subsurface)에 자속을 가로막는 결함이 있으면 그 근처에서는 자속이 공간으로 누설(결 함 누설 자속)하고, 결함의 양쪽에는 N 극, S 극의 자극이 나타나서, 마치 작은 자석이 형성된 것과 같이 된다. 이 자석의 세기는 결함 누설 자속이 많을수록 강해진다. 이러한 곳에 공기 또는 물 및 등유와 같은 점성이 낮은 액체에 균일하게 분산된 강자성체의 미립자(자분)를 적용하면 자분은 자화되어 그림 2-1과 같이 양쪽 끝에 자극을 갖는 작은 자석이 된다. 이들 자분끼리는 서로가 연결되어 결함부에 응집, 흡착되어 자분에 의한 모양(결함 자분모양)이 형성된다. 결함에 의한 자분모양의 폭은 결함의 폭에 비해 크게 확대되기 때문에 육안으로 식별할 수 없는 폭이 좁은 결함(약 $0.1mm$ 이하의 폭을 갖은 것이 일반적으로 대상이 된다)도 식별할 수 있게 된다. 또한 시험체의 표면 색(또는 밝기)과 높

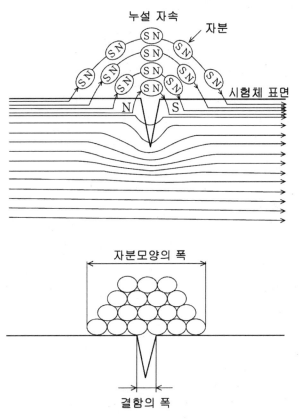

그림 2-1 자분탐상시험의 원리(결함부에 흡착된 자분모양)

은 대비(contrast)가 되는 자분을 사용하면, 자분모양은 아주 식별하기 쉽게 된다.

이와 같이 강자성체인 시험체에 자속을 흐르게 하고 (**자화**), 자분을 시험 면에 적용하여 (**자분의 적용**) 자분이 결함부에 흡착되어 형성된 자분모양을 찾아내어 (**관찰**), 이것을 평가함으로써, 시험체의 표면 또는 표면 가까이에 존재하는 결함을 검출하는 방법을 자분탐상시험(magnetic particle testing ; MT)이라 한다.

2. 시험방법의 분류

시험방법은 자화방법, 자분의 종류, 자분의 적용시기, 자분의 분산매 및 자화전류의 종류에 따라 **표 2-1** 과 같이 분류한다.

표 2-1 시험방법의 분류

분류의 조건	분 류
자화방법	축 통전법, 직각 통전법, 프로드법, 진류 관동법, 코일법, 극간법, 자속 관통법, 근접 도체법
자분의 종류	형광 자분, 비형광 자분
자분의 적용시기	연속법, 잔류법
자분의 분산매	건식법, 습식법
자화전류의 종류	직류, 맥류, 교류, 충격전류

3. 특징

자분탐상시험의 일반적인 특징을 정리하면 다음과 같이 설명할 수 있다.

① 시험체는 강자성체가 아니면 적용할 수 없다.

② 시험체의 표면이나 표면 가까이에 존재하는 균열(crack)과 같은 결함의 검출에 가장 우수한 비파괴시험 방법이다.

③ 검출이 예측되는 결함의 방향에 대하여 가능한 한 직각이 되는 방향의 자계 또는 자속을 시험체에 형성되도록 해야 한다. 그러므로 최소한 직각방향으로 2회 이상 시험을 실시해야 한다.

④ 시험체의 크기 및 형상 등에 거의 제한을 받지 않으며, 결함모양이 표면에 직접 나타나므로 육안으로 관찰할 수 있다.

⑤ 어느 강도 이상의 자계를 작용시키지 않으면 결함부로부터의 필요한 강도의 누설자속

을 얻을 수 없다.

⑥ 결함의 누설 자속은 일반적으로 아주 약하므로, 자분을 균일한 상태로 안정되게 적용해야 한다.

⑦ 결함의 표면이 열려있지 않아도 표면으로부터 2 ~ 3mm 정도의 표면 가까이에 존재하면 검출이 가능하지만, 깊은 곳에 있으면 자속이 누설되기 어려워 결함을 검출할 수 없다.

⑧ 시험체 표면에 페인트, 도금 등의 표면처리가 되어 있으면 밖으로 자속이 누설되기 어렵기 때문에 두꺼운 경우에는 제거하고 시험해야 한다.

⑨ 사용하는 자분은 시험체 표면의 색과 대비(contrast)가 잘되는 구별하기 쉬운 색을 선정해야 한다.

⑩ 불연속 이외에도 표면이 거칠거나 요철(凹凸)부분, 용접 비드 등은 자속이 누설되기 쉬워 의사모양을 만들 때가 많다. 그러므로 나타난 자분모양이 결함에 의한 자분모양인지, 의사모양인지 여부를 확인하고 판정해야 한다.

⑪ 균열뿐만 아니라 소재 홈(streak fissure 등)과 같은 선 모양의 결함도 검출 가능하지만, 핀 홀(pinhole)과 같은 점 모양의 검출은 일반적으로 어렵다.

⑫ 결함이 표면으로부터 깊어지면 자속이 누설되기 어려워 희미한 자분모양을 나타내므로 결함을 발견하기가 어렵게 된다. 그러나 결함이 표면에 인접해 있으면 선명하고 날카로운 형태가 되어 뚜렷한 자분모양으로 나타난다.

⑬ 대형 구조물과 단조물 등 시험체가 큰 경우에는 아주 높은 자화전류치가 요구되기도 한다.

⑭ 전극이 접촉되는 부분에서 국부적인 가열 또는 아크(arc)로 인하여 시험체 표면이 손상될 우려가 있다.

⑮ 시험체 표면 위에서의 결함의 위치, 형상과 크기에 관한 정보는 얻을 수 있으나, 깊이나 시험체의 판 두께 방향의 결함 높이나 형상에 관한 정보는 얻을 수 없다.

⑯ 시험 후 탈자가 요구되기도 하며, 탈자 후 표면에 붙어 있는 자분에 대하여 후처리가 요구되기도 한다.

제 2 절 자분탐상시험의 순서

1. 시험의 순서

자분탐상시험은 **그림 2-2** 와 같은 조작 순서에 의하여 실시한다. 이 순서 중, 자화와 자분의 적용 순서에서는 그림과 같이 탐상조건을 설정 또는 선정해야 한다.

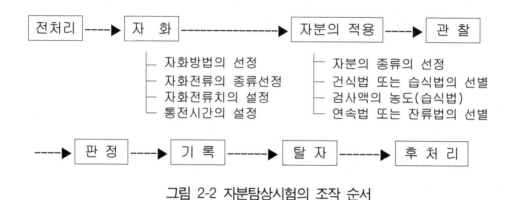

그림 2-2 자분탐상시험의 조작 순서

2. 자분모양의 식별성

자분탐상시험은 자분모양에 의하여 결함을 검출하기 때문에 자분에 의한 지시모양의 식별성의 좋고 나쁨이 직접 시험 정밀도에 큰 영향을 미친다. 자분모양의 식별성을 향상시키기 위해서는 다음 사항을 고려해야 한다.

✎ 1) 적정한 자화로 결함부에서 충분한 누설 자속이 얻어지도록 해야 한다.

자화가 너무 약하면 결함부로부터 충분한 누설 자속(漏洩磁束)이 얻어지지 않으며, 자화가 너무 강하면 건전부에도 자속이 누설되어 시험 면 전체에 자분이 부착되어 오히려 결함 자분모양(flaw indication, relevant indication)의 식별성을 나쁘게 한다. 이러한 현상은 표면이 거칠거나 나사와 모퉁이부분, 용접 비드부분 등을 시험할 때에 나타나므로 특히 주의해야 한다.

✎ 2) 적정한 자분을 적용해야 한다.

시험 면 전체에 가능한 한 균일하게 자분을 적용하여, 결함부로부터의 약한 누설 자속에도 충분한 양의 자분이 흡착되도록 해야 뚜렷한 자분모양을 얻을 수 있다. 시험 면이 넓은 경우는 1회에 자분 적용의 조작이 가능한 넓이로 분할하여 실시해야 한다.

3) 흡착성(吸着性) 및 식별성이 우수한 자분을 사용해야 한다.

사용하는 자분은 결함부로부터의 누설 자속에 대하여 흡착 성능이 우수해야 한다. 흡착 성능에는 자분의 입도(粒度), 자기적(磁氣的) 성질, 착색제(着色劑)나 형광제(螢光劑)의 두께 등이 관계된다. 또한 식별성이 좋은 자분을 선택해야 한다. 자분모양의 식별 성능은 자분모양과 배경(background)과의 대비(contrast)에 의해 좌우되므로 비형광 자분을 사용할 때는 시험체 표면의 색과 가급적 대비(contrast)가 잘 되는 색의 자분을 선택하고, 형광 자분을 사용할 때는 형광 휘도가 가능한 한 높은 것을 선택한다. 시험체 표면이 다양한 색으로 되어 있는 경우나 결함부에서의 누설 자속밀도가 낮은 경우(예를 들면 결함이 작을 때 혹은 자화가 약할 때)에는 비형광 자분보다는 형광 자분을 사용하는 것이 좋다.

4) 적정한 관찰을 해야 한다.

자분모양의 관찰은 관찰하기 편리한 환경이어야 한다. 즉 비형광 자분을 사용하는 경우는 자분모양을 충분히 식별할 수 있는 밝은 장소에서 관찰하는 것이 자분모양을 빠뜨리지 않고 관찰할 수 있으며, 눈도 덜 피로하게 된다. 형광 자분을 사용할 때는 가급적 어두운 장소에서 관찰하는 것이 자분모양의 식별 성능을 향상시킬 수 있다. 만일 빛이 들어오면 자분모양의 식별성이 현저하게 저하된다. 형광 자분을 사용할 때는 시험 면에 적정한 강도(KS D 0213-1994에서는 $800\mu W/cm^2$ 이상, ASME code에서는 $1,000\mu W/cm^2$ 이상)와 파장(320~400nm)의 자외선을 조사해야 충분한 식별성이 얻어진다. 눈과 시험 면의 거리를 적정하게 유지하는 것도 중요하다. 아주 미세한 결함은 눈을 시험 면의 10cm 정도까지 가까이 하지 않으면 식별할 수 없는 경우도 있다.

3. 전처리

가. 전처리의 필요성

전처리는 시험체의 표면에 부착되어 있는 기름, 그리스(grease), 녹, 용접 플럭스(flux), 용접 스패터(spatter) 등과 같은 오염물을 제거하여 결함의 검출능을 높이기 위한 기본 공정으로써 자분탐상시험의 결과에는 큰 영향을 미치므로 다음과 같은 목적으로 실시한다.

1) 시험체에 적정한 방향 및 크기를 가진 자속이 흐르게 하며, 여러 조작으로부터 시험체의 손상을 방지한다.
2) 결함부에 충분한 자분이 공급되게 하여 결함 자분모양의 관찰과 미세 결함의 검출을 쉽게 한다.
3) 결함 이외의 부분에는 자분모양이 가급적 형성되지 않게 하여 결함 자분모양의 관찰

을 쉽게 한다.

　전처리는 시험체의 표면상태, 오물 및 도료나 이물질의 부착상태에 따라서는 상당히 번거로운 경우가 있으며, 전처리 공정만으로 탐상시간보다도 몇 배 더 소비되는 경우도 많을 뿐만 아니라, 걸핏하면 불충분하게 처리되기도 한다. 어떠한 경우든 탐상 목적에 알맞은 처리를 하는 것이 필요하다. 전처리에는 시험체 표면의 청소뿐만 아니라 건조와 시험체의 분해 및 탈자 등이 포함된다.

나. 전처리 방법

　전처리는 요구되는 시험 정밀도와 시험방법에 따라 그 정도 및 방법이 다르므로 알맞은 처리를 하기 위해서는 검사원 자신이 직접 처리하는 것이 가장 좋다. 부득이 일반 작업자에게 부탁하여 처리할 경우는 그 방법과 정도를 구체적으로 지시하고, 가급적 검사원이 입회해야 한다. 전처리의 범위는 시험범위보다 넓어야 하는데, 용접부의 경우는 시험범위에서 모재 쪽으로 약 $20mm$(KS D 0213-1994에서는 약 $20mm$, ASME code에서는 최소 1 인치 이내 범위) 넓게 잡아 처리하는 것이 원칙이다. 어떠한 시험 면은 전처리를 했는데도 탐상을 해 보면, 자분의 부착 정도 등을 볼 때, 전처리가 부족했음을 자주 보게 된다. 그러므로 시험할 때에는 탐상에 필요한 기기와 전처리에 필요한 공구를 항상 준비해서 언제든지 전처리를 할 수 있어야 한다.

　전처리 방법을 구체적으로 나타내면 다음 5가지 작업으로 나눈다.

① 시험체가 조립품인 경우는 원칙적으로 단일 부품으로 분해하여 시험해야 한다. 조립품은 일반적으로 복잡한 형상을 하고 있기 때문에 조립된 상태에서는 결함을 검출할 수 없는 면이 있지만, 분해함으로써 모든 부품의 전 표면을 시험할 수 있다.

② 시험 후 구멍이나 틈 등에 들어간 자분을 제거하기가 곤란한 부분은 미리 테이프로 막거나 해가 없는 물질로 메워서 자분의 침입을 방지한다.

③ 시험 면을 깨끗이 해야 한다. 시험체에 부착된 유지(油脂), 오염 그 밖의 부착물 및 도료, 도금 등의 피막은 결함에 자분 흡착을 방해하여 결함 검출율을 저하시키므로 잘 제거해야 한다. 시험 면의 세척처리는 간단히 마른 헝겊으로 닦거나 세척액 등의 용제를 함께 사용하면 효과적이다. 도료(塗料) 등 이물질(異物質)이 부착되어 있거나 주조품과 같이 표면이 거친 경우는 자분탐상시험을 저해하므로 탐상 면을 필요에 따라 쇠솔(wire brush)이나 연삭기(grinder) 또는 샌드 블라스트(sand blast) 등 기계적인 방법으로 제거하여 매끄럽게 가공한다. 그리고 용접부의 경우는 덧살(weld reinforcement)의 요철(凹凸)을 연삭기로 매끄럽게 가공과 동시에 스패터(spatter) 및 슬래그(slag) 등도 제거한다. 이 방법은 시험체의 표면상태와 형상 변화에 영향을 미치므로 사전에 확인해야 한다.

④ 시험체에 직접 통전(通電)하여 자화하는 방법(프로드법, 축 통전법, 직각 통전법)을 적용하는 경우는 스파-크(spark) 등을 방지하기 위하여 전극 및 전극과의 접촉부위는 깨끗이 닦아야 한다. 전극의 접촉부분에 산화 피막 등 전류를 가로막는 것이 부착되어 있으면 시험체가 손상되거나 전류가 잘 흐를 수 없기 때문에, 시험체와 전극의 접촉부분은 모두 깨끗하게 닦아야 한다. 또한 시험 면과의 접촉이 잘 되게 하기 위해서는 전극에 구리선으로 짠 망(copper braid)이나 납판 등의 도체패드(contact pad)를 부착하는 것이 좋다. 이 경우에도 도체패드는 깨끗하고 산화 피막 등은 제거해야 한다.

⑤ 시험체에 강한 잔류자기(殘留磁氣, residual magnetism)가 있는 경우에는 탈자(脫磁, demagnetization)를 해야 한다. 강한 잔류자기가 있는 상태에서 자화하게 되면 결함 검출에 필요한 자속밀도가 얻어지지 않는다.

4. 자화

시험체에 적정한 자계 또는 자속을 걸어주는 조작을 자화(magnetization)라 한다. 이때 시험체의 성질(형상, 치수, 재질)과 예상되는 결함의 성질과 상태(종류, 위치, 방향) 및 탐상장치의 특성에 따라 자화방법(시험체에 자속을 발생시키는 방법), 자화전류(시험체에 자속을 발생시키는데 필요한 전류)의 종류와 자화전류치 및 통전시간을 선정해야 한다.

가. 자화방법의 종류

자분탐상시험에 사용되고 있는 자화방법에는 원형 자화법과 선형 자화법이 있다. 원형 자화법은 시험체에 전극을 접촉시켜 통전(**직접 자화**)하거나. 시험체의 관통 구멍에 도체나 전선을 통과시키고 전류를 흐르게 하여 원형 자계(circular magnetic field)로 시험체를 자화(**간접 자화**)하는 것을 말하며, 이 방법으로 자화하는 것을 원형자화(circular magnetization)라 한다. **그림 2-3** 은 원형 자화의 발생원리를 나타내며, **그림 2-4** 는 결함 방향과의 관계를 나타낸다.

선형 자화법은 코일이나 솔레노이드(solenoid)내에 시험체를 넣거나 또는 자극 사이에 시험체를 놓고 자화하면, 그 주위에 자계가 발생하는데, 이 형성되는 자계는 시험체에 영향을 미치게 되며, 자력선은 오른손 법칙에 따라 시험체의 축 방향으로 형성되는 선형 자계(longitudinal magnetic field)를 이용하여 시험하는 것을 말하며, 이 방법으로 자화하는 것을 선형 자화(longitudinal magnetization)라 한다. **그림 2-5** 는 선형 자화를 발생시키는 원리를 나타내며, **그림 2-6** 은 선형 자화와 결함방향과의 관계를 나타낸다.

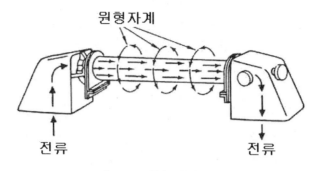

그림 2-3 원형 자계의 발생

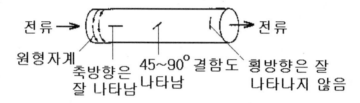

그림 2-4 원형 자계와 결함 방향과의 관계

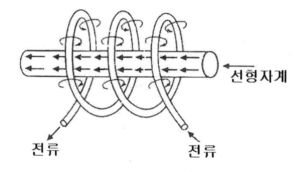

그림 2-5 선형 자계의 발생

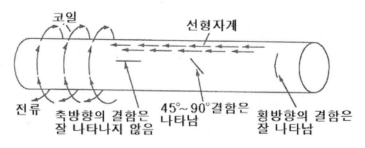

그림 2-6 선형 자계와 결함 방향과의 관계

자분탐상시험으로 결함을 검출하기 위해서는 시험체 표면에 적정한 유효자계가 주어지도록 자화해야 된다. 시험체의 자화상태는 시험체의 형상 및 자기 특성과 시험체에 작용하는 자계의 방향과 강도에 따라 정해지므로, 결함의 검출능력에 영향을 미치는 인자로는 자계의 세기와 자계의 방향이 있다.

시험체에 필요한 자계의 세기는 시험체의 자기 특성, 시험방법(연속법 또는 잔류법), 시험 면의 형상과 표면 거칠기 및 검출하고자 하는 결함이 있는 위치, 형상, 크기에 따라 다르기 때문에 영향을 미치며, 자계의 방향은 자계를 가하는 방향 또는 자화방법에 따라 다르다. 결함의 검출 능력은 결함의 방향과 자계의 방향이 직각이 되도록 자화할 때 최대가 된다.

나. 자화방법의 분류

시험체를 자화할 때는 예측되는 결함에 의해 가급적 많은 자속이 결함으로 인하여 차단되어 많은 누설자속이 발생하는 자화방법을 선택해야 한다. 그리고 자속이 가급적 시험 면에 평행하게 흐르도록 자계를 걸어줄 필요가 있다. 더욱이 유효한 자화를 위해서는 시험체의 끝부분 등에 의해 생기는 반자계의 발생을 고려하여 이것을 가능한 한 감소시킬 수 있도록 해야 한다.

자화방법은 한국 산업규격의 KS D 0213-1994「철강 재료의 자분탐상시험방법 및 자분모양의 분류」에서 7 가지로 분류하고 있으며, KS B ISO 9934-1-2006(비파괴검사-자분탐상검사-제 1 부 : 일반원리)에서는 7가지 방법이외에 시험체 표면에 도체를 인접시켜 평행하게 배치하는 근접 도체법(adjacent method)과 코일법(cable 이용)의 응용인 근접 도체법이 포함되어 있다.

표 2-2 에 이들의 자화방법 중 일반적으로 사용되고 있는 7 종류 및 그 특징을 참고로 나타낸다. 이들 자화방법을 발생하는 자계의 방향성에 따라 분류하면 다음과 같이 구분한다.

- 원형 자계를 발생시키는 방법(**원형 자화법**) : 축 통전법, 직각 통전법, 전류 관통법, 프로드법, 자속 관통법,
- 선형 자계를 발생시키는 방법(**선형 자화법**) : 코일법, 극간법

그리고 이들의 자화방법을 자속을 발생시키는 방식에 따라 분류하면 다음 4가지 방식으로 구분한다.

- 시험체에 전극을 접촉시켜 통전함에 따라 자속을 발생시키는 방식 : 축 통전법, 직각 통전법, 프로드법.

표 2-2 KS D 0213-1994에서 규정하는 자화방법의 종류와 그 특징

자화 방법	부 호	자화방법의 설명	자 계	장점	단점	검출할 수 있는 결함의 방향	비고
축 통 전 법	EA	o 시험체의 축 방향 으로 직접 통전한 다.	원 형 자 계	o 비교적 형상이 복잡한 시험체도 정밀하게 검 사할 수 있다. o 반자계가 적다.	o 전류에 직각방향인 시험체의 굵기가 굵을 수록 높은 자화전류를 필요로 한다. o 스파크 우려가 있다.	o 전류와 평행한 방향 의 결함에 대해 가장 감도가 높다. o 직각방향의 결함은 검출할 수 없다.	축류의 외경에 적용한다.
직 각 통 전 법	ER	o 시험체의 축에 대 하여 직각 방향으 로 직접 통전한다	원 형 자 계	o 축통전법과 동일	o 축통전법과 동일	o 축에 직각 방향의 결 함에 대해 가장 감도 가 높다. o 축방향의 결함은 검 출할 수 없다.	축류의 끝 면 및 끝부 분 주변 면 에 적용한 다.
프 로 드 법	P	o 시험체의 국부(局 部)에 2개의전극 (prod)을 접촉시 키고 통전한다.	원 형 자 계	o 비교적 형상이 복잡한 시험체도 정밀하게 검사할 수 있으며, 큰 시험체의 검사에 알맞다. o 반자계가 적다.	o 전류가 높기 때문에 시험체에 전극(prod) 자국이 남기 쉽다.	o 전극을 연결한 선과 평행인 방향의 결함 에 대해 가장 감도가 높다. o 직각방향의 결함은 검출할 수 없다.	형상이 복 잡한 것에 도 적용할 수 있다.
전 류 관 통 법	B	o 시험체의 구멍 등 을 통과시킨 도 체에 전류를 흘 린다.	원 형 자 계	o 관 등 속이 빈모양의 내경과 측면 및 외경 을 능률 좋게 검사가 가능하다. o 반자계가 적어 스파크 의 염려도 없다.	o 외경이 클수록 높은 전류가 필요하다.	o 축통전법과 동일	관 및 관 이음매에 적용한다.
코 일 법	C	o 시험체를 코일 속 에 넣고 코일에 전류를 흘린다.	선 형 자 계	o 특별히 대전류를 흐르 게 하는 장치를 필요 로 하지 않고, 충분히 큰 자계를 걸어 줄 수 있다. o 스파크 염려가 없다.	o 반자계가 작용하므로 끝부분은 자극의 형성 때문에 탐상할 수 없 다.	o 코일 감은 방향의 결함에 대해 가장 감도가 높다. o 코일과 직각방향의 결함은 검출할 수 없 다.	축류 등의 표면 결함 검출에 효 과적이다.
극 간 법	M	o 시험체 또는 검사할 부위를 전자석 또는 영구자석의 자극 사이에 놓는다.	선 형 자 계	o 휴대형은 무게가 가벼 워 취급하기 쉽다. o 표면 결함을 검출하기 좋다. o 스파크 염려가 없다.	o 전자속이 장치의 철심 단면적에 의해 정해지 므로, 직류는 철심보 다 단면적이 큰 것 은 사용할 수 없다. o 자극주변은 누설자속 이 많아 탐상이 불가 능하다.	o 자극을 연결한 선과 직각방향의 결함에 대해 가장 감도가 높 다. o 평행인 방향의 결함 은 검출할 수 없다.	일 반 적 으 로 표면결 함 검사에 효 과 적 이 다.
자 속 관 통 법	I	o 시험체의 구멍 을 통과시킨 자 성체에 교류자속 을 줌에 따라 시험 체에 유도전류를 흘린다.	원 형 자 계	o 전류 관통법과 동일	o 외경이 클수록 높은 교류자계가 필요하 다.	o 원주방향의 결함에 대해 가장 감도가 높 다. o 지름 방향의 결함은 검출할 수 없다.	전류 관통 법과 동일

- 시험체 외부의 도체에 통전함에 따라 시험체에 자속을 발생시키는 방식 : 전류 관통법, 근접 도체법, 코일법.
- 자석의 철심에 자계를 주어 발생시킨 자속을 시험체에 투입하는 방식 : 극간법.
- 전자 유도현상을 이용하여 시험체에 유도 전류를 발생시킴에 따라 시험체에 자속을 발생시키는 방식 : 자속 관통법.

다. 자화방법의 선정

자화방법을 선정할 때에는 시험체의 형상, 치수, 탐상부위, 예측되는 결함의 종류와 방향 및 위치를 고려하여 자화방법을 선정한다. 자화방법의 선정에 있어서 주의할 일반적인 사항은 다음과 같다.

✎ 1) 검출하고자하는 결함에 가급적 직각이 되는 방향으로 자속이 흐르게 한다.

결함이 자속의 방향과 직각으로 만나는 경우에는 결함부에 가장 많은 누설 자속이 발생하여 자분모양이 형성되기 쉽지만, 평행한 경우에는 결함부에 거의 누설 자속이 발생하지 않기 때문에 큰 결함이 있어도 자분모양이 형성되기 어렵다. 이것은 적정한 자화방법을 선정할 때에 가장 중요한 사항이므로, 결함의 방향을 예측할 수 없는 경우나 여러 방향으로 균열이 발생하고 있다고 생각되는 경우에는 처음 자화하여 걸어준 자속의 방향과 직교하는 방향으로 다시 자화를 할 필요가 있다. 경우에 따라서는 다시 자화방향을 여러 방향으로 바꾸어 되풀이 하는 것도 효과가 있다.

✎ 2) 자속의 방향이 시험 면에 가급적 평행이 되도록 한다.

자속의 방향이 시험 면에 평행하지 않으면 탐상 면에 들고 나는 자속이 많아져서 결함이 없는 시험 면에도 자분이 부착되어 결함 자분모양의 관찰을 어렵게 한다. 복잡한 형상의 시험체인 경우에는 이러한 일이 자주 일어나므로 자화를 여러 번 나누어 실시하거나, 프로드법이나 극간법을 병용하도록 한다.

✎ 3) 반자계가 가급적 발생하지 않도록 한다.

반자계가 발생하면 시험체에 자계가 유효하게 작용하지 않게 되거나, 잔류 자속밀도가 감소하여 결함의 검출 성능이 저하되므로, 가급적 반자계가 발생하지 않는 자화방법을 선정해야 한다. 이를 위해서는 자기회로가 강자성체에서 폐회로를 만들도록 해서 시험체에 자극이 발생하기 어렵게 하면 된다.

✎ 4) 시험 면의 손상에 대하여 주의한다.

시험체의 재질에 따라서는 국부적인 과열이나 스파크(spark) 등으로 인하여 미세한 균열이 발생할 우려가 있다. 그러므로 자화방법을 선정할 때에는 시험체의 재질, 시험 면의 상태와 시험 후의 가공 공정으로부터 종합적인 검토가 필요하며, 경우에 따라서는 시험체에 직접 통전하는 자화방법, 즉 축 통전법, 직각 통전법, 프로드법은 가급적 피하는 것이 좋다.

✎ 5) 표면 아래 결함의 검출하거나 잔류법을 적용할 경우에는 직류를 사용한다.

표면 아래(subsurface)의 결함을 검출하고자 할 때에 교류를 사용하면 표피효과 때문에 검출성능이 나빠진다. 잔류법은 원칙적으로 직류를 사용해야 하며, 교류를 사용하는 경우에는 특별한 장치를 해야 한다. 그리고 자속 관통법과 같이 교류만을 사용하는 것도 있으므로 주의해야 한다.

✎ 6) 대형 시험체는 시험 면을 분할하여 국부적으로 자화할 수 있는 자화방법을 선정한다.

복잡한 형상의 시험체 또는 대형의 시험체는 시험체의 국부(局部)에 필요한 강도와 방향의 자계를 작용시키기가 곤란한 경우에는 극간법 또는 프로드법을 병용하여 국부적인 자화를 하는 것이 좋다.

라. 각종 자화방법의 특징

1) 축 통전법(axial current magnetization method)

축 통전법은 파이프 및 환봉 등의 바깥 둘레 표층면(表層面)을 탐상하기 위하여 **그림 2-7** 과 같이 시험체의 축 방향으로 전류를 직접 통전하여 앙페르의 오른 나사의 법칙에 따라 전류 주위에 발생하는 원형 자계를 이용하여 시험체를 자화하는 방법이다. 시험체의 양쪽 축에 시험체를 끼우고 자화하므로, 일반적으로 헤드 셧(head shut)법이라 부르는 방법이다. 이 방법은 한 번의 자화로 시험체의 전체 표면을 검사할 수 있는 장점이 있으며, 전류에 평행한 결함 즉, 축 방향의 결함이 가장 잘 검출되며, 축에 직각인 방향의 결함은 검출되기 어렵다.

① 시험 면에서의 자계의 세기 H(A/m)는 시험체의 반지름을 r(m), 자화전류를 I(A)라 하면, 직선 전류 주위의 자계의 세기를 구하는 식은

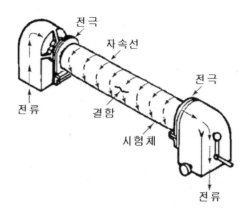

그림 2-7 축 통전법

$$H = \frac{I}{2\pi r} \ (A/m) \cdots\cdots\cdots\cdots\cdots\cdots\cdots\cdots\cdots\cdots\cdots\cdots\cdots\cdots\cdots \ (2.\ 1)$$

이 되며, 자화전류치는 구하는 식은 다음과 같이 된다.

$$I = 2\pi rH \ (A) \cdots\cdots\cdots\cdots\cdots\cdots\cdots\cdots\cdots\cdots\cdots\cdots\cdots\cdots\cdots\cdots \ (2.\ 2)$$

그러므로 시험체의 자기특성 등에 따라 자화에 필요한 자계의 세기를 알게 되면 식 (2. 2)을 이용하여 자화전류를 쉽게 구할 수 있다. 또한 식에서 알 수 있듯이 자화전류는 시험체의 바깥지름 또는 반지름에 따라 시험 면에 자화에 필요한 자계의 세기가 얻어지도록 해야 하지만, 시험체의 길이와는 관계가 없기 때문에 자화전류를 바꿀 필요도 없다. 또한 식에서 알 수 있듯이 자화전류치는 시험체의 전류에 직각인 방향의 굵기에 따라 변화시킬 필요가 있지만, 전류 방향에 대해서는 그럴 필요가 없다.

② 시험체 끝부분에 전극을 접촉시키기 때문에 안쪽 둘레면과 끝면의 탐상은 할 수 없다. 따라서 안쪽 둘레 면의 결함 탐상은 전류관통법 등을 적용해야 한다. 또한 전극의 접촉부가 되는 축의 끝부분은 탐상범위에서 제외되기 때문에 끝부분의 결함을 검출하기 위해서는 직각 통전법 등의 다른 자화방법을 적용해야 한다.

③ 2개 이상의 시험체를 병렬(竝列)로 전극 사이에 끼우고 동시에 통전하는 방법은 각 시험체와 전극 접촉부의 전기저항의 불규칙으로 인하여 각각의 시험체에 흐르는 전류치가 변동될 우려가 있어서, 시험체에 필요한 자계를 확실히 얻을 수 없으므로 바람직하지 않다.

④ Y자 및 U자의 형상을 가진 시험체를 자화하는 경우도 **그림 2-8** 과 같이 자화전류가 시험체 속으로 나누어져서 흐르도록 하는 접촉방법은 피해야 한다.

⑤ 이 방법은 시험체에 직접 통전하는 방법이므로, 전극과 시험체의 접촉이 불완전하면 스파크 및 접촉 저항 열에 의한 손상을 입힐 위험성이 있다. 따라서 전극과의 접촉부에 녹 등 기타 이물질이 부착되어 있어서 전기저항이 크게 되거나, 접촉되는 면적이 적게 되면 스파-크가 튀거나 발열되어 시험 면을 손상시키기 때문에, 시험체와 전극의 접촉면은 잘 연마하거나, 도체 패드(contact pad) 등을 사용하여 가급적 넓은 면적이 균일하게 밀착되도록 해야 한다. 그래서 고장력강(高張力鋼, high tensile steel)등과 같은 소손(燒損)에 민감한 재질에는 적용하지 않는 것이 좋다.

⑥ 축 통전법은 뒤에서 설명할 직각 통전법, 프로드법, 전류 관통법과 더불어 자기 회로가 시험체 속에서 폐회로를 만들기 때문에 반자계가 발생되지 않아서 시험체를 효과적으로 자화할 수 있는 특징이 있다.

■ **참고 :**

옆의 그림과 같이 시험체가 지름 2인치(50.8mm)와 3인치(76.2mm)로 층이 있는 봉형(bar) 시험체를 축 통전법으로 시험한다면 2번 자화해야 한다. 작은 지름, 즉 작은 단면에 소요되는 전류치를 계산하여 먼저 자화하여 시험하고, 다음에 3인치 지름인 큰 단면에 맞는 전류치를 계산하여 자화하여 시험해야 한다.

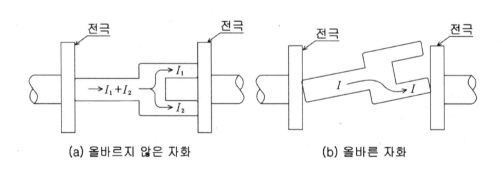

(a) 올바르지 않은 자화　　　　(b) 올바른 자화

그림 2-8 Y자 모양 시험체의 자화

2) 직각 통전법(cross current magnetization method)

직각 통전법은 **그림 2-9** 와 같이 시험체의 축에 대하여 직각방향으로 전극을 대고 전류를 직접 흘려서 전류 주위에 발생하는 원형 자계를 이용하여 시험체를 자화하는 방법이다. 이 방법은 축에 직각인 방향의 결함이 가장 잘 검출되며, 축 방향의 결함은 검출하기 어렵다.

① 직각 통전법은 축 통전법을 적용할 수 없는 시험체의 축 끝면의 탐상과 코일법에서는 반자계 때문에 검출이 곤란한 시험체 축의 끝 부근에 존재하며 축에 직각 방향의 결함 탐상 등에 사용한다. 축 통전법 및 코일법 등과 조합시켜 보조적인 자화방법으로 사용할 때가 많다.

② 탐상할 때 사용하는 자화전류치는 전류와 직각 방향의 시험체의 굵기(지름)에 비례하여 증가시켜야 한다.

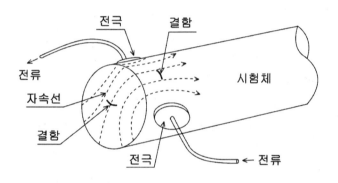

그림 2-9 직각 통전법

③ 일반적으로 긴 봉(棒)의 시험체를 직각 통전법으로 자화하는 경우의 탐상 유효범위의 길이는 시험체의 굵기 이하로 한다. 그러므로 축에 직각인 방향의 결함을 직각 통전법으로 시험체 전체 길이를 검사하는 경우에는 시험체의 굵기 이하의 피치(pitch)로 나누어 여러 번 통전(자화)하여 시험해야 한다.

④ 전극 접촉부 및 그 주변부에는 탐상 불능영역이 있으므로, 원둘레(원주)방향에 대해서도 시험을 반복해야 한다.

⑤ 축 통전법의 보조적인 방법으로 축 끝면을 자화할 경우는 2 방향으로부터 자화와 함께 시험조작을 반복해야 한다.

⑥ 전극의 접촉부에 대해서는 전극 접촉면의 전면이 균일하게 시험 면과 접촉되도록 하지 않으면 시험체 속의 자화가 불균일하게 되기 쉽다. 특히 가늘고 긴 봉(棒) 시험체는 전극의 접촉 면적이 넓지 않기 때문에 축 통전법 보다 더 시험 면의 손상에 주의해야 한다.

3) 전류 관통법(central conductor method, through conductor method)

전류 관통법은 **그림 2-10**과 같이 속이 빈 튜브(tube)나 관(pipe)의 내외면(內外面)이나 구멍이 있는 기계 부품 및 강구조물의 구멍 주위 등을 검사하기 위해서 구멍에 도체(conductor, 전류 관통봉)를 관통시키고 그 도체(전도체라고도 함)에 전류를 흘려서 전류 주위에 발생하는 원형 자계를 이용하여 시험체를 자화하는 방법이다. 이 방법은 관의 내외면 및 구조물의 구멍 주위, 도체와 평행방향의 결함을 가장 검출하기 쉽고, 원둘레방향의 결함은 검출하기 어렵다(**그림 2-11 참조**).

① 전류 관통법은 시험체에 직접 전류를 흘리지 않기 때문에 시험 면을 손상시킬 우려가 없다.

② 자계의 세기를 구하는 계산식은 축 통전법의 경우와 같이 식 (2. 1) 및 식 (2. 2)을 이용하여 구한다. 그러므로 구멍의 안쪽 둘레면을 검사하는 경우는 구멍의 지름에, 그리고 원통모양의 바깥 둘레 면을 검사할 경우는 바깥지름에 각각 비례하는 크기의 전류치가 필요하다.

③ 전류 관통법은 자화전류의 전체가 시험체 뿐만 아니라 도체 속을 흐르기 때문에 원통모양의 시험체에 적용하는 경우에는 축 통전법에 비해 시험체 속의 자화를 균일하게 하기 쉽다는 특징이 있다. 그러나 도체나 케이블을 구멍에 한쪽으로 편심(偏心)시켜 관통시키는 경우는 도체에 가까운 부분의 자계는 강하지만 먼 쪽은 반대로 약해진다.

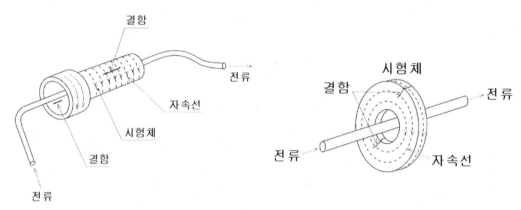

그림 2-10 전류 관통법   그림 2-11 전류 관통법에 의한 구멍 주위의 탐상

④ 도체나 케이블은 원칙적으로 구멍의 중앙에 두어야 한다. 그러나 구멍의 지름이 커서 구멍의 중심에 도체를 놓기 때문에 전원의 용량 이상으로 큰 전류를 필요로 하는 경우는 위의 ③에서 설명한 것과 같이 도체를 한쪽으로 편심시켜 관통시키고 도체에 가까

운 부분만을 검사하도록 한다. 그러나 도체를 안쪽 면에 너무 가까이 하면 **그림 2-12** 와 같이 자속이 시험체로부터 공중으로 누설됨에 따라 반자계가 발생한다. 이 반자계의 작용으로 인하여 유효 자계의 세기가 약해지므로 주의해야 한다.

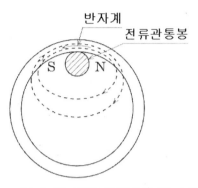

그림 2-12 전류 관통법의 반자계

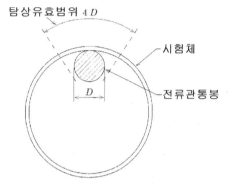

그림 2-13 탐상유효범위

⑤ 도체를 한쪽으로 편심시켜 배치하면 도체에 가까운 부분의 자계는 강해져서 자화전류치를 적게 할 수 있으나, 탐상 유효범위가 좁아지므로 여러 번 되풀이하여 시험해야 한다. 탐상유효범위("제2장 4. 자" 참조)는 **그림 2-13** 과 같이 도체(전류 관통봉) 지름(d)의 4배(4d)로 한다. 이때 도체 위의 시험체를 회전시켜 전체 원둘레를 검사하며 약 10%의 자계가 겹치도록 해야 한다. 최저 4회 이상을 시험해야 한다.

⑥ 자화전류를 공통으로 적용할 수 있는 지름이 작은 생산품들은 여러 개의 시험체를 도체에 통과시켜서 동시에 탐상할 수도 있어서 축 통전법에 비해 편리하다.

4) 코일법(coil magnetization method)

코일법은 **그림 2-14** 와 같이 코일에 전류를 흘렸을 때에 발생하는 코일 내부의 축 방향의 자계를 이용하여 시험체를 자화하는 방법이다. 이 방법은 코일 속에 시험체를 넣고 자화하는 방법과 **그림 2-15** 와 같이 시험체에 케이블을 감고 자화하는 방법이 있다. 이 방법에서는 코일의 축 방향으로 발생하는 선형자계로 시험체를 자화하므로, 코일의 축에 직각(원둘레방향) 방향의 결함이 잘 검출되며, 코일 축과 평행한 방향의 결함은 검출되기 어렵다. 이 방법에서는 선형자계를 이용하므로 반자계를 고려해야 한다.

① 코일이 만드는 자계는 코일에 흐르는 전류치(I)와 코일 감은 수(n)와의 곱인 기자력 (ampere-turn)에 비례한다.

즉, 코일의 반지름이 a(m), 길이가 L(m) 그리고 n 회 감은 코일에 전류 I(A)가 흐른다고 할 때, 코일의 중심축 상의 중앙부에서의 자계의 세기 H_o(A/m)는 식 (2. 3) 이 된다.

$$H_o = \frac{nI}{2\sqrt{(a^2 + (L/2)^2}} \quad (A/m) \cdots\cdots\cdots\cdots\cdots\cdots\cdots\cdots\cdots\cdots\cdots\cdots\cdots (2. \ 3)$$

식에서 알 수 있듯이 코일을 많이 감으면 전류치는 그만큼 크지 않아도 된다. 또한 기 자력이 같아도 코일의 형상이나 치수가 클수록 코일 내부의 자계의 세기는 약해지는 특징이 있다.

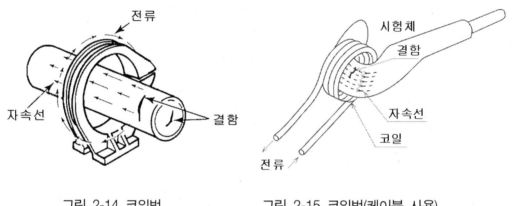

그림 2-14 코일법   그림 2-15 코일법(케이블 사용)

② 코일법에 의한 자화에서 가장 주의할 점은 반자계이다. 코일 속에서 시험체를 자화할 때 시험체의 양쪽 끝(시험체가 코일의 길이보다 긴 경우는 코일의 양쪽 끝 부근)에 자 극이 생기는 것이 원인이다. 즉 코일 속에서 자화한 시험체의 양쪽 끝에 자극이 생겨 서, 반자계가 작용하므로 시험체에 유효하게 작용하는 자계의 세기가 약해진다. 그 약 해지는 정도는 시험체에서 자화되는 부분의 L/D(L : 시험체의 길이, D : 지름)값이 작아질수록 현저하며, 더욱이 시험체의 부위마다 다르며 자극에 가까운 위치일수록 현 저하다. 그러므로 시험체에 필요한 세기의 자계를 작용시키기 위해서는 반자계의 영 향을 예상하고 보다 L/D 가 작아지면 기자력(AT)를 증가시키거나 시험체의 양 끝에 시험체보다 더 굵고 가급적 긴 이음철봉(magnetic extender)을 밀착시켜서 자극 간격 을 멀리해야 한다.

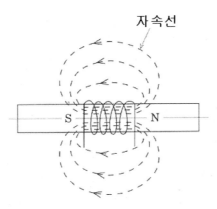

그림 2-16 코일법에 의한 국부 자화

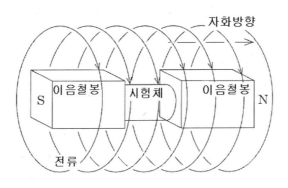

그림 2-17 이음철봉의 사용 "예"

③ 반자계의 세기는 위의 ②에서와 같이 시험체의 자화되고 있는 부분의 L/D에 따라 다르고, L/D의 값이 작을수록 강해지므로, 실제로 L/D가 2 이하일 때에는 코일법을 적용하지 않는 것이 바람직하다. 또한 반자계는 분포로 되어 있어 자극에 가까울수록 반자계는 강해진다. L/D가 큰 시험체이라도 시험체의 끝부분에는 자극이 형성되지 않으므로 끝 부분은 거의 검사할 수 없다. 끝부분 주변부를 시험할 때에는 반드시 끝면에 이음철봉을 접속하고 코일 내에서 자화해야 한다.

④ 긴 막대의 시험체를 짧은 코일로 시험하는 경우에는 **그림 2-16**과 같이 코일에 들어있는 부분이외에는 거의 자화되지 않고, 반자계의 크기도 코일의 길이에 좌우되므로, 가급적 코일은 긴 것을 사용하고, 코일에서 밖으로 나온 부분은 코일을 이동시켜서 자화조작을 하여 그때마다 시험을 반복해야 한다.

⑤ 코일 내 자계 세기의 분포는 균일하지 않으므로, 시험체를 놓는 위치에 주의해야 한다. 코일 축 위에서의 자계의 세기는 코일 중심이 가장 강하고, 코일의 끝 부분에 가

까울수록 약해진다. 또한 코일의 반지름 방향의 단면(斷面) 내의 자계의 세기는 코일 안쪽 벽이 가장 강하고, 중심에 가까울수록 약해진다. 그러므로 사용하는 코일의 지름은 시험체의 지름에 가까울수록 유효하며, 만일 큰 지름의 코일로 가는 시험체를 자화할 때에는 코일의 안쪽 벽에 가급적 가깝게 놓고 중심에는 놓지 않는 편이 좋다.

⑥ 반자계의 영향을 적게 하는 방법으로는

㉮ 교류에는 표피효과가 있어, 반자계의 영향은 직류에 비해 적으므로 교류를 사용한다. 교류를 사용하면 표피효과로 인하여 시험체의 표층부 밖에 자화되지 않으므로 L/D의 실질적인 D(자화되는 부분의 단면적과 면적이 같은 원의 지름에 가까운 값)가 작아지므로 반자계는 약해진다. 그러므로 동일 자화전류치로 자화하는 경우에는 직류보다도 교류를 사용하는 편이 시험체의 표층부는 강하게 자화된다.

㉯ 시험체를 코일의 축과 평행하게 병렬로 자화하는 경우에는 하나를 자화하는 경우에 비해 반자계가 강해지기 때문에 주의해야 한다.

㉰ 시험체의 끝 부분에 **그림 2-17** 과 같이 시험체의 양끝에 이음철봉 및 다른 시험체를 접속시키는 방법이 있다. 시험체의 끝 부분에 시험체와 지름이 같거나 보다 굵은 철 막대(이음철봉)를 잇고 자화해서 L/D 를 크게 하면, 시험체 끝 부분에 생기는 자극이 이음철봉의 양끝으로 이동하게 되어 반자계의 영향이 적게 된다.

㉱ 코일 길이보다 긴 봉의 시험체를 자화하는 경우는 가능한 한 긴 코일을 사용한다. 아무리 L/D가 큰 시험체이라도 사용하는 코일의 길이 (L)가 짧으면 코일 양 쪽 끝부근에 자극이 생기므로 L/D 는 L'/D 가 되어 반자계의 영향이 커진다.

■ **참고 :**

시험체의 길이가 30인치(762mm)이고, 지름이 3인치(76.2mm)인 봉형의 막대를 코일법으로 시험한다면, 소요되는 자화전류치의 계산은 18인치 이하로 나누어 시험해야 하므로, 이때 L/D의 L은 30÷2 = 15 로 계산한다.

위에서 설명한 것과 같이 코일법에서 가장 주의할 점은 반자계이므로, 실제로 코일법을 적용할 때 반자계의 종합적 대책은 다음과 같다.

(1) 적절한 이음철봉을 사용한다.

    (가) L/D 의 값이 작으면 이음철봉을 사용하여 L을 가능한 한 길게 한다.

    (나) L/D 의 값이 크더라도 축의 끝부분 탐상에는 이음철봉이 필요하다.

(2) 적절한 자화전류를 선정한다.

    (가) 교류와 직류를 모두 사용 가능하다면 반자계의 영향이 적은 교류를 사용한다.

    (나) 반자계에 의한 유효자계의 세기의 저하가 예상되는 자화전류치를 선정한다.

(3) 적절한 자화 코일을 사용한다.

　(가) 긴 시험체에는 충분한 길이의 코일을 사용한다.

　(나) 코일의 끝부분은 자계의 세기가 저하되므로 가급적 중앙부에서 자화한다.

5) 프로드법(prod magnetization method)

프로드법은 **그림 2-18** 과 같이 시험체의 한 부분에 접근시킨 2지점에 전극(prod)을 눌러 접촉시키고 전류를 흘려서 전류 주위에 발생하는 자계에 의해 자화하는 방법이다. 자속선과 직각으로 교차하는 방향의 결함이 가장 잘 검출되므로, 시험 면의 각 위치에서 검출하기 쉬운 결함의 방향은 다르다. 이 방법은 대형 구조물이나 복잡한 형상의 시험체를 부분적으로 시험할 경우에 사용된다.

① **그림 2-19** 와 같이 전극 사이를 흐르는 전류가 만드는 자계의 방향과 세기는 전극 사이에서의 위치에 따라 달라지므로 검출 가능한 결함의 방향도 위치에 따라 달라진다. 그러므로 이 방법에서는 시험 면 위의 각 위치에서 검출하기 쉬운 결함의 방향이 다르게 된다. 모든 방향의 결함을 검출하려면 전극의 배치를 바꾸어(일반적으로 90°) 적어도 2번 이상 자화를 반복해야 한다. 두 번째 자화할 때의 전극의 위치는 처음 전극의 위치에서 90° 를 회전시켜 배치해야 한다. 이때 전극의 위치는 표면의 탐상범위 요건에 따라 끝부분이 겹치도록 배치해야 한다.

② 넓은 시험 면 위에서 전극 간격을 넓게 하면 할수록 자계의 분포는 넓어지지만 전류는 퍼져서 자계의 세기가 약해지기 때문에 자화전류치는 전극 간격이 넓어짐에 따라 증가시켜야 한다. 이와 같이 상황에 따라 적절한 자화전류를 설정할 수 있는 점이 극간법과는 다른 프로드법의 특징이다. 그래서 규격에서는 전극 간격은 8 인치를 초과해서는 안 되며, 또한 3 인치 이하가 되면 전극 주변에 자분이 응집되어 결함의 검출이 어렵다고 전극 간 거리를 규정하고 있다.

③ 이 방법은 대(大) 전류를 흘리기 때문에 상용전원으로부터 이 같은 전류로 변환하는 장치를 필요로 한다. 또한 대 전류를 흘리므로 케이블이 굵어서 이동하는데 어려움이 따른다.

④ **그림 2-19** 와 같이 자계의 세기는 전극에 가까울수록 강하며, 양 전극으로부터 멀어질수록 약해지므로 양 전극을 잇는 선 위에서는 중앙이 가장 약하다. 그러므로 시험을 할 때에는 미리 탐상에 필요한 자계가 작용하는 탐상유효범위를 A형 표준시험편 등을 사용하여 조사해 두고, 탐상유효범위의 끝부분이 겹치도록 시험 면을 분할하여 반복하여 시험해야 한다.

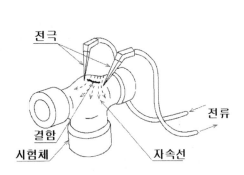

그림 2-18 프로드법

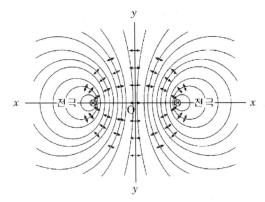

실선 : 자속선
화살표 : 가장 검출하기 쉬운 결함의 길이방향

그림 2-19 시험 면에서의 전극(prod)간
자속선의 분포

⑤ 전극 주위에는 전극지시(electrode indication)라 부르는 의사모양이 나타나서 결함의 검출이 곤란한 영역(불감대, dead zone)이 있다. 이 영역의 폭은 자화전류치에 따라 다르지만, 프로드법은 일반적으로 대 전류가 흐르기 때문에 약 $30mm$ 정도가 된다.

⑥ 프로드법은 축 통전법 및 직각 통전법과 같이 시험체에 직접 자화전류를 통전하는 자화방법이므로, 전극의 끝 부분 즉, 전극 팁(prod tip)이나 시험 면의 전극 접촉부는 전류가 흐르기 쉬운 상태가 되도록 항상 깨끗이 유지해야 한다. 특히 프로드법은 전극의 가느다란 끝부분과 시험 면의 접촉부에 전류가 집중되므로 접촉부의 전류밀도가 아주 높아지기 때문에, 전극의 끝 부분은 잘 연마하여 대 전류가 흐르기 쉽도록 도체패드 등을 사용하거나 시험 면에 이물질 등이 없도록 제거해야 한다.

⑦ 아크(arc) 발생을 최소화하기 위해서는 전극 손잡이에 부착되어 있는 자화전류의 on-off의 스위치 조작에 아주 신경써야 한다. 반드시 시험 면에 전극을 눌러 안정시킨 다음 전류를 공급하고 통전시간이 끝나면 전류를 차단한 후에 전극을 시험 면에서 떼는 기본조작을 지켜야 한다.

⑧ 이 방법은 자속의 흐름이 폐회로이기 때문에 반자계의 영향이 없고, 직류 전류를 사용할 수 있으므로 일반적으로 극간법보다 검출감도가 좋다.

6) 자속 관통법 (through flux method)

자속 관통법은 그림 2-20, 그림 2-21 과 같이 시험체의 구멍 등에 철심을 통과시키고, 이 철심에 교류 자속을 흘림으로써, 시험체의 구멍 등의 주위에 원주방향으로 유도 전류(교류)를 발생시켜, 그 전류가 만드는 자계에 의하여 시험체를 자화하는 방법이다. 이 자화방법은 **그림 2-20** 과 같이 시험체의 원둘레방향의 결함이 가장 잘 검출되며, 그것에 직각방향(지름방향)의 결함은 잘 검출되지 않는다. 그러므로 이 자화방법은 일반적으로 전류 관통법과 조합하여 많이 사용한다. 그러나 자화전류가 교류이기 때문에 내부결함의 검출은 곤란하다. 교류 자속을 얻는 방법은 **그림 2-20** 과 같이 전자석을 이용하는 방법과 **그림 2-21** 과 같이 코일을 이용하는 방법이 있으며, 코일을 사용하는 방법은 큰 시험체의 시험에 효과적이다.

① 시험체에 관통시킨 철심에 교류 자속이 흐르게 하려면 일반적으로 **그림 2-20** 과 같이 교류 전자석을 사용하여 자극 사이에 관통 철심을 끼우고 자화를 한다. 이것은 교류 변압기와 같은 원리이며, 교류 전자석의 여자코일이 변압기의 1차 코일에 해당하며 시험체가 변압기에 1회 감은 2차 코일에 해당한다. 따라서 시험체에 흐르는 유도전류는 관통하는 자속의 변화량이 클수록 많아지므로 시험체에 관통시키는 철심은 가급적 굵은 것을 사용하는 것이 좋으며, 규소(硅素)강판을 적층(積層)한 것을 사용한다.

② 원리적으로 교류 자속을 필요로 하므로, 교류의 사용을 원칙으로 한다. 직류를 사용하는 경우는 잔류법으로만 시험해야 한다.

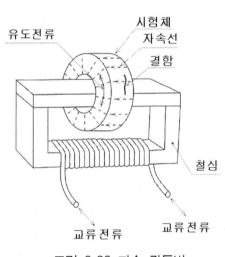

그림 2-20 자속 관통법

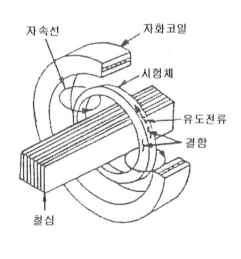

그림 2-21 자속 관통법

③ 시험체의 지름에 비례하여 철심의 단면적을 크게 한다. 전자석을 이용하는 경우는 철심 단면적이 큰 것을 사용한다.

④ 코일을 이용하기 보다는 전자석을 이용하는 것이 철심의 반자계가 적기 때문에 효율
   이 좋다. **그림 2-21** 과 같이 코일을 사용하는 경우에는 철심을 가능한 한 길게 하고
   가능하면 폐회로로 한다.

7) 극간법 (yoke magnetization method)

극간법은 **그림 2-22** 와 같이 시험체의 일부분 또는 전체를 전자석 또는 영구자석의 자
극 사이에 놓고서 자화하는 방법이다. 자기회로를 강자성체로 폐쇄시킬 수 있으므로 반자
계가 매우 적어 효과적으로 자화할 수 있으며, 또한 시험체에 직접 전류를 흘리지 않기 때
문에 스파-크(spark) 등에 의한 시험 면을 손상시킬 염려도 없다. 이 방법은 시험체에 국
부적 선형자계를 유도하므로 양 자극에 직각 방향의 결함이 가장 잘 검출되며, 평행한 것
은 검출이 곤란하다. 이 방법은 프로드법과 같이 대형 구조물이나 복잡한 형상을 갖는 시
험체의 한정된 부분검사에 많이 사용되고 있다.

① 자석의 자화능력은 자석의 전자속(全磁束)에 의하여 정해진다. 극간법은 전자석의 철
   심(鐵心) 속에 유기(誘起)된 자속을 시험체 속으로 투입시켜 시험체를 자화하므로 시
   험체 속의 자속밀도는 전자석(電磁石)의 전자속(全磁束, total magnetic flux : 자석의
   철심 속에 발생하는 자속의 총량)이 많을수록 또는 시험체 속의 자속의 퍼짐이 적을수
   록 높아진다. 그러나 전자석의 전자속은 철심재료(자석)의 포화 자속밀도와 철심 단면
   적과의 곱으로 정해진다. 그러므로 전자석의 기자력(ampere- turn)을 아무리 크게 해
   도 증가하지 않는다. 영구자석의 전자속은 자석의 잔류 자속밀도와 철심 단면적과의
   곱으로 정해진다. 잔류 자속밀도도 포화 자속밀도도 철심의 재료에 따라 일정한 값을
   가지므로, 전자석의 대소 즉, 자석의 자화능력은 철심의 단면적에 의해 결정된다. 또
   한 일반적으로 널리 사용되고 있는 소형의 교류 전자석은 자화전류를 조정할 수 없기
   때문에 시험 대상물에 따른 자화조건을 선택할 수 없다.

② 자극 간 자계의 세기와 방향은 **그림 2-22** 와 같이 위치에 따라 다르므로, 검출 가능
   한 결함의 방향도 위치에 따라 다르다. 모든 방향의 결함을 검출하려면 자극의 배치를
   일반적으로 90°로 교대로 바꾸어 적어도 2번 이상 자화를 반복해야 한다.

③ 자극의 간격을 넓게 할수록 자계의 분포는 넓어지지만. 자화능력은 자극 간격에 거의
   반비례하여 약해진다. 극간법은 프로드법과는 달리 자화전류를 증가시켜 자화능력을
   높일 수 없으므로 자극 간격은 사용하는 자석으로 한정된다. 철심(iron core) 단면적
   이 큰 자석을 사용하면 작은 자석에 비해 자극 간격을 넓히는 효과는 있지만 무거워져
   서 사용 및 휴대가 불편하게 된다.

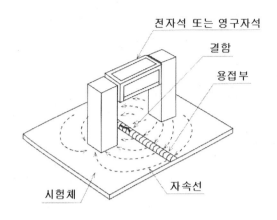

전자석 또는 영구자석

결함

용접부

시험체

자속선

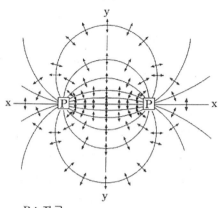

P : 자극
실선 : 자속선
화살표 : 가장 검출하기 쉬운 결함의 길이방향

그림 2-22 극간법 　　　　　그림 2-23 시험 면에서의 자극간 자속선의 분포

④ 시험체 속의 자속 회로의 단면적이 철심의 단면적보다 크게 되면, 철심 속의 자속은 시험체 속으로 확산되어 시험체 속의 자속밀도는 저하되어 충분한 자화를 얻을 수 없게 된다. 이러한 경향은 직류 전자석 또는 영구자석을 사용하는 경우에 현저하다. 교류 전자석의 경우는 표피효과(skin effect)로 인하여 시험체 속의 자속이 표면에 집중되어 깊이 방향으로 퍼지지 않기 때문에 탐상범위를 표층부로 한정하면 필요한 자화를 쉽게 얻을 수 있다. 소형의 교류 전자석으로 자화하는 경우, 시험체 속에서의 자속 분포는 표피효과로 인하여 표면에 집중되기 때문에, 넓은 시험 면에서의 자속의 분포 범위는 전자석의 자극간 거리에 좌우되며, 자극간 거리가 클수록 넓어진다. 자속의 분포 범위가 넓어지면 자속밀도는 저하된다.

⑤ 자석에 철심을 이어 사용하거나. 시험 면에 철심 부분이 밀착되지 않으면 시험체 내에 투입되는 자속수가 감소되어 결함의 검출 능력이 저하된다.

⑥ 넓은 시험 면에서의 자극 간의 자속 분포상태는 **그림 2-23** 과 같이 양 자극으로부터 멀어질수록 퍼지며, 양 자극으로 집속된다. 양 자극의 중심을 잇는 직선 위 및 양 자극으로부터 등거리에 있는 점 즉, 자극 중심을 잇는 선분의 수직 2등분 선위의 점에서는 양 자극의 중심을 잇는 직선에 평행한 방향을 가지며, 그 이외의 점에서는 다른 방향을 갖는다. 그러므로 시험 면의 각 위치에서 가장 잘 검출할 수 있는 결함의 방향이 다르게 된다. 또한 자속밀도는 자극 중심을 잇는 선분 위가 다른 곳에 비해 높고, 양 자극에 가까울수록 높아지지만, 이 선분으로부터 멀어질수록 저하된다. 따라서 자분탐상시험을 할 때에는 자속밀도가 높고 자속의 방향이 거의 같은 영역, 즉 자극 중심을

잇는 선분을 중심으로 하는 자극 사이의 영역을 이용한다. 자극사이의 이러한 자속 분포로부터 보면 극간법에서도 탐상 유효범위가 필요하다는 것을 알 수 있다.

⑦ 넓은 시험 면을 분할하여 여러 번 나누어 시험하는 경우에는 미리 탐상에 필요한 자속밀도가 얻어지는 탐상 유효범위를 A형 표준시험편 등을 사용하여 확인해 놓고, 1회의 분할 시험 면이 이 탐상유효범위 내에 들어가도록 자극의 배치를 정해야 한다. 이 때 탐상유효범위의 끝부분은 겹쳐지도록 분할해야 한다.

⑧ 전자석의 자극 부근에는 결함을 검출할 수 없는 불감대(dead zone)가 있다. 불감대는 시험 면과 자극 접촉부의 주위 공간에서의 누설자속에 의한 것으로, 시험 면과 전자석의 자극 면과의 접촉이 좋을 때는 그다지 문제가 되지 않지만, 접촉상태가 나쁠 때는 자극의 접촉부에 상당히 강한 자극이 잔류되어 자분이 그 자극에 강하게 흡인되기 때문이다. 그 범위는 시험조건에 따라 크게 다르지만 자극 접촉부의 틈(gap)이 클수록 증가하며, $2 \sim 3mm$에서부터 $20mm$ 이상이 되는 것도 있다. 시험 면과 자극의 접촉상태가 나쁠수록 자화전류는 직류보다 교류가, 그리고 자분의 적용방법은 습식보다 건식이, 각각 불감대의 크기(범위)가 넓어지는 경향이 있다. 불감대의 크기에 영향을 미치는 인자로서는 시험 면과 자극의 접촉상태 이외에 여러 가지가 있기 때문에 탐상 유효범위를 결정할 때에 확인해야 한다.

8) 근접 도체법(adjacent method)

KS B ISO 9934-1-2006 「비파괴검사-자분탐상검사-제1부 : 일반원리」에 규정되어 있는 자화방법으로, 근접 도체법(近接導體法, adjacent method) 또는 인접 전류법(隣接電流法)이라고도 한다. 이 방법은 **그림 2-24, 그림 2-25** 와 같이 1개 또는 그 이상의 막대 또는 케이블의 도체를 시험체 표면에 근접시켜서 평행하게 배치하고, 도체에 전류를 흘려서 도체의 주위에 형성되는 자계를 이용하여 시험체를 자화하는 방법이다. 이 방법은 도체와 평행한 방향의 결함이 가장 잘 검출되며, 직각으로 교차하는 방향의 결함은 검출되기 어렵다.

① 1개의 도체를 이용하는 방법인 **그림 2-24** 는 전류관통법의 응용으로, 도체 중심으로부터 시험 면까지의 수직거리를 $d(m)$라 하면 반자계의 영향을 고려한 실용적인 자화전류치 $I(A)$는 식 (2. 4)이 된다. 여기서 $H(A/m)$는 시험에 필요한 자계의 세기이다.

$$I = 4\pi dH \text{ (A)} \quad \cdots\cdots\cdots\cdots\cdots\cdots\cdots\cdots\cdots\cdots\cdots\cdots\cdots\cdots\cdots\cdots \text{(2. 4)}$$

또한 이 방법으로 얻어지는 탐상 유효범위의 폭의 기준은 $2d$ 이지만, 중심부가 가장 강하게 자화된다.

② **그림 2-25** 의 방법은 케이블의 도체를 사용하는 코일법의 응용이지만, 배관의 분기
용접부 또는 압력용기의 노즐 부착 용접부 등, 기타 자화방법을 적용하기 어려운 곳에
사용한다. 탐상 유효범위는 코일의 끝부분으로부터 거리 d 의 범위 내이며, d 는 식
(2. 5)이 된다.

$$d = \frac{NI}{4\pi H} \quad (m) \quad \text{·······························} (2.\ 5)$$

여기서 N 은 코일의 감은 수이다.

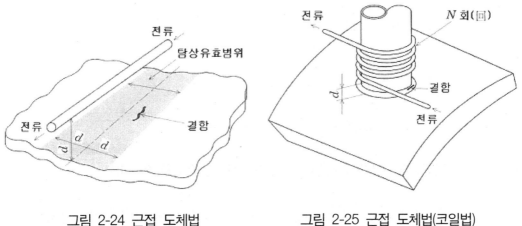

그림 2-24 근접 도체법   그림 2-25 근접 도체법(코일법)

마. 자화전류의 종류와 선정

자화전류(magnetizing current)는 시험체를 자화하기 위한 전류로써, 파형의 차이에 따
라 **그림 2-26** 과 같이 교류(AC, alternating current), 직류(DC, directing current), 맥류
(pulsating current), 충격전류(impulse current)가 있다. 교류를 정류하여 얻는 단상 반파
정류, 단상 전파정류, 삼상 반파정류 및 삼상 전파정류의 총칭인 맥류(pulsating current,
맥동전류)는 정류방법에 따라 단상(single phase)과 삼상(three phase)의 반파 및 전파정류
가 있으나 삼상전파 → 삼상반파→ 단상전파 → 단상반파의 순으로 교류 성분이 많아 교
류의 성질을 강하게 나타낸다. 삼상 전파정류의 맥류는 거의 직류라고 간주해도 될 정도
이다. 충격전류(impulse current)는 사이라트론(thyratron), 사이리스터(thyristor) 등을 사
용하여 얻은 1 펄스(pulse)의 전류로, 발생방식에 따라 여러 가지의 파형을 나타낸다. 충
격전류는 직류에 포함된다.

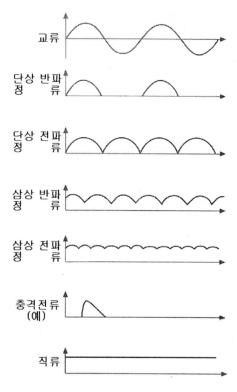

그림 2-26 자분탐상시험에 이용되는 자화전류의 종류와 파형

자분탐상시험에서 어떤 전류를 사용할 것인가는 다음 사항을 고려하여 선정한다.

① 교류는 표피효과로 인하여 시험체의 표면 부근밖에 자화되지 않으므로 표면 결함만을 검출 대상으로 할 경우에 사용한다. 표면 근방의 결함까지를 대상으로 할 때는 직류를 사용해야 한다.

② 직류와 맥류는 표면 결함 및 표면 근방의 내부 결함을 검출할 수 있다.

③ 맥류는 직류에 교류 성분이 포함된 것으로, 교류 성분이 많을수록 표피효과가 두드러져서, 내부 결함에 대한 검출 능력은 떨어진다. 단상 반파정류와 같은 맥류는 상당히 교류 성분을 포함하고 있다.

④ 교류는 그 전류 차단 시의 위상에 따라 시험체의 잔류 자속밀도가 다르기 때문에 일반적으로 잔류법에는 사용하지 않는다. 그러나 교류도 위상 판별법에 의한 전류 차단을 조정할 수 있는 장치를 사용하면 잔류법에도 사용할 수 있다.

⑤ 직류 및 맥류는 연속법과 잔류법의 양쪽 다 사용할 수 있다.

⑥ 충격 전류는 일반적으로 통전시간이 짧고, 통전시간 내에 자분의 적용을 끝마치는 것이 곤란하기 때문에 연속법으로는 사용하지 않는다.

⑦ 자속 관통법에서 연속법으로 하려면 교류를 사용해야 한다. 직류를 사용하면 잔류법이 된다.

⑧ 교류는 표피효과에 의하여 자화가 표층부에 한정되므로 반자계의 영향을 적게 할 수 있다.

바. 자화전류치의 설정

자화전류치는 시험체에 걸어줄 자계의 세기를 좌우하기 때문에 시험체를 적정하게 자화하기 위해서는 시험체의 자기 특성, 시험 면의 상태, 예측되는 결함의 종류와 위치, 크기 및 연속법 또는 잔류법의 경우 등 모든 사항을 고려하여 다음과 같이 시험체에 작용시킬 자계의 세기를 결정하고, 그 값과 자화방법 및 시험체의 크기 등에 따라 적정한 자화전류치를 설정한다.

✎ 1) 시험체의 자화곡선으로부터 다음 값을 표준으로 한다.

o 연속법 : 포화 자속밀도의 80% 정도의 자속밀도(초기 자화곡선에서 어깨 부분)가 얻어지는 자계의 세기를 걸어준다.

o 잔류법 : 시험체에 최대의 잔류 자속밀도가 얻어지도록 포화 자속밀도 이상의 자속밀도가 얻어지는 자계의 세기를 걸어준다.

자분탐상시험을 하는 시험체 속의 자속밀도는 결함으로부터의 누설 자속밀도를 좌우하는 중요한 인자이기 때문에, 시험체 속의 자속밀도가 낮으면 결함으로부터의 누설 자속밀도도 낮다, 그러므로 충분히 결함으로부터 누설 자속밀도가 얻어지도록 시험체를 자화하기 위해서는 시험체에 적정한 세기와 방향을 가진 자계를 걸어주어야 한다. 이때 자계의 세기가 강하면 시험체 속의 자속밀도는 높아지며, 결함으로부터의 누설 자속밀도도 점점 높아져서 뚜렷한 자분모양이 얻어지게 된다. 다시 자계의 세기를 강하게 하면 시험체의 자속밀도는 포화되어 결함으로부터의 누설 자속은 매우 많아진다. 이러한 상태가 되면 자속은 결함부 뿐만 아니라 결함이 없는 깨끗한 부분에도 누설되어서 시험 면 전체에 자분이 흡착되어 결함에 의한 자분모양을 관찰할 수 없게 된다. 특히 재질, 조직 및 단면 등의 급변부에 존재하는 결함 자분모양은 식별할 수 없게 된다. 따라서 연속법(continuous test method)으로 시험할 때에는 그 시험체 속의 자속밀도가 지나치게 높지 않도록 해야 하며, 포화 자속밀도의 80% 정도의 자속밀도(초기 자화곡선에서 어깨 부분)가 얻어지는 자계의 세기를 걸어주어야 한다. 그리고 강자성체를 한번 자화한 후 걸어준 자계의 세기를 "0" 되돌려도 자속밀도는 "0" 이 되지 않고, 어느 정도 세기의 자속밀도가 남게 된다. 이 잔류

자속밀도는 걸어준 자계의 세기가 강할수록 많으며, 포화 자속밀도 이상의 자속밀도가 얻어지는 자계의 세기에서는 변화하지 않는다. 일반적으로 최대 잔류 자속밀도는 포화 자속밀도의 70% 정도이다. 따라서 잔류법(residual test method)의 경우에는 시험체에 최대의 잔류 자속밀도가 얻어지도록 포화 영역에 까지 이르는 세기의 자계를 걸어주어야 한다.

✒ 2) 시험 면의 상태를 고려해야 한다.

연속법 및 잔류법에서도 시험 면의 상태를 고려하고 걸어줄 자화의 세기를 결정해야 한다. 예를 들면 시험체가 나사부와 같이 매끄럽지 못하거나 재질, 조직 또는 단면 등 급변부가 있는 경우에는 표준 값보다 조금 약하게 하는 편이 좋다. 시험체의 형상이 복잡하거나 반자계가 작용하는 경우에는 시험체에 작용할 자계의 세기로부터 자화전류치를 계산하는 것은 일반적으로 곤란하다. 이러한 경우에는 뒤에서 설명할 A형 표준시험편을 탐상 부위에 붙이고 연속법으로 자화하여 그곳에 뚜렷한 자분모양이 나타나는 자화전류치를 구함으로써 적정한 자화전류치를 설정할 수 있다. 만일 A형 표준시험편에 뚜렷한 자분모양이 니티나기 시작하는 자계의 세기와 시험체의 작용시킬 자계의 세기가 다른 경우에는 다음과 같이 하면 된다.

예를 들면 $1,600\,A/m(= 20\ Oe)$에서 자분모양이 나타나는 A형 표준시험편을 사용하여, 유효 자계의 세기(effective magnetic field intensity)가 $3,200\,A/m(= 40\ Oe)$가 되는 자화전류치를 구하는 경우를 생각한다. 먼저 그 A형 표준시험편을 시험 면에 붙이고, 자화전류치를 서서히 증가시켰을 때 $500\,A$에서 자분모양이 나타나기 시작하였다면, 구하는 대강의 자화전류치는 다음 식으로 계산하면 된다.

$$I = 500 \times \frac{3,200}{1,600} = 1,000A$$

자화전류치를 필요 이상으로 높게 하면, 앞에서 설명하였듯이 시험 면 전체에 흡착되는 자분량이 많아져서 결함 자분모양의 식별을 곤란하게 할 뿐만 아니라 시험체에 직접 전류를 흘리는 경우에는 시험체를 손상시킬 우려가 있으므로, 적정 범위를 넘는 과대한 전류는 흘리지 않도록 해야 한다. 특히 연속법으로 사용하는 경우에는 주의해야 한다. 이때의 전류치는 파고치(波高値)를 읽을 수 있는 전류계를 사용하여 측정하는데, 이것은 자분탐상시험에서 전류 파형이 찌그러지기 쉽기 때문에 일반적으로 사용하고 있는 교류 전류계의 실효치 및 직류 전류계의 평균치는 의미가 없어지기 때문이다. 그러나 KS B ISO 9934-1-2006 에서는 실효치의 사용도 규정하고 있기 때문에 실제로 자분탐상시험에 있어서는 주의해야 한다.

사. 규격에서 규정하고 있는 자화전류치

KS D 0213-1994에서는 시험방법(연속법과 잔류법)과 시험체에 따라 탐상에 필요한 자계의 세기(예측되는 결함의 방향에 대하여 직각 방향의 자계의 세기)를 다음의 **표 2-3** 과 같이 규정하고 있다. 따라서 탐상에 필요한 자계의 세기는 원칙적으로 다음 표에 의해 선택하지만, 시험체의 자기특성, 연속법 또는 잔류법, 시험 면의 모양과 거칠기 및 검출하고자 하는 결함이 있는 위치, 형상, 크기에 따라 다르기 때문에 자계의 세기를 결정할 때에는 이 사항들을 고려하여 정해야 한다.

표 2-3 탐상에 필요한 자계의 세기

시험방법	시험체	자계의 세기(A/m)
연속법	일반 구조물 및 용접부	1,200 ~ 2,000
	주단조품 및 기계부품	2,400 ~ 3,600
	담금질(quenching)한 기계부품	5,600 이상
잔류법	일반적인 담금질(quenching)한 부품	6,400 ~ 8,000
	공구강 등의 특수재 부품	12,000 이상

※ 위 표의 자계의 세기는 예측되는 결함의 방향에 대하여 직각인 방향의 자계의 강도를 말함.

KS D 0213-1994 에서는 표준적인 표면 유효자계로써 A형 표준시험편의 7/50 또는 15/100이 뚜렷하게 확인되는 자계의 세기가 적정하다고 한다. 이것은 모든 자화방법에 대하여 공통되는 자계의 세기이며, 약 $1.6kA/m(= 20\,Oe)$에 해당한다. 그러나 영국의 규격에서는 약 $2.4kA/m(= 30\,Oe)$까지 자화하도록 요구되고 있다.

- **참고 :**

$$1\ Oe\ [외르스테드,\ Oersted\ ] = \frac{10^3}{4\pi}\ Ampere/meter = 79.6\ A/m$$

$$1A/m = 0.013\,Oe = 13m\,Oe$$

이와 같이 표면 유효자계의 세기를 구체적 수치 또는 표준시험편의 인공 결함의 검출감도로써 규정하고 있는 이외에 통전해야 할 자화전류치를 규정하고 있는 경우도 있다. 미국의 규격에서는 시험체 마다 실험적으로 충분한 자계의 세기가 얻어지는 자화전류치를 설정하도록 되어 있지만, 목표값은 아래와 같은 방법으로 다음 값의 범위 내에서 선택할 것을 표준으로 제시하고 있다.

1) 전체 표면에 대하여 원형자화를 하는 경우

- 대형 부품 : 1인치당 100~400 A
- 소형 부품 : 1인치당 400~700 A

(여기서 1인치당이란 전류의 방향에 수직인 평면 위에서 시험체의 최대 폭 1인치당을 말한다)

전극(prod) 간격 (inch)	단면 두께(inch)	
	3/4인치 이하(A)	3/4인치 이상(A)
2~4	200~300	300~400
4~6	300~400	400~600
6~8	400~600	600~800

이들 조건은 시험체에 전류가 흐르고 있을 때와 원통형 또는 중앙부의 관통 구멍에 전류 관통봉(도체)을 관통시키고 전류 관통봉에 전류를 흘린 경우에도 적용된다(축 통전법, 직각 통전법, 전류 관통법이 해당). 또한 프로드법으로 자화하는 경우는 다음 표의 조건을 표준으로 한다. 다만, 전극(prod) 간격은 8인치를 초과해서는 안 되며, 2인치 이하에서 사용해서도 안 된다고 규정하고 있다.

2) 선형자화를 하는 경우

코일 속에서 선형 자화되는 시험체 속의 자계의 세기는 코일의 암페어-턴(AT : 전류 × 코일 감은 수)과 시험체의 길이(L)와 지름(D)의 비(L/D)에 의해 결정한다.

- AT : (10,000) / (L/D) ~(30,000) / (L/D)
- L/D : 2 이하에는 적용하지 않는다.

또한 코일로 자화하는 경우, 길이가 긴 시험체는 코일의 위치를 옮기면서 여러 번 자화해야 한다. 즉, 긴 막대의 경우 코일의 유효 자계 범위가 코일 양쪽으로 6인치~9인치 정도이기 때문에, 18인치($450mm$) 이상인 시험체는 1회의 자화로는 시험체의 전체 길이를 검사할 수 없으므로 시험체의 길이에 따라 2회 이상으로 나누어 검사해야 한다.

극간식 장치로 선형 자화하는 경우, 자화능력은 장치에 따라 일정하기 때문에 시험체의 조건에 따라 자화조건을 선택할 수가 없으므로, 사용에 앞서 성능을 점검하여 충분한 결함 검출능력이 얻어지는 것이 확인될 때에만 사용해야 한다. 이 경우에도 탐상할 대상 결함은 표면 결함으로 한정해야 하며, 이점으로부터 교류 극간법을 사용하는 것이 일반적으로 추천된다.

✎ 3) ASME SA 275의 자화전류

여기서는 통전할 자화전류치를 규정하고 있는 ASME SA 275(단강품의 자분탐상시험방법)의 자화전류에 대하여 참고적으로 간단하게 설명한다.

가) Prod 법

1) 자화전류는 직류나 정류 전류를 사용한다.

2) 자계의 세기는 사용전류에 비례하지만, 전극(prod) 간격과 시험체의 단면 두께에 따라 변한다.

① 시험체의 두께가 3/4 인치(19mm) 이상일 때, 전극 간격에 대한 자화전류는 최소 인치당 100A(mm당 4A)~최대 인치당 125A(mm당 5A)이다.

② 시험체의 두께가 3/4 인치(19mm) 미만일 때, 전극 간격에 대한 자화전류는 최소 인치당 90A(mm당 3.6A)~최대 인치당 110A(mm당 4.4A)이다.

③ 전극 간격은 8 인치(200mm)를 초과해서는 안 되며, 3 인치(75mm) 미만도 전극(prod) 주위에 자분이 응집되어 바람직하지 않다.

즉, 시험체의 두께(t)는

$$t \geq \frac{3}{4} \text{인치일 때} \quad A = D \times 100 \sim 125$$

$$t < \frac{3}{4} \text{인치일 때} \quad A = D \times 90 \sim 110$$

단 3 인치 $< D <$ 8인치일 것

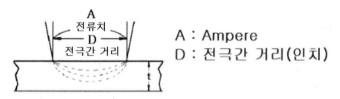

A : Ampere
D : 전극간 거리(인치)

나) 코일법

1) 자화전류는 직류나 정류 전류를 사용한다.

2) 자계의 세기는 전류(코일 또는 솔레노이드의 경우 암페어-턴)에 비례하고 시험체의 두께에 반비례한다.

자계의 세기 계산은 시험체의 길이(L)와 지름(D)을 기초로 다음의 ① 및 ②에 따라 구한다.

① L/D 비가 4 이상인 시험체일 때, 자화전류치는 ± 10% 한계 내에서 다음의 암페어-턴(AT) 값이어야 한다.

$$L/D \geq 4 \text{ 일 때 } AT = \frac{35,000}{2+L/D}$$

② L/D 비가 2 이상 4 미만인 시험체일 때, 자화전류치는 ± 10% 한계 내에서 다음의 암페어-턴(AT) 값이어야 한다.

$$L/D = 2 \sim 4 \text{ 일 때 } AT = \frac{45,000}{L/D}$$

③ L/D 비가 2 이하일 때, 코일법을 적용하지 않는다.

④ 자화할 부위가 코일 양쪽 중 어느 쪽에서라도 6 인치를 넘는다면 자분탐상시험용 ASME 시험편(파이형 자장 지시계, pie-shaped magnetic field indicator)을 사용하여 자계의 적정성을 확인해야 한다.

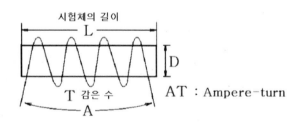

다) 통전법

통전법(current flow method)의 자화전류는 직류나 정류 전류를 사용하며, 자화전류치는 다음과 같이 결정한다.

① 외경(바깥지름)이 5인치 이하인 시험체일 때 : 외경 인치 당 700~900A.

② 외경이 5인치 초과, 10인치 이하인 시험체일 때 : 외경 인치 당 500~700A.

③ 외경이 10인치 초과, 15인치 이하인 시험체일 때 : 외경 인치 당 300~500A.

④ 외경이 15인치를 초과하는 시험체일 때 : 100~330A.

⑤ 환봉이 아닌 시험체는 전류가 흐르는 방향에 직각이 되는 최대 단면 대각선 길이를 위의 계산에서의 외경으로 한다.

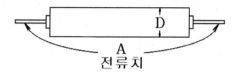

라) 전류 관통법

단일 중심도체인 경우 요구되는 자계의 세기는 통전법의 자화전류와 같다.

$$A = D'' \times 100$$

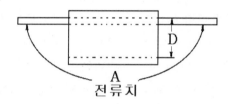

마) 극간법

① 자화는 교류 또는 직류 전자석 요크(yoke)나 영구자석 요크를 사용한다.

② 기자력(magnetomotive force : AT)이 변하지 않고 일정하므로, 자화력을 인상력(lifting power)으로 규정하고 있다.

③ 인상력은 ㉮ 교류를 사용할 때 최대 극간 거리에서 10 lbs(4.5kg) 이상.

㉯ 직류 또는 영구자석을 사용할 때는 40 lbs(18kg) 이상이다.

④ 자화력의 점검은 1년에 최소 한번 또는 손상 시에 점검토록 하고 있다.

아. 자화전류의 통전시간

자화전류의 통전시간은 자분의 적용시기 및 자분의 적용방법에 따라 다르다.

연속법(continuous test method)인 경우는 자분의 적용을 완료하고 나서 자화전류를 끊어야 한다. 만일 검사액이 시험 면에 흐르고 있을 때에 자화전류를 끊게 되면 결함부에 자분 흡착력이 약해져서 형성된 자분모양을 검사액의 흐름으로 파괴시킬 우려가 있으므로, 검사액의 흐름이 멈출 때까지 통전을 계속해야 한다. 즉, 연속법의 경우는 시험 면의 넓이 및 상태 등을 고려하여 자분의 적용시간에 어느 정도 여유를 갖는 통전시간(energizing cycle)이 필요하다. 자분의 적용시간은 최저 약 3 초를 필요로 한다.

잔류법(residual test method)의 경우는 자화전류를 끊은 후, 즉 자화 조작을 끝낸 후에 자분을 적용하므로 통전시간을 결정하는데 자분의 적용상태를 고려할 필요는 없다. 그래서 잔류법은 시간이 짧아도 영향은 거의 없지만, 일반적으로 1/4~1초를 표준으로 하고 있다. 다만 통전시간이 1/100초 이하의 충격전류를 사용하는 경우에는 통전을 반복하는 것이 약한 자화가 강해진다고 하는 실험 결과가 있으므로 3회 이상 통전을 반복하는 것이 좋다

자. 탐상 유효범위의 설정

탐상 유효범위(effective area for flaw detection)란 1회의 자화로써 결함이 확실히 검출되는 범위 즉, 어느 특정 방향의 결함을 1회의 자화조작으로 검출할 수 있는 시험체 표면 위의 영역을 말한다. 이 영역은 탐상장치 및 재료의 성능, 탐상조건 및 시험체의 재질과 형상 그리고 결함의 성질과 상태에 따라 달라지므로, 시험할 대상물이 결정되면 사용할 탐상장치와 탐상조건에 따라 시험 면 위의 탐상 유효범위를 미리 조사해 두어야 한다.

1회의 자화 조작으로 뚜렷한 결함 자분모양이 나타나는 한계의 유효자계의 세기는 여러 종류의 표준시험편을 사용하여 구한다. 그래서 그 중에서 탐상에 필요한 강도의 유효자계에서 자분모양이 나타나는 종류의 표준시험편을 부착하고 시험을 실시하여 자분모양이 얻어질 때의 부착 위치 범위를 탐상 유효범위로 한다. 보통은 A형 표준시험편을 시험 면에 붙이고 그 인공결함을 대상으로 하여 구한다.

5. 자분의 적용

자분은 시험 면 위에 적용하여 자분모양을 형성시키는 강자성체의 미세한 분말을 말하며, 회색(gray), 흑색(black), 갈색(red brown), 형광 자분 등이 있다. 분산매의 차이에 따라 건식자분과 습식자분으로 나누며, 관찰방법의 차이에 따라 형광 자분(fluorescent magnetic particle)과 비형광 자분(non-fluorescent magnetic particle)으로 분류한다. 자분에 대해서는 제 3 장 제 4 절에서 다시 자세히 설명하기로 한다.

자분의 적용이란 시험 면 위의 결함부에 자분이 쉽게 도달할 수 있도록 하는 조작을 말한다. 이것은 자분의 종류, 습식법인지 건식법인지와 검사액의 액체(자분의 분산매)의 종류, 검사액의 농도(검사액 속의 자분 분산농도), 자분 적용의 시기에 따른 연속법인지 잔류법인지 그리고 자분의 적용시간을 결정하고 나서 실시한다.

자분탐상시험에서 결함 검출성능은 결함부분에 흡착된 자분의 양과 결함이 없는 부분(background)에 잔류하는 자분량과 관계가 있으므로, 시험 면에 공급하는 자분량은 자분

모양의 식별성이 좋도록 적당량이 공급되게 해야 한다. 또한 결함부분에 부착되는 자분량은 적용하는 자분의 유속에도 영향을 받으므로 적정량의 자분을 적정한 유속을 유지하며 시험 면에 공급해야 한다. 적정한 자분량과 유속은 사용자분의 특성, 자화조건, 시험 면의 거칠기, 검사액 농도, 검사액 유량, 결함의 성질과 모양 등의 많은 원인에 영향을 받으므로, 이러한 결정은 경험에 의지할 때가 많다. 그러므로 자분의 적용을 확실하게 하기 위해서는 부지런히 익혀 숙달되도록 하지 않으면 안 된다.

가. 자분의 선택

자분탐상시험은 결함부에 생긴 누설 자속을 자분모양으로 검출하는 것이기 때문에, 사용하는 자분은 결함으로부터의 누설 자속에 의해 생긴 자극에 대하여 흡착 성능이 우수하며 또한 형성된 자분모양의 식별 성능이 좋은 것을 선택해야 한다.

자분의 흡착 성능은 자분의 입도, 자분인 강자성체 가루의 자기적 성질, 철분에 입히는 착색재, 형광재의 두께, 시험체의 표면상태와 검출이 예상되는 결함의 종류와 크기 등, 여러 가지 인자에 의해 종합적으로 영향을 받는다. 일반적으로는 작은 결함의 검출에는 착색재나 형광재의 두께가 얇고, 투자율이 높은 작은 입자의 자분을 사용하는 것이 흡착 성능이 좋은 것으로 알려져 있다. 그러나 작은 결함에 큰 입자의 자분을 적용하면 공기 중 또는 액체 속에서 자분이 밑으로 가라앉음이 빠르고, 게다가 많은 양(量)이 가라앉게 되어 배경(background)의 값을 높일 뿐만 아니라, 자분을 적용하기 위하여 사용하는 풍압(風壓)이나 액체의 흐름에 의한 힘을 많이 받아 흘러가게 하기 때문에 결함부에 자분이 흡착되는 것을 방해한다. 그리고 자분모양의 식별성능은 자분모양과 시험 면의 배경과의 대비(contrast)에 크게 좌우되므로, 비형광 자분을 사용하는 경우에는 시험 면의 색과 가능한 한 높은 대비가 되는 색을 선택하고, 형광 자분인 경우에는 형광 휘도가 가급적 높은 것을 선택해야 한다.

시험 면의 색이 여러 가지 색으로 구성되어 있는 경우나 결함에 의한 누설 자속밀도가 낮은 경우(예를 들면 결함이 작을 때 또는 잔류법의 경우와 같이 자화의 정도가 낮을 때 등)에는 비형광 자분보다 형광 자분을 사용하는 것이 좋다. 그 이유는 형광 자분에 의한 결함 자분모양을 관찰하는 경우는 어두운 곳에서 자외선을 조사하며 행하기 때문에 어두운 분위기 속에서 자분모양만이 밝게 빛나 보이므로, 시험 면의 색과는 관계없이 아주 높은 대비가 얻어져서 자분의 흡착량이 적은 자분모양도 빠트릴 위험이 적기 때문이다.

위와 같이 자분을 선택할 때에 고려해야 할 자분모양의 형성 성능과 식별 성능에 대하여 설명했으나, 이들 성능은 자분의 종류에 따라 다르며, 또한 같은 종류의 자분도 제조자가 다르면 다른 성능을 나타낸다. 그러므로 자분을 선택할 때에는 검출하고자 하는 결함이 있는 시험체를 이용하여 실험하거나 시험체와 가급적 비슷한 조건(특히 결함)을 가진 대비시험편을 사용하여 실험하는 등으로 가장 알맞은 자분을 선택하는 것이 바람직하다. 이때 실험은 가급적 실제 시험과 같은 시험방법 및 시험 환경 하에서 실시해야 하며, 지나치게 다른 조건하에서의 실험을 해서는 안 된다.

나. 건식법과 습식법

건조상태의 자분을 공기 중에 분산시켜 공기의 흐름에 따라 시험체의 표면에 적용하는 방법을 건식법(dry method)이라 하며, 자분을 액체에 분산·현탁시켜 이것을 시험 면에 적용하는 방법을 습식법(wet method)이라 한다. 그리고 자분을 분산·현탁시킨 액체를 검사액(magnetic ink, suspension)이라 한다.

건식법의 장점은 ① 습식법에 비해 표면 결함의 검출 능력은 떨어지지만, ② 아주 거친 면, 내부 결함 및 고온(高溫)부분의 시험에 적용이 가능하며, ③ 습식법에 비해 오염이 적고, ④ 사용 중에 자분관리를 하지 않아도 된다는 점이다. 그리고 단점은 ① 매우 미세하고 얕은 결함에 대한 검출 감도가 습식법에 비해 떨어지며, ② 연속법으로 단시간 통전에 의한 시험이 어려우며, ③ 산포방법이 비교적 어렵고, ④ 작은 시험체들의 많은 양을 처리하는데 있어 시험 속도가 습식법에 비해 느리다는 점이다. 건식법은 일반적으로 압축공기를 이용하는 산포기(散布器)로 자분을 공기 중에 분산시켜 시험체에 뿌리거나 또는 산포하며, 간단하게는 포대(布袋 : 무명이나 삼베 따위로 만든 자루)에 자분을 넣고 손으로 포대를 두드리며 뿌려도 된다. 어느 경우든 시험체를 자화하는 동안 시험 면에 얇고 균일한 막이 형성되도록 차분히 적용해야 한다. 건식법에서는 자분 및 시험 면이 충분히 건조되어 있는 것을 확인하고 나서 자분을 적용해야 한다. 자분이 건조되어 있지 않으면 공기 중으로의 자분의 분산은 곤란하며, 시험 면이 젖어 있으면 자분이 시험 면에 부착되어 버려서 결함 검출이 곤란하게 된다. 또한 적용된 자분량이 너무 많으면 결함부 이외(background)의 부분과 자분모양과의 식별이 곤란해지므로, 자분량은 양호한 식별성이 얻어지는 범위에서 적용해야 한다. 자분을 적용한 다음, 전류를 차단하기 전 또는 관찰을 하기 전에 결함에 의한 자분모양이 흩트러지지 않게 과잉 자분만을 제거할 때에는 건조한 공기로, 가볍게 시험 면에 뿌려 제거하면 자분모양의 식별성이 향상되어 결함 자분모양의 관찰이 쉽게 된다. 다만 이 방법은 형성된 자분모양도 제거될 가능성이 있으므로 주의해야 한다. 그러나 자화하면서 실시하면 자분모양의 파괴를 줄일 수 있다.

습식법의 장점은 ① 유체의 흐름을 이용하여 자분을 적용하는 방법이기 때문에 복잡한 형상의 시험체라도 구석진 곳까지 검사액을 충분히 골고루 퍼지게 적용할 수 있으며, ② 결함 검출능력도 건식법에 비해 높기 때문에 일반적으로 습식법이 많이 사용된다. ③ 연속 사용이 가능하고, ④ 검사액을 산포하기가 검식법보다 쉽다. 그리고 단점은 ① 고온 등의 극단적 환경에서 사용할 수 없고, ② 첨가제를 필요로 하며, ③ 습식자분을 현탁액 상태로 유지하기 위해서는 관리를 하지 않으면 안 되며, 몇 가지의 혼합장치가 필요하다. ④ 분산매로 휘발성 용제를 사용했을 때에는 화재 및 냄새 등에 주의해야 한다는 점이다.

검사액에 대해서는 뒤에서 설명하겠지만 검사액의 농도와 검사액의 적용방법은 결함 검출능력에 많은 영향을 미치므로 우선 검사액의 농도에 대하여 알아본다.

검사액의 농도가 엷으면 자분이 결함부에 부착하는 양이 적기 때문에 자분모양이 형성되기 어렵다. 반대로 농도가 짙으면 시험 면 전체에 부착되는 자분이 많아져서 대비(contrast)가 잘 안 되어 결함 자분모양이 뚜렷하게 나타나지 않게 된다. 또 국부적으로 자분이 모이기 쉽기 때문에 결함이라고 잘못 판단할 우려도 생긴다. 이러한 일은 형광 자분을 사용하는 경우에 많이 나타나므로 주의가 필요하다. 일반적으로 검사액의 농도는 자분의 입도가 작을수록, 검사액의 적용시간이 길수록, 시험체의 표면이 거칠수록 엷은 쪽이 좋다. 이와 같이 적정한 검사액의 농도는 자분의 종류, 입도(粒度), 적용시간 및 시험 면의 상태를 고려하여 정해야 한다. 그리고 시험 면에 검사액을 적용하는 방법에는 산포기로 분무하여 산포하는 방법과 노즐(nozzle)이 부착된 플라스틱 용기에 검사액을 넣고 뿌리는 분무(spraying)법, 붓으로 칠하는 솔질(brushing)법 및 검사액이 들어 있는 용기 속에 시험체를 담근 후에 꺼내는 담금(=침지, immersion)법 등이 있다. 위의 어느 방법으로 적용하든 검사액을 잘 교반하여 자분이 검사액 속에서 충분히 분산·현탁되도록 한 후에 적용해야 한다. 검사액을 시험 면에 적용할 때에는 결함 자분모양이 씻겨 내려가지 않도록 차분하게 실시하여 검사액의 피막이 균일하게 시험 면에 형성되도록 해야 한다.

시험 면을 적당한 기울기로 기우린 상태에서 검사액을 적용하면 검사액의 정체(停滯)가 없는 조용한 유동을 얻을 수 있다. 검사액의 유속이 빠르면 결함의 자분모양을 파괴하며, 결함에도 자분이 흡착되지 않으므로 주의해야 한다. 또 같은 부분에 몇 회에 걸쳐 검사액을 적용하면 결함부 이외에도 자분량이 증가되어 결함 자분모양의 식별성이 나빠지므로, 필요한 최소량의 자분을 단시간에 적용하여 끝내도록 해야 한다. 검사액을 붓으로 적용하는 솔질법은 충분히 교반한 검사액에 적신 붓으로 시험면에 가볍게 흔들어 붓으로부터 검사액이 흐르도록 적용하거나. 시험 면에서 조금 떨어진 곳을 붓으로 칠하여 붓에서 흘러나온 검사액이 천천히 유동하면서 시험면을 통과하게 적용하는 방법을 이용한다. 시험체를 탱크에 담그는 담금법은 검사액을 잘 교반해야 하지만, 강하게 교반하고 나서 유동하고 있는 검사액에 담그게 되면 자분의 이동 유속이 빠르게 되어, 미세 결함 등에는 자분이 흡착되지 않을 경우도 있으므로, 천천히 교반 유동시킨 검사액에 담그어야 한다. 또한 담금시간이 적당하지 않으면 뚜렷한 자분모양을 얻을 수 없으므로, 실험을 하여 가장 적당한 담금시간을 결정한 후 시험하는 것이 좋다. 그리고 시험체를 검사액에서 꺼낼 때는 형성된 자분모양이 파괴되지 않도록 조심해서 꺼내어야 한다.

자동 산포장치를 사용하는 경우, 너무 살살 뿌려서 산포기의 노즐에서 나오는 검사액의 유량이 너무 적게 되면 탱크와 노즐을 잇는 도관 속에 자분이 침전되어서 시험 면에 적용되는 검사액 농도가 변해버리므로 주의해야 한다. 이와 같이 검사액의 농도가 저하되거나 오염 또는 점도가 증가하게 되면 결함의 검출성능이 나빠지므로 정기적으로 검사액을 점검하여 정상상태가 되도록 관리해야 한다. 검사액의 농도는 침전관(centrifuge tube)을 사용하여 자분의 침전 용적으로부터 구한다. 이때 위에 뜨는 액으로 오염 등도 조사할 수 있다. 침전관에 정해진 침전량이 얻어져도 그 침전물에 자분이 아닌 모래 등이 혼입되어 있거나 자기적 성질이나 형광성이 열화(劣化)되어 결함 검출성능이 저하되는 경우가 있으므로, 표준시험편이나 결함이 있는 시험체를 사용하여 시험해서 자분모양의 식별 성능을 확인해야 한다. 그리고 이들의 관리에 대한 항목에 대해서는 뒤에서 설명한다.

※ 열화(劣化, degradation) : 재료니 제품이 열(熱) 또는 빛 등의 사용 환경에 의해 그 화학적 구조에 유해한 변화를 일으키는 것.

다. 연속법과 잔류법

연속법(continuous method)은 자화전류를 흘리고 있는 동안에 자분의 적용을 끝마치는 방법, 즉 자분의 적용과 동시에 자화하는 방법이며, 잔류법(residual method)은 자화전류를 끊고 나서 자분을 적용하는 방법이다.

반자계(demagnetizing field)가 작용하는 경우, 탄소 함유량이 높은 공구강 및 스프링강(spring steel) 등과 같이 높은 보자력(coercive force)을 가지는 재료는 잔류 자속밀도의 저하가 적기 때문에 잔류법에서도 뚜렷한 결함 자분모양을 얻을 수 있다. 그러나 전자 연철 및 저탄소강과 같이 보자력이 낮은 재료의 경우에는 반자계가 작용하면 잔류 자속밀도가 상당히 저하되기 때문에 연속법으로 적용해야 한다. 일반적으로 잔류 자속밀도는 자화전류가 흐르고 있을 때 자속밀도보다 낮기 때문에 잔류법으로 실시하면 연속법과 비교하면 결함 검출성능은 떨어진다. 또한 잔류법으로 표면 아래의 결함(내부 결함)의 자분모양을 얻는 것은 일반적으로 곤란하기 때문에 연속법으로 사용하고 있다.

한편 표면이 열려있는 결함만을 검출하고자 하거나 의사모양(疑似模樣, non-relevant indication)의 형성을 억제하고자 할 때는 잔류법을 사용한다. 잔류법은 시험체의 자화와 검사액의 적용을 분리하여 실시하기 때문에 일반적으로 작업성이 좋다. 잔류법에서 특히 주의할 점은 시험체를 자화하고 나서부터 검사액의 적용이 끝날 때까지 시험 면에 시험체

끼리 또는 다른 강자성체를 접촉시켜서는 안 된다. 만일 접촉이 되면 자기 펜자국 (magnetic writing)이라 부르는 의사모양이 나타날 뿐만 아니라 **그림 2-27** 과 같이 같은 극성(極性)끼리 접촉되면 반자계의 크기에 영향을 미쳐 L/D 의 D가 크게 되어 시험체의 잔류 자속밀도를 저하시키기 때문이다.

그림 2-27 같은 극성끼리의 접촉

연속법에서 특히 주의할 점은 습식법으로 적용할 경우, 자화전류를 끊기 전에 시험 면 위의 검사액의 흐름이 정지되어 있어야 한다. 만일 검사액이 흐르고 있는 도중에 자화전류를 끊으면 미세결함에 자분의 흡착을 방해할 뿐만 아니라 애써서 흡착시킨 결함 자분모양이 검사액의 흐름으로 파괴될 우려가 있다. 특히 자화전류로 교류를 사용할 때에는 이러한 일이 생기기 쉽기 때문에 주의해야 한다. 잔류법 및 연속법의 어느 경우든 중요한 것은 검사액의 유속을 가급적 늦추고, 자분의 적용시간을 충분히 해야 자분모양의 형성이 쉽게 된다. 연속법으로 시험할 때, 만일 통전시간을 길게 할 수 없을 때에는 시험 면의 적심성을 좋게 하기 위하여 통전을 하기 전에 미리 검사액을 적용하는 것도 효과적이다.

라. 자분모양의 형성에 영향을 미치는 인자

자분모양의 크기는 검사액의 유속(流速)과 결함부에서의 누설 자속밀도의 영향을 많이 받는다. 검사액의 유속은 시험 면의 기울기 등에 의해 결정되므로 움직일 수 있는 것은 검사액의 흐름이 완만하게 되도록 기울이고, 움직일 수 없는 급경사면의 경우는 검사액의 적용을 분무방식으로 하는 등 검사액의 흐름이 완만하게 되도록 노력해야 한다. 그리고 누설 자속밀도는 결함의 크기, 결함의 방향과 자속 방향의 관계 및 시험체 속의 자속밀도의 영향을 많이 받는다.

1) 결함 크기와 누설 자속밀도의 관계

결함 폭이 $0.2mm$ 이하로 좁은 범위에서는 결함의 깊이가 증가할수록 시험체 표면에 흐르는 자속은 균열 면에 가로 막혀 누설 자속밀도는 많아진다. 그러므로 얕은 결함보다도 깊이가 있는 결함이 보다 뚜렷한 자분모양이 얻어져서 검출하기 쉽게 된다.

2) 결함 방향과 자속방향과의 관계

자속에 대하여 길이방향으로 직각인 결함은 자속의 흐름을 효과적으로 방해를 해서 누설 자속밀도는 많아지며, 평행한 방향의 경우는 자속의 흐름을 방해하는 것이 적기 때문에 누설 자속밀도는 적어진다. 그러므로 결함을 빠트리지 않고 탐상하기 위해서는 반드시 시험 면에 직교하는 2 방향에서 자속이 흐르도록 탐상해야 한다. 극간법 및 프로드법은 자극이나 전극을 자속이 열십(+)자가 되도록 배치하고 자화한다. 또한 기계부품 등에서는 자속이 시험체를 열십(+)자로 흐르도록 코일법과 축통전법을 병행하는 등, 자속의 방향이 90° 다른 2가지 자화방법으로 자화해야 한다.

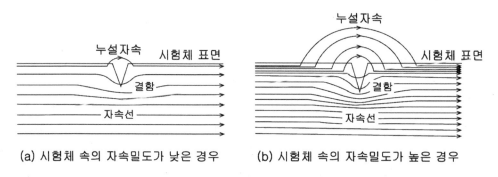

(a) 시험체 속의 자속밀도가 낮은 경우   (b) 시험체 속의 자속밀도가 높은 경우

그림 2-28 시험체에서의 누설자속

3) 시험체 속의 자속밀도의 영향

결함에서 누설자속이 생기는 모습을 그림 2-28 에 나타낸다. (a)와 같이 시험체 속의 자속밀도가 낮은 경우, 자속은 공간으로 조금밖에 누설되지 않고 대부분 결함의 밑부분을 우회하여 흐른다. (b)와 같이 시험체 속의 자속밀도가 높아지면 그 부분의 투자율이 낮아지며, 결함의 밑부분은 자기저항이 크게 되어 자속은 결함으로부터 공기 속으로 보다 많은 누설을 하게 된다.

연강(軟鋼, mild steel)의 시험체를 이용하여 결함에서의 누설 자속밀도와 시험체 속의 자속밀도와의 관계를 구한 결과를 **그림 2-29** 에 나타낸다. 그림에서 시험체 속의 자속 밀도가 약 1.3T 이상이 되면 누설 자속밀도는 급격히 증가하고 있다. 이 급격히 누설 자속밀도가 증가하는 영역은 연강의 포화 자속밀도의 약 80% 정도가 되는 곳이다. 큰 자분모양을 얻기 위해서는 많은 누설 자속밀도를 필요로 하지만, 시험체 속의 자속밀도가 너무 높으면 결함 이외의 곳에서도 자속이 누출되어 시험 면에 자분이 많이 부착하게 된다. 이러

한 상태가 되면 결함 자분모양의 식별성
이 나빠진다. 그러므로 식별성이 좋고 뚜
렷한 결함 자분모양이 얻어지도록 시험
체를 자화해야 한다.

6. 자분모양의 관찰

가. 관찰 시기

관찰이란 시험 면에 형성된 자분모양을
검출하고, 검출된 자분모양 중에서 결함
자분모양을 찾아내어 그 형상과 치수를
파악하는 작업을 말한다. 자분모양의 관
찰은 원칙적으로 자분의 적용으로부터 시
작하여 자분의 적용을 끝낸 후에 마쳐야

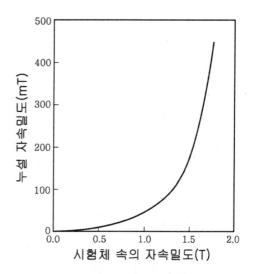

그림 2-29 결함 누설 자속밀도와 시험체
속의 자속밀도와의 관계

한다. 자분모양이 형성된 후 시간이 지나면 다른 부분에서 흘러 들어온 검사액과 다른 부품
과의 접촉 등으로 자분모양이 흩어지거나 파괴되기 쉽고, 또한 이물질(異物質)의 부착 등으
로 배경(background)이 지저분해져서 결함 자분모양과의 구별이 어렵게 되기 때문이다.
또한 잔류 자속밀도가 낮은 시험체를 연속법의 건식법으로 시험하는 경우는 자분 적용 후
약간의 공기 흐름 등으로도 자분모양이 흩트려지기 쉽기 때문에 주의가 필요하다. 그리고
연속법과 잔류법으로 자화하여 자분을 적용한 경우는 자분모양의 형성 기구가 서로 다르
기 때문에 각각의 기구에 맞는 조건하에서 관찰해야 한다.

☙ 1) 잔류법으로 자화하여 자분의 적용을 하는 경우

잔류법으로 자화한 시험체는 자화 후에도 시험체 속에 충분한 잔류자기가 남아 있기 때
문에 자기적 불연속부에 한번 부착된 자분은 고의로 손이나 걸레 등으로 닦거나 문지르지
않는 한 자연히 탈락하거나 없어지지 않는다. 그러므로 관찰의 시기는 자화하고 자분을
적용한 직후에 해도 좋고, 어느 정도 시간이 지나고 나서 관찰해도 지장이 없다.

☙ 2) 연속법으로 자화하여 자분의 적용을 하는 경우

자분모양의 관찰은 원칙적으로 자분의 적용으로부터 시작하여 검사액의 흐름을 주시하
면서 자분의 부착 상황을 감시해야 한다. 만일 자분의 부착이 확인되면 그 부분에 대하여
반복해서 부착되는 자분을 제거하고 다시 자화한 후 자분을 적용하여 결함(불연속)으로

인한 부착 여부를 확인해야 한다. 다만 이때 자분은 자화를 끊었다 이었다 하며 적용한다. 자분을 적용한 후 몇 초가 되더라도 자분의 흐름이 정지된 후 자화를 중지해야 하며, 그 후는 자분을 적용해서는 안 된다. 만일 대량 생산품인 경우는 각각 제품에 대하여 자화와 자분의 적용을 연속하여 행한다.

일정한 개수를 마친 후 한데 모아 놓고 육안으로 자분모양의 유무를 확인해야 하는 절차일 때에는 표면에 부착된 자분모양이 자분을 적용한 후의 조작에 의해 없어지거나 또는 형상이 흩어지지 않아야 하므로 자분을 적용한 후는 가급적 빨리 관찰을 끝내는 것이 바람직하다.

나. 자분모양의 관찰방법

자분모양의 관찰은 관찰하기 좋은 환경에서 해야 한다. 비형광 자분과 형광 자분은 관찰에 알맞은 환경이 서로 다르며 또한 관찰방법도 다르므로 나누어 설명한다.

✤ 1) 일반 사항

가) 시험체를 움직이지 않게 손으로 잡고 관찰하는 경우는 우선 잡고자 하는 부분부터 관찰하거나 관찰이 끝난 부분을 잡아야 한다.

나) 관찰에서 가장 중요한 것은 자분모양이 나타난 곳에 반드시 결함이 있다고 판단해서는 안 된다는 것이다. 자분모양 중에는 결함에 의한 것이 아닌 것(의사 모양)도 포함되어 있으므로, 자분모양이 관찰되면 우선 의사모양인지 결함 자분모양인지를 구별해야 한다. 구별은 우선 탈자(脫磁, demagnetization)를 한 후에 자분모양을 제거하고, 밝은 가시광선 아래에서 시험 면을 잘 관찰하여, 부착물 등을 제거한 후 재시험을 해서 다시 나타나는지의 재현성을 조사하는 것이 중요하다.

다) 관찰은 가급적 관찰 면에 대하여 정면에서 해야 한다.

관찰 면에 대하여 비스듬히 옆에서 관찰하게 되면 미세한 자분모양을 빠뜨리거나 표면 요철(凹凸)부분 등에 부착된 자분모양과 결함 자분모양의 구별이 곤란하다.

라) 관찰에 사용하는 광선(자외선조사등 또는 가시광선 램프)은 관찰 면에 대해 반사광이 없는 위치와 각도에서 조사한다. 특히 관찰 면의 마무리 상태가 좋으면 관찰 면에 강한 반사광이 발생할 수 있어 자분모양의 관찰이 곤란하게 될 때도 있으므로 주의해야 한다.

마) 자분모양의 관찰에서 결함의 깊이를 추정하는 것은 일반적으로 곤란하다. 결함의 깊이를 구할 필요가 있을 때에는 일반적으로 전기 저항법 및 초음파탐상시험을 적용한다.

또한 홀 소자(hall element) 등을 이용한 누설 자속 탐상법을 적용할 때도 있다.

2) 비형광 자분

가) 자분모양을 충분히 식별할 수 있는 가급적 밝은 환경((KS D 0213-1994에서는 관찰 면의 밝기를 $500\,\ell x$ 이상으로 규정하고 있다)에서 관찰하는 것이 자분모양을 빠트리지 않으며 눈의 피로도 적다.

나) 관찰할 때 눈은 가급적 시험 면에 대해 수직이 되도록 하며, 조명등은 시험 면으로부터 반사광이 직접 눈에 들어오지 않게 배치한다.

다) 건식 자분은 자분모양 형성 후 가볍게 털어주거나 공기를 불어 과잉 자분을 제거해야 자분모양이 뚜렷하게 관찰된다. 다만, 미세한 자분모양은 과잉 자분과 함께 제거 될 수 있으므로 주의해야 한다.

3) 형광 자분

가) 충분히 식별할 수 있는 어두운 환경(KS D 0213-1994에서는 관찰 면의 밝기는 $20\,\ell x$ 이하로 규정하고 있다)에서 관찰해야 자분모양의 식별 성능이 향상한다. 그러나 너무 어두우면 안전에 문제가 생길 수 있으며, 가시광선이 있는 장소(밝은 장소)에서는 자분모양의 식별성이 저하되므로 주의해야 한다.

관찰에 사용되는 자외선조사등(ultraviolet lamp)의 필터(filter)에 균열이 생긴 것은 조사광에 포함된 가시광선이 외부로 새어나와 자분모양의 식별성을 저하시키므로 사용해서는 안 된다.

나) 자외선조사장치(black light)를 사용하여 파장이 $320{\sim}400nm$의 자외선을 시험 면에 조사해야 한다. 이 조사장치의 성능이 나쁘고, 조사광 속에 포함된 가시광선이 많으면, 아무리 암실을 어둡게 해도 자분모양의 식별성이 나쁘게 된다. 자외선 양(量)이 적으면 자분모양의 발광이 감소되기 때문에 자분모양을 검출하기 어렵게 된다.

다) 시험 면에 필요한 자외선 강도는 원칙적으로 $1,000\mu W/cm^2$ (KS D 0213 -1994에서는 $800\mu W/cm^2$) 이상이다. 만일 시험 면에 대한 자외선 강도가 약한 경우에는 용량이 큰 자외선조사장치로 교체하거나 관찰하기 어렵지 않을 정도로 자외선조사등을 시험 면에 가까이 대고 관찰한다. 이것은 자외선 강도가 거의 조사(照射)거리의 제곱에 반비례하기 때문이다. 따라서 조사거리를 1/2 로 하면 자외선의 강도는 약 4배가 된다.

자외선 조사 면에서의 자외선 강도는 자외선조사등의 중심 바로 아래가 가장 강하고, 옆으로 멀어질수록 급격히 약해지기 때문에 미리 자분모양의 관찰에 유효한 자외선 강도의 범위를 조사해 놓고, 그 범위 내에서 관찰해야 한다.

라) 관찰할 때에는 자외선을 시험 면에 가급적 직각으로 조사해야 한다. 이것은 직각일 때 자외선의 강도가 가장 강하게 되기 때문이다. 그리고 관찰 중에는 조명등도 준비하여 필요에 따라서는 시험 면의 표면 상태와 자분모양을 비교하면서 관찰한다. 특히 표면 상태로 인하여 발생하는 의사모양과 결함에 의한 자분모양과의 구별을 잘못 관찰하는 일이 없어야 한다.

마) 관찰 대상 면이 넓고 복잡한 경우는 관찰의 누락이 생길 수 있으므로 사전에 관찰순서를 정하여 대상 시험 면의 관찰을 확실히 한 후에, 다음 시험 면으로 이동해야 한다. 특히 형광 자분의 경우는 관찰 환경이 어둡고, 자외선조사등의 조사 범위가 국부적이기 때문에 전체를 파악할 수 없어 관찰에 누락이 생기기 쉬우므로 주의해야 한다.

4) 밝기의 범위

관찰을 하기 전에 미리 사용한 자분의 종류에 따라 어떤 밝기에서 관찰할 것인지가 결정되지만, 위에서 설명한 것과 같이 비형광 자분은 가급적 밝은 장소에서 그리고 형광자분은 충분히 어두운 장소에서 관찰하도록 하고 있다. 이에 대한 일반적인 밝기와 어둡기 범위의 정의는 다음과 같다.

가) 밝은 곳의 밝기 : $10\,\ell x \sim 10^5\,\ell x$

태양광 밝기의 일광 하에서 물건을 관찰하는 것으로 비형광 자분(흑색 자분, 갈색 자분, 백색 자분 등)을 사용했을 때, 배경(background)색과 대비(contrast)해서 뚜렷하게 자분모양을 관찰할 수 있는 밝기이다.

나) 중간 밝기 : $10^{-1}\,\ell x \sim 10\,\ell x$

밝은 것도 어두운 것도 아닌 그 중간 단계의 어둡기에서 자분모양을 관찰하는 밝기이다.

다) 어두운 곳의 밝기 : $10^{-6}\,\ell x \sim 10^{-1}\,\ell x$

형광자분을 사용했을 때, 어두운 곳에서 자분모양을 관찰하는 밝기이다.

■ **참고 : 10 lux(ℓx)=1foot candle**

5) 관찰 성능 향상

관찰은 자분모양이 형성된 직후에 실시하여 결함 자분모양과 의사모양과를 식별하고, 결함 자분모양에 대해서는 해석과 평가를 해야 한다. 그러므로 관찰에 있어서는 형성된 자분모양의 발견율과 해석과 평가에 있어서는 결함 자분모양의 판정 정밀도가 결함의 검출 성능을 좌우한다.

결함 자분모양의 발견율의 향상은 관찰 면의 적정한 조도(검사장소의 밝기와 환경조건, 가시광선 또는 자외선조사장치의 형식과 왓트 수, 자외선조사등과 조사 면과의 거리와 조사각도에 따라 결정된다), 관찰 면과 적정한 눈의 거리, 시험 면과 시선(視線)과의 적정한 각도, 검사원의 시력과 주의력에 의해 달성되며, 자분모양에 대한 판정 정밀도의 향상은 그 시험체에 예측되는 결함과 의사모양에 대한 지식, 결함 자분모양과 의사모양과를 판별하는 적정한 방법, 검사원의 시력, 경험과 주의력에 의해 달성된다.

다. 의사모양

1) 의사모양의 종류와 발생 원인

자분탐상시험에서 결함이 없는데도 불구하고 마치 결함이 있는 것처럼 자분모양이 나타날 때가 있다. 이 자분모양을 의사모양(false indication, nonrelevant indication)이라 한다. 의사모양에는 다음과 같은 종류가 있으며, 각각의 특징을 지니고 있다. 같은 종류의 시험체를 같은 조건으로 탐상했을 때, 시험체마다 같은 자분모양이 나타나는 경우는 의사모양인 때가 많다.

의사모양의 원인은 시험체의 형상·재질·가공 상태와 시험조작을 제대로 잘 하지 못해 발생하기 때문에 그 원인을 잘 이해하게 되면 결함에 의한 자분모양과 의사모양과의 판별을 어느 정도 쉽게 할 수 있게 된다. 주요 의사모양의 종류와 발생원인은 다음과 같다. 이 의사모양은 판정 대상인 아닌 지시모양으로 "제 5 장 자분모양의 해석과 평가"에서 다시 자세히 설명하기로 한다.

가) 긁힘 지시(scratch)

시험 면에 생긴 긁힌 홈 및 타격 홈 중에서 유해하지 않은 원인에 의해 형성된 자분모양으로 스크래치(scratch)를 말하며, 표면 거칠기 지시의 하나이다. 이것은 조명등 아래에서 육안으로 관찰하면 쉽게 판별할 수 있다.

나) 자극 지시(magnetic pole indication)

자속이 자극에서 누설될 때 모서리부분의 자속밀도가 매우 높기 때문에 생기는 자분모양으로, 극간법에서 자극의 접촉부 및 그 주변부에 생기는 자분모양을 말한다. 즉 자극에서 생기는 누설자속에 의해 자분이 흡착되어 생기는 것이다.

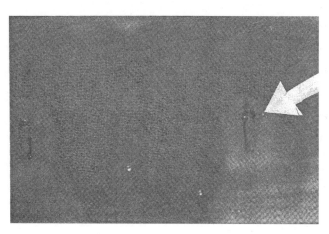

그림 2-30 자극 지시

다) 전극 지시(electrode indication)

프로드법 등에서 전극(prod) 접촉부 즉 전극이 접촉된 곳에 나타나는 자분모양을 말한다. 이것은 전극 부근의 전류밀도가 아주 높기 때문에 전극 주변부에 누설 자속이 생겨서 나타나는 자분모양으로, 일반적으로 접촉점을 중심으로 방사상(radiating pattern)으로 나타난다.

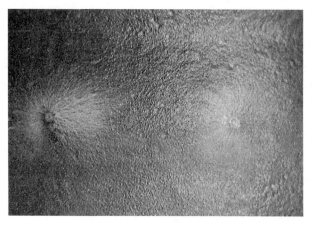

그림 2-31 전극 지시

라) 전류 지시(current indication)

프로드법 등에서 대 전류가 흐르고 있는 자화 케이블 등이 시험 면에 접촉하면 그 부분이 국부적으로 자화되어 자극이 발생하기 때문에 생기는 자분모양을 말한다. 이 지시는 일반적으로 굵고 희미한 자분모양으로 나타난다.

그림 2-32 전류 지시

마) 자기펜 자국(magnetic writing)

　자화된 시험체에 다른 강자성체가 접촉되거나 자화된 시험체가 서로 접촉되는 경우에 검사액을 적용하게 되면 접촉된 부분에 자분이 부착된다. 이것은 시험체 속의 잔류 자속이 강자성체의 접촉으로 인하여 외부로 누설되어 접촉부에 자극이 생겨서 스친 흔적에 따라 자분모양이 나타난 것이다. 이것을 자기펜 자국이라 한다. 강자성체의 모서리에 접촉되면 상당히 예리한 선모양의 자분모양이 나타나기 때문에 균열이라고 잘못 판단하기 쉽다. 이 자분모양은 시험체를 탈자(脫磁)하고 재시험하면 나
타나지 않는다.

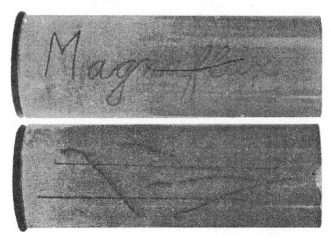

그림 2-33 자기펜 자국

바) 단면 급변 지시(indication of abrupt sectional variation)

시험체의 모양에 따라 자기회로의 단면적이 급격히 변화하는 곳에 자분이 흡착되거나 모여서 나타나는 자분모양이다. 볼트의 나사부위나 목 부위, 회전축의 층이 진 부분, 열쇠의 홈 부분 등에 많이 나타난다. 시험 면의 뒤쪽이 파여 있거나 층이 져 있을 때의 자분모양은 일반적으로 굵고 희미하게 나타난다. 이러한 의사모양은 일반적으로 자계의 세기가 강하면 잘 나타난다. 만일 이러한 지시가 나타났을 때에는 자화전류를 낮추어 작용되는 자계의 세기를 약하게 하거나 잔류법을 사용하여 검사액의 농도를 낮추고, 가급적 형광자분을 사용하여 시험하면 좋은 결과를 얻게 된다.

시험체의 단면 급변 부분이나 층이 진 부분 등은 응력 집중이 일어나는 부분이므로 결함이 발생하기 쉬운 곳이기도 하다. 따라서 단면 급변 지시라 생각되더라도 결함에 의한 지시가 포함되어 있을 가능성이 있으므로 주의하지 않으면 안 된다.

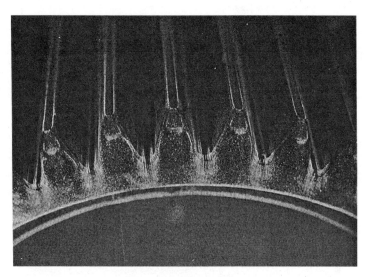

그림 2-34 단면 급변 지시

사) 표면 거칠기 지시(rough surface indication)

시험체의 표면이 거친 곳이나 자분이 오목한 부분에 채워져서 생기는 자분모양으로, 산화 스케일(scale)에 의한 부분적인 요철(凹凸), 부식면에 의한 요철(凹凸), 주물에서의 주물 표면, 기계 가공에 의한 바이트(Bite) 자국 등에 의해 주로 생기며, 형광 자분을 사용하는 경우에 나타나기 쉽다. 이것은 표면을 매끄럽게 처리하고 재시험하면 없어진다.

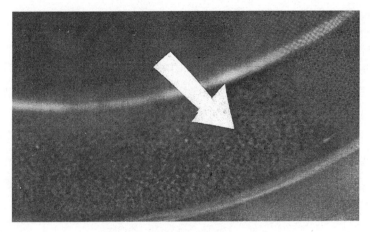

그림 2-35 표면 거칠기 지시

아) 재질 경계 지시(material junction indication)

투자율이 다른 재질끼리의 경계에 나타나는 지시로, 용접부의 용접금속과 모재와의 경계, 냉간가공이나 열처리를 하여 조직이 달라져 있는 부분의 경계 또는 단조품이나 압연품의 메탈 플로우(metal flow)부 등에 의해 생기는 자분모양을 말한다. 이러한 의사모양은 일반적으로 굵고 희미하며, 자계의 세기가 필요 이상으로 강할 때에 잘 나타난다. 그러나 납땜 부착부와 같이 투자율에 큰 차이가 있는 경우에는 자계의 세기를 약하게 해도 선명하게 의사모양이 나타나기도 한다. 이러한 경우에는 침투탐상시험과 같은 다른 비파괴검사를 병행하여 확인해야 한다.

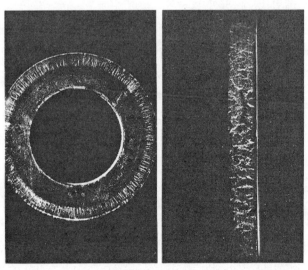

그림 2-36 재질 경계 지시

⏎ 2) 의사모양의 판별법

의사모양은 각각 결함에 의한 자분모양과는 다른 특징을 가지고 있다. 따라서 그 발생 원인도 뚜렷하여 이들을 구별하기는 비교적 쉽다고 할 수 있다. 결함 이외의 원인으로 생기기 때문에 같은 자분모양이 시험체마다 같은 곳에 나타나는 경우는 의사모양으로 간주해도 된다.

의사모양이 나타난 곳에 결함이 있을 경우, 결함 자분모양은 의사모양에 의해 감추어져 나타나지 않을 때가 있으므로, 의사모양이 나타났을 때에는 반드시 의사모양이 나타나지 않는 탐상법 또는 다른 시험방법으로 재시험하여 결함이 없음을 확인해야 한다. 의사모양에 대한 판별법은 다음과 같다.

가) 자기펜 자국

시험체를 탈자하고 재 자화하여 검사액을 적용하면 나타나지 않는다.

나) 단면 급변 지시

이 지시는 일반적으로 자계의 세기가 강하면 잘 나타나므로, 자화전류를 낮추어 작용하는 자계의 세기를 약하게 하거나 잔류법으로 시험하면 나타나지 않는다.

다) 표면 거칠기 지시

자화전류를 낮추어 결함 검출에 필요한 자화전류 이하로 해도 의사모양이 나타날 때에는 표면을 매끄럽게 처리하고 재시험하거나 이것이 불가능한 경우는 침투탐상시험 등 다른 시험방법으로 확인한다.

라) 투자율이 다른 재질 경계 지시

이 지시는 자분탐상시험만으로는 판별이 불가능하다. 표면 연마 후 약품으로 부식시켜 금속 현미경에 의한 미시적 시험 또는 거시적 시험으로 조사해야 한다. 재시험은 침투탐상시험 등 다른 시험방법으로 확인한다.

마) 자극지시, 전극지시, 전류지시

자극의 위치, 전극의 위치 또는 자화 케이블의 접촉위치를 바꾸어 재 자화하면 나타나지 않는다.

라. 결함 자분모양의 판정

관찰 결과 결함에 의한 자분모양인 것이 확인된 경우에는 우선 어떠한 종류의 결함에 의해 생긴 자분모양인지를 추정 또는 결정해야 한다. 일반적으로는 형상, 위치, 크기, 시험체의 지금까지의 이력(履歷), 부가되는 응력의 종류 등으로부터 추정할 수 있는 경우가 대부분이지만, 확대경 등으로 조사하는 것도 유효한 수단이다. 이렇게 해서 결함의 종류를 알게 되면 비로소 규정된 판정기준으로 합격 불합격의 판정을 할 수 있게 된다.

판정기준의 대부분은 선상 결함과 원형상 결함으로 나누고 허용되는 최대 길이 및 지름으로 표시하는 경우가 많다. 그러나 결함 자분모양으로 나타나는 것은 대부분 균열이기 때문에 KS B 0213-1994 「철강 재료의 자분탐상시험 방법 및 자분모양의 분류」와 같이 치수에 관계없이 허용되지 않으므로, 등급분류를 규정하고 있지 않는 규격도 있다. 그러므로 KS D 0213-1994에서는 결함 자분모양의 분류는 4 종류(① 균열에 의한 자분모양, ② 독립한 자분모양, ③ 연속한 자분모양, ④ 분산한 자분모양)의 자분모양으로 구별하고, 그 위치 및 치수를 측정하여 기록하도록 하고 있다.

7. 자분모양의 기록

자분모양은 시험결과의 보고(報告)와 보존(保存)을 위하여 기록해 두어야 한다. 자분모양을 기록하는 방법으로 자주 사용되는 방법으로는 사진 촬영, 스케치(sketch) 및 전사(轉寫, printing tape transfer)에 의한 방법 등이 있다. 또한 특수한 목적을 위하여 자분모양을 시험 면에 그대로 부착해 놓고자 할 때에는 자분모양을 잘 건조하고 나서, 투명한 니스(varnish)나 래커(lacquer) 등을 사용하여 시험 면에 고정시키거나 가열하면 고착되는 자분을 사용하여 시험 면을 가열해서 자분모양을 고정시키는 방법을 이용한다. 자분모양을 기록할 경우에 주의해야 할 사항은 다음과 같다.

가. 사진 촬영에 의한 방법

자분모양의 위치를 알 수 있도록 시험체의 전체 모습 또는 특징이 있는 부분이 들어가도록 촬영할 것과 자분모양의 형상 및 치수를 알 수 있도록 자분모양의 확대를 위해 근접(近接) 촬영할 필요가 있다. 이때 나중에 치수를 알 수 있도록 자(scale)를 놓고 촬영하는 것이 좋다.

- 형광 자분모양은 어두운 장소에서 자외선을 조사하여 장시간 노출을 주며 촬영하거나 렌즈에 황색 필터를 부착하여 자외선을 차단시켜야 한다. 또한 장소가 어두워서 시험체의 형상이 촬영되지 않을 수도 있으므로, 노출 중 약간의 가시광선을 조사하여 시험체 형상을 관찰할 수 있는 정도의 어둡기에서 촬영한다.
- 비형광 자분모양은 미리 시험체의 표면에 검사액에는 용해되지 않는 백색 도료를 얇게 도포한 다음, 그 위에 흑색자분을 적용하여 자분모양을 만들면 대비(contrast)가 좋은 자분모양의 사진을 촬영할 수가 있다.

요즘은 디지털 카메라가 널리 보급되어 있어, 디지털 카메라를 이용하여 자분모양을 많이 기록하고 있다. 이 때 주의할 사항은 위에서 설명한 내용을 고려하고, 형광 자분 및 비형광 자분에 대하여 사전에 촬영조건을 확인해 두어야 한다.

나. 스케치에 의한 방법

자분모양의 발생위치, 형상, 방향성 및 치수 등을 스케치하고, 가급적 자분모양의 명료도(definition)와 굵기 등 참고가 되는 사항을 덧붙여 기재해야 한다. 스케치에 의한 방법은 정확성에 있어서는 그다지 기대할 수 없으므로, 결함의 진전상태를 관찰하고 싶을 때 등 정확도가 요구되는 경우는 전사에 의한 방법을 사용하거나 또는 사진으로 촬영하는 방법을 이용해야 한다. 일반적으로 시험보고서에 기록할 때에는 이 방법이 많이 사용되고 있다.

다. 전사에 의한 방법

자분모양을 자기 테이프(magnetic tape)에 녹자(錄磁)하는 방법과 수선 테이프(mending tape) 및 플라스틱 테이프(plastic tape) 등의 투명한 점착성 테이프에 자분모양을 부착시키는 방법이다.

자기 테이프에 의한 경우는 자기 테이프를 결함 위에 밀착시키고 시험체를 자화하거나 또는 자화된 시험체의 결함 위에 자기 테이프를 밀착시키면 결함으로부터의 누설 자속이 자기 테이프에 전사되는데, 이 자기 테이프에 자분을 적용하면 결함 자분모양이 얻어진다. 녹음 재생헤드(V-R head)를 이용하면 전기 신호로 바꿔 얻을 수 있다. 이 방법은 누설 자속 탐상방법(magnetic leakage flux testing method)의 하나이다.

점착성 투명 테이프에 자분모양을 전사할 경우에는 시험체의 표면을 깨끗이 하고, 입도가 $2\mu m$ 이하인 미세한 흑색자분을 $0.5g/\ell$ 이하의 엷은 농도로 알코올(alcohol) 등의 유기용제에 잘 분산·현탁시킨 검사액을 적용하여 자분모양이 건조된 후 점착성 테이프를 그 위에 붙이고 잘 누른 다음 서서히 벗겨서 흰 종이에 첨부하면 된다. 검사액의 농도는 적용시간에 따라서 가급적 엷게 하는 것이 깨끗한 전사가 얻어진다. 그리고 셀로판 테이프(cellophane tape)는 시간이 경과함에 따라 수축을 일으키므로 사용해서는 안 된다. 전사에 의한 방법은 장시간 보존하기에는 무리가 따르므로, 접착성 테이프에 전사한 것을 복사(copy)해 두는 것이 좋다. 전사에는 반드시 자분모양의 발생 위치, 방향에 대하여 스케치하여 기록해 두어야 한다. 또한 가연성의 유기용제를 사용하는 경우에는 인화(引火)에도 주의해야 한다.

8. 탈 자

가. 탈자를 필요로 하는 경우

자분탐상시험을 실시한 시험체는 자화방법 및 재질에 따라서는 시험체의 보자성(retentivity)으로 인하여 상당히 높은 잔류 자속밀도가 남아 있으므로 다음과 같은 경우에는 탈자(脫磁, demagnetization)를 해야 한다.

① 자분탐상시험에서 재시험을 할 때, 전회의 잔류자속밀도가 시험체의 자화 및 관찰에 악영향을 미칠 우려가 있을 때.

② 시험체의 잔류자속밀도가 이후의 기계 가공을 곤란하게 할 우려가 있을 때.

③ 시험체의 잔류 자속밀도가 계측기의 작동이나 정밀도에 악 영향을 미칠 우려가 있을 때.

④ 시험체가 마찰부분 또는 그것에 가까운 곳에 사용되는 것으로 마찰부분에 철분 등을 흡수하여 마모를 증가시킬 우려가 있을 때.

⑤ 잔류 자속밀도로 인하여 시험체가 사용 중 영향을 받거나 완전한 세척을 방해할 때.

⑥ 시험체를 처음보다 더 낮은 자계의 세기로 방향을 달리하여 자화할 때.

⑦ 그밖에 필요한 경우.

나. 탈자를 필요로 하지 않는 경우

① 시험체를 큐리점(curie point) 이상으로 열처리하여 자성(磁性)을 상실했을 때.

② 시험체가 연철이거나 낮은 보자성을 갖고 있을 때.

③ 잔류자속밀도가 영향을 미치지 않는 대형 주강품, 용접물, 보일러 등의 구조물일 때.

④ 처음보다 더 높은 자계의 세기로 방향을 달리하여 다시 자화할 때.

※ **큐리점(curie point)** : 강자성체에 온도를 올리면 어느 온도에서 강자성체의 성질을 잃어 버리는 점. 이 한계의 온도를 말한다.

다. 탈자의 방법

시험을 실시한 시험체에 강한 잔류 자속밀도가 남아 있는 경우 또는 재시험을 하는 경우에는 필요에 따라 탈자를 해야 한다. 탈자의 방법은 시험체에 걸어준 자계의 방향을 번갈아 반전(反轉)시키면서 반전시킬 때마다 자계의 세기를 서서히 낮추어 "0"(zero)에 가깝게 한다. **그림 2-37** 과 **그림 2-38** 은 그 과정을 나타낸 것이다. 시험체에 걸어준 자계의 세기를 서서히 낮추는 방법에는 시험체를 전류가 만드는 자계 속에 놓고 전류치를 서서히 낮추는 방법과 시험체를 자계 속으로부터 서서히 멀리하는 방법이 있다. 번갈아 방향을 반전시키는 자계(반전 자계)를 만드는 방법에는 교류를 사용하는 교류 탈자(alternating current demagnetization)방법과 직류 또는 맥류의 극성을 저주기(低周期)로 바꾸어 주는 방법(시험체의 방향을 반전시켜도 된다)인 직류 탈자(direct current demagnetization)방법이 있다.

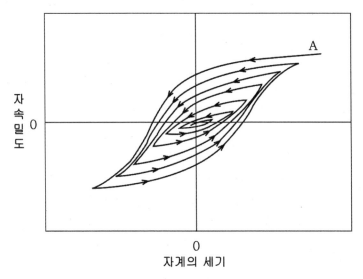

그림 2-37 반전 감쇠 자계에 의한 탈자곡선

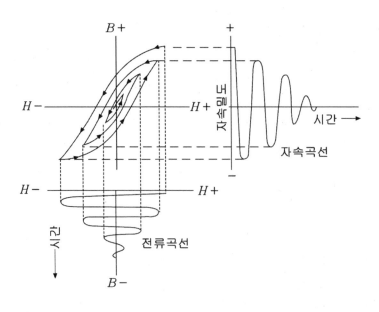

그림 2-38 탈자시의 탈자곡선

（a） 교류탈자

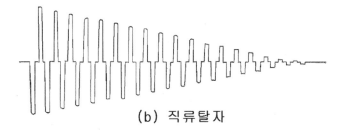

（b） 직류탈자

그림 2-39 탈자 전류 파형의 예

그림 2-39 에 그 탈자 전류파형의 예를 나타낸다. 교류 탈자는 상용의 교류 전원이나, 교류 자화가 가능한 자분탐상장치로부터 발생하는 교류 전류(단, 연속 가변이 가능한 것)를 사용하지만, 직류 탈자는 일반적으로 전용의 탈자장치를 사용한다.

1) 탈자를 할 때 시험체에 걸어주는 반전 자계의 방향은 그 시험체를 자화할 때 걸어준 자계의 방향과 같은 방법으로 하는 것이 탈자의 효과가 더 좋다. 즉 코일법으로 자화한 경우는 코일법으로, 축 통전법으로 자화한 경우는 축 통전법으로 탈자한다.

2) 교류 탈자는 표피효과(skin effect) 때문에 시험체의 표면 가까이는 탈자되지만 내부는 거의 탈자되지 않으므로, 완전히 탈자를 하려면 직류 탈자를 해야 한다. 즉, 교류 탈자는 보통 탄소강의 경우, 시험체 표면으로부터 2~3mm의 표면 가까이(표층부)만 탈자가 가능하다. 그러므로 교류로 자화한 시험체는 탈자가 잘 되지만 직류를 사용하여 내부까지 자화된 시험체는 내부에 잔류 자속밀도가 남으므로 직류 탈자를 해야 한다. 직류 탈자는 직류를 탈자 전류로 사용하므로 시험체 내부까지 탈자가 가능하기 때문이다. 그러나 전처리나 재시험일 때의 탈자는 실용적으로 이 교류 탈자로 충분하다.

3) 직류 탈자는 시험체를 자화할 때 시험체에 걸어준 자계의 방향을 반복하여 반전시키며 그 자계의 세기를 자화할 때의 값보다 조금 높은 값에서 반전시킬 때마다 조금씩 낮추면서 자계의 세기가 "0"(zero)에 가깝게 되기까지 자화의 반전을 계속해야 한다. 자화의 반전의 주기가 너무 빠르면 교류에서와 같이 표피효과가 나타나므로 내부까

지 탈자해야 하는 경우에는 주의해야 한다. 그리고 직류 탈자는 일반적으로 후처리에 있어서 특히 요구되는 경우에만 실시한다.

4) 탈자를 할 때 시험체에 걸어주는 반전 자계의 세기는 그 시험체를 자화할 때보다 높은 자계의 세기이거나 그 강자성체를 자기 포화시킬 만큼의 자계의 세기로부터 서서히 약하게 해서 "0"에 가깝게 해야 한다. 자화의 세기가 불분명한 경우는 시험체의 재질이 자기 포화되는 자계의 세기에서부터 탈자를 시작해야 한다.

5) 시험체는 반전 자계 또는 탈자 전류가 거의 "0"이 될 때까지 계속 반복해야 한다. 탈자 전류치의 낮추는 폭이 지나치게 크면 탈자가 되지 않는다.

6) 자화할 때와 똑같이 탈자에서도 반자계를 고려해야 한다. 특히 코일법에 의한 탈자는 주의해야 한다. 즉 시험체의 길이/굵기(L/D, 정확히는 자극 간격/단면적)를 가급적 크게 하여 탈자해야 한다.

7) 자화의 방향이 분명하지 않은 시험체나 복잡한 형상의 시험체에 대한 탈자는 시험체를 여러 방향으로 회전시키면서 반전 자계로부터 멀리하거나, 반전하는 감쇠 자계의 방향을 바꾸어가며 탈자를 반복해야 한다. 또한 시험체를 회전시키지 않고 1회의 조작으로 탈자를 해야만 하는 경우에는 반자계의 발생이 적은 방향으로 반전 감쇠 자계를 주어 탈자시키면 된다.

라. 탈자의 확인방법

어느 정도 탈자가 되었는지를 알려면 시험체의 잔류 자극의 세기 즉, 자극에서의 누설 자속밀도를 측정함으로써 알 수 있다.

✎ 1) 시험체에 자극이 있는 경우

가) 홀 소자(hall element)를 이용한 자속(자속밀도)계로써 자극부의 잔류자기를 측정한다.

나) 자장 지시계(magnetic field indicator)를 사용하여 시험체의 자극부에 착탈(着脫)해 봄으로서, 잔류자기를 측정하고 자극의 극성 등의 판별을 한다.

다) 간단한 방법은 시험체의 자극부에 자침(magnetic compass)을 가까이 하여 자침의 움직이는 각도로써 그 잔류 자극의 세기를 측정하여 잔류 자속밀도(잔류자기)의 크기를 추정한다.

라) 철편이나 철분(자분) 등을 시험체의 자극부에 흡착시켜 보는 방법도 있다.
자극이 발생하는 부위는 시험체의 모서리 등의 단면 급변부이다. 잔류자기는 이들 부위를 확인하면 된다.

2) 시험체에 자극이 없는 경우

잔류자기의 확인은 시험체로부터 외부로 누설하는 자속을 검출하는 것이기 때문에 외부로 누설되지 않는 자속은 검출할 수 없다. 시험체에 자극이 없는 경우의 대부분은 시험체에 자극이 없거나 또는 아주 약한 자극만이 있을 때이다. 이러한 경우 적당한 탈자의 확인 수단은 없으나, 일반적으로 다음과 같이 확인한다.

가) 시험체에 결함이 있는 경우는 탈자 후 자분을 적용하여 결함에 자분이 부착되지 않는 것으로 확인한다.

이 방법은 결함이 크면 클수록 확실하지만, 일반적으로 이것만으로 탈자가 되었다고 판단해서는 안 된다.

나) 탈자 후 시험체를 강자성체로 마찰시킨 후 자분을 적용하여, 마찰시킨 부분에 자분이 부착되지 않는 것으로 탈자를 확인한다.

이 방법은 시험체를 강자성체로 마찰시키는 방법이나 방향 등에 따라 자분의 부착량이 변화하기 때문에, 시험체의 잔류자기가 원래 낮은 경우는 자분이 부착되지 않을 수 있으므로 이것만으로 탈자가 되었다고 판단해서는 안 된다.

시험체에 자극이 없는 경우는 일반적으로 미리 올바른 탈자방법을 결정하고, 이것을 정확히 지켜 탈자 작업을 해야 한다. 일반적으로 시험체의 단면 형상이 비교적 균일한 링(ring)의 경우는 자극이 없는 즉, 폐자로(閉磁路)로 되어 있다.

3) 주의 사항

위에서 설명한 방법들은 어느 것이나 시험체에서 외부로 누설하는 자속을 검출하는 방법이므로 외부로 누설되지 않는 잔류 자속은 검출할 수 없다. 예를 들면 베어링 등을 축통전법이나 전류 관통법으로 자화한 경우에는 반자계가 생기지 않기 때문에 높은 잔류 자속밀도가 잔류되지만, 그 잔류 자속은 거의 밖으로 누설되지 않기 때문에 자속계 등을 이용해도 검출할 수 없다. 따라서 이러한 경우는 겉으로 보기에는 전혀 자화되지 않은 것처럼 보이기 때문에 탈자를 확인할 수 없게 된다.

그러나 이러한 잔류자기가 있는 시험체의 표면에 결함이 있거나 강자성체와 접촉하게 하면 그 부분에 많은 누설 자속이 생기기 때문에 철분이 흡착되어 마모의 원인이 될 우려가 있으므로, 탈자 조작을 실수하지 않도록 주의해야 한다.

9. 후 처 리

가. 후처리의 필요성

시험을 마치고 나서 우선 결함이 검출된 시험체와 결함이 검출되지 않은 시험체를 명확히 구별해야 한다. 그런 다음에 결함이 검출된 시험체는 결함이 있는 위치에 마킹 펜 등으로 시험체에 표시하고 기록과 대응이 되도록 해 둔다. 또한 결함 검출과 상관없이 필요에 따라 시험체를 탈자한다. 시험 면을 잘 세척하여 자분 및 검사액을 완전히 제거하고, 기름 구멍 등에 막아 두었던 물질은 완전히 제거한다. 또 필요하다면 방청제도 도포한다. 후처리는 시험체의 외관 조건, 기능 조건 등을 자분탐상시험 실시 전의 상태로 되돌리는 처리이므로, 시험을 마무리하는 최종 공정이다.

나. 후처리의 방법

후처리의 방법 중 유의해야 할 것은 다음과 같다.

① 시험체의 잔류 자속밀도가 이후의 기계 가공을 곤란하게 할 우려가 있거나, 철분이 흡인되어 시험체 또는 관련 기기를 마모, 손상시킬 경우, 기타 주변 기기의 성능에 영향을 미칠 우려가 있을 때는 탈자를 한다.

탈자를 마친 후는 탈자의 정도를 확인하는 것을 잊어서는 안 된다.

② 시험체에 잔류되어 있는 자분이 다음 공정의 작업에 지장을 초래하거나, 마찰부분 또는 그것에 가까운 곳에 사용되는 것으로, 마찰부분에 철분 등을 흡인하여 마모, 손상의 원인이 되는 경우는 이것을 충분히 제거해야 한다. 특히 구멍 안에 들어있는 자분은 확실하게 제거해야 한다.

습식 자분의 경우는 걸레로 잘 닦아낸 후 용제 등을 사용하여 제거한다. 틈 부분이나 모서리부분에 잔류되어 있는 것은 공기(air)를 뿜어 제거한다.

형광 자분의 경우는 어두운 곳에서 자외선조사등을 사용하여 관찰하면 자분의 제거 정도를 쉽게 확인할 수 있다.

건식 자분의 경우는 붓을 사용하여 제거하거나 진공청소기로 제거한다. 공기(Air)를 뿜어 제거할 때에는 자분이 주위로 비산(飛散)되지 않도록 해야 한다.

③ 시험체에 직접 전류를 흘려 자화하는 방법인 프로드법, 축 통전법, 직각 통전법을 사용하였을 때는 시험체의 전극 접촉부에 아크(arc) 발생에 의한 소손(燒損)된 부분이 있는지 육안으로 확인해야 한다. 아크 발생에 의한 소손이 확인된 경우는 연삭기(grinder) 등으로 연삭 제거해야 한다.

④ 시험체에는 필요에 따라 방청처리나 도장을 한다.

⑤ 시험을 마친 후에는 시험체에 시험 종료, 후처리 종료, 합격품, 불합격품을 나타내기 위한 적당한 표시를 하거나 꼬리표(tag)를 붙여두면 좋다.

10. 시험의 기록

시험결과의 기록은 시험 실시 후의 보고서이기 때문에 실시 년월일, 실시장소, 검사원의 성명 및 자격, 시험체의 명칭을 명확하게 기록한 후에 상세한 시험조건과 시험결과를 기록해야 한다. 자분탐상시험은 시험조건에 따라 시험결과가 크게 좌우되므로 시험조건에 따라 시험결과의 평가가 변하게 된다. 그러므로 시험기록에는 결함 자분모양의 형상, 치수 및 결함이 있는 위치 이외에 시험조건을 상세히 기입해야 한다.

시험조건 중에서 반드시 기입해야 하는 것은 자화방법(프로드법, 극간법, 코일법 등), 프로드 간격, 자극간 거리, 극의 배치, 탐상 피치, 자석의 전자속, 코일의 치수와 감은 수, 자화전류의 종류(교류 · 직류 · 맥류 등의 구분 및 단상반파 · 삼상전파 등의 정류방식), 자화전류치와 통전시간, 자분의 적용시기(연속법 · 잔류법의 구분), 자분의 종류(형식, 입도, 형광 · 비형광 및 색), 자분의 분산방식(건식법 · 습식법의 구분 및 물 · 등유의 구분), 검사액의 농도, 자분의 적용시간, 사용한 표준시험편 등이다. 자분탐상시험의 기록양식은 시험체의 종류, 시험목적(제품 검사 · 보수 검사의 구분), 시험규격 등에 따라 다르며, 정해진 형식도 없기 때문에 위의 내용을 참고로 하여 빠진 항목이 없도록 주의하여 작성해야 한다.

익힘문제

1. 자분탐상시험의 기본원리에 대하여 설명하시오.
2. 자분탐상시험의 특징에 대하여 설명하시오.
3. 자분탐상시험에서의 전처리의 필요성에 대하여 설명하시오.
4. 자화방법의 종류 및 각 발생원리에 대하여 설명하시오.
5. 자화방법을 발생하는 자계의 방향성에 따라 분류해 보세요.
6. 자속을 발생시키는 방식에 따라 자화방법을 분류하고 각각에 대해 설명하시오.
7. 자화방법을 선정할 때 고려해야 할 사항에 대하여 설명하시오.
8. 자화방법 별 검출할 수 있는 결함의 방향에 대하여 설명하시오.
9. 전류 관통법으로 탐상할 때의 탐상유효범위에 대하여 설명하시오.
10. 코일법으로 탐상할 때, 반자계의 영향을 적게 하는 대책에 대하여 설명하시오.
11. 극간법과 프로드법에서 검출할 수 있는 결함의 방향에 대하여 설명하시오.
12. 근접 도체법으로 자화하는 방법에 대하여 설명하시오.
13. 자화전류의 종류에 대한 설명과 선정에 대하여 설명하시오.
14. 연속법과 잔류법의 통전시간에 대하여 설명하시오.
15. 건식법과 습식법으로 자분을 적용할 때의 장단점을 설명하시오.
16. 비형광 및 형광 자분을 사용할 때의 관찰방법에 대하여 설명하시오.
17. 의사모양의 종류와 각각에 대하여 설명하시오.
18. 탈자가 필요한 경우에 대하여 설명하시오.
19. 교류 및 직류의 탈자방법 및 차이점에 대하여 설명하시오.
20. 결함 검출에 영향을 미치는 인자에 대하여 설명하시오.

제3장 자분탐상시험 장치와 시험 재료

제1절 자분탐상시험 장치

자분탐상시험을 할 때 탐상에 필요한 장치는

① 시험체에 적정한 자계를 걸어주는 자화기능을 가진 장치.
② 정확하게 자분(검사액 또는 자분)을 적용할 수 있는 자분산포기능을 가진 장치.
③ 자분모양을 확실히 인식할 수 있는 백색광 또는 자외선을 조사하는 기능을 가진 장치.
④ 필요한 경우에는 탈자기능을 가진 장치.

등이 필요하며, 이들의 모든 기능을 갖춘 장치를 자분탐상시험 장치라 부르지만, 이중에서 가장 기본적인 것은 자화기능을 가진 장치 즉, 자화전류를 발생시키는 자화전원부와 그 자화전류에 의해 자계를 발생시키는 자화기기를 포함하여 탐상장치 또는 탐상기(자화기)라 부르며, 기타의 자분 산포장치, 자외선조사장치, 탈자장치를 부속장치라 부르기도 한다.

탐상능력은 일련의 탐상조작의 종합적 결과로서 나타내기 때문에, 이들의 여러 조작 중 어느 조작이라도 부적절할 때에는 양호한 검출능력은 얻어지지 않게 된다.

자분탐상장치에는 이들의 여러 조작 및 시험조건을 종합적으로 유지, 관리할 수 있는 기능을 가진 설치형 탐상장치와 휴대가 가능한 휴대형 탐상기가 있다.

설치형 탐상장치는 일반적으로 접촉판(head)과 코일(coil)이 같이 설치되어 있어 접촉판으로는 원형 자화, 코일로서는 선형 자화를 시킬 수 있도록 되어 있다. 그러므로 코일법과 축 통전법을 선택할 수 있는 스위치가 있어서 사용하고자 하는 검사방법을 선택할 수 있게 되어 있다.

휴대형 극간식 탐상장치는 명칭을 극간식 탐상기(자화기) 또는 요크식 탐상기(자화기)라고 부르며, 직류·교류를 구별하지 않기 때문에, 일반적으로 사용하는 경우에는 휴대형 극간식 탐상기로 표시하고, 교류로 한정하는 경우에는 교류 극간식 탐상기라고 표시한다.

이들은 각각 독자적인 기능을 갖고 있어 시험대상물에 따른 장치를 알맞게 선택함에 따라 대상물에 적합한 방법을 이용할 수 있다. 이때 장치의 선택에서 가장 중요한 것은 자분탐상시험의 시방서 및 절차서에서 요구하고 있는 시험의 내용을 충분히 검토한 후 이를 충족시킬 수 있는 기능이 있는 장치를 선택해야 한다.

1. 탐상기의 종류와 자화방법

자분탐상시험에 사용되는 자화기기는 전자석 또는 영구자석을 이용한 탐상기(휴대형)와 자화전류를 발생시키는 자화전원부가 있는 자화장치(설치형)의 2 가지로 크게 나눈다. 전자는 극간법과 자속 관통법에 사용하며, 후자는 통전법(전류 관통법, 축 통전법, 직각 통전법, 프로드법 등)과 코일법으로 사용한다.

가. 극간법에 사용하는 자화장치
1) 휴대형 탐상기

일반적으로 요크식(yoke) 탐상기 또는 휴대형 극간식 탐상기라 부르는 것으로, 전자석을 수지(resin)로 피복하여 무게가 가볍고, 한 손으로 잡을 수 있는 정도의 크기로 만들어진 소형의 전자석 또는 영구자석을 이용한 자화장치(시험체를 자화하는 장치)이다. 기본적으로 교류 전자석을 이용한 탐상기, 직류 전자석을 이용한 탐상기와 영구자석을 이용한 탐상기의 3종류로 분류한다.

가) 교류 전자석을 이용한 탐상기

전자석의 자극을 시험체에 접촉시키면 전자석 철심 내에 발생하는 자속을 시험체에 투입시킴에 따라 시험체를 자화하는 장치이다. 휴대성이 뛰어나므로 가장 많이 보급되어 있는 장치로써 **그림 3-1** 과 같이 규소 강판을 적층하여 만든 철심(core)에 구리(銅)선을 감아 코일로 만든 구조의 교류 전자석에 의한 자화장치이다.

코일에 교류 전류를 통하면 그 전류치와 코일의 감은 수와의 곱(이것을 ampere · turn 이라 한다)에 의한 세기의 자계가 코일 내에 발생하며, 전자석의 철심 속으로 자속이 흐른다. 코일의 기자력(ampere · turn)은 철심 속을 흐르는 자속밀도가 충분할 정도의 높은 값을 갖도록 설계되어 있다. 그러므로 이러한 탐상기의 자화능력은 철심 속의 전자속(철심의 단면적과 자속밀도와의 곱으로 정해진다)으로 비교해야 하기 때문에, 기자력만으로는 비교할 수 없다. 또한 인상력(lifting power)은 철심 속의 전자속과 밀접한 관련이 있지만, 결함의 검출능력은 탐상유효범위를 포함하여 검토해야 한다. 그리고 이러한 종류의 전자석의 철심 단면적은 무게를 경감시키기 위하여 $400 \sim 900 \ mm^2$의 것이 많다. 대부분 교류식이며, 전원은 220V를 사용한다. 일반적으로 교류 극간식 탐상기의 전자속은 5×10^{-4} Wb 이상이다. 자극 간 중앙에서의 표면에 평행한 자계의 세기는 약 3,200 A/m 이상인 것이 많다.

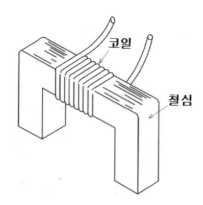
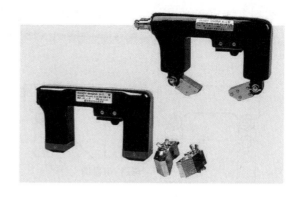

그림 3-1 교류 극간식 탐상기의 구조 원리도 및 탐상기의 모습

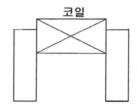
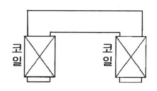

(a) 코일을 철심의 중앙부에 감은 것   (b) 코일을 철심의 다리부분에 감은 것

그림 3-2 전자석식 탐상기의 코일의 위치 그림

탐상기에는 다양한 형태가 있는데, 크게 나누면 **그림 3-2** 와 같이 철심의 중앙부에 코일을 감은 것과 다리부분에 코일을 감은 것이 있으며, 또한 **그림 3-3(a)** 와 같이 탐상기 다리(leg)의 중간에 다리의 간격이나 방향을 바꿀 수 있는 연결 이음매가 있는 것과 **그림 3-3(b)** 와 같이 탐상기 다리가 고정되어 있는 장치로 나눌 수 있다. 중간에 이음매가 있는 것은 평면 이외의 굽은 시험 면도 시험할 수 있어 편리하지만, 중간 이음부에서의 자기저항 때문에 중간 이음매가 없는 탐상기에 비해 시험체에 유입되는 자속이 적어지는 단점이 있다. 또한 자극간 거리를 넓게 하면 시험 면에서의 자속밀도가 저하하기 때문에 주의해야 한다. 그리고 **그림 3-3(b)** 와 같이 다리가 고정되어 있는 장치에 접속하여 사용하는 보조용 요크(universal yoke)에는 **그림 3-3(c)** 및 **(d)** 와 같은 것이 있다. 이러한 탐상기는 교류의 표피효과로 인하여 자속이 시험체에 깊게 유입되지 않으므로 두께가 두꺼운 시험체라 하더라도 표면의 자속밀도는 저하되지 않는 장점은 있다. 이 때문에 시험체두께에 관계없이 사용할 수 있어 일반적으로 널리 사용되고 있다. 그러나 검출되는 결함

은 시험체 표면에 있는 결함으로 한정된다. 이러한 방식은 사용상황에 따라 절연 파괴가 생기면 철심부에 누전(漏電)되는 경우가 많이 있으므로 주의해야 한다.

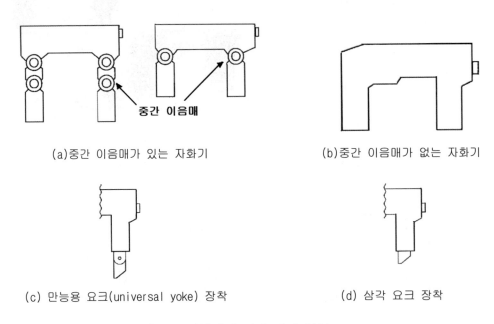

(a)중간 이음매가 있는 자화기　　　　　　　(b)중간 이음매가 없는 자화기

(c) 만능용 요크(universal yoke) 장착　　　　(d) 삼각 요크 장착

그림 3-3 탐상기의 여러 가지 형식

나) 직류 전자석의 탐상기

　구조는 **그림 3-1** 의 교류 탐상기와 같지만, 철심은 규소(硅素) 강판도 사용하지만 연철판(軟鐵板)을 겹쳐 만든 것을 사용하는 경우가 많다. 철심에 감은 코일에 직류 전류를 통하면 철심 속에 높은 밀도의 자속이 발생한다. 이 탐상기는 영구자석을 사용하는 탐상기에 비해 시험 중에 자속밀도를 높일 수 있는 장점이 있다. 또 표피효과가 없기 때문에 시험체에 대한 자속의 유입 깊이가 교류의 경우에 비해 깊으므로, 표면으로부터 다소 내부에 존재하는 결함도 탐상이 가능하다. 그러나 깊이 방향에 대한 자속의 확산이 많으며, 시험체의 두께가 두꺼울수록 표면의 자속밀도가 급격히 저하되어 결함의 검출능력이 저하되는 단점이 있다. 그러므로 직류 전자석을 사용하는 탐상기는 수 *mm* 이상의 두께를 가진 시험체의 탐상에는 적당하지 않다.

다) 영구자석의 탐상기

　막대자석, 말굽형 자석과 같은 영구자석을 사용하는 탐상기로, 전자석을 사용하는 탐상기에 비해 전원이 필요 없고 가벼우며, 소형이라는 장점도 있지만, 충분한 자화를 시킬 수 없어서 탐상능력은 전자석만큼 높지 않다. 만일 강한 자계의 영구자석을 이용하면 시험체에서 자극을 떼어내는데 어려움이 있어 작업성도 나쁘게 된다. 또한 직류 전자석을 사용하는 탐상기와 똑같이 시험 면의 자속밀도가 시험체의 두께 증가와 더불어 급격히 저하되는 단점이 있다. 그러므로 사용할 때는 결함 검출능력에 대하여 충분한 검토를 해야 한다.

라) 사용상 주의할 점

극간식 탐상기는 시험체에 직접 통전하지 않고, 자극 사이에 발생하는 자계에 의하여 시험체를 자화하므로 자극과 시험체의 접촉면에서 전기 스파-크(spark)가 발생할 우려는 없지만, 자극 접촉면이 거칠어 시험체와 밀착이 잘 되지 않게 되면 현저하게 자화능력이 떨어지므로 주의해야 한다. 또한 연속적으로 사용할 때에는 탐상기 자체의 온도가 상승하여 통전이 안 될 때도 있다. 그리고 중간 이음매가 있어 자극간 거리를 조절할 수 있는 탐상기는 이것을 적절히 사용하여 시험체의 모양에 맞출 수 있고, 자극 간 거리를 임의로 바꾸어 효과적인 시험을 할 수도 있으나, 연결된 중간 이음매의 접촉불량이나 자극 간 간격이 적정하지 않을 때에는 자속밀도의 저하를 초래시켜 자화능력이 떨어지므로 주의해야 한다.

✎ 2) 설치형 탐상장치

가) 극간식 탐상기는 휴대형이 많이 사용되고 있으나, 대형 전자석을 이용하는 설치형도 실용화되어 사용되고 있다. 설치형 탐상장치는 기본적으로는 휴대형과 비슷한 구조로 되어 있으나, 전자석의 크기가 대형이고, 또한 시험체를 용수철 등으로 눌려서 지탱시킬 수 있으며, 폐자로(閉磁路)를 형성시키기 위하여 이동할 수 있는 철심을 가진 자극이 부착되어 있다. 각종 자화방법 중 극간법과 코일법은 발생하는 자계의 방향은 같지만, 코일법에서 발생시키는 자계는 길이방향에서는 코일의 중앙부분이 강하고, 끝 부분은 약한 분포를 나타낸다. 이 자계에 의해 자화되는 시험체의 자속밀도는 자계의 세기에 의존하기 때문에 중앙부가 가장 높고, 끝 부분은 낮아진다. 또한 시험체의 끝 부분에는 반자계가 발생하므로 그 끝 부분 가까이의 자속밀도는 보다 더 저하하게 된다.

극간법에서는 자극 간에 시험체를 배치하여 폐자로가 되었을 때에는 시험체 끝 부분에 반자계가 발생하기 어려운 상태가 된다. 코일법과 같은 끝 부분의 자속밀도의 저하는 적지만, 자극 간의 길이가 너무 길어지면 중앙부에서의 자속밀도가 저하될 우려가 있다.

이와 같이 휴대형과 설치형의 양 탐상장치는 각각 장점도 있는 반면에 사용상의 제한이 따르기 때문에 탐상능력에 차이가 생긴다. 내부 결함의 검출에 알맞다고 하는 직류 자화의 경우, 휴대형 탐상기는 소형 및 무게가 가벼워야 하는 등의 제한으로 인하여 전자속(全

磁束)도 크게 할 수 없기 때문에 시험체의 단면적 또는 표면적이 자석의 단면적보다 클 때에는 자속의 확산이 일어나서 탐상에 필요한 자속밀도가 얻어지지 않는 경우도 있다. 설치형 탐상장치는 이러한 제한이 없기 때문에 적정한 자화에 필요한 전자속을 얻는데 충분한 철심 단면적을 갖게 할 수 있으므로 위와 같은 문제는 생기지 않는다.

나) 사용상 주의할 점

설치형 탐상장치를 사용할 때는 장치에 대한 취급 설명서를 잘 이해하여 확실하게 조작해야 하며, 항상 장치의 기능을 확보하기 위한 적절한 보수관리를 하는 것이 중요하다. 탐상장치에는 대 전류를 통전시키므로 이것이 열 에너지로 변환되어 특히 전기회로 접촉부의 이완, 부식, 먼지 등에 의한 접속불량이 장치의 파손이나 기능 저하의 원인이 되기도 한다. 또한 검사액 처리기구가 있는 장치에서는 펌프와 검사액의 배출 파이프 등에 검사액 속의 자분이 침전되거나 고착(固着)되어 검사액의 농도를 떨어뜨리는 원인이 된다. 그러므로 신뢰성이 높은 시험을 하려면 최소한 필요한 일상점검은 반드시 실시하고 나서 작업에 임해야 하며, 또한 정기적으로 효과적인 장치의 보수 관리 방식을 설정해야 한다.

나. 통전법과 코일법에 사용하는 자화장치

✎ 1) 자화전원부

자화전원부의 형식은 전자석식과 강압 변압기식, 사이리스터(thyristor) 제어 원-펄스(one-pulse) 통전식, 축전기(蓄電器) 방전식의 4형식으로 분류한다. 전자석식을 제외한 다른 형식은 모두 자화전류로서 대 전류를 발생시켜 그 전류가 만드는 자계를 시험체에 걸어 주도록 되어 있다. 자화전류에는 교류, 맥류(단상 반파정류, 단상 전파정류, 삼상 반파정류, 삼상 전파정류) 및 충격전류가 있다. 이 중에서 맥류 및 충격전류는 일반적으로 직류라 부른다.

프로드법, 축 통전법, 전류 관통법과 코일법 등에 사용하는 자화장치의 자화전원부는 연속법에는 강압 변압기식이 사용되며, 잔류법에는 강압 변압기식 이외에 사이리스터(thyristor) 제어 원 펄스 통전식(通電式)과 축전기 방전식도 사용할 수 있다.

가) 강압 변압기식(降壓 變壓器式)

이 방식은 110V 또는 220V의 교류를 강압 변압기의 1차 쪽 입력(入力)으로 하고, 이것을 통상 30V 이하의 저(低) 전압으로 하여 2차 쪽 출력(出力)에 교류 저 전압의 대 전류가 얻어지도록 한 것이다. 이 방식에는 2차 쪽 출력을 그대로 자화전류로서 사용하는 교류식과 정류기(rectifier)[셀레늄(selenium)정류자, 실리콘(silicon) 정류자 등]로 정류하여 단상반파, 단상전파, 삼상반파 또는 삼상전파를 얻는 정류식이 있다. 교류 자화는 일반적으로 연속법에 사용하지만, 잔류법에도 사용이 가능하도록 자화전류가 최대값에 도달한 시점에서 전류를 차단시키는 위상제어 회로(位相制御回路)를 덧붙인 장치도 있다.

정류식 자화장치(rectifier type magnetizing unit)는 연속법과 잔류법의 양쪽 모두에 사용할 수 있다. 자화장치의 용량은 시험체를 자화하는데 충분한 자화전류를 계속 통전할 수 있어야 하는데, 특히 연속법으로 적용하는 경우에는 변압기, 정류기와 내부 배선 등의 전기용량에 충분한 여유가 있는 장치가 아니면, 연속 통전시간이 제한되어 연속법에 필요한 통전시간을 얻을 수 없게 된다. 또한 장치의 정격을 무시하고, 대 전류를 길게 통전하면 장치의 수명이 단축되거나 내부 배선 및 회로부품 등을 태울 수도 있으므로 주의가 필요하다.

① 자화전류 조정방식

이 방식의 자화장치에서 자화전류의 조정은 다음 중 하나를 이용한다.

㉠ 탭(tap) 전환방식 : 변압기의 코일에 탭(tap)을 만들어, 이 탭의 전환(switching)에 의해 변압비를 변경하여 자화전류를 조정한다. 탭은 일반적으로 전압이 높은 고압 쪽 즉, 1차 쪽에 만들지만, 2차 쪽에 만드는 경우도 있다. 탭의 전환에는 수동식과 모터 구동식이 있다.

㉡ 유도전압 조정방식 : 유도전압 조정기를 이용하여 자화전류를 조정한다. 유도전압 조정기는 1차 코일을 회전자(回轉子, rotor)에, 2차 코일을 고정자(固定子)에 감은 것으로, 고정자 코일과 회전자 코일의 자극 중심 축의 각도를 변경하여 위상을 변화시켜서 2차 코일에 유도되는 전류를 조정한다. 이 방식은 자화전류치를 단계없이 연속적으로 변화시킬 수 있다.

㉢ 사이리스터 제어 방식

변압기의 1차 쪽에 사이리스터[thyristor는 silicon controlled rectifier (SCR)라 부르기도 한다. : 전류 및 전압의 제어에 사용되는 반도체 소자를 직렬로 설치하여 게이트(gate) 신호의 위상을 제어하여 자화전류치를 조정하는 방식이다. 유도전압 조정기와 똑같이 자화전류치를 단계없이 연속적으로 조정할 수 있다.

② 자화장치의 사용법

자화장치는 그것을 구성하는 전기회로 및 방식 등의 전기적 시방과 탐상목적에서 요구되는 시험조건 등에 따라 장치가 갖추어야 할 기능은 약간 다르지만, 기본적으로는 시험체를 목적에 적합한 자화상태로 하는 것이 주된 기능이며, 다른 많은 기능은 이것을 지원하는 역할을 수행한다.

사용법도 그 장치가 가진 기능에 따라 다르지만, 여기서는 유도 전압 조정방식에 의한 자화장치의 사용법에 대하여 설명한다.

이 장치는 자분탐상시험용 자화장치에 적합한 여러 가지 기능을 가지고 있어서, 직류 및 교류의 자화전류를 출력할 수 있고, 탐상조작의 순서에 맞추어 통전시간을 선택할 수 있게 되어 있다. 이 장치는 상용 전원 220V로 가동되는 것이 많은데 경우에 따라서는 440V의 전원을 사용하는 경우도 있다. 일반적으로 직류 자화전류는 최대 4,000~7,000A, 교류 자화전류는 3,000~5,000A 정도가 공급되며, 통전시간도 임의로 설정할 수 있기 때문에, 탐상방법도 연속법 및 잔류법을 비롯하여 자화방법도 축 통전법, 전류 관통법, 코일법 및 프로드법 등 다양한 조건을 선택할 수 있다. 또한 시험체의 치수나 검출감도에 맞추어 조정되도록 자화전류는 연속적으로 바꿀 수 있도록 되어 있다. 이 외에 자분탐상시험 후의 후처리에 필요한 탈자기구를 내장한 것도 있으며, 자분탐상시험용 자화전원으로는 가장 알맞은 형식이다.

나) 축전기 방전식(蓄電器放電式)

이 방식은 110V 또는 220V의 교류를 변압기로 승압(昇壓)시켜서, 정류하여 축전기에 충전시킨 후, 이 전하(電荷)를 순간 방전시킴에 따라 큰 자화전류가 얻어지도록 한 것이다. 충전은 시간을 적분하는 방식을 취하고 있기 때문에 적절한 충전시간을 설정하면 전기 공급설비를 고려하지 않아도 된다. 자화전류의 조정은 축전기의 충전 전압을 제어시킴에 따라 단계없이 조정이 가능하다. 이 제어와 순간 방전을 위한 스위치는 일반적으로 사이리스터가 이용되고 있다. 이 방식의 자화장치는 방전시간이 아주 짧은(최소 약 1/250초 정도) 충격전류(impulse current)이므로, 연속법에는 사용할 수 없고, 잔류법에만 사용한다. 축전기에 충전된 전하는 고전압이므로, 자화전류를 통전하는 동안에는 그 전류 회로에 절대로 손을 접촉해서는 안 된다. 또한 통전 후에도 잔류된 전하가 있기 때문에 통전 중과 마찬가지로 주의해야 한다. 그러나 최근에는 아래 다)의 사이리스터 제어 원 펄스 통전식이 대신 사용되어 자분탐상장치로서 사용되는 빈도는 감소되고 있다.

다) 사이리스터 제어 원 펄스 통전식

이 방식은 220V의 교류 입력회로와 사이리스터 및 부하(負荷) 쪽이 직렬로 접속되어 있어 교류의 반파장(半波長) 만을 정류시킨 원-펄스모양의 대 전류가 얻어지도록 되어 있다. 자화전류의 조정은 사이리스터에 의해 단계없이 조정이 가능하다.

이 방식의 자화장치는 충격 전류를 자화전류로써 사용하므로, 통전시간이 1/100 초 이하로 아주 짧기 때문에 연속법에는 사용할 수 없고, 코일법과 조합시켜 소형(小形)의 대량 부품을 잔류법으로 많이 사용하고 있다. 또한 이 자화장치는 가볍고 소형으로 대 전류를 얻을 수 있고, 가격도 비교적 싼 장치이지만 다음과 같은 점에 주의해야 한다.

① 전력 공급 변압기의 용량과 배선의 용량부족으로 인하여 필요한 자화전류가 얻어지지 않는 경우가 많다.

② 전력 공급 변압기에 충격을 주지 않도록 한다.

③ 자화전류의 전압이 교류 입력 전압(220V)과 같은 정도이므로, 통전 중에는 전류회로에 손이 접촉되지 않도록 주의해야 한다.

④ 자화전류의 출력 단자의 한쪽 끝이 220V 전원에 항상 접속되어 있어, 접지(接地, ground earth)선 사이에 높은 전하를 지니고 있으므로, 출력 단자를 접지시켜서는 안 된다.

5) 부속계기

가) 전류계

자분탐상시험에 사용하는 자화전류에는 여러 종류의 전류파형이 이용되고 있다. 파형이 다른 자화전류치를 나타내는 데에는 최대값(파고치)으로 지시하는 것이 가장 편리하다. 그러나 KS B ISO 9934-1-2006(비파괴검사-자분탐상검사-제1부 일반원리)에서는 기본적으로 실효치를 사용하도록 규정하고 있다. 최대값(파고치)을 사용하는 경우에는 장치의 정류방식에 따라 제 4 장에 나타낸 **표 4-2**의 관계를 사용하여 환산하면 된다. 보통 교류의 경우는 자화전류를 변류기(變流器, current transformer)를 사용하여 변류(變流)시켜 정류형(整流型)의 전류계(ammeter)로서 지시하도록 하며, 맥류(pulsating current)의 경우에는 자화전류를 분류기(electrical shunt)로 분류(分流)하여, 가동(可動) 코일형의 전류계에 의해 지시하도록 한다. 이들의 자화전류의 종류, 전류치, 자화 및 탈자의 선택 등을 기능적으로 행하기 위하여 장치에는 조작판이 만들어져 있다. 전류계는 필요에 따라 강판으로 자기적(磁氣的) 차폐(遮蔽)를 하지 않으면 자기의 영향을 받아 지시가 잘못 표시될 수도 있으니 주의해야 한다. 또한 사용 중에 정밀도가 떨어질 수 있으므로 정기적으로 점검을 해야 한다. 최근에는 아날로그(analog) 방식뿐만 아니라 디지털(digital) 방식의 전류계도 실용되고 있다.

나) 타이머(timer)

강압 변압기식의 자화전원부에는 보통 자화전류의 통전시간을 제어하기 위한 타이머(시간제어기라고도 함)가 부착되어 있다. 일반적으로 자화전류의 통전시간은 잔류법에서 1/4 ~1 초, 연속법에서는 1~10 초 정도이다. 그러므로 잔류법의 경우는 1/4 초에서 1초의 시간을 제어할 수 있는 타이머를 이용한다. 연속법의 경우는 적어도 10초 정도까지 시간을 제어할 수 있는 것을 사용해야 한다. 이 때문에 한 개의 타이머를 잔류법과 연속법의 양쪽 다 사용하는 경우는 1~10 초를 제어할 수 있는 것을 사용해야 한다. 만일 1 초 이하의 제어를 필요로 하는 경우에는 별도로 1초 이하의 타이머를 설치해야 한다. 또한 장치에 따라서는 연속 사용을 못하게 하기 위하여, 일정한 휴지(休止)시간을 두지 않는 한 통전이 되지 않도록 하는 타이머가 사용되기도 한다.

다) 전류 조정 위치계(position meter)

전류 조정 위치계는 자화전류를 조정할 때에 자화전류를 조정하는 기준이 되는 계기(計器)로서, 이 계기를 사용하면 시험체 등에 통전하지 않고도 자화전류를 조정할 수 있다. 이 예를 **그림 3-4** 에 나타낸다. 이것은 자화전원부의 유도 전압 조정기(IVR 또는 AVR이라 부른다)의 회전자(rotor)와 슬라이닥스 트랜스(slide-AC transformer)를 기계적으로 연동시켜 회전자의 회전위치를 슬라이닥스 트랜스의 전압으로 나타내어 자화전류를 조정하는 기준으로 하는 것이다.

일반적으로 100V의 전압계(voltmeter)를 사용하고 있지만, 계기의 눈금은 %로 표시되어 있다. 이 계기를 이용하여 자화전류를 설정할 때는 **그림 3-5** 와 같은 전류 조정 위치계의 지시와 출력 자화전류와의 관계를 도표로 만들어 놓고 이것을 이용하여 조작하면 쉽게 자화전류를 조정할 수 있다. 다만 축통전법 등과 같이 직접 시험체에 자화전류를 흘려서 자화할 때는 시험체의 크기에 따라서는 전기저항에 의한 전압 강하(降下)가 발생하여 그 관계가 **그림 3-5** 의 도표를 따르지 않고 다소 차이가 생기는 경우가 있다.

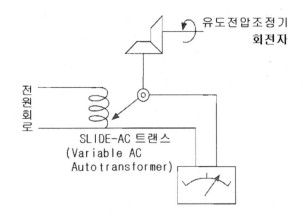

그림 3-4 전류 조정 위치계의 구성의 "예"

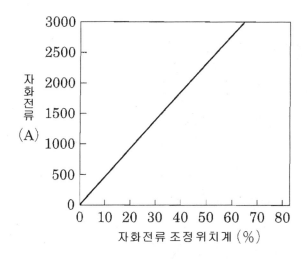

그림 3-5 전류 조정 위치계의 환산표의 "예"

2. 자화기기

자화기기에는 시험체에 접촉기를 이용하여 전극 또는 자극을 직접 접촉시켜서 자화하는 직접 접촉법에 의한 자화기기와 코일법과 같이 시험체를 자화기기에 직접 접촉시키지 않고 자화하는 비접촉법에 의한 자화기기가 있다.

가. 직접 접촉법에 의한 자화기기

직접 접촉법에 의한 자화기기는 축 통전법, 직각 통전법, 극간법 및 프로드법 등에 사용되는 것으로, 그 전극이 시험체를 고정 및 유지시키는 설치형과 프로드법 및 극간법 등과 같이 대형 시험체의 부분 검사용으로 사용하기 위하여 전극 또는 자극을 손으로 잡고 쉽게 탈착(脫着)·조작(操作)·운반할 수 있도록 만들어진 휴대형이 있다. 다만 극간법으로 사용하는 것에는 설치형에 속하는 것도 있다.

✎ 1) 시험체를 고정시키는 자화기기(자화장치)

가) 횡형 접촉기(橫型接觸機) : 전극(電極) 또는 자극(磁極)을 겸하는 접촉기의 판(접촉판 ; head)이 수평으로 배치되어 있어, 시험체를 접촉기의 판에 끼우고, 용수철압, 공기압 또는 유압(油壓)으로 압착시킴으로써 시험체를 고정되도록 눌러주어 자화가 잘 되게 한다. 그림 3-6 은 횡형 접촉기가 설치된 설치형 자화장치의 한 예이다. 접촉기에 자화코일이 조합되어 있는 것을 볼 수 있다.

자화코일

접촉기

그림 3-6 설치형 자화장치-횡형 접촉기　　　　그림 3-7 종형 접촉기

나) 종형 접촉기(縱型接觸機) : **그림 3-7** 과 같이 전극판의 배치가 횡형 접촉기와는 달리 상하로 배치되어 있으며, 주로 지렛대의 원리를 이용하여 접촉기를 시험체에 압착시켜서 자화한다.

　　전극(電極)으로 사용되는 접촉기의 접촉부에는 구리선으로 짠 망(copper braid) 또는 납판 등 전도성이 좋고, 접촉면에 밀착시키기 쉬운 것을 사용하며, 자극(磁極)의 경우는 자극의 접촉부에 어느 것도 부착하지 않고 그대로 사용한다.

　　이러한 기기에 속하는 것에는 자화 전원부와 자분 산포장치가 일체(一体)로 되어 있는 것과 자화기기만으로 하나의 장치를 구성하고 있는 것 등이 있다.

✎ 2) 휴대형 접촉기

　　손잡이가 달린 1 쌍의 전극으로 되어 있으며, 자화 케이블로 자화전원부와 접속시켜 케이블 길이가 허용하는 범위 내에서 자유로이 이동하며 사용할 수 있도록 되어 있다. 자화 전류의 on-off는 전극의 손잡이에 부착되어 있는 원격 조작용 마이크로 스위치 (micro-switch) 또는 발 스위치(foot switch) 등으로 조작한다. 주로 대형 구조물의 부분 검사용으로 사용되지만, 때로는 소형 부품의 탐상에도 사용되며, 목적에 따라 다음과 같이 각종 기기가 있다.

가) 프로드 전극

구리(銅) 또는 강봉(鋼棒)에 손잡이가 달린 구조로써 1 쌍의 전극(**그림 3-8** 참조)으로 되어 있으며, 보통 한쪽 전극의 손잡이에는 원격 조작을 위한 마이크로(micro) 스위치가 부착되어 있다. 그리고 한 개의 손잡이에 2개의 전극을 일정하게 고정 설치하여 한 손으로 조작할 수 있도록 만들어진 것도 있다.

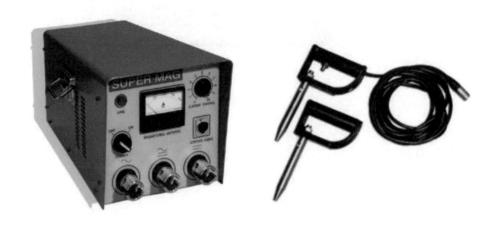

그림 3-8 프로드 탐상기와 프로드 전극

전극으로 사용하는 봉의 굵기는 자화전류의 크기에 따라 변화시킬 필요가 있다. 접촉불량에 의한 전기 스파-크(spark)를 방지하기 위해서는 전극의 끝 부분은 항상 깨끗이 손질해야 한다. 또한 필요에 따라서는 전류가 잘 흐르도록 하기 위하여 봉의 끝부분에 구리선으로 짠 망을 끼우거나 납판 등을 부착시키기도 한다.

자화전류가 강해서 보통의 프로드 전극으로는 장해가 예측될 때에는 구리 망을 전극으로 하는 프로드용 전극판도 사용되고 있다.

나) 도체 패드(contact pad)

시험체의 국부적 손상을 방지할 목적으로 시험체와 전극의 사이에 삽입하여 사용하는 것으로서, 전극판 접촉기라고도 한다. 시험 중 시험 면과의 접촉면적을 넓게 하여 시험체에 아크 발생과 같은 손상 방지 및 전기적 접촉을 좋게 하기 위하여 전극에 부착하거나 삽입하여 사용하며, 교환이 가능하도록 만들어진 금속 패드(metal pad)이다.

전극이 판 모양으로 만들어진 것은 전극판에 접촉시켜 사용한다. 보통 **그림 3-9** 와 같이 가는 구리선(銅線)으로 짠 망(copper braid)으로 만들어 자유로이 변형시킬 수 있는 접촉용 구리 망(銅網)과 납판 등으로 만든 것이 사용되고 있다. 그리고 프로드 전극의 봉 등에 양말을 신듯이 끼워 사용하는 것 등 여러 종류가 있다.

그림 3-9 도체 패드

다) 크램프(cramp) 접촉기

그림 3-10 과 같은 집게 모양의 접촉기로써, 스프링 힘에 의해 시험체를 집을 수 있게 되어 있다. 접촉기의 접촉부에는 구리선으로 짠 망이 사용된다. 주로 선재(線材), 환봉(丸棒), 대강(帶鋼)등의 탐상에 사용되고 있다.

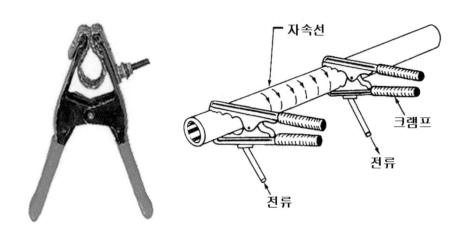

그림 3-10 크램프 접촉기와 소구경 관에 사용하는 [예]

나. 비접촉법에 의한 자화기기

자화전류를 자화기기에 흘려 자계를 발생시키고, 그 자계에 의해 시험체를 자화하는 것으로 코일법, 전류 관통법, 근접 도체법(= 인접 전류법) 및 자속 관통법으로 시험하는 경우에 사용한다.

1) 자화 코일

자분탐상시험에 사용하는 코일에는 일반적으로 구리선(銅線) 또는 평각 동판(平角銅板)을 코일모양으로 몇 번 감은 것이 사용된다. 이 코일에는 횡형 접촉기와 조합시키는 것과 단독으로 되어 있는 것이 있다.

그림 3-11 보조 코일 및 보조 코일을 이용하여 시험하는 장면

전자는 횡형 접촉기의 레일(rail)위를 이동시키며 사용하도록 되어 있으며, 자화전류는 자화 전원부로부터 직접 공급한다. 이러한 종류의 코일은 항공 우주기기 부품의 탐상에 많이 사용 되고 있으며, 일반적으로 지름이 크고, 길이가 짧은 것이 많으므로, 사용할 때에는 자계의 세 기의 분포에 주의해야 한다. 후자는 보조 코일(**그림 3-11**)이라고도 부르며, 일반적으로 코일 의 양 끝 부분을 횡형 접촉기에 끼워 사용하거나 자화전원부에 자화 케이블로 직접 접속하여 사용한다. 코일은 시험체의 형상과 크기에 따라 코일의 지름이나 길이를 선택해야 한다. 또한 코일의 구리선 또는 평각동판의 단면적은 코일에 흐르는 자화전류에 따라 결정해야 한다.

2) 전류관통봉

비접촉법에 의한 자화기기의 하나로, 전류 관통법이 사용된다. 전류 관통봉은 시험체의 구멍 등에 통과시키고 이것에 전류를 흘려서 시험체를 자화하는데 사용하는 것으로, 탐상 장치의 전극 사이에 끼워서 사용한다. 전류 관통봉의 재질은 양도체(良導體 ; 전기나 열을 잘 전하는 물질)인 구리(銅) 또는 알루미늄 등의 환봉을 사용한다. 관통봉의 굵기는 시험 체의 구멍의 지름 및 흐르는 전류의 크기에 따라 알맞게 선택해야 한다. 가능한 한 1회의 조작으로 균일한 자화조건을 얻기 위해서는 시험체의 안쪽 둘레 면에 검사액을 적용할 수 있는 공간을 확보해야 하는 것이 우선이며, 동시에 균일한 자계를 얻기 위해서는 가능한

한 굵은 쪽이 좋다. 또한 관통봉의 길이는 시험체의 길이에 따라 결정되므로, 시험체의 양쪽으로 각각 100mm 이상 관통봉이 나올 정도의 길이가 되어야 취급하기에 편리하다. 그리고 사용할 때에는 봉의 양끝부분을 제외하고, 봉을 비닐 테이프 등의 절연재로 피복하여 전류 관통봉이 직접 시험체와 접촉되지 않도록 해야 한다.

✎ 3) 자속 관통봉

시험체의 구멍 등에 교류 자속을 통과시키기 위한 것으로, 자속 관통법으로 시험할 때 사용한다. 이 봉은 극간식 자화기의 철심과 똑같이 규소 강판을 적층(積層)한 것으로, 시험 면에 직접 접촉되지 않도록 양 끝부분을 제외하고 절연재로써 피복하고, 일반적으로 교류 전자석식의 자화장치의 양 자극 사이에 끼워서 사용한다.

다. 부속품

✎ 1) 자화 케이블

자화 케이블은 자화 전원부와 자화기기와의 사이에 자화전류를 흘리기 위한 것으로, 자화전류의 크기, 통전시간 및 통전 빈도 등에 따라 그 단면적을 선택해야 한다. 자화 케이블이 너무 길면 전기저항이 증가하여 전압 강하(降下)에 의해 필요로 하는 자화전류치를 얻을 수 없게 된다. 또 자화 케이블을 시험체를 감아서 코일로도 사용(코일법)하는데, 시험체가 너무 커서 코일을 사용할 수 없는 경우, 예를 들면 **그림 3-12** 와 같은 구조물의 일부를 시험하는 경우에는 자화 케이블을 시험 부위에 감고서, 전원에 접속시켜 사용한다. 또한 시험체 구멍을 통과시켜서 전류 관통법으로도 사용한다. 그리고 시험부위 근처에 배치하여 인접 자화할 경우(근접 도체법)에는 자화기기로도 사용된다.

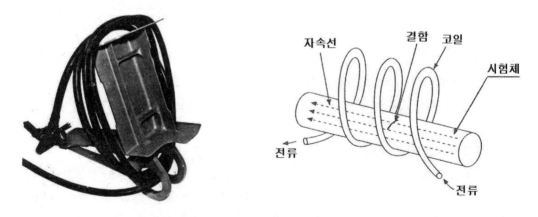

그림 3-12 케이블에 의한 자화

2) 보조용 접촉기(contact block)

이것은 목제(木製) 또는 플라스틱(plastic)으로 만든 직사각형으로 절연체의 양 끝부분에 구리판(銅版)이 부착된 것으로, 횡형 접촉기 등의 전극과 이 접촉기의 구리판 사이에 자화 케이블의 단자를 삽입하거나 하여 자화전류를 공급받기 위하여 사용한다.

그림 3-13 보조용 접촉기

라. 자분탐상장치의 선택

자분탐상시험에서 자화방법은 시험체의 재질, 탐상부위, 가공상태, 열처리상태, 예측되는 결함의 종류, 결함이 있는 위치 등의 모든 사항을 고려하여 가장 적합한 자화방법을 선택하고, 또한 결함부에서 누설자속이 발생하기 쉬운 자계 또는 자속의 방향을 정한 후에 실시해야 한다.

앞에서 설명한 자분탐상시험 장치는 자화전류를 얻는 방식이 다르기 때문에 적용할 수 있는 자화조건(고려할 조건으로는 자화방법, 자화전류의 종류, 자화전류치, 통전시간, 자분의 적용과 자화의 시기 등)에도 제한이 따른다. 여기에 장치 명과 가장 많이 사용되는 자화조건의 선택 예를 **표 3-1** 에 나타내지만, 보조용구를 사용하면 다른 자화방법으로도 실시할 수 있다(자화방법은 KS D 0213-1994 에서 규정하는 기호를 사용한다).

표 3-1 자분탐상장치의 선택

장치 명	자화방법	자분의 적용과 자화의 시기	자화전류의 종류	전류치 설정	통전시간
극간식	M	연속법	교류	불가능	수동으로 임의조정
강압변압기식	P, C, EA, ER, B, I	연속법, 잔류법	교류, 직류	가능	타이머
콘덴셔 방전식	C	잔류법	충격전류	가능	일정하지 않음
펄스 통전식	EA, C	잔류법	맥류	가능	일정함
설치형	EA, ER, B, C, I	연속법, 잔류법	교류, 직류	가능	타이머

※ 자화방법의 기호 ; **EA** : 축 통전법 **ER** : 직각 통전법 **P** : 프로드법 **B** : 전류 관통법, **C** : 코일법 **M** : 극간법 **I** : 자속 관통법

제 2 절 자분 산포기와 장치

자분 산포기(散布器, powder blower, powder gun, rubber spray bulb)와 자분 산포장치는 자분을 잘 분산시켜서 시험 면에 적용하기 위하여 사용하는 것으로, 습식용과 건식용이 있으며, 수동(手動)으로 자분을 산포하는 자분산포기와 동력을 이용하여 자분을 교반하며 산포할 수 있는 장치가 있다.

1. 습식용 자분 산포기와 장치

습식용 자분 산포기와 자분 산포장치는 자분을 물 또는 등유 등에 분산 현탁시킨 검사액을 시험 면에 균일하게 뿌려서 엎히도록 하는 것이다.

가. 수동식 습식 자분(검사액) 산포기

이것은 간단한 구조의 산포기로써 100~400ml 정도의 내용물을 담을 수 있는 용량을 가진 플라스틱(plastic)으로 만든 용기에 파이프 모양의 노즐(nozzle)을 부착시킨 것(**그림 3-14(a) 참조**)이 사용된다. 사용할 때에는 검사액을 넣은 용기를 손으로 잘 흔들어 골고루 섞이게 한 다음, 노즐을 통하여 시험 면에 뿌리게 되어 있다. 이러한 종류는 미리 다량으로 만들어 준비해 둔 검사액을 용기에 보충하면서 사용하므로, 항상 검사액이 일정한 농도를 유지할 수 있도록 해야 한다. 또한 그 간편함 때문에 광범위하게 사용되고 있지만, 대부분의 경우 그 검사액은 재사용하지 않고 한번 사용하고는 버리므로, 이러한 종류의 산포기는 소형 부품의 탐상 및 대형 시험체의 부분 탐상과 판정이 곤란한 때의 재검사 등에 아주 효과적으로 이용된다. **그림 3-14(b)** 는 노즐과 용기로 구성되어 있는 수동식 습식 자분산포기(gun type)를 나타낸다.

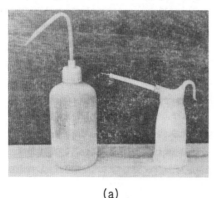

(a)   (b)

그림 3-14 수동식 습식 자분 산포기

나. 자동 순환식 습식 자분 산포장치

이러한 종류의 장치는 교반장치(휘저어 섞는 장치)가 내장된 검사액 통(槽)과 펌프, 호스(Hose) 및 노즐로 되어 있으며, 산포장치만 있는 것과 자화장치와 조합되어 세트(Set)로 된 것 등이 있다. 검사액의 교반장치에는 **그림 3-15(a)**와 같은 펌프를 사용하여 검사액이 통속에서 뿜어 나오게 하는 순환 교반 방식, **그림 3-15(b)** 와 같은 검사액 통의 바닥에 부착되어 있는 회전 브레이드(blade)로 교반하는 회전 브레이드 방식, **그림 3-15(c)**와 같은 검사액 통속에 부착된 에어 파이프(air-pipe)로부터 공기를 뿜게 하여 교반하는 공기 분출 방식 등이 있다. 일반적으로 수동식 검사액 산포기는 노즐을 손으로 쥐고 시험 면 위로 이동하면서 검사액을 적용하지만, 자동식은 시험체의 크기에 따라 여러 개의 고정식 노즐을 설치하여 자동적으로 일정시간 검사액이 산포되게 되어 있다. 어느 방식을 사용하든지 검사액은 시험체에 균일하게 적셔지게 적용해야 하므로, 노즐의 구멍 지름과 펌프의 유동상태 및 산포 압력 등은 상황에 맞춰 가장 적절하게 선택해야 한다. 특히 자동 산포의 경우는 노즐의 수, 노즐의 위치와 산포시간 등도 아울러 고려해야 한다.

이러한 종류의 산포장치는 대부분 검사액을 사용 후 버리지 않고, 순환시켜 재사용한다. 자화기와 일체(一體)를 이루고 있는 것은 설치형 자화 테이블이라고도 부르며, 검사액 통의 윗부분에 목재나 비자성의 금속으로 만든 격자형태의 것을 얹어 놓고 시험체를 처리할 수 있는 테이블의 역할과 더불어 검사액을 배액시킬 수 있도록 되어 있다. 또한 검사액 통의 검사액 유출구멍에는 필터를 장치하여 자분이외의 큰 티끌이나 금속 조각 등이 펌프 속으로 들어가지 못하게 되어 있다.

(a) 순환 교반 방식　　**(b) 회전 브레이드 방식**　　**(c) 공기 분출 방식**

그림 3-15 검사액 교반기구의 "예"

2. 건식용 자분 산포기

건식용 자분 산포기는 건식 자분을 풍압(風壓)을 이용하여 시험 면에 양호한 분산상태로 적용할 수 있도록 되어 있다. 대부분 이 산포기만을 사용하며, 자분은 한번 사용하고는 버리게 된다.

가. 수동식 건식 자분 산포기

고무 벌브(rubber spray bulb) 또는 회전 브레이드(blade) 등을 수동으로 움직여 바람이 나오도록 하여 자분이 산포되도록 한 것으로, 다음과 같은 종류가 있다.

1) 수동식 건식 자분 산포기(그림 3-16 참조)는 고무 벌브의 앞쪽에 작은 구멍을 여러 개 뚫은 노즐을 부착한 것으로, 자분이 들어 있는 고무 벌브를 손으로 눌러 공기와 자분이 동시에 노즐에서 뿜어 나오도록 하여 자분이 산포되게 한 것이다. 이러한 종류의 산포기는 자분의 분산 적용이 어렵고, 자분이 덩어리로 나오기 쉬우므로, 이를 피하기 위하여 노즐의 앞면에 거즈(gauze) 등을 씌워 사용할 때가 많다.

2) 자분 산포용 노즐을 부착한 작은 자분용기에 공기가 들어가는 구멍과 나오는 구멍이 있는 고무공을 부착시켜서, 고무공을 반복적으로 누름에 따라 자분용기 속의 공기가 뿜어져 나오게 하여 노즐로부터 자분이 연기와 안개모양으로 산포되게 한 것도 있다.

3) 앞의 2)의 고무공 대신에 수동식 회전 브레이드를 이용한 송풍기를 부착한 것도 있다.

그림 3-16 수동식 건식 자분 산포기

나. 자동 송풍식 건식 자분 산포기

전동식(電動式) 송풍기 또는 공기 압축기(air compressor)로부터의 공기를 이용하여 자분을 산포하는 것으로, 다음과 같은 종류가 있다.

1) 자분 산포 노즐을 부착한 작은 자분용기에 소형의 전동식 송풍기를 부착한 것. 이러한 종류는 장기간 사용하면 송풍기 속으로 자분이 들어가서 장치의 마찰부분을 마모시켜 고장을 일으키기 쉽다.

2) 자분 산포노즐을 부착한 작은 자분용기 속에 공기 압축기로부터 공기를 내 뿜어, 노즐로부터 자분을 산포하는 것. 이러한 종류는 공기 압축기로부터의 공기가 습기를 띠고 있을 때에는 건조를 시켜야 한다. 또한 자분용기의 크기에 따라 공기압을 조정할 필요도 있다.

3) 소형 공기 압축기와 자분용기 그리고 자분을 내보내는 호스와 손잡이형 노즐로 구성되며, 소형의 공기 압축기로부터의 공기를 이용하여 자분용기 속의 자분을 교반시켜서, 에어 호스(air hose)로 내보내어 손잡이형 노즐에서 자분이 산포되도록 하는 것.

이러한 종류의 산포기는 비교적 큰 자분용기를 사용할 수 있으므로, 장시간에 걸쳐 자분을 보충하지 않고도 연속하여 사용할 수 있는 장점이 있다. 그러나 자분을 산포하기 시작할 때에 에어 호스 속에 남아 있던 자분이 일시에 다량 나오거나, 공기 압축기의 압력이 적절하지 않으면 자분의 산포가 목적한 대로 되지 않는 경우가 있다.

3. 사용상의 주의 사항

자분탐상시험에서 자분의 적용은 자분모양을 형성시키기 위한 가장 중요한 작업으로, 검사원의 경험이 요구된다. 또한 경험이 있어도 산포기의 기능을 잘못 이해하고 있거나 취급을 잘못하면 좋은 시험결과를 얻을 수 없다. 특히 습식 자분 산포기를 사용할 경우, 검사액의 교반 기능이 저하되면 자분이 검사액 통이나 파이프 속에 침전 또는 고착되어 검사액의 농도가 저하되고, 압력이 높으면 검사액의 유동성이 커져서 결함부에 자분이 부착되지 않는 등의 문제가 발생한다. 그리고 건식 자분산포기를 사용할 경우, 풍압이 낮으면 분산이 잘 안되게 되고, 장기간 용기 속에 자분을 넣어 두면 습기로 인하여 분산이 잘 안될 수도 있으므로, 자분 산포기를 사용할 때에는 이러한 점에 주의해야 한다.

제 3 절 부속 장치

1. 자외선조사장치 및 검사실

가. 자외선조사장치

자외선조사장치는 블랙라이트(black light)라 부르는 것으로, 여기서 방사되는 자외선은 파장이 320~400nm(nanometer)의 범위의 영역(A 영역 자외선이라 부른다)을 갖고 있어, 가시광선에 가장 근접한 대역이기 때문에 근자외선이라 부르기도 한다. 자외선조사장치는 일반적으로 고압 수은등(mercury arc lamp, **그림 3-17** 참조)에 자외선 투과필터를 부착한 자외선조사등과 안정기(점등용 전원)로 구성되어 있다. **그림 3-18 a)**에 휴대형(약 100W)과 **그림 3-18 b)**에 설치형(약 400W)의 자외선조사장치를 나타낸다. 고강도의 자외선조사장치는 고압 수은등 대신에 메탈 할라이드 램프(metal halide lamp)를 사용하는 것도 사용되고 있으며, 최근에는 자외선 LED를 사용한 작고, 가벼운 것도 사용되고 있다.

① 자외선 조사등에서 조사되는 자외선 강도는 조사 중심에서 옆으로 떨어진 위치에서는 필터의 렌즈 효과로 인하여 감소하고, 필터의 앞면에서 멀어지면 거리의 제곱에 거의 반비례하여 감소한다. 그러므로 자외선조사등을 사용하는 경우는 그 위치와 시험 면에서의 거리에 주의해야 한다. 관찰을 위하여 필요로 하는 자외선의 강도는 보통 시험 면에서 $1,000\mu W/cm^2 (10\,W/m^2)$[KS D 0213-1994에서는 $800\mu W/cm^2$] 이상이다.

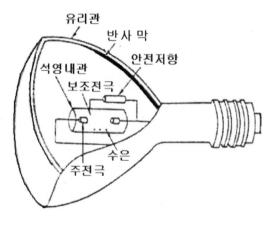

그림 3-17 수은등의 구조

② 고압 수은등(mercury vapor lamp)은 점등 초기부터 광량(光量)이 시간이 경과함에 따라 서서히 열화되기 시작하여, 최종적으로는 수은등이 수명을 다해 점등도 되지 않게 된다. 이렇게 수은등에는 수명이 있는데, 점등시간의 과다로 수명이 다 되어가면 수은등이 내는 자외선의 양은 적어져서 형광체에 조사되는 자외선의 강도가 저하하게 된다. 이 수명은 켰다 껐다 횟수가 많을수록 짧아진다. 예를 들면 약 1,500시간의 점등으로 초기의 60% 정도까지 자외선 강도가 저하한다. 이 때문에 특히 높은 자외선 강도를 필요로 하는 경우에는 자주 자외선 강도를 측정하여 낮은 자외선 강도를 나타낼 때에는 조속히 새 램프로 교체해야 한다.

③ 필터는 장시간 점등을 해도 대부분 자외선 투과율은 저하되지 않지만, 실제로 작업 현장에서는 필터의 표면과 뒷면, 램프의 앞면 및 반사판 등에 부착된 먼지 때문에 자외선의 방사가 현저하게 감소되는 경우가 많으므로, 그 사용 빈도와 작업환경에 따라 철저히 청소하지 않으면 안 된다.

④ 사용 중에 전원 스위치를 끄게 되면, 즉시 스위치를 켜도 수은등이 냉각될 때까지는 점등되지 않고, 점등하는데 5~6 분이 걸린다. 또한 램프의 수명은 점등 횟수에 따라 영향을 받으므로 자외선조사등은 필요한 때 이외에는 전원 스위치를 켰다 껐다를 해서는 안 된다. 이와 같이 고압 수은등은 시간의 경과와 더불어 열화되기 때문에 자외선 조사장치는 정기적으로 그 자외선 강도를 측정하여 관리해야 한다.

⑤ 고압 수은등은 아주 광범위한 파장의 빛을 방사한다. 이들 광선 중 $400nm$ 을 초과하는 파장의 빛은 결함 자분모양의 식별성을 나쁘게 하며, $320nm$ 미만의 파장의 빛은 인체에 해롭다고 알려져 있다. 그러므로 이들 파장의 빛을 차단할 필요가 있어서, 그 앞면에 자외선 투과 필터를 부착하는 것이다. 보다 안전을 위해서는 자외선이 직접 눈에 들어오지 않도록 하고, 피부에 조사해서는 안 된다.

⑥ 고압 수은등과 같은 방전등은 점등되면 전류를 무제한으로 흘리고자 하는 성질이 있으므로, 자외선조사장치의 안정기는 이 전류를 일정한 값에 머물게 하는 역할을 함과 동시에 1차 전압의 변동에 의한 영향을 방지하는 역할도 겸하고 있다. 고압 수은등은 발광물질로서 수은을 사용하고 있지만, 메탈 할라이드 램프(metal halide lamp)는 할로겐화 금속(보통 요오드화물)을 사용하여 수은등의 1.5배 이상의 높은 광량을 얻는다. 이 램프를 사용한 고강도의 자외선조사장치는 내부 회로 등이 약간 다르지만, 보통의 자외선조사장치와 똑같이 램프와 자외선 투과 필터를 부착한 자외선조사등과 안정기로 구성되어 있다. 또한 그 취급도 보통 자외선조사장치와 거의 같다.

a) 휴대형(100W)

b) 설치형(400W)

그림 3-18 자외선조사장치

나. 검사실

형광 자분을 사용하여 자분탐상시험을 수행하는 장소에는 설치형 자분탐상장치 또는 휴대형 탐상기를 사용하더라도 자분모양을 관찰하기 위한 설비인 검사실이 필요하다. 형광 자분의 관찰을 위한 검사실은 방염(防炎)의 차광(遮光) 커튼(curtain) 등으로 암실화하고 그곳에서 관찰할 때의 실내의 밝기는 20 룩스(ℓx) 이하로 해야 한다. 또한 등유 등의 유기 분산매를 사용한 검사액을 사용하는 경우는 환기를 위한 설비도 해야 한다.

2. 탈자기

탈자기(脫磁器)에는 교류식과 직류식이 있으나, 모두 자계의 방향을 반전시키면서 자계의 세기를 감쇠시켜 탈자가 되도록 되어 있다. 교류식은 탈자 전류로 교류를 사용하여 교류가 만드는 자계를 감쇠시킴으로서 탈자를 한다. 이 때문에 특히 탈자기를 사용하지 않아도 교류를 사용하는 자화장치로써 탈자를 할 수도 있다. 그러나 표피효과로 인하여 탈자효과가 시험체의 표층부만으로 한정되며, 직류 자화에 의한 잔류자기를 충분히 제거할 수가 없기 때문에 주의해야 한다.

직류식은 교류를 정류시켜 직류로 만들고, 이 직류가 만들어주는 자계의 극성을 저 사이클(약 5 Hz 이하)로 반전시켜 가면서 감쇠시킴으로서 탈자를 한다. 이 방식은 표피효과가 매우 적기 때문에 시험체의 깊은 곳까지 탈자가 가능하다. 일반적으로 극성의 반전 및 감쇠의 제어는 사이리스터(thyristor)를 사용하여 행한다.

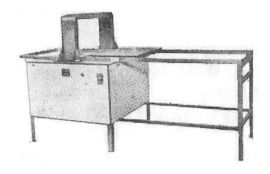

(a) 관통형 탈자기

(b) 평면형 탈자기

(c) 극간식 탈자기

(d) 관통형 탈자기로 탈자하는 모습

그림 3-19 탈자기의 종류

자계의 세기를 감쇠시키는 방법에는 시험체를 자계로부터 멀리하는 방법과 시험체를 움직이지 않고, 전류 조작에 의해 자계를 감쇠시키는 방법이 있다. 전자는 시험체를 코일 속을 통과시켜 이동시킴에 따라 코일의 자계로부터 멀어지게 하는 관통형 교류 탈자기(**그림 3-19 (a) 참조**)와 전자석이 만드는 자계의 위쪽에서 멀어지게 하는 평면형(**그림 3-19 (b) 참조**)이 있다. 후자는 시험체에 자화 케이블 등을 감아, 탈자 전류를 감쇠시키는 감쇠형(減衰形)과 전자석의 자극 사이에 끼우고, 전자석의 전류를 감쇠시키는 극간식(極間式)(**그림 3-19 (c) 참조**)이 있다. 특히 규격 및 시방서에서 지정하지 않는 경우는 $0.4{\sim}1.0\ kA/m$ 까지 탈자할 수 있는 것이 필요하다고 되어 있다. 그리고 **그림 3-19 (d)** 는 관통형 교류 탈자기를 사용하여 탈자하는 모습이다.

3. 자기 계측기

자분탐상시험에서 시험체의 자기특성, 자화의 정도 또는 탈자의 정도 등을 조사하기 위해서는 자속 및 자계를 측정해야 한다. 자기 계측기(磁氣計測器)의 대표적인 것에는 다음과 같은 것들이 있다.

가. 자속계

자속계(flux meter)는 진동(振動) 검류계(galvanometer)의 일종으로, 탐상코일(search coil) 속을 관통하는 직류 자속의 변화량을 측정하는 것으로, 공간의 직류 자계도 측정할 수 있다.

 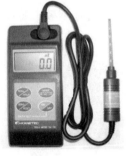

그림 3-20 자속계의 "예"   그림 3-21 휴대형 테슬라 미터

나. 테슬라 미터

테슬라 미터(tesla meter) 또는 밀리 테슬라 미터(milli-tesla meter)는 홀 소자(hall element)라고 하는 홀효과(hall effect)를 이용하는 감자성(感磁性) 반도체(Ge, In-Sb 등)로 만들어진 작고 얇은 평판모양의 자기소자(磁氣素子)를 이용하여 국부적인 공간 자계의 세기나 누설 자속밀도를 측정하는 것으로, 공간의 교류와 직류의 양쪽 자계를 측정할 수 있다. 홀 소자를 사용한 테슬라 미터는 가장 감도가 높은 것이 $0.001mT$ 정도가 한계로 되어 있다. 휴대형(그림 3-21 참조)도 실용되고 있다.

다. 마그네트 게이트 미터

마그네트 게이트 미터(oersted meter)는 특수한 프로브(probe)를 사용하여 미미하고 약한 공간의 직류 자계를 측정하는 것으로, 감도는 테슬라 미터와 비교하여 $10^2 \sim 10^4$배 정도의 높은 감도를 갖고 있다.

라. 교류 자계 자속계/교류 전압계

교류 자계 및 교류 자속을 측정하는 것으로, 공간 자계뿐만 아니라 시험체 표면의 교류 자계의 측정도 할 수 있다. 그러나 주파수가 100 Hz 이하를 측정할 수 있는 것은 적기 때문에 일반적으로 극간법 등에서의 자속의 측정에는 정밀도가 높은 교류 전압계(voltmeter)를 사용할 때가 많다. 교류 자계 자속계에 의한 시험체 표면 교류의 자계 측정은 평면 등의 경우에는 매우 간편하여 유효하게 사용할 수 있으나, 형상이 복잡한 면의 경우에는 공간 자계의 영향을 받아 측정이 곤란하다.

마. 휴대용 자기 검출기(magnetic field Indicator)

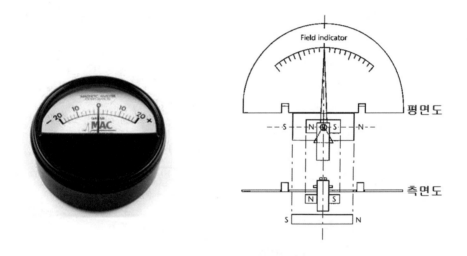

그림 3-22 휴대용 자기 검출기

이것은 자장 지시기라 부르는 것으로, 코일을 감은 철심을 시험체의 누설 자속의 발생부, 즉 자극부에 접촉시킴에 따라 잔류자기의 검지(檢知) 및 자극의 극성(極性) 판별 등을 한다.

바. 자기 컴퍼스(나침반 : compass Indication)

지구의 남북 방향을 지시하는 것으로, 자침(磁針)이라고도 부른다. 이것을 누설자속의 발생부에 놓으면 자침의 움직임으로 자기(磁氣)의 존재를 지시한다.

4. 특수 자분탐상시험장치

여기서는 다방향 동시 자화법의 장치에 대하여 설명한다. 지금까지 설명한 자화방법에서는 검출되는 결함에 대한 방향성이 있어, 서로 직교하는 두 방향에서 자화하지 않으면 결함을 검출할 수 없었다. 이러한 단점을 개선하기 위하여 사용되는 것이 다음의 방법들이다.

가. 듀오백법에 의한 방식

특수한 자분탐상시험 방법으로는 듀오백법(Duovec regulation)이 있다.

이 방식에 사용하는 장치는 위상(位相)이 120° 씩 서로 다른 삼상교류의 각 상(phase)을 반파 정류하여 자화전류로 만들어, 1회의 조작으로 방향이 다른 자계가 동시에 시험체에 걸리도록 한 것이다. 그림 3-23과 같이 항공기의 엔진 터빈 블레이드(engine turbine blade)를 보수검사에 사용하는 "예"를 들어 설명한다. 터빈 블레이드는 고급 정밀 주강품(鑄鋼品)으로 소형이긴 하지만 비교적 복잡한 형상을 하고 있고 발생하는 결함의 방향이 여러 방향이어서 자분탐상시험 방법으로는 어렵다.

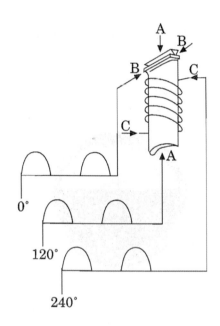

그림 3-23 듀오백법의 설명도

이 방법은 부분적으로 자화의 방향을 바꾸어 주지 않으면 안 되는 소형제품에는 매우 효과적인 방법이다. 자화방식의 개요를 그림 3-23 에 나타낸다. 여기서는 각상의 자화전류를 축통전법(A-A), 직각통전법(B-B)과 코일법(C-C)의 자화전류로서 사용되고 있다.

나. 회전 자계에 의한 방식

그림 3-24 와 같은 장치는 2개의 극간형 전자석을 직각으로 조합시켜, 자화전류로는 서로 90° 의 위상차를 갖고 있는 교류를 걸어줌으로써 4극에 둘려 쌓인 극간 안쪽에 회전 자계를 발생시켜서, 전체 방향(360°)에 있는 표면 결함을 동시에 검출하고자 만들어진 것이다. 이것은 회전 자계형 극간식 또는 십자형 극간식(4극식)이라 부르고 있다.

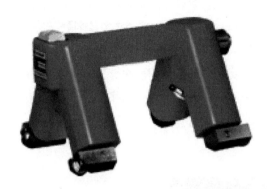

그림 3-24 회전 자계형 극간식 탐상기

이러한 종류의 장치는 1회의 자화조작으로 전체 방향의 결함을 쉽게 검출할 수 있고, 작업성이 좋은 장점이 있으나, 결함 검출성능은 검사액의 유속 및 장치의 이동속도에 큰 영향을 받기 때문에 경사가 크게 진 시험 면에 사용할 때 및 분당 수 m 이상의 이동속도로 사용할 때에는 주의하지 않으면 안 된다. 또한 시험 면과 각 자극과의 사이의 틈이 크게 되면 회전 자계가 변형되어 검출되는 결함의 방향성에 악영향을 미칠 수 있으므로 주의해야 한다.

다. 진동자계에 의한 방식

듀오백법의 변형으로 진동자계 방식이라 부르는 방법이다. 이 방법은 직류자계와 교류자계를 복합시킴으로써 발생하는 진동자계를 이용한 것이다. 직류자계의 방향을 축으로 하고, 이에 직교하는 교류자계를 가함으로써 직류 자계의 축 방향을 중심으로 교류자계의 세기에 따른 변위각(變位角)을 갖는 복합자계가 형성된다. 차축 등의 탐상에도 이용되는데, 이러한 장치에는 직류 전자석에 의한 극간법과 교류에 의한 축통전법을 병용한 것이 사용되고 있다.

5. 시험에 필요한 기구와 재료

가. 자외선 강도계

형광 자분을 사용하는 자분탐상시험에서 결함 자분모양의 밝기(휘도)는 자외선조사장치 (black light)에서 조사되는 자외선의 강도에 따라 변화한다. 그러므로 관찰할 때 시험 면에 필요한 자외선의 강도는 규격 및 시방서에서 규정하고 있다. 이 자외선조사등은 백색광(白色光)과 달라서 육안으로 그 밝기를 감지할 수 없으므로, 시험 면에 필요한 자외선 강도가 확실하게 비춰지고 있는지를 측정하는 기기가 필요하다. 이 자외선의 강도는 셀레늄(selenium) 광전지(光電池) 및 실리콘(silicon) 광전소자(光電素子) 등의 빛을 전기로 변환하는 센서(sensor)를 사용하여 측정하는데, 이들 소자는 근자외선으로부터 가시광선, 적외선까지의 범위의 파장을 가지는 광선에 감도를 가지고 있기 때문에, 자외선 강도계(ultraviolet meter, black light meter)에서는 수광부(受光部) 위에 가시광선보다도 긴 파장의 광선은 차단하고 근자외선을 투과하는 필터를 장착하여 $320 \sim 400nm$ 의 파장으로, 탐상에 유효한 자외선 강도($1,000\mu W/cm^2$) 만을 측정하고 있다.

그림 3-25 자외선 강도계

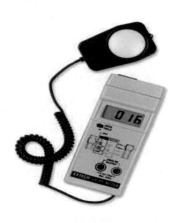

그림 3-26 조도계

자외선 강도계의 단위는 면적 당의 에너지($\mu W/cm^2$)로 나타낸다. **그림 3-25** 에 가시광선에는 감응(感應)하지 않고, 근 자외선의 에너지만을 측정할 수 있는 휴대형 자외선 강도계를 나타낸다.

나. 조도계(lux meter)

비형광 자분을 사용하는 자분탐상시험에서는 백색광 아래에서 육안으로 관찰하므로, 이에 알맞은 밝기의 빛을 필요로 한다. 이 가시광의 양을 측정하는 장치로서 인간의 시감도 곡선(luminosity curve ; 빛에 대한 인간의 눈이 감각하는 밝기의 정도를 나타내는 곡선)에 가까운 특성을 지닌 광전소자(光電素子)를 사용한 조도계가 이용된다. 또한 형광자분을 사용하는 자분탐상시험에서도 결함 자분모양은 검사실 등의 어두운 곳에서 육안으로 관찰한다. 이때 검사실에 외부로부터 가시광이 들어오거나 검사실 자체가 밝거나 하면, 배경(background)이 밝게 되어 대비(contrast)가 현저하게 떨어져서 결함의 검출감도도 저하하게 된다. 이 때문에 형광자분을 사용하는 시험에서는 관찰하는 환경의 밝기(어둡기)를 측정하여 그 밝기를 일정한 값 이하로 하고, 가급적 배경이 어둡게 해야 한다. 이 밝기를 측정하는 장치로 조도계(**그림 3-26 조도계** 참조)가 사용되고 있다. 다만, 이 경우 자외선이나 적외선 등 가시광선 이외 범위의 파장을 가진 광선에 까지 감도를 나타내는 장치도 있으므로, 이러한 장치를 사용하는 경우에는 그 감도특성을 고려하여 필터 등을 사용하여 보정을 해야 한다. 이들의 전류, 자계의 세기 및 조도(照度) 등의 측정에 사용하는 기기는 그 정밀도를 보증하기 위하여 정기적으로 교정을 해야 한다. 조도계의 단위는 Lux(ℓx)로 나타낸다.

다. 전처리 기구와 재료

시험 면에 유지류(油脂類), 도료(塗料), 스케일(scale), 슬래그(slag inclusion) 등의 부착물이 있으면 탐상성능을 현저하게 떨어뜨리거나 탐상을 불가능하게 한다. 또한 자분이 결함에 흡착되는 것을 방해하여 의사모양의 발생 원인이 되기도 한다. 그러므로 그리스(grease), 기계유(油) 등의 유지류가 많이 부착되어 있거나, 도료, 스케일, 슬래그 등의 고형 부착물과 피막 등이 있는 경우에는 이들을 제거하기 위하여 시험 전에 전문업체에 의뢰하여 처리하기도 하지만, 기타 경미한 것들은 검사원이 처리해야 하므로, 이를 제거하기 위해서는 에어로졸(aerosol)로 된 용제 세척제(remover)나 중성세제 그리고 연질(軟質)로 된 솔(brush)이 필요한 경우도 있으므로 준비해야 한다.

라. 조명기구 및 관찰기구

가시광에 의한 전처리 상태의 확인, 비형광 자분을 사용할 때의 자분모양의 관찰과 기록 작성 등을 할 때에는 밝은 조명기구가 필요하다. 그리고 형광자분을 사용할 때도 결함 자분모양을 확인하는 과정에서 시험 면에 의사모양의 원인이 되는 것이 있는지 여부를 확인하기 위하여 조명기구를 사용하는데, 이 경우 조명이 너무 밝으면 조명을 끄고 자외선조사등을 조사할 때 눈이 어둠에 적응하는 데 시간이 걸리므로 지나치게 밝은 조명은 피하는 것이 좋다.

일반적으로 전처리 상태의 확인 및 비형광 자분을 사용하는 경우의 관찰 작업에는 500~1,000 룩스(ℓx)의 밝기가 얻어지는 것을 필요로 한다. 요즘은 휴대형의 자외선조사장치에 가시광의 조명등이 장치되어 있는 것들도 판매되고 있다. 또한 관찰용으로 확대경이 필요한 경우도 있으므로 준비해야 한다.

마. 침전관

침전관(centrifuge tube)은 검사액 농도를 조사할 때 사용되는 유리로 만들어진 기구로써 **그림 3-27** 과 같이 2 가지 모양이 있는데 모두 밑 부분은 가늘게 되어 있으며 관에는 눈금이 표시되어 있다. 이 침전관에 잘 흔들어 분산시킨 검사액을 샘플(sample)로 $100ml$ 넣고, 30분간 받침대에 세워 놓은 후 침전관 바닥에 가라앉은 자분량의 용적으로 검사액 속의 자분의 함량을 구하는 침전시험(settling test)에 이용한다.

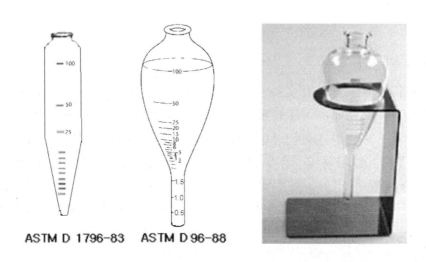

그림 3-27 침전관(centrifuge tube)

제 4 절 자분

1. 자분의 성질

자분탐상시험에 사용하는 자분(磁粉)은 결함부를 뚜렷하게 식별할 수 있는 자분모양을 형성시켜 주는 성능이 요구된다. 그러나 이러한 성능은 자분이 갖는 고유의 성질 이외에 자분의 적용방법과 결함의 성질, 시험체의 표면상태 등 여러 인자에 의해 좌우된다는 것은 이미 설명했다. 여기서는 자분탐상시험에 영향을 미치는 자분의 성질에 대하여 간단히 설명한다.

가. 자분의 자기적 성질

자분의 자기적(磁氣的) 성질은 자분의 분산성(分散性)과 결함부로의 흡착성(吸着性)에 영향을 주는 다음의 성질이 요구된다.

✎ 1) 투자율(透磁率)이 높은 것

투자율(magnetic permeability)이 높다고 하는 것은 약한 자계의 세기에서도 강하게 자화된다는 것으로, 결함부의 약한 공간 자계에서도 강하게 자화되어 결함부로의 흡착성이 좋아진다는 것을 의미한다.

✎ 2) 보자력(保磁力)이 낮은 것

보자력(coercive force)이 낮은 자분은 자화되어도 잔류자기가 낮다. 그러므로 잔류자기에 의해 응집(凝集)되어 분산성이 나빠지지는 않는다. 예를 들면 백색 자분에서는 투자율이 높고, 보자력 및 잔류자속밀도가 아주 낮다.

나. 자분의 입도

적용한 자분이 결함부에 흡인(吸引)되어 응집(凝集)될 때 시험 면에 가라앉아(沈降) 도달한 자분은 이동 저항이 크기 때문에 결함부로의 응집이 잘 안 된다. 이 때문에 자분은 가급적 장시간 공기 중이나 검사액 속에 분산부유(浮遊) 또는 현탁되어 시험 면에 가라앉음(沈降)이 더딘 것. 즉 분산성(dispersability) 및 현탁성이 우수한 것이어야 한다. 이러한 분산성 및 현탁성은 사용한 분산매의 종류에 따라 다르지만, 자분의 입도(粒度) 및 비중에도 큰 영향을 미친다. 자분의 입도와 결함의 크기와의 관계에 대해서는 이미 앞에서 설명하였지만, 일반적으로 비교적 큰 결함에는 큰 입도의 자분이 좋으며, 미세한 결함에는 작은 입도의 자분이 좋다. 즉 입자(粒子)가 큰 자분은 폭이 넓은 결함의 탐상에 알맞으며, 작은 입자의 자분은 폭이 좁은 결함의 탐상에 알맞다. 따라서 구하고자 하는 결함의 크기가 알려져 있는 경우에는 그 결함에 적합한 입도의 자분을 사용하는 것이 좋으며, 크고 작은 결함이 섞여 있는 경우에는 여러 종류의 입도가 적당히 섞여 있는 입도 분포를 가진 것이 좋다. 입도가 너무 크면 자분의 침강속도가 빠르고, 입도가 너무 작으면 시험 면의 거칠기에 따라 결함부 이외의 시험 면에도 부착되어 자분모양의 식별성을 나쁘게 한다. 이와 같이 자분의 입도는 분산성 및 현탁성 그리고 결함부로의 흡착성 및 자분모양의 식별성과 미묘하게 관련되어 있기 때문에, 이들의 성능이 자분탐상시험에 큰 영향을 미친다. 자분의 입도를 선택할 때에는 자분탐상시험의 여러 가지 조건을 고려하여 신중히 검토해야 한다.

다. 자분의 비중

자분은 앞에서 설명한 것과 같이 공기 중이나 검사액 속에 가급적 오랫동안 분산(分散) 및 부유(浮游) 또는 현탁되는 분산성과 현탁성(懸濁性)이 요구된다. 이 중에서 현탁성에는 자분의 입도뿐만 아니라 자분의 비중(比重, specific gravity)도 큰 영향을 미치기 때문에 자분의 성능 표시의 하나로 고려해야 한다. 그러나 분체의 실 비중 측정은 곤란하기 때문에 일반적으로는 실 비중 대신에 겉보기 비중(g/ml)으로 표시하고 있다. 자분의 겉보기 비중은 가벼운 쪽이 좋으나 겉보기 비중이 가벼운 자분은 접착된 착색제 등의 양이 많기 때문에 자기적 성질이 좋지 않고, 결함부로의 흡착성이 떨어진다. 똑같이 장기적인 안전성을 중시한 나머지 결합체(binder)의 양이 많아져서 자기적 성질이 나빠지는 경우도 있으므로 주의해야 한다.

라. 자분의 색조와 휘도

자분이 결함부에 흡착되어 자분모양을 형성해도 그 자분모양을 관찰할 때 식별이 되지 않으면 결함을 검출할 수 없게 된다. 이 때문에 자분모양을 관찰할 때에 자분의 색조(빛깔) 및 휘도(brightness)는 매우 중요하며, 시험 면과 대비(contrast)가 잘 되는 자분모양을 형성시킬 수 있어야 한다. 그러나 앞의 "자분의 비중"에서 설명했듯이 사용 전의 자분의 색조 또는 휘도가 우수하더라도 접착시킨 착색제나 형광제의 양이 많으면 자기적 성질이 나쁘고, 결함부로의 흡착성이 떨어지기 때문에, 이러한 자분을 사용할 경우에는 자분모양이 잘 형성되지 않고 식별성이 떨어지므로 주의해야 한다. 표 3-2에 시중에서 판매되고 있는 자분의 상대적인 형광 휘도의 측정 "예"를 나타낸다.

표 3-2 자분의 형광휘도 측정 "예"

자분의 종류	A 제품	B 제품	C 제품	D 제품	E 제품
입도(μm)	3~15	5~20	2~5	1~3	2~15
형광 휘도(%)	250	100	100	65	240

※ 표는 B 제품의 형광 휘도를 100%로 했을 때의 상대 값을 나타낸다.

또한 형광 휘도의 측정은 형광 광도계(fluorometer)를 사용하여 자외선조사등과 거의 같은 파장 범위의 자외선을 조사시켰을 때, 어느 일정한 면적의 형광 자분에서 발하는 540 nm 부근의 파장의 형광(이것이 인간의 눈으로 가장 식별하기 쉽다)에 대하여 표준으로 한 물질(다른 종류의 형광 자분 등)을 100%로 했을 때의 상대적인 수치로 나타내고 있다.

2. 자분의 종류

자분탐상시험에 사용되는 자분에는 여러 종류가 있지만, 일반적으로 환원(還元) 또는 전해 철분(電解鐵粉), γ-산화 제 2 철분, 사삼산화 철분(Fe_3O_4) 등의 자성 분말이 사용되고 있다. γ-산화 철분은 바탕색이 갈색(褐色, red brown)이며 그리고 사삼산화 철분은 바탕색이 흑색(黑色)으로 그대로 사용하기도 한다. 환원 또는 전해 철분은 바탕색이 회색(灰色)과 회백색(灰白色)으로 그대로 사용하기도 하지만, 자기적 성질이 좋기 때문에 일반적으로 **그림 3-28** 과 같이 결합체(binder)로 형광제 및 착색제 등을 접착시켜 형광 및 여러 종류의 색을 띠도록 만들어 사용하고 있다. 자분의 입도는 목적에 따라 작은 것으로부터 큰 것까지 여러 종류가 있으나, 일반적으로 $0.2~60\mu m$ 범위의 것이 사용되고 있다. 자분은 자분모양의 관찰방법에 따라 형광 자분과 비형광 자분으로 분류한다. 또한 적용방법에 따라 건식 자분과 습식 자분으로 구별하는데, 일반적으로 건식 자분에는 입도가 큰 것을 사용하며, 습식 자분에는 입도가 작은 것이 사용된다. 시중에서 판매되고 있는 자분은 종류가 많고 다양하여 동일한 종류에 속하는 자분이라도 자분의 입도에 따라 그 특성이 다르다. 그의 한 예를 **표 3-3** 에 나타낸다. 그러나 여기서 주의할 것은 이 표의 수치를 비교하여 단순히 자분 성능의 우열을 결정하는 것은 위험하다는 점이다. 그 이유는 자분모양이 잘 형성되는 조건은 자분뿐만 아니라 시험조건 및 시험체(특히 결함의 폭과 성질)에도 있으며, 어떠한 특정조건

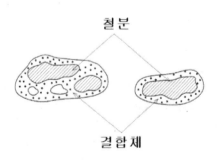

그림 3-28 자분의 단면도

의 시험체에 대해서 우수한 성능의 자분이 다른 조건의 시험체에 대해서도 똑같이 우수하다고 단정할 수 없기 때문이다.

가. 형광 자분

환원(還元) 및 전해(電解) 철분 또는 산화(酸化) 철분에 형광제를 접착시킨 것으로, 주로 습식 자분으로 사용한다. 형성되는 자분모양은 자외선을 조사하면 일반적으로 황색(黃色)이 강한 황록색(黃綠色)을 띠는데, 다른 색으로 발광하게 만든 것도 있다. 형광 자분은 비형광 자분과 비교해서 대비(contrast)가 좋기 때문에, 부착량이 적은 자분모양이나 관찰하기 어려운 부분에 있는 자분모양을 쉽게 발견할 수 있게 해 주므로 결함 검출성능이 좋을 뿐만 아니라, 검사원의 주의력 집중에서 오는 정신적인 피로를 경감시키는 등의 장점이 있다. 그러나 형광 자분은 자외선의 조사에 의해 그 형광제가 열화(劣化)되어 형광 휘도가 떨어지므로 보존 및 사용 중의 관리에 특히 주의해야 한다. 또한 최근에는 식별성이 높아야 한다는 관점(觀點)뿐 만 아니라 작업환경 개선이라는 관점에서 주위 환경이 약간 밝아도 관찰할 수 있는 높은 휘도의 형광 자분의 사용이 많아지고 있다.

표 3-3 자분의 특성 (예)

자분	색조	입자지름 (μm) (최대빈도)	A형 표준시험편에 자분모양이 검출되는 한계의 자계의 세기(A/m)											
			7/50		15/50		30/50		15/100		30/100		50/100	
			A1	A2	A1	A2	A1	A2	A1	A2	A1	A2	A1	A2
A	백색	20	2,400	3,360	960	1,120	320	960	2,880	2,720	960	2,240	480	1,040
B	갈색	17	1,600	3,040	800	1,120	320	800	2,720	2,880	800	1,600	480	1,120
C	흑색	5	1,280	2,080	640	1,120	320	800	1,920	1,760	640	1,600	480	960
D	형광	8	1,760	2,720	480	960	320	800	2,560	1,920	640	1,440	320	800
E	형광	5.5	1,280	2,400	480	960	320	480	2,080	2,400	640	1,760	320	640
F	형광	3.9	1,600	3,200	640	960	320	960	2,240	2,720	640	1,920	320	640
G	형광	22	2,720	3,200	1,120	1,920	320	480	3,360	3,040	960	2,560	320	1,600

나. 비형광 자분

비형광 자분은 가시광선 아래에서 자분모양을 관찰하는 자분으로, 백색, 흑색, 갈색 등 여러 종류가 있으며, 시험 면의 색조(色調)에 따라 구별하여 사용한다. 대부분 환원 또는 전해 철분에 착색 안료(着色顔料) 등을 접착시켜, 여러 가지의 색조를 띠는 것이 있으나,

산화 철분계에서는 자성 분말을 그대로 사용하기도 한다. 비형광 자분은 형광 자분의 사용이 곤란한 경우에 습식과 건식의 구별없이 널리 사용되고 있다. 비형광 자분도 형광 자분과 마찬가지로 보존 및 사용 중의 관리를 게을리 해서는 안 된다.

다. 건식 자분과 습식 자분

건식 자분[dry magnetic particle(powder)]은 투자율이 높고 입도가 큰 환원 또는 전해 철분을 자성분말로써 사용하기 때문에 표면 근방에 있는 내부 결함에 대해 검출성이 우수하다. 그 반면에 입도가 크기 때문에 미세한 결함의 검출에는 그다지 적당하지 않다.

습식 자분(wet magnetic particle)은 산화 철분이나 입도가 작은 환원 또는 전해 철분을 자성분말로 사용하며, 검사액 속에 분산시켜 사용하고 있다. 입자의 크기에 따라 열린(開口) 폭을 가진 결함을 검출할 수 있어서 미세한 결함의 검출에 적당하다. 최근에는 형광 습식 자분의 사용이 증가되고 있다.

그림 3-29 의 a)에 갈색(red)의 건식 자분을, b)에 습식 자분(black)의 예를 나타낸다.

a) 건식 자분　　　　　　　　b) 습식 자분

그림 3-29 건식 자분과 습식 자분

라. 특수 자분

특수한 용도에 사용하는 자분으로, 자성분말(磁性粉末)에 착색시킨 열가소성 수지(thermoplastic resin)를 입히고, 형성된 자분모양을 가열하여 시험 면에 고정시켜서 떨어지지 않도록 하는 고착 자분(固着磁粉) 및 용접부 등 300~400℃의 고온부(高溫部)에 적용해도 산화 변색이 되지 않도록 순철(Fe)에 크롬(Cr)이나 알루미늄(Al) 또는 실리콘(silicone) 등을 첨가한 금속으로 된 고온용 건식 자분 등이 있다.

마. 에어로졸형 자분

규정된 자분 분산농도로 배합한 자분 검사액을 에어로졸(aerosol) 통에 넣고 밀봉하여 산포하기 간편하게 만든 것으로, 넓은 옥외 현장에서 극간식 탐상기를 사용하는 부분검사에 많이 사용되고 있다. 이것은 탐상 조작이 간편하다는 특징이 있어 착안된 것으로, 이에 따라 습식 자분의 적용도 간편하게 할 수 있어서 에어로졸형의 검사액(**그림 3-30** 참조)이 많이 사용되고 있다. 이러한 에어로졸형은 적절

그림 3-30 에어로졸형 자분

한 농도의 검사액을 미리 스프레이 통에 채워 넣어, 검사액을 분무할 수 있게 한 것이므로, 취급 및 관리가 긴편할 뿐만 아니라 빨리 흘러내리는 경사진 면의 적용에도 아주 효과적이다.

바. 콘트라스트 페인트(contrast paint)

콘트라스트 페인트(**그림 3-31** 참조)는 흑색 자분을 사용하여 탐상할 때 양호한 배경(background)을 형성시키기 위하여 도포하는 백색의 도료로써, 일반적으로 에어로졸 통에 들어 있는 것을 사용한다. 자분탐상용으로 만들어진 것은 검사액에 대하여 적심성이 좋지만, 기타 일반 페인트는 적심성이 나빠서 자분모양의 형성이 어렵고 형성되어도 흐르기 쉽기 때문에 사용해서는 안 된다. 또한 도포되는 도막의 두께는 거칠기가 얇게 보일 정도의 20 μm 정도가 가장 좋다. 너무 두껍게 도포하면 자분모양의 형성에 영향을 미친다. 적절히 잘 사용하면 같은 입도의 형광 자분과 같을 정도의 검출성능을 얻을 수 있다.

그림 3-31 콘트라스트 페인트

3. 검사액

습식 자분을 분산매에 분산 및 현탁시킨 액을 검사액이라 한다. 즉 액체에 자분을 분산 및 현탁시킨 것이다. 검사액을 미리 만들어 에어로졸 통에 넣고 밀봉한 제품도 있으나, 일 반적으로는 시험할 때 규격 등의 요구에 따라 만들어 사용한다. 분산시키는 액체(분산매) 에는 보통 물 또는 등유를 사용한다. 다만 시험에서 검출된 자분모양을 기록하기 위해 전 사를 하는 경우에는 휘발성이 높은 유기용제를 사용한다.

가. 자분 분산매

검사액은 습식용 자분에 적당히 첨가제를 넣고 잘 섞은 후 물에 분산시키거나 기름(등 유 등)에 분산시켜 적용한다. 일반적으로 물에 분산시킨 검사액은 가격 면과 화재의 위험 성 및 냄새, 피부의 손상 등의 문제가 없으므로 설치형 탐상장치에서 많이 사용되며, 기름 에 분산시킨 검사액은 방청(防錆)을 고려하지 않아도 되기 때문에 방청을 해야 하는 제품 에 많이 사용한다.

분산매(carrier fluid, vehicle)로 물을 사용할 경우는 물에 직접 습식용 자분을 넣고 강제 로 교반시켜도 자분이 잘 분산되지 않으므로, 자분을 물에 분산시키기 위하여 분산용 첨가 제를 사용한다. 분산용 첨가제는 습식용 자분을 물에 균일하게 분산시킬 뿐만 아니라 검 사액을 시험체에 산포하면 시험체를 균일하게 적시게 하므로 자분탐상시험을 확실히 수행 할 수 있게 해 준다. 자분 분산용 첨가제에는 계면활성제(surfactant)와 방청제(rust inhibitor) 그리고 소포제(消泡劑, antifoaming agent)가 포함된다. 계면활성제는 자분을 물 에 균일하게 분산시키기 위함과 시험체를 균일하게 적시도록 하기 위해 첨가한다. 그러나 일반적으로 자분에 대한 분산성이 좋고, 시험체에 대하여 적심성이 좋은 계면활성제는 매 우 거품이 일어나기 쉽다. 거품은 자분탐상시험에서 결함 자분모양의 발견을 곤란하게 하 는 등 나쁜 영향을 미치기 때문에 계면활성제에 소포제를 첨가해서 거품을 없애야 한다. 소포제에는 파포제(破泡劑)와 억포제(抑泡劑)가 있는데, 일반적으로 파포제는 효과적으로 빨리 거품을 파괴시키지만 소포효과가 급속히 감퇴되기 쉽다. 그러나 억포제는 미리 용액 속에 첨가하여 발포를 억제하는 것으로, 파포제에 비해 소포효과가 장시간에 걸쳐 지속된 다. 이 때문에 분산용 첨가제는 발포를 억제하는 억포제가 사용된다. 방청제는 검사액 속 의 자분의 녹 발생 방지와 더불어 시험체의 단기간 방청을 고려하여 첨가한다.

자분 분산용 분산제에는 계면활성제와 소포제 그리고 방청제의 양(量) 및 종류 등을 선 택하여 분산성을 좋게 한 분산제와 소포성을 좋게 한 분산제 및 방청력을 높인 분산제 등 이 있으며, 자분탐상장치와 시험체의 상태 등에 따라 적합한 자분 첨가제를 선택하여 사용하면 된다. 검사액을 장시간 반복 사용하면 자분의 분산상태가 나빠지게 되어, 시험체에 대한 적심성도 나빠지게 된다. 이러한 상태를 자분 분산매가 열화(劣化, degradation)되었다고 한다. 이 열화의 원인은 자분 분산용 첨가제에 포함되어 있는 계면활성제에 스케일(scale), 기름 등의 불순물이 흡착되어 성능을 저하시키기 때문이다. 검사액을 보다 오래 사용하기 위해서는 시험체에 대한 전처리를 충분히 해서 스케일, 기름 등의 불순물이 섞여 들어가는 것을 막아야 한다.

기름을 자분 첨가제로 사용하는 경우는 기름에 직접 자분을 분산시켜 사용하지만, 분산성을 좋게 하기 위해서는 기름 분산용 활성제를 사용하여 자분을 균일하게 분산시키는 것이 좋다. 형광 자분을 사용하는 경우는 기름이 형광성을 띠지 않는 것을 사용해야 한다. 분산매가 형광성을 띠면 형광 자분의 형광 휘도를 저해하여 정확한 검사를 할 수 없기 때문이다.

나. 검사액의 성질

검사액은 일반적으로 규정에 따라 이미 만들어진 검사액을 사용하는 경우와 작업절차서의 요구에 따라 직접 만들어 사용하는 경우가 있다. 직접 만드는 경우에는 절차서에서 지정하는 재료를 올바로 선정하여 신중히 순서에 따라 만들어야 한다. 검사액을 조잡하게 만들면 자분의 분산상태가 나쁘게 되고, 농도가 규정된 값과 다르거나 적심성이 뒤떨어지기도 하며, 결함 자분모양의 형성 능력이 떨어지게 된다. 이러한 일이 발생하지 않도록 절차서에 따라 사용하는 자분 및 분산매의 종류를 선정하고, 자분이 검사액 속에 잘 분산 및 현탁된 상태가 되도록 하며, 또한 그 분산농도도 정해진 농도가 되도록 만들어야 한다. 만일 이미 만들어진 검사액을 사용하도록 지정한 경우에는 검사액이 만들어진 날짜와 시간을 확인한 후에 자분의 분산성과 분산농도 및 결함 자분모양의 형성능력을 조사해 두어야 한다. 만들고 나서 장시간 경과한 것은 검사액의 성능이 떨어질 염려가 있으므로 사용에 주의해야 한다. 자분탐상시험에서 검사액은 결함 검출능력에 큰 영향을 미치는 인자이다.

검사액에는 다음과 같은 성질이 요구된다.
① 적정한 분산 농도의 자분을 함유하고 있어야 한다.
② 결함 자분모양의 대비(contrast)를 저하되지 않도록 하기 위해 액체는 색 또는 형광성을 띠지 않아야 한다.
③ 검사액 속의 자분이 잘 분산되어 있어야 한다.
④ 검사액 속의 자분의 현탁성이 장시간 유지될 수 있어야 한다.
⑤ 시험 면에 대한 적심성(wet characteristic)이 좋아야 한다.

⑥ 시험체에 대한 부식성이 없어야 한다.

이상의 특성을 만족시키는 검사액의 분산매로는 일반적으로 물 또는 등유 등이 사용되는데, 물에는 계면활성제와 방청제를 적당량 첨가해야 한다. 계면활성제로서 시중에서 판매하고 있는 중성세제를 사용해도 되지만, 그 중에는 거품이 많이 일어나는 것도 있으므로 소포제의 첨가가 필요한 경우도 있다. 그러나 소포제는 사용량을 잘못 조정하면 자분의 분산성을 나쁘게 한다. 그리고 검출된 자분모양을 전사해야 할 경우에는 물이나 등유 대신에 알코올(alcohol)과 같은 휘발성이 높은 유기용제를 사용하면 좋다. 그러나 용제는 자분에 접착되어 있는 형광제나 착색제를 용해시킬 수도 있으므로 주의해야 한다.

다. 검사액의 농도

검사액의 농도는 검사액 속의 자분의 분산농도를 말한다. 일반적으로 검사액 농도는 검사액의 단위 용적 속에 포함되는 자분의 질량으로 나타낸다. 검사액 농도의 적정한 값은 형광과 비형광 및 자분의 입도(粒度, particle size)에 따라 다르며, 입도가 작을수록 낮은 농도가 된다. 일반적으로 다음의 농도 범위 내에서 가장 알맞은 값을 선정하고 있다.

- 비형광 자분 : $2 \sim 10\ g/l$
- 형광 자분 : $0.2 \sim 2.0\ g/l$

형광 자분은 동일한 입도의 비형광 자분에 비해 1/5에서 1/10의 농도가 적정하다. 더욱이 입도가 작을수록 같은 질량에서도 자분의 입자수가 많으므로 농도를 낮게 해야 한다. 또한 시험체의 표면상태와 자분의 적용시간 및 적용방법 등을 고려하여 결함 자분모양이 쉽게 검출되고, 시험 면에 자분이 부착되어도 배경(background)과 결함 자분모양의 대비(contrast)가 나빠지지 않는 농도를 결정하면 된다. 이러한 이유로 위의 농도범위를 초과하여 설정하는 경우도 많다. 검사액 농도를 측정할 때에는 실제로 시험체에 자분을 적용할 때와 같은 방법으로 산포 노즐로부터 **그림 3-27**의 측정용 침전관에 검사액을 채취하고, 단위 용적($100ml$) 속에 함유된 자분의 양을 일정한 시간동안 일정한 곳에 놓아둔 후, 침전관 바닥에 침전된 자분의 용적과 미리 자분의 종류에 따라 작성된 고유의 검량선(calibration curve, 침전관과 검사액 농도의 환산 그래프, **그림 4-6** 참조)으로부터 구한다. 또 검사액 농도를 자분 분산농도 뿐만 아니라 $100ml$ 당 침전량으로 표시해도 된다. 그러나 이물질의 혼입이 많은 경우에는 침전관을 사용하여 검사액의 농도를 측정해도 의미가 없게 된다. 검사액의 농도 점검에 대해서는 제 4 장 제 2 절에서 설명하므로 참고하기 바랍니다.

라. 분산매의 성질

분산매에는 다음과 같은 성질이 요구된다.

① 점도가 낮고, 적심성이 좋아야 한다.

② 장기간에 걸쳐서 변질이 없어야 한다.

③ 휘발성이 적어야 한다.

④ 시험체에 해롭지 않아야 한다.

⑤ 인화점이 높아야 한다.

⑥ 인체에 해롭지 않아야 한다.

마. 검사액 속의 자분의 침강속도 분포

검사액 속의 자분의 침강속도는 자분의 현탁성과 밀접한 관계가 있기 때문에 검사액 속의 자분의 현탁성은 결함부로의 자분의 흡착성에 큰 영향을 미친다. 검사액 속에 들어있는 자분이 장시간 현탁되기 위해서는 침강속도가 느려야 한다. 여기서 말하는 현탁성은 검사액 속에 분산된 자분입자가 어느 정도의 시간동안 침전되지 않고 있는 지의 성질을 말한다. 그러므로 현탁성은 어떠한 수단으로의 평가가 필요하다. 일반적으로 현탁성은 자분의 입도, 밀도, 분산상태 및 분산매의 점도 등에 따라 좌우되지만, 검사액 속의 자분의 침강속도 분포에 따라 평가한다.

자분의 입자가 작을수록 좋기 때문에 자분의 입도가 상당한 부분을 차지하지만, 분산매의 종류에 따라서도 분산상태가 달라지므로 평가할 때는 주의해야 한다. 따라서 가장 적합한 분산상태를 확보하기 위해서는 사용하는 자분과 분산매에 가장 적합한 분산매를 선정해야 한다. 그리고 위에서 설명한 분산매에 요구되는 성질에 덧붙여서 인화점은 해외규격에서는 93℃ 이상을 요구하고 있으며, 동점도(kinematic viscosity, 액체용매의 점성)는 KS B ISO 9934-2-2007 에서는 20℃±2℃ 에서 5mPa·s 를 초과해서는 안 된다고 규정하고 있다.

바. 검사액 만드는 법

검사액을 만들 때, 액체(물 또는 기름)에 직접 자분을 넣고 교반하는 것만으로는 자분이 액체 속에 균일한 분산상태가 되기 어렵기 때문에 다음과 같이 검사액을 만든다.

1) 기름을 사용하는 경우

① 먼저 시험장치의 탱크, 파이프, 펌프 등을 깨끗이 한다.

② 규정된 무게의 자분을 측정하여 깨끗한 용기에 넣는다.

③ 소량의 기름을 용기에 넣고 잘 반죽하여 천천히 기름을 첨가하며 충분히 혼합되게 한다

(소량의 기름용 계면활성제를 사용하여 잘 반죽하면, 자분의 분산성이 훨씬 좋아진다).

④ 고농도의 자분 혼합액을 미리 무게를 재서 장치의 탱크 속에 들어 있는 기름에 첨가한다.

⑤ 펌프를 수 분간 회전시켜 검사액을 잘 교반하고, 적당한 농도 여부를 측정 조정한다.

2) 물을 사용하는 경우

① 먼저 시험장치의 탱크, 파이프, 펌프 등을 깨끗이 한다.

② 규정된 무게의 자분을 측정하여 깨끗한 용기에 넣는다.

③ 자분 분산용 첨가제를 소량 첨가하여 자분이 충분히 젖도록 잘 반죽한다.

④ 다시 자분 첨가제를 넣고 잘 혼합한 후 미리 탱크 속에 무게를 재서 준비한 물에 분산시킨다.

⑤ 펌프를 수 분간 회전시켜 검사액을 잘 교반하고, 적당한 농도 여부를 측정 조정한다.

위와 같이 검사액을 만들어 적절한 농도이면 시험하는데 사용하고, 검사액 농도가 낮으면 자분을 추가하여 적절한 농도로 검사액을 조정한 후 시험에 사용한다.

제 5 절 표준시험편 및 대비시험편

1. 시험편의 사용 목적

자분탐상시험에서 시험 면에 적정한 세기와 방향의 자계가 작용되는지 그리고 결함부에서의 누설 자속에 자분이 부착되어 적정한 자분모양이 형성되는지에 대하여 확인하는 것은 매우 중요한 일이다. 이들의 확인을 비교적 간단히 하기 위하여 KS D 0213-1994 「철강재료의 자분탐상시험방법 및 자분모양의 분류」에서는 A형, C형 표준시험편과 B형 대비시험편의 사용이 규정되어 있다. 이 시험편들은 다음과 같은 사용 목적으로 사용한다.

① 실시하고자 하는 자분탐상시험의 종합적인 시험성능을 평가하거나, 그 종합적인 시험성능을 좌우하는 인자인 장치와 자분 및 검사액의 성능을 조사한다.

② 시험 면에 작용하고 있는 자계의 세기와 방향을 조사하고, 자화전류치와 탐상 유효범위의 크기 등 시험조건을 설정하기 위하여 사용한다.

③ 시험조작의 적합 여부 및 검사원의 기량을 조사한다.

A형 및 C형 표준시험편(standard test piece)은 시험체의 탐상 면 위에서 위의 시험을 하는데 사용하며, B형 대비시험편(reference test piece)은 시험체를 사용하지 않고 장치와 자분 및 검사액 등의 성능을 조사하는데 사용한다.

2. A형 표준시험편

가. A형 표준시험편의 종류와 특성

✎ 1) A형 표준시험편의 종류

A형 표준시험편은 얇은 전자 연철판(電磁軟鐵板)의 한쪽 면에 직선형 또는 원형의 홈을 만든 것으로, 그 종류는 판의 열처리 상태 및 판의 두께, 홈의 모양, 홈의 깊이에 따라 10종류로 분류하고 있다. KS D 0213-1994에서는 **그림 3-32** 와 **표 3-4** 와 같이 규정하고 있다. 홈의 모양이 직선형은 한정된 방향의 자계의 세기 및 시험성능을 조사할 때 사용하며, 원형은 자계의 방향과 세기나 시험 성능을 조사할 때 사용한다.

시험편의 명칭은 재질의 차이에 따라 $A1$ 과 $A2$로 표시하며, $A1$은 1류(類)를 그리고 $A2$는 2류를 나타낸다. 분수의 분자는 홈의 깊이를, 분모는 판의 두께를 μm (※ $1\mu m = 10^{-6}m$)의 단위로 나타낸다. 홈의 모양은 아래의 「예」와 같이 명칭의 괄호 안에 인공 홈(원형 또는 직선형)의 모양을 붙여 표시한다.

「예」 $A1-7/50$ (원형), $A2-7/50$ (직선형)

또한 $A1$(1류)에는 원형과 직선형이 있으나 $A2$(2류)에는 직선형뿐이고, 원형은 없다. 이것은 $A1$의 재질은 자화방향에 따른 이방성(異方性, anisotropy)이 아주 적게 하기 위하여 풀림(어닐링, annealing)한 것이지만, $A2$는 냉간 압연한 그대로의 상태로 풀림을 하지 않아 자성에 이방성이 있기 때문이다. 즉 풀림 처리를 하면 재료가 자기적으로 부드러워지므로 풀림을 하지 않은 것과 비교하여 보다 낮은 자계의 세기에서 자분모양이 나타난다. 따라서 $A1$은 $A2$ 보다 낮은 자계에서 자분모양을 나타내며, 분수의 값이 작을수록 자분모양을 나타내는데 높은 자계가 필요하다.

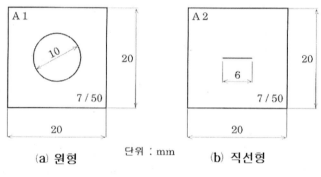

(a) 원형　　단위 : mm　　(b) 직선형

그림 3-32 A형 표준시험편

표 3-4 A형 표준시험편의 종류

명　칭			재　질
$A1$-7/50 (원형, 직선형)	$A1$-15/50 (원형, 직선형)	-	KS C 2504(전자 연철판)의 1종을 풀림(어닐링, 불활성 가스 분위기 속에서 600℃ 1시간 동안 유지하고, 100℃ 이하까지 분위기 속에서 서냉)한 것
$A1$-15/100 (원형, 직선형)	$A1$-30/100 (원형, 직선형)	-	
$A2$-7/50 (직선형)	$A2$-15/50 (직선형)	$A2$-30/50 (직선형)	KS C 2504(전자 연철판)의 1종의 냉간 압연한 그대로의 것
$A2$-15/100 (직선형)	$A2$-30/100 (직선형)	$A2$-60/100 (직선형)	

비고 : 1. 시험편의 명칭 가운데 사선(斜線)의 왼쪽은 인공 홈의 깊이를 나타내며, 사선의 오른쪽은 판의 두께를 나타낸다. 치수의 단위는 μm이다.
　　　 2. 시험편의 명칭 가운데 괄호 안은 인공 홈의 모양을 나타낸다.

🐾 2) A형 표준시험편의 특성

가) A형 표준시험편은 연속법으로만 사용해야 한다.

　　잔류법으로 자분을 적용하면 A형 표준시험편의 자분모양은 시험체의 잔류자속밀도와 관계가 있는데, 시험체의 재질, A형 표준시험편과 시험 면의 접촉상태의 영향 및 시험체에 생긴 자극의 영향을 크게 받기 때문에 잔류법으로 사용해서는 안 된다.

나) A형 표준시험편에 나타나는 자분모양은 주로 시험체 표면의 자계의 세기에 좌우되지만, 시험체의 재질 및 A형 표준시험편과 시험체 표면의 접촉상태에 따라 영향을 받는다.

다) 같은 류(類)로써, 홈의 깊이와 판의 두께와의 비가 같은 A형 표준시험편끼리는 자분모양을 나타내는 한계의 자계의 세기가 거의 동일하다.

라) A형 표준시험편의 $A1$(1류)은 $A2$(2류) 보다도 낮은 자계의 세기에서 자분모양을 나타낸다. 또한 그의 분수 값이 적은 것일수록 자분모양을 나타내는데 높은 자계의 세기를 필요로 한다. **그림 3-33** 은 축 통전법과 전류 관통법을 사용하여 자분의 적용을 연속법으로 시험했을 때 A형 표준시험편에 뚜렷한 자분모양이 나타나는 자계의 세기와 A형 표준시험편의 홈의 깊이와 판 두께 비의 관계를 나타낸 「예」이다. 이들의 값은 한 "예"이며, 자분의 특성 및 적용방법에 따라 달라진다. 그러므로 사용하기 전에 사용할 A형 표준시험편에 대하여 시험체를 자분탐상시험 할 때와 똑같이 자분의 적용조건으로 실험하여 자분모양을 검출할 수 있는 한계의 자계의 세기를 구해 놓을 필요가 있다. 또한 극간법으로 사용하는 경우는 자석의 철심에서 누설되고 있는 자속을 A형 표준시험편이 끌어당기기 때문에 상당히 낮은 자계의 세기에서 자분모양을 나타낸다. 그리고 코일법의 경우는 직접, 자계의 영향을 받기 때문에 여기에 나타낸 값보다 훨씬 낮은 자계의 세기에서 자분모양을 나타내므로 주의가 필요하다.

마) A형 표준시험편은 시험 면 위의 임의의 위치에서 유효자계의 방향과 세기가 적정하도록 자화전류치와 탐상유효범위를 설정하고, 장치, 자분, 검사액 등의 성능 비교와 시험조작의 적합 여부를 조사하는데 사용된다.

바) A형 표준시험편의 판 두께가 $50\,\mu m$인 것은 곡률이 있는 시험 면에 사용하고 $100\,\mu m$인 것은 평평한 시험 면에 사용한다.

사) A형 표준시험편은 자분탐상시험의 방법 또는 목적에 따라 적당한 것을 선택하여 사용한다. 사용하는 A형 표준시험편의 명칭은 시험체의 자기특성, 검출해야 할 결함의 종류, 크기에 따라 정한다. 또한 A형 표준시험편의 자계의 세기의 규제 범위를 넘어서, 보다 강한 유효자계를 필요로 하는 경우에는 표준시험편의 명칭의 배수로 표시한다.

[예] $A2-7/50 \times 2$: $A2-7/50$ 에서 자분모양을 얻을 수 있는 자화전류치의 2
배의 자화전류치로 시험하는 것을 나타낸다.

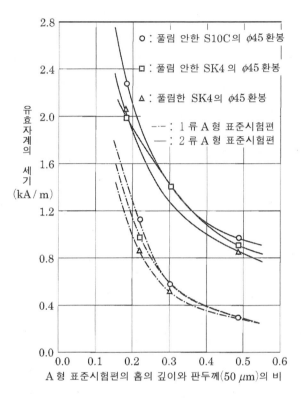

그림 3-33 A형 표준시험편에 뚜렷한 자분모양이 나타나기 시작할 때에 작용하는
자계의 세기(흑색 자분의 "예")

아) A형 표준시험편을 사용할 때에는 인공 홈이 있는 면이 시험체의 시험 면에 잘 밀착
되도록 적당한 점착성 테이프를 사용하여 시험 면에 붙인다. 이때 점착성 테이프가 A
형 표준시험편의 인공 홈의 부분을 덮어서는 안 되며, 또한 A형 표준시험편을 붙이는
시험 면은 시험편의 전면이 밀착될 수 있어야 한다. 그리고 시험체 표면에 녹, 기름,
기타 부착물이 있는 경우에는 미리 완전히 제거하고 건조시켜야 하며, A형 표준시험
편도 방청기름, 오물 등을 완전히 제거하고 건조된 후에 붙여야 한다.
자) A형 표준시험편의 성능은 B형 대비시험편의 표면에 같은 형의 신품과 기존의 시험편
을 붙이고 동시에 자분을 적용했을 때, 같은 자계의 세기, 즉 같은 자화전류치에서 자
분모양이 나타나기 시작하는지를 비교, 조사하여 점검한다.

나. A형 표준시험편의 사용 방법

A형 표준시험편을 사용할 때에는 홈이 있는 면과 시험체의 시험 면이 밀착되도록 점착성 테이프 등으로 시험 면에 고정시킨다. 이때 테이프가 표준시험편의 자분모양이 나타나는 부분을 덮어서는 안 된다. 또한 A형 표준시험편과 시험체의 부착 면은 미리 유기용제로 잘 세척하고 건조시켜야 한다.

✎ 1) 시험 면의 자계의 세기와 방향을 구하는 방법

시험체의 시험 면에 작용하는 자계는 일반적으로 균일하지 않아서 각 부위에 따라 다르며, 시험체의 형상이 복잡한 경우는 그 차이가 더욱 크다. 또한 반자계가 생기는 경우, 그 유효자계의 세기는 반자계가 생기지 않을 때에 비해 상당히 약해지며, 부위에 따른 세기의 차이도 현저하게 된다. 이러한 경우에 각 부위의 탐상 면에 작용하는 자계의 방향 및 세기를 계산에 의해 구한다는 것은 매우 곤란하므로, A형 표준시험편에 의해 확인해야 한다. 이때 다른 유효자계의 세기에서 자분모양이 나타나는 여러 종류의 A형 표준시험편을 각 부위에 붙이고, 연속법으로 자분탐상시험을 하여 자분모양이 나타나는 A형 표준시험편과 나타나지 않은 A형 표준시험편을 알게 되면, 그 부위의 시험 면에 유효하게 작용하는 대강의 자계의 세기를 알 수 있다. 시험 면의 자계의 세기와 동시에 방향까지도 알기 위해서는 원형 홈이 있는 A형 표준시험편을 사용하여 ( ) 모양으로 나타나는 자분모양의 방향으로부터 그 부위에 작용하는 자계의 방향을 알 수가 있다. 이것은 원형 홈 중에서 자계와 직각인 홈의 자분모양이 가장 잘 나타나며, 자계와 평행인 홈의 자분모양은 나타나지 않기 때문이다. 원형 홈의 A형 표준시험편을 사용하여 한 방향의 자계의 세기를 설정하는 경우에는 자화전류치를 올려서 자계를 강하게 해 가면 ( ) 모양으로 대응하는 2개 원호(圓弧)의 자분모양이 점차로 짙고 뚜렷하게 나타남과 동시에 그 원호의 길이가 증가하게 된다. 그러므로 이 원호의 길이로 부터도 자계의 세기를 비교할 수가 있다. 이와 같이 원형 홈의 A형 표준시험편은 자계의 방향과 세기를 동시에 알 수가 있다.

✎ 2) 자화전류치를 구하는 방법

복잡한 형상의 시험체는 시험 면에 적정한 자계를 작용시키기 위한 자화전류치를 계산에 의해 구하는 것은 곤란하다. 이러한 경우에는 필요한 자계가 작용하는 대강의 자화전류치를 A형 표준시험편을 사용하여 구할 수가 있다.

예를 들면 $1.6kA/m$에서 뚜렷한 자분모양이 나타나기 시작하는 종류의 A형 표준시험편을 사용하여 시험 면의 유효자계의 세기가 $3.2kA/m$가 되도록 자화전류치를 구하는 방법에 대하여 설명한다.

직선 홈의 A형 표준시험편을 홈의 방향이 작용하는 자계의 방향에 직각이 되도록 시험 면에 붙인다. 그리고 자화전류치를 서서히 증가시켜가며 그때마다 연속법으로 자분을 적용하여 A형 표준시험편에 뚜렷한 자분모양이 나타나기 시작하는 한계의 전류치를 구한다. 만일 직선 홈의 A형 표준시험편 대신에 원형 홈의 A형 표준시험편을 사용하는 경우는 구하고자 하는 자계의 방향과 직각인 방향으로 자분모양이 나타나는 한계의 전류치를 구하면 된다. 이렇게 구한 전류치가 $500A$ 였다고 하면, A형 표준시험편을 붙인 곳의 시험 면에는 $500A$의 자화전류로 $1.6kA/m$의 자계가 작용하고 있다는 것이 된다. 그러나 여기서는 $1.6kA/m$의 2배인 $3.2kA/m$의 자계가 필요하므로 구하는 대강의 그 자화전류치는 $500\,A$ 의 2배인 $1,000\,A$가 된다. 이것을 시험기록 등에 표시할 때는, 만일 사용하는 A형 표준시험편이 $A1-7/50$ 였다면 $A1-7/50 \times 2$와 같이 표준시험편 명칭의 배수로 나타내도록 하고 있다. 이것은 $A1-7/50$에 뚜렷한 자분모양이 나타나는 자계의 세기의 2배가 되는 세기의 자계를 시험 면에 걸어주는 것을 의미한다. A형 표준시험편에 자분모양이 나타나는 한계의 자계의 세기는 A형 표준시험편의 홈의 깊이와 판 두께와의 실제 치수의 비(比) 이외에 자분의 성질, 적용방법 등에 따라 다르므로, 이러한 방법으로 자화조건을 구하고자 하는 경우는 실제로 탐상작업을 할 때와 같은 자분 및 검사액을 사용하고, 같은 방법을 적용해야 한다.

다음은 사용하는 A형 표준시험편에 뚜렷한 자분모양이 나타나는 한계의 유효 자계의 세기를 조사하는 방법에 대하여 설명한다. 우선 다음에 설명할 B형 대비시험편의 원기둥 둘레 면(원주 면)의 중앙부에 A형 표준시험편을 붙인다. 이때 A형 표준시험편의 홈이 직선형인 경우에는 홈의 방향이 B형 대비시험편의 축 방향이 되도록 한다. 그리고 B형 대비시험편을 전류 관통법으로 자화하고, 연속법으로 자분을 적용하여 A형 표준시험편에 뚜렷한 자분모양이 나타나기 시작할 때의 자화전류치를 구한다. 이때 사용하는 자분, 검사액 및 그 적용방법은 실제의 탐상작업을 할 때와 같이 하고, 또한 자화전류치는 작은 쪽에서부터 서서히 증가하여 그 때마다 탐상을 반복한다. 그리고 앞에서 설명한 **식(1. 17)**을 사용하여 구한 자화전류치로부터 자계의 세기를 산출하면 된다.

$$H \;=\; \frac{I}{2\pi r}\;\;(A/m),\;\;\; I \;=\; 2\pi rH(A/m)$$

I : 자화전류(A), H : 자계의 세기(A/m), 그리고 r : B형 대비시험편의 반지름(m)이다.

✎ 3) 탐상 유효범위를 구하는 방법

넓은 시험 면을 직각 통전법 및 프로드법 등으로 탐상하는 경우에는 1 회의 자화 조작으로 전체의 표면에 필요한 자계(방향과 세기)를 작용시킬 수가 없기 때문에 시험 면을 미리 분할하여 탐상한다. 이 경우 탐상에 필요한 자계가 작용하는 범위를 구해놓지 않으면 시험 면을 어떻게 분할하여 탐상해야 되는지를 모르게 된다. A형 표준시험편을 사용하여 탐상 유효범위(1회의 자화조작에 의해 탐상할 수 있는 범위)를 구하려면, 우선 탐상에 필요한 자계의 세기 또는 그 이상에서 가급적 가까운 자계의 세기에서 뚜렷한 자분모양이 나타나는 종류의 A형 표준시험편(직선형의 홈)을 선정하여, 홈의 방향이 탐상하고자 하는 결함의 방향이 되도록 시험 면에 붙인다. 그리고 연속법으로 자분을 적용하고, 기타 시험 조건은 실제로 자분탐상시험 할 때와 같은 조건으로 시험하여 A형 표준시험편에 뚜렷한 자분모양이 나타나는 시험 면의 범위를 구하여 이것을 탐상 유효범위로 한다.

✎ 4) 자분 및 검사액의 성능 점검

A형 표준시험편을 사용하여 자분 및 검사액의 성능을 시험할 수가 있다. 그 시험방법은 B형 대비시험편의 바깥 둘레면의 중앙에 적합한 종류의 A형 표준시험편을 붙이고, 시험할 자분 또는 검사액을 적용하여 연속법으로 자분탐상시험을 하여, 얻어진 자분모양을 관찰, 비교함으로서 자분 및 검사액의 성능을 점검한다.

✎ 5) 사용상의 주의 사항

가) A형 표준시험편은 검정기관에서 검정된 것을 사용하고, 구입 초기의 형상과 치수(특히 홈의 깊이) 그리고 재질에 변화가 생긴 경우에는 사용해서는 안 된다.
나) A형 표준시험편은 녹슬면 성능이 변하므로, 사용 후에는 반드시 유기용제로 세척하고, 세척한 후에는 시험편 면에 손이 접촉되지 않도록 주의하여 용제를 닦고 건조를 시킨 다음, 방청기름을 바른 후 습도가 낮은 곳에 보관한다.

3. C형 표준시험편

C형 표준시험편은 용접부의 개선 면 등의 좁은 부분에서 치수적으로 A형 표준시험편의 사용이 곤란한 장소에 A형 표준시험편 대신에 사용하는 것으로, 전자 연철판에 홈을 만든 것이다.

가. C형 표준시험편의 종류와 특성

✎ 1) C형 표준시험편의 종류

KS D 0213-1994「철강 재료의 자분탐상시험방법 및 자분모양의 분류」에서 규정하고 있는 C형 표준시험편의 명칭 및 재질은 **표 3-5**에, 그리고 형상 및 치수는 **그림 3-34**에 나타낸다. 또한 판의 두께는 $50\mu m$, 그리고 홈의 깊이는 $8 \pm 1\mu m$ 로 규정되어 있다.

표 3-5 C형 표준시험편

명 칭	재 질
C1	KS C 2504(전자 연철판)의 1종을 풀림(어닐링, 불활성 가스 분위기 중 600℃ 1시간 유지, 100℃ 이하까지 분위기 중에서 서냉)한 것
C2	KS C 2504(전자 연철판)의 1종의 냉간 압연한 그대로의 것

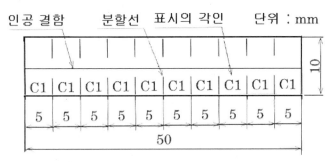

그림 3-34 C형 표준시험편(C1의 경우)

✎ 2) C형 표준시험편의 특성

C형 표준시험편의 C1은 $A1-7/50$, 그리고 C2는 $A2-7/50$ 에 각각 가까운 자계의 세기에서 자분모양이 나타난다.

나. C형 표준시험편의 사용방법

1) C형 표준시험편은 분할선을 따라 $5mm \times 10mm$ 의 작은 조각으로 분리하여, 인공 결함(홈)이 있는 면이 시험 면 쪽에 잘 밀착되도록 적절한 양면 점착테이프 또는 접착제 등으로 시험 면에 붙여 사용한다. 이때 양면 점착테이프의 두께는 $100\mu m$ 이하이어야 한다.
2) C형 표준시험편에 대한 자분의 적용은 연속법으로 한다.
3) C형 표준시험편은 초기의 모양, 치수, 자가 특성에 변화를 일으킨 경우에는 사용해서는 안 된다.
4) 기타 사용상의 일반적인 주의사항은 A형 표준시험편과 동일하다.
5) C형 표준시험편은 사용하고 버리는 1회용이므로, 재사용해서는 안 된다.

4. B형 대비시험편

가. B형 대비시험편의 종류와 특성

KS D 0213-1994 「철강 재료의 자분탐상시험방법 및 자분모양의 분류」에서 규정하고 있는 B형 대비시험편은 원칙적으로 **그림 3-35** 에 나타낸 형상과 치수로써, 재질은 전자 연철봉(電磁軟鐵棒)과 똑같은 재료를 사용하지만, 용도에 따라 시험체와 같은 재질 및 지름(外徑)의 것을 사용해도 된다고 규정하고 있다.

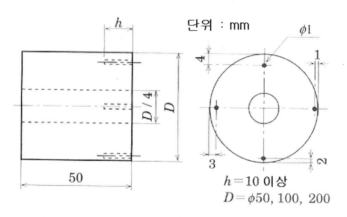

그림 3-35 B형 대비시험편

나. B형 대비시험편의 사용방법

사용방법은 시험편 중앙의 구멍(hole)에 피복된 도체를 편심(偏心)되지 않도록 통과시켜서 배치하고, 전류 관통법으로 자화한다. 그리고 원둘레 면에 자분을 연속법으로 적용하여 원둘레 면 위에 형성되는 인공결함의 자분모양을 관찰함으로써 탐상장치와 자분 및 검사액의 성능을 조사한다. 이 표준결함은 내부결함이기 때문에 탐상장치의 내부결함에 대한 검출성능을 비교 시험할 수 있다. 또한 표면결함(열린 폭이 약 $60\mu m$)에 대한 성능 비교시험의 경우에는 B형 대비시험편의 원둘레 면 중앙부에 A형 표준시험편을 붙여 사용하면 된다.

5. ISO 대비시험편

가. 1형(type 1) 대비시험편

✎ 1) 1형 대비시험편의 종류와 특징

1형 대비시험편(reference block type 1)은 KS B ISO 9934-2-2007 「비파괴검사-자분탐상

검사-제2부 : 검출매체, 부속서 B」에서 규정하고 있는 대비시험편으로, 형상 및 치수 그리고 제작된 시험편에 적용한 예를 **그림 3-36 a)** 및 **b)**에 나타낸다. 대비시험편의 재질은 합금강(90MnCrV8)이며, 연마에 의한 거친(큰) 균열과 응력부식에 의한 미세한 균열을 발생시킨 2종류의 자연균열이 있는 대비시험편이다.

⇖ 2) 1형 대비시험편의 사용방법

이 시험편은 지름 $50mm$, 두께 $9.8mm$ 합금강을 2시간 동안 $860℃$의 온도로 유지시키고, 오일에 담금질하여 표면 경도를 $63\sim70$HRC(Rockwell hardness c scale)한 재료를 **그림 3-36**과 같이 연마균열과 응력부식균열을 발생시킨 것이다. 자분의 형식시험(type testing)과 배치시험(batch testing) 및 사용 중 시험에 사용한다.

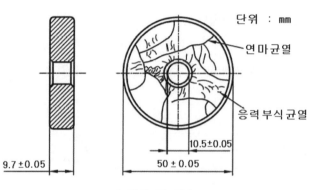

a) 형상 및 치수

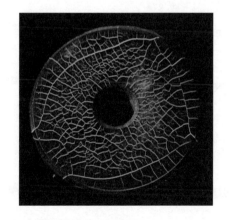

1) 형광자분

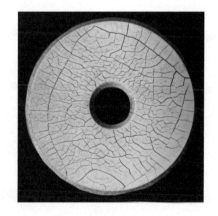

2) 비형광자분

b) 제작된 시험편에 적용한 "예"

그림 3-36 1형 대비시험편

사용방법은 시험편의 구멍에 피복된 도체를 편심(偏心)되지 않도록 통과시키고 전류관통법(직류 1,000A 사용)으로 자화를 하여 영구자석이 되도록 한다. 검출 매체의 평가는 자분모양을 육안검사에 의한 비교 또는 기타 적절한 방법으로 실시한다. 이 시험편을 사용한 경우는 사진 등에 의해 시험결과의 자분모양을 비교하여 변화가 있으면 불합격으로 한다.

나. 2형(type 2) 대비시험편

1) 2형 대비시험편의 종류와 특징

2형 대비시험편(reference block type 2)의 형상 및 치수를 **그림 3-37**에 나타낸다. 이 대비시험편은 **그림 3-37**과 같이 2개의 연강판 및 영구자석을 조합함으로써 외부에서의 자화를 필요로 하지 않고 자체적으로 자계 변화 값을 갖도록 한 장치(bar magnet holder)이다.

2) 2형 대비시험편의 사용방법

이 시험편은 **그림 3-37**과 같이 탈자를 한 연강판($10 \times 10 \times 100mm$) 2개 사이에 두께 $15\mu m$의 알루미늄 박판을 삽입하고 이들 양 옆에 영구자석을 삽입하여 만든 것으로, **그림 3-37**

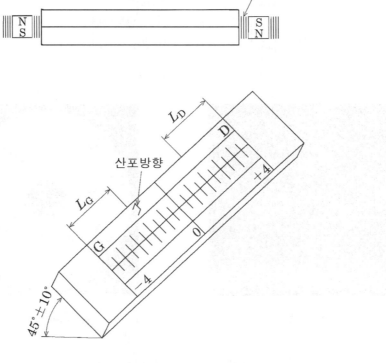

그림 3-37 2형 대비시험편

과 같이 중앙의 "0" 점선을 기준, 좌우로 0.5cm 간격의 눈금선이 그려져 있다. 이 시험편은 자분의 형식시험(type testing)과 배치시험(batch testing) 및 사용 중 시험에 사용한다. 검출매체의 평가는 자분모양의 길이로 평가하며 시험편의 양쪽 끝에서 시작된 자분모양의 길이가 길수록 성능이 좋다는 것을 나타낸다. 결과는 왼쪽과 오른쪽의 자분모양을 합한 길이로 한다.

이 시험편을 사용하는 경우는 자분모양의 길이에 변화가 있으면 불합격으로 한다. 이 시험편은 +4 표시가 +100A/m을 나타내고, -4 표시가 -100A/m 을 나타내도록 교정하여 사용한다.

6. 자분탐상용 ASME 시험편(파이형 자장 지시계)

자분탐상용 ASME 시험편(pie-shaped magnetic particle field indicator ; 파이형 자장 지시계)은 ASTM E 1444와 ASME code에서 채택하여 사용하고 있는 것으로, ASME Sec. V Art. 7에서는 자계의 적정성과 방향을 확인할 필요가 있는 경우에 **그림 3-38** 과 같은 방사상(放射狀)의 스릿트(slit)를 이용한 시험편이 사용되고 있다. 간단히 파이 게이지(pie gauge) 또는 파이형 (자분탐상용) 자장 지시계(pie-shaped magnetic particle field Indicator)라고도 부른다.

구조는 8개의 저탄소강 조각을 약 0.75mm(1/32인치) 이하의 간격으로 노내(爐內)에서 경납 접합하여 윗면에 두께 0.25mm(0.01인치)의 동판을 붙인 것이다. 이 시험편은 일반적으로 파이형 (자분탐상용) 자장 지시계(magnetic particle field Indicator)라 부르고 있지만, 엄연히 ASME code에서 규정하고 있는 표준시험편이므로, 여기서는 자분탐상용 ASME 시험편이라 부르기로 한다.

이 시험편의 사용방법은 시험편을 시험체 표면에 놓고, 자계를 가하면서 자분을 적용했을 때, 시험편의 구리 도금 면의 인공 결함에 뚜렷한 자분의 선이 나타나면 적절한 자계의 세기(강도)가 얻어지는 것이며, 자분의 선이 뚜렷하게 형성되지 않거나 필요한 방향으로 형성되지 않는 경우는 자화방법을 변경하거나 조정해야 한다.

이 시험편은 건식자분과 함께 사용하는 것이 가장 좋다고 권장하고 있다. 이 시험편은 자계의 세기 또는 그 분포를 정량적으로 측정하기 위해 사용하는 것이 아니라 단순히 시험 중에 있는 표면 및 그 부위에서의 자계의 세기 및 방향만을 확인하는데 사용한다. 이 시험편은 조정부가 없기 때문에 자분모양이 나타나는 자계의 세기는 일정하다.

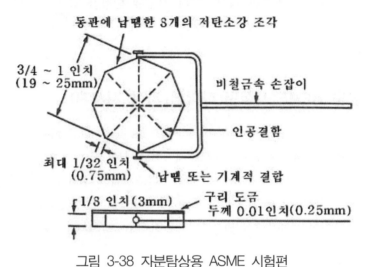

동관에 납땜한 8개의 저탄소강 조각

3/4 ~ 1 인치
(19 ~ 25mm)

비철금속 손잡이

인공결합

최대 1/32 인치
(0.75mm)

납땜 또는 기계적 결합

1/8 인치(3mm)

구리 도금
두께 0.01인치(0.25mm)

그림 3-38 자분탐상용 ASME 시험편

7. 링 시험편(Ring specimen)

그림 3-39에 나타낸 케토스 링 시험편(KETOS(Betz) test ring)은 전류관통법(중심도체 자화법)을 이용하여 건식 또는 습식, 형광 또는 비형광의 자분탐상시험의 종합적인 성능과 감도의 평가 및 비교에 사용되는 시험편이다. 이 시험편의 재질은 ANSI 01 케토스 (KETOS) 공구강으로 어닐링(풀림, annealing)한 환봉(丸棒)을 잘라내어 제작하며, 로크웰 의 B경도는 90~95이다. ASME sec. V art. 7 및 ASTM E 709(자분탐상시험 표준실시 방법)에서 규정하고 있으며, 모양은 **그림 3-39**와 같이 지름은 $125mm$(5인치)이고, 중심 부분에는 $32mm(1\frac{1}{4}$인치)의 구멍이 뚫어져 있으며, 두께는 $22mm$(7/8 인치)인 링 시험편이다. 이 시험편에는 지름 $1.8mm$(0.07인치)의 구멍이 표면에서부터 깊이가 다르게 12개가 관통하고 있다. 그래서 시험 면으로부터 어느 정도 깊이의 인공결함까지 검출 가능한지 여부를 알아보는 시험편이다. 사용방법은 전류 관통법으로 사용하며, 전류 관통봉[길이 는 $400mm$(16인치) 이상은 지름 $25mm$(1인치)를 사용한다. 자분탐상시험 시스템(자분, 장치, 자화방법, 조작순서, 자계의 세기)의 종합적 성능과 감도의 점검은 이 시험편을 사용

하여 지름 $30.2mm$($1 \frac{3}{16}$인치)의 전류 관통봉에 자화전류(FWDC)를 흘리고, 자분을 시험편의 폭 $22mm$($\frac{7}{8}$인치)의 바깥 원둘레에 적용하여 이때 형성되는 원형자화를 이용하여 시험하는데, 링의 바깥 표면에 형성된 자분모양의 수를 관찰하여 사용하는 자분탐상시험 시스템의 상대 감도를 나타낸다.

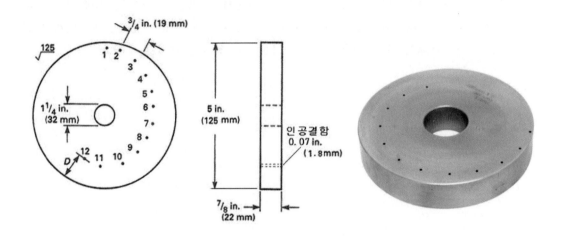

Hole No.	지름 (mm)	깊이 D (mm)
1	1.8 (0.07″)	1.8 (0.07″)
2	1.8 (0.07″)	3.6 (0.14″)
3	1.8 (0.07″)	5.3 (0.21″)
4	1.8 (0.07″)	7.1 (0.28″)
5	1.8 (0.07″)	9.0 (0.35″)
6	1.8 (0.07″)	10.7 (0.42″)
7	1.8 (0.07″)	12.5 (0.49″)
8	1.8 (0.07″)	14.2 (0.56″)
9	1.8 (0.07″)	16.0 (0.63″)
10	1.8 (0.07″)	17.8 (0.70″)
11	1.8 (0.07″)	19.6 (0.77″)
12	1.8 (0.07″)	21.4 (0.84″)

그림 3-39 케토스 링 시험편

자화전류는 1,400A, 2,500A 그리고 3,400A 로 하고, 나타나야 하는 최소한의 구멍에 대한 자분모양은 각각 3개, 5개 그리고 6개 이다. 시험편의 가장자리는 사용하는 자분의 종류에 따라 자외선조사등 또는 전등으로 확인해야 한다. 시험에서 요구되는 구멍의 수가 나타나지 않으면 자분 현탁액, 자화방법, 자화장치 또는 그 조합을 적절히 점검하여 시정하여야 한다. 이 시험은 적어도 1주일에 한번 실시해야 한다.

ASTM E 709에서는 형광 또는 비형광 습식자분을 사용하는 경우, 자화전류(FWDC)에 따라 1,400A에서 3개, 2,500A에서 5개, 3,400A에서 6개의 표면 아래의 구멍에 대한 자분모양이 최소한 나타나야 하며, 건식자분을 사용하는 경우는 자화전류(FWDC)에 따라 500A에서 4개, 900A에서 4개, 1,400A에서 4개, 2,500A에서 6개, 3,400A에서 7개의 표면 아래의 구멍으로부터 자분모양이 최소한 나타나야 한다고 규정하고 있다.

익 힘 문 제

1. 자분탐상장치가 갖추어야 할 기능에 대하여 설명하시오.
2. 교류와 직류 극간식 탐상기의 구조상 다른 점을 설명하시오.
3. 설치형 자화장치의 종류와 종류별로 설명하시오.
4. 자외선 조사장치에 대하여 간단히 설명하시오.
5. 침전관의 사용방법에 대하여 설명하시오.
6. 휴대용 자기 검출기(field indicator)의 사용방법에 대하여 설명하시오.
7. 회전 자계형 극간식 탐상기의 장점에 대하여 설명하시오.
8. 자분의 자기적 성질 중 요구되는 성질에 대하여 설명하시오.
9. 형광 및 비형광자분에 요구되는 검사액의 농도 범위에 대하여 설명하시오.
10. 검사액에 요구되는 성질에 대하여 설명하시오.
11. 분산매에 요구되는 성질에 대하여 설명하시오.
12. 콘트라스트 페인트는 왜 사용하는지에 대하여 설명하시오.
13. 자분탐상시험용 시험편의 사용목적에 대하여 설명하시오.
14. A형 표준시험편의 종류에 대하여 설명하시오.
15. A형 표준시험편의 명칭 A1과 A2에 대하여 비교 설명하시오.
16. A형 표준시험편의 사용방법에 대하여 설명하시오.
17. C형 표준시험편의 사용방법에 대하여 설명하시오.
18. ISO 대비시험편의 1형 및 2형의 사용방법에 대하여 설명하시오.
19. 자분탐상용 ASME시험편을 그린 다음 사용방법에 대하여 설명하시오.
20. 케토스 링 시험편의 사용목적에 대하여 설명하시오.

제 4 장 탐상장치와 재료의 관리

신뢰성이 높은 자분탐상시험을 하기 위해서는 시험체의 자화와 결함에 의한 자분모양의 관찰 그리고 판정하기까지의 탐상작업을 올바른 방법으로 확실하게 해야 한다. 이를 위해서는 사용하는 탐상장치와 재료의 성능이 항상 충분히 제 성능을 발휘하도록 일상점검을 포함하여 확실하게 정비되어 있어야 한다. 또한 탐상작업에 있어서 검사원에 대한 장해예방 또는 시설 내에서의 화재 예방 등의 안전관리도 신뢰성을 확보하는데 있어 중요한 인자가 된다. 여기서는 탐상작업을 위해 일상적으로 관리하는 탐상장치와 재료의 관리방법 및 화재 예방 그리고 검사원의 장해방지에 필요한 안전관리에 대하여 설명하기로 한다.

제 1 절 탐상장치의 관리

자분탐상시험에 사용하는 장치는 대부분이 전기 관련부품과 기계부품들의 조립으로 되어 있으므로, 사용 중에 성능이 저하되고 고장이 발생하게 된다. 이것이 비록 치명적인 고장은 아니더라도 탐상결과에 영향을 미치므로 탐상시험의 신뢰성을 확보할 수 없게 된다. 따라서 장치의 성능이 항상 정상적으로 유지되고, 예측할 수 없는 고장으로부터 작업이 중단되는 일 등을 방지하기 위해서 탐상장치의 관리가 필요하다. 관리방법에는 탐상시험에 앞서 장치의 기능이 시험을 수행하는데 있어 정상적으로 작동하는지를 점검하는 일상점검과 장치가 처음의 기능을 유지하고 있는지를 정기적으로 점검하는 정기점검이 있다. 점검 항목 또는 시기의 설정은 장치의 특성과 시험에 사용하는 빈도 및 품질관리 체제 등에 따라 결정되므로 실시 가능한 작업계획에 의해 적절한 관리방식을 설정하면 된다. **표 4-1**에 기자재의 점검 항목과 그 주기에 대하여 ASTM E 709(ASME SE 709)를 참고로 한 사례를 나타낸다.

1. 일상점검

일상점검(日常點檢)은 탐상시험을 시작하기에 앞서 장치의 기능 및 종합성능을 점검하여, 탐상시험이 정상적으로 실시 가능한지를 조사하기 위한 것이다. 경우에 따라서는 시험이 끝난 후에 점검하는 경우도 있지만, 일상점검이므로 이를 매일 확실하게 실시하면, 웬

만한 사고가 아닌 한 장치의 치명적인 고장을 사전에 방지할 수 있게 된다. 일상점검에서 이상(異狀)이 확인 된 경우에는 정기점검(定期點檢)의 항에서 제시하는 점검을 전문가에게 의뢰하여 실시하고, 그 결과에 따라 적합한 조치를 하는 관리방식을 설정하는 것이 바람직하다. 그러나 너무 항목을 세분하면 일상의 작업에 차질이 생길 수도 있으므로 충분히 검토한 후 점검 항목 및 점검 방법을 결정해야 한다.

표 4-1 기자재 점검항목과 그 주기

No.	점검 항목	최대 주기
1	탐상장치의 동작 기능 점검	1일(매일)
2	탐상장치의 종합 성능 점검	1일
3	자외선조사등 · 필터 오염 파손 점검	1일
4	검사액 농도 점검	1일
5	검사액의 적심성 점검	1일
6	자외선조사등의 자외선 강도 점검	1주일(매주)
7	검사장소의 조도(照度) 점검(비형광 자분)	1주일
8	검사장소의 조도(照度) 점검(형광 자분)	1주일
9	검사액의 오염도 점검	1주일
10	탐상장치의 절연 저항의 점검	6개월
11	전기회로의 점검	6개월
12	타이머(timer)의 정밀도 점검	6개월
13	전류계의 정밀도 점검	6개월
14	극간식 자화기의 전자속(全磁束) 점검	6개월

가. 탐상장치의 작동 기능

장치에 전원을 넣은 다음, 각 기능부분이 정상적으로 작동하는지를 점검한다. 이 점검은 육안에 의한 겉모양의 점검이 대부분이지만, 회전부분과 주행부분 또는 전기적 접속부분에 대해서는 작동 시의 이상한 소리나 평소와 다른 진동 또는 이상한 열의 발생 등을 확인하는 것이 탐상장치의 일상점검으로 실시한다. 이 점검은 작업을 시작하면서 작동 상황을 확인하고자 실시하는 것이다.

나. 탐상장치의 종합 성능

이 점검은 자화조작에서부터 자분모양의 관찰에 이르기까지 정해진 조작방법으로 늘 사용하고 있는 모든 기자재에 대하여 실시하는 것으로, 탐상장치 뿐만 아니라 탐상에 필요한 모든 기구와 부속품, 검사액 등 종합적인 성능점검을 하는 것이다. 탐상장치의 부속품인 전류 관통봉을 접촉판(head)에 설치하고, A형 표준시험편과 B형 대비시험편을 이용하여 **그림 4-1**과 같이 장치의 정해진 조건으로 시험조작을 하여 이것에 의해 얻어진 자분모양을 관찰한다. 여기서 정해진 조건이란 장치를 구입했을 때, 일상점검 또는 정기점검을 위하여 설정한 어느 일정한 조건을 말한다. 그러므로 자분모양의 관찰은 장치를 구입했을 때 설정한 조건으로 전사하여 기록해 둔 자분모양과 비교하여 실시한다.

이 방법은 탐상장치의 종합적인 성능을 점검하는 것이므로, 소정의 성능이 얻어지지 않을 경우에는 자화전류와 검사액 또는 자외선조사등의 자외선 강도 등을 조사해야 한다. 그리고 점검용의 시험체로 A형 표준시험편 및 B형 대비시험편의 조합뿐만 아니라 실제로 시험체에 A형 표준시험편을 부착하여 실시해도 된다. 또한 일반 탐상작업에서 검출된 것으로, 실제로 검출해야 할 최소의 결함을 가진 시험체를 이용해도 된다. 휴대형 극간식 탐상기의 경우는 종합 성능시험으로서 일정한 조건 하에서 탐상유효범위를 확인해도 된다. 그러나 일상점검을 매일 작업 전에 실시하는 것은 다소 번잡하게 될 우려가 있다.

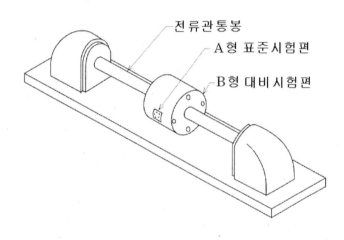

전류관통봉
A형 표준시험편
B형 대비시험편

그림 4-1 탐상장치의 종합 성능 점검의 설정

다. 자외선조사등의 점검

자외선조사등의 광원이 안정된 후(점등 후 최저 15분간은 필요) 자외선 강도계를 사용하여, 필터 면에서 수직으로 38cm의 거리에서의 강도를 측정한다. 이때 측정점에서의 자외선 강도는 $1,000\mu W/cm^2$(KS D 0213-1994에서는 $800\mu W/cm^2$) 이상이 표준이다. 자외선 강도의 저하는 청소불량에 의한 경우가 많이 있으므로, 사용상황에 따라 때때로 필터를 떼어내어 필터의 앞, 뒤면, 수은등의 앞면 및 조사등의 내부(반사판)를 깨끗이 청소해야 한다. 청소할 때에는 수은등 및 필터에는 직접 손이 접촉되지 않게 하고, 부드러운 천 등으로 잘 닦고, 심한 진동이나 충격을 주지 않도록 주의해야 한다. 소등(消燈)한 후는 필터나 수은등이 고온으로 상당히 뜨거워서 화상(火傷)을 입을 위험이 있으므로 방치하여 냉각시킨 후 청소를 해야 한다. 청소를 한 후 다시 점등, 똑같은 방법으로 자외선 강도를 측정하여 규정된 강도가 얻어지지 않을 경우에는 수은등의 교환 등의 조치를 해야 한다. 그리고 필터가 파손되어 있는 경우에는 그 틈으로 자외선뿐만 아니라 백색광도 조사되어 자분모양의 관찰을 방해하므로 즉시 교환해야 한다.

2. 검사장소의 밝기와 어둡기의 점검

비형광 자분을 사용하여 자분탐상시험을 하는 경우, 검사장소가 충분한 밝기인지 여부를 확인해야 한다. 확인은 관리되고 있는 조도계를 사용하여 시험 면에서의 백색광의 조도를 측정한다. 이때의 조도는 KS D 0213 1994에서는 500룩스(ℓ x) 이상으로 규정하고 있다. 만일 규정된 조도가 얻어지지 않을 경우에는 검사실의 조명을 밝게 하거나, 조명을 시험체 가까이 할 수 있는 보조용의 휴대형 조명등을 사용하는 등의 대책을 강구해야 한다.

형광자분을 사용하는 경우에는 검사장소를 어둡게 하고 실내 밝기를 확인해야 한다. 관리되고 있는 조도계를 사용하여 시험 면에서의 백색광의 조도를 측정한다. 이때의 조도는 20룩스(ℓ x) 이하로 규정하고 있다. 이는 주위에 있는 물체의 윤곽을 알 수 있는 정도의 어둡기이다. 특히 미세한 결함을 검출 대상으로 할 때에는 자외선 강도의 관리뿐만 아니라 이 환경에 따른 밝기도 관리해야 한다.

3. 정기점검

장치는 사용함에 따라 당연히 기능의 열화와 저하가 예상된다. 그러나 그 정도는 사용빈도에 따라 다르기 때문에 정기적으로 장치를 점검하여 구입 시의 기능이 유지되고 있는지를 확인해야 하는데, 이 점검이 정기점검이다. 이 점검을 위해서는 초기조건을 기록해 두는 것이 필요한데, A형 표준시험편 또는 C형 표준시험편을 사용하여 자화전류, 통전시간, 검사액 산포의 타이밍과 시간, 검사액 농도, 탐상 부위에서의 자외선조사등의 강도 등 작업절차서의 시험조건과 이것에 의해 얻어진 자분모양을 보존해 두어야 한다.

가. 설치형 자분탐상장치

정기점검을 적절하고도 확실하게 관리방식을 설정하여 실시하면 일상점검과 같이 치명적인 고장을 사전에 방지할 수 있으나, 이러한 관리방식도 장치 구입 시의 최소한 정기점검과 같은 정도 또는 그 이상의 항목에 대하여 조사하지 않으면 아무리 적절한 정기점검 방법을 설정하더라도 제 기능을 확보하기는 어렵다. 보통 정기점검은 전기관련 기기의 점검이 포함되어 있으므로 필요하면 전문가에게 의뢰하여 실시해야 한다. 여기서는 일반적으로 실시되는 다음 정기점검 항목에 대하여 설명한다.

🖐 1) 절연 저항의 점검

절연 저항 측정기를 사용하여 다음 구성부분의 절연 저항을 측정한다.
① 입력 쪽과 접지(earth)와의 사이
② 변압기(transformer)와 접지와의 사이
③ 출력 쪽(코일, 접촉기도 포함)과 장치의 본체와의 사이
각각의 표준적인 절연 저항값은 2MΩ 이상으로 하고, 절연 불량일 때는 수리 및 조정을 해야 한다.

🖐 2) 전기회로의 점검

이 점검은 탐상장치의 전기적 구성부분의 기능을 점검하는 것으로, 장치의 최대 정격으로 작동시켜서 모든 구성부분이 이상(異常)없이 작동하는지를 점검한다. 이때 계전기(relay), 변압기(transformer), 전류 조정기(current regulator), 정류기(rectifier), 케이블 등의 온도 상승을 온도계로 측정하여, 각 구성부분이 이상하게 발열(發熱)하는지 여부를 점검한다. 이 점검에서는 특히 출력 쪽 케이블의 접속상태가 불량한 경우는 스파-크(spark)가 발생하므로 주의해야 한다. 이 점검에서 각 구성부분에 이상한 온도 상승 또는 이상한 음(音)의 발생 등 어떤 이상이 확인되면 즉시 점검을 중단하고, 이상 부위를 명시하여 수리를 의뢰하면 신속한 수리에 도움이 된다.

🖐 3) 타이머의 정밀도 점검

이 점검은 자화장치 또는 탈자장치의 타이머(timer)의 정밀도를 점검하는 것으로, 측정은 제어판의 타이머 회로에 사이클 카운터(cycle counter)를 접속하여, 장치의 타이머 설정시간의 최고값까지의 임의의 3점 이상에서 실시한다. 타이머의 표준 허용 오차범위는 각 측정점 시간의 ± 10%로 되어 있다.

🖐 4) 교류 자화전류계의 정밀도 점검

이 점검은 장치의 교류 자화전류계의 정밀도를 측정하기 위한 것으로, 계측관리의 일환

으로 실시한다. 점검방법은 장치의 전극판 접촉기에 구리(銅)봉을 매개로 변류기(current transformer)와 표준 교류 전류계를 **그림 4-2** 와 같이 설치한다. 장치의 자화 통전 타이머를 3~5초로 설정하고, 자화전류를 "0"에서부터 장치의 최대 정격치 사이에서 등간격(等間隔)으로 3 측정점 이상을 미리 정해 놓고, 각각의 측정점에서 자화전류치를 통전하여 이때의 표준 교류전류계의 지시를 읽는다. 표준 교류전류계의 지시는 실효치로 표시되어 있기 때문에, 파고치를 이용하는 경우에는 장치의 정류방식에 따라 **표 4-2**에 나타낸 관계를 이용하여 환산하면 된다(KS B ISO 9934-1-2006 에서는 기본적으로 실효치의 사용을 규정하고 있다). 이 값과 자화장치의 전류지시치를 비교하여 정밀도를 구한다. 탐상장치의 전류계의 정밀도는 일반적으로 ± 10%이다. 전류계의 정밀도가 허용치로부터 벗어난 경우는 수리하거나 교환해야 한다.

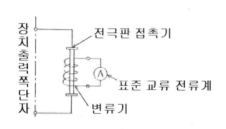

그림 4-2 교류 자화 전류계의
정밀도 점검 회로도

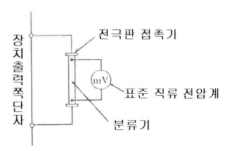

그림 4-3 맥류 자화 전류계의
정밀도 점검 회로도

✎ 5) 맥류 자화전류계의 정밀도 점검

이 점검은 장치의 맥류 자화전류계의 정밀도를 측정하기 위한 것으로, 계측관리의 일환으로 실시한다. 점검방법은 장치의 전극판 접촉기에 분류기(shunt)와 표준 직류 전압계를 **그림 4-3** 과 같이 설치한다. 장치의 자화 통전 타이머를 3~5초로 설정하고, 자화전류를 "0"에서부터 장치의 최대 정격치 사이에서 등간격으로 3점 이상을 미리 결정해 놓고, 각각의 측정점에서 자화전류를 통전하여, 분류기 출력 쪽의 표준 직류전압계의 지시치를 읽는다. 그래서 이 지시치로부터 분류기 입력 쪽의 전류치를 비례 계산에 의해 구한다. 분류기 출력 쪽의 표준 직류 전압계의 지시치는 평균치로 표시되므로 파고치를 이용하는 경우에는 장치의 정류방식에 따라 **표 4-2**에 나타낸 관계를 이용하여 환산하면 된다(KS B ISO 9934-1-2006 에서는 기본적으로 실효치의 사용을 규정하고 있다). 이 값과 자화장치의 전류계 지시치와 비교하여 정밀도를 구한다. 이 경우에도 자화전류치의 정밀도는 ± 10%이다. 자화장치의 전류계의 정밀도가 허용치에서 벗어난 경우는 수리하거나 교환해야 한다.

표 4-2 다양한 정현파의 전류파형에 대한 최대치, 평균치 및 실효치 사이의 관계

전류파형		최대값	평균치	실효치	실효치/평균치
교류		I	0	$0.707I$ $(=\dfrac{I}{\sqrt{2}})$	-
단상반파정류		I	$0.318I$ $(=\dfrac{I}{\pi})$	$0.5I$	1.57
단상전파정류		I	$0.637I$ $(=\dfrac{2I}{\pi})$	$0.707I$ $(=\dfrac{I}{\sqrt{2}})$	1.11
삼상반파정류		I	$0.826I$	$0.840I$	1.02
삼상전파정류		I	$0.955I$ $(=\dfrac{3I}{\pi})$	-	-

나. 극간식 탐상기

극간식 탐상기(자화기)의 동작상태를 점검할 때는 자극 사이에 철편 등을 붙여, 자계를 폐회로로 하고 실시해야 한다. 또한 절연 저항의 점검은 앞에서 설명한 것과 같이 실시하며, 습식법으로 장시간 사용하는 경우의 절연 저하(低下)는 검사원의 안전을 위하여 반드시 실시해야 한다. 극간식 탐상기의 절연 저항은 입력 커넥터와 철심사이를 측정한다.

↪ 1) 전자속의 측정

이 점검은 극간식 자화기의 자화능력 또는 장치의 경년변화를 조사할 목적으로 전자속(全磁束, total magnetic flux)을 측정하는 것으로, 점검에 필요한 측정기구와 점검방법은 다음과 같다.

가) 측정용 기구
　① 교류 자속계
　② 측정코일

나) 점검방법

　측정상황을 **그림 4-4** 에 나타낸다. 점검방법은 재질이 연강(軟鋼)으로, 두께 $9mm$이고, 폭과 길이가 $400mm$ 인 강판의 중앙부에 측정코일(search coil)을 N회 감고, 교류 자속계(flux meter)에 접속한다. 그리고 측정코일이 탐상기의 중앙부가 되도록 탐상기를 설치한다. 탐상기에 통전했을 때 강판에 흐르는 전자속을 교류 자속계로 측정하여, 이 값을 탐상기의 전자속으로 한다.

　강판의 크기가 작으면 자속은 강판 속을 흐르기 어렵게 되어 탐상기의 자속은 공중으로 누설되어 정확한 계측을 할 수 없으므로 강판의 크기 및 재질에 대해서는 주의가 필요하다.

　극간식 탐상기의 전자속은 장치에 따라 다르지만, 일반적으로 구입 시의 정격치(定格値)에 대하여 -10% 이상이 되면 수리하거나 폐기해야 한다. 교류 자속계가 없는 경우는 측정코일에 발생하는 전압을 표준 교류 전압계(voltmeter)로 측정하여 다음 식을 이용하여 전자속 ϕ 를 구한다.

$$\phi = \sqrt{2}\, V/2\pi f N \quad\cdots\cdots\cdots\cdots\cdots\cdots\cdots\cdots\cdots\cdots\cdots\cdots\cdots\cdots\cdots\cdots\cdots\cdots\cdots\cdots (4.\ 1)$$

　여기서 V : 표준 교류 전압계의 지시치(실효치), f : 전원의 주파수(Hz), 그리고 N : 측정코일의 감은 수(회)이다.

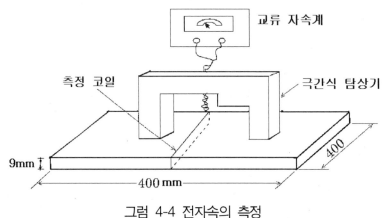

그림 4-4 전자속의 측정

2) 인상력의 측정

이 점검은 극간식 자화기의 자화능력이나 장치의 경년변화를 조사할 목적으로 측정하는 것으로 리프팅 파워, 즉 인상력(lifting power)을 측정하는 것으로, 점검에 필요한 측정기구와 점검방법은 다음과 같다.

가) 측정용 기구
　① 측정용 설치대
　　　인상력은 추(錘, weight)가 낙하할 때까지 중량을 늘려가기 때문에 위험을 방지할 목적으로 **그림 4-5** 와 같이 구조물(측정용 설치대)을 설치한다.
　② 강판 [재질, $S\ 20\ C,\ W150 \times L300 \times T20\ (mm)$]
　　　장치의 극 사이를 폐자로(閉磁路, closed magnetic circuit)로 하고서 추를 달아맨다.
　③ 추 받침대
　④ 추(weight) - 시판되고 있는 저울용 추를 이용해도 된다.
　⑤ 수평기(= 水準器)

나) 점검방법
　그림 4-5 와 같이 측정용 설치대에 극간식 탐상기와 추 받침대를 설치한다. 이때 극 사이의 폐회로(閉回路)와 추를 달아매는 강판이 자극에 완전히 밀착되고 수평이 되도록 하지 않으면 추가 낙하할 우려가 있으므로 수평기(= 水準器)를 이용하여 수평을 맞춰야 한다. 그리고 통전하여 추 받침대에 추를 하나, 둘 차례로 얹어가면서 극 사이를 폐회로로

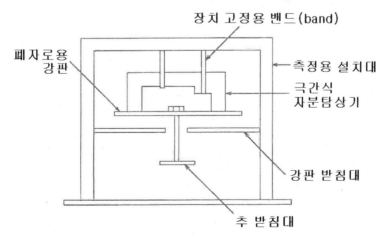

그림 4-5 인상력(Lifting power) 측정장치

만든 강판이 추 받침대와 함께 낙하할 때까지 중량을 조금씩 증가시킨다. 그래서 강판이
낙하했을 때의 강판, 추 받침대, 추 등의 총 중량(낙하된 때 얹은 중량은 포함하지 않는다)
이 탐상기의 인상력이 된다.

　　ASME code에서는 교류 극간식 탐상기의 인상력을 10파운드(약 4.5kg)이상으로 규정하
고 있지만, 인상력은 장치에 따라 다르므로, 정기점검에 있어서는 일반적으로 장치 구입
시의 정격치에 대해 -10 %의 범위에서 인상력의 하한을 정하고 있다. 따라서 측정한 값이
허용된 값의 이하일 때는 수리하거나 폐기해야 한다. 또한 ASME SE 709에서는 **표 4-3** 과
같은 극간식 탐상기의 최소 인상력을 규정하고 있다.

표 4-3 극간식 탐상기(yoke)의 최소 인상력

전류의 종류	극간식 탐상기의 극간 거리	
	$50 \sim 100mm$(2~4 인치)	$100 \sim 150mm$(4~6 인치)
교류 （AC）	$45N$ (10 lb)	-
직류 （DC）	$135N$ (30 lb)	$225N$ (50 lb)

제 2 절 탐상 재료의 관리

자분탐상시험에 사용하는 탐상재료에는 자분과 검사액이 있다. 자분탐상시험은 자분모양으로 결함을 검출하는 것이므로, 아무리 적절한 방법으로 시험체를 자화해도 적용하는 자분의 성능이 우수하지 않으면 확실한 자분모양이 얻어지지 않는다. 적용하는 자분은 시험체의 표면상황, 결함의 성질 및 사용하는 조건에 따라 적당한 자성(磁性), 입도(粒度), 분산성(分散性), 현탁성(懸濁性) 및 색채(色彩) 또는 형광 휘도를 갖고 있는 것이어야 한다. 그러므로 시험을 실시할 때에는 이들 조건에 대하여 가장 적당한 성능을 가진 자분을 선택하고, 사용 중에는 초기의 성능이 확보되도록 해야 한다. 그리고 관리방법으로는 보통은 일상점검에 의한 방법이 고려되지만 이 점검항목 및 점검시기에 대해서는 탐상장치의 관리와 마찬가지로 자분의 특성, 시험에 사용하는 빈도(頻度)와 상태 및 품질관리 체제 등에 따라 실시 가능한 관리방식을 설정하면 된다.

1. 자분의 성능 점검

건식법으로 자분을 사용할 때는 대부분 깨끗한 새 자분을 사용하며, 한번 시험체에 산포했던 자분을 회수하여 다시 사용하지는 않는다. 그러므로 사용 중에 그 성능의 열화에 대하여 고려하지 않아도 되지만, 보통 산포기에 넣어 적용하므로 불필요하게 대량의 자분을 산포기에 넣어 놓고서 방치해 두면 습기로 인하여 응집되어 공기 중으로의 산포성이 나빠지게 된다. 또한 건식용 및 습식용 모두 자분의 보관방법 및 그 취급방법에 따라서는 습기 등으로 응집되거나 분산성이 나빠지기도 한다. 경우에 따라서는 착색제 또는 형광제가 벗겨져서 색상 또는 형광 휘도의 저하를 일으키기도 하므로, 사용 전 또는 검사액을 만들 때에 그 상태를 확인해야 한다.

점검방법은 접시와 같은 용기 및 포장지 등에 사용 중 또는 보관 중의 자분을 소량 채취하여, 육안으로 습기를 띠고 있는 정도, 응집의 정도 또는 착색제의 변색 정도를 점검하고, 형광 자분의 경우는 형광제의 벗겨짐(剝離)의 정도 및 형광 휘도의 상태를 점검한다. 이러한 점검으로 이상이 확인된 자분은 사용을 하지 말고, 새로운 자분으로 교환한다. 다만 이상이 확인된 자분이라도 웬만한 사유가 없는 한 즉시 폐기하지 말고, 필요에 따라 정확한 성능시험을 하여, 그 결과에 따라 처리하는 것이 바람직하다.

2. 검사액의 성능 점검

습식법에 사용하는 검사액은 시험장치의 규모에 따라 그 성능의 열화 과정과 정도가 다르다. 즉 대형 탐상장치에서 펌프로 검사액을 순환 또는 교반하는 경우는 검사액을 반복하여 사용하며 또한 순환장치 및 시험체에 산포로 인하여 받는 기계적인 충격이 열화를 촉진하므로, 매일 점검하고 관리해야 한다. 그러나 소형의 간편한 산포기를 사용하는 경우는 검사액을 회수하지 않고, 항상 깨끗한 새 자분을 사용하므로 농도 이외는 점검항목을 생략해도 된다. 일반적으로 점검항목은 검사액 농도 및 착색제와 형광제의 벗겨짐의 정도와 빛깔, 형광 휘도 및 이물질, 오염물 등의 불순물의 혼입, 자성, 흡착성, 검사액의 적심성 및 점도 등을 들 수 있다.

가. 검사액 농도의 점검

검사액 농도란 검사액을 만들 때에 저울로 측정한 자분의 양을 가리키는 것이 아니라, 시험 면에 실제로 적용한 상태에서의 검사액 속에 분산되어 있는 자분의 량을 말한다. 검사액 농도의 적정량이 정해진 후에는 작업 전에 일상점검에 의해 농도를 확인해야 한다. 측정방법은 미리 잘 교반하여 현탁시킨 검사액을 ASTM D 1796 -1983 및 ASTM D 96-1988 에서 규정하는 침전관(centrifuge tube, **그림 3-27** 참조)에 의한 침전시험(settling test)으로 구하며, 방법은 산포 노즐을 이용하여 100mℓ를 채취하고, 이것을 30분간 일정한 곳에 놓아둔 후 침전관 바닥에 침전된 자분 량의 용적으로 구한다. 이 용적을 검사액의 농도로서 표시하므로, 이것이 소정의 농도를 유지하고 있는지 여부를 점검하면 된다. 이 검사액 농도를 정확히 조사하기 위해서는 자분의 종류에 따라 고유의 검량선을 **그림 4-6** 과 같이 구해 놓으면 편리하다.

검사액 농도의 표시는 100mℓ 당의 침전 용적 또는 검량선으로부터 구한 1ℓ 당의 자분 분산량으로 해도 된다. 검사액의 농도가 적합한지 여부는 자분의 종류, 시험의 목적 등에 따라 다르며, 그 한계는 간단히 결정하기는 어렵지만, 일반적으로는 소정 농도의 -20% 정도가 타당한 관리점으로 알려져 있다.

또한 새로운 검사액을 만들 때 침전관에 100mℓ를 채취하여 보관해 두었다가, 이것과 비교하는 방법도 있다. 이것은 오염상태, 착색제, 형광제의 벗겨짐, 형광 휘도 등의 점검에도 사용할 수 있어 편리하다.

이 점검에 의해 검사액 농도가 규정 값보다도 저하되어 있을 때에는 규정 농도가 되도록 자분을 보충하면 되지

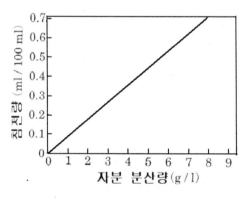

그림 4-6 검사액의 검량선도

만, 열화(劣化, degradation)가 수반된 경우에는 폐기하고 새 검사액을 만들어야 한다.

나. 검사액의 외관검사

이 점검은 검사액 속의 자분의 착색제와 형광제의 벗겨짐의 정도, 색상 및 형광 휘도와 더불어 불순물의 혼입에 의한 오염 정도 등을 조사하는 것으로, 점검 시에 채취한 검사액을 백색광 또는 자외선 아래에서 육안으로서 점검한다. 이 점검으로 적합한지 여부를 판단하는 것은 매우 어렵지만, 정확한 조사방법으로는 검사액을 만들 때에 소량의 검사액(표본)을 채취해 둔 검사액과 비교하면 된다.

이 점검에 의해 침전물이 층을 이루어 분리되는 등의 이상이 확인되면 즉시 폐기하고, 새 검사액으로 교환해야 한다.

다. 검사액의 성능 점검

이 점검은 검사액 속의 자분이 뚜렷한 자분모양을 형성하는 능력을 조사하는 것으로, 탐상장치의 종합성능 점검방법에 의하여, B형 대비시험편 위에 A형 표준시험편을 붙이고 탐상조작을 하여 자분모양을 관찰하고, 그 적합 여부를 조사하면 된다.

이 점검에 의해 성능의 열화가 확인되면 즉시 폐기하고, 새 검사액으로 교환해야 한다.

라. 검사액의 적심성 점검

이 점검은 물을 분산매로 한 검사액의 시험 면에 대한 적심성을 점검하는 것으로, 물 튀김시험이라고도 부른다. 물을 분산매로 한 검사액에서는 사용 중에 시험체에 자분만이 흡착되어 감소하는 것이 아니라 검사액과 함께 계면활성제도 흡착되어 감소하여 적심성이 나빠지게 된다. 이 때문에 시험체와 같은 표면상태의 시험체를 준비하여 이것이 보통 검사액의 적용상태에서 완전히 적셔지는지를 확인할 목적으로 실시한다. 물 튀김 등이 확인되는 경우는 계면활성제를 적당량 추가하여 적심성을 확보해야 한다.

마. 검사액의 점도시험

이 점검은 등유 등을 분산매로 한 검사액의 점성(粘性, viscosity)을 조사할 목적으로 실시한다. 검사액의 동적점도(= 動粘性, kinematic viscosity)는 KS B ISO 9934-2-2007에서는 20℃ ± 2℃에서 5mPa·s 를 초과해서는 안 된다고 규정하고 있다.

제 3 절 안전 관리

자분탐상시험에서 안전관리 상 가장 주의해야 할 것은 감전사고(感電事故)이다. 감전사고는 전기에 대한 상식이 부족한 검사원이 장치에 전원을 연결하거나 차단하는 과정에서 전기 기술자의 도움없이 무리하게 취급하거나 또는 실수로 인하여 발생한다. 감전사고를 예방하기 위해서는 반드시 전기 기술자의 도움을 받거나 필요한 최소한의 필요한 일상점검을 반드시 실시하고 나서 작업을 해야 한다. 여기서는 안전하게 작업하기 위해서는 어떻게 해야 하는지의 그 대책과 문제점에 대해서 설명한다.

① 장치의 전기회로를 점검하여 전기적 단락(短絡)이 없는지 확인하고, 전기부품의 열화 상황을 파악하여 중대한 고장이 발생하기 전에 보수나 교환 등의 조치를 해야 한다.

② 자분은 수 μm 정도 크기의 미세한 철분이기 때문에, 취급방법에 따라서는 분진이 공기 중에 떠다니기도 한다. 이것을 흡입하게 되면 건강상 좋지 않으므로, 검사액을 만들 때 또는 건식자분을 사용하여 시험을 할 때는 충분한 방진 대책을 세워야 한다.

③ 습식법에서 등유 등의 가연성 액체를 사용하는 경우는 주변에서의 화기 취급과 환기에 주의해야 한다. 가연성이 있는 등유 등은 소방법의 위험물에 해당하여 보관 및 사용량이 지정되어 있으므로 주의해야 한다.

④ 형광 자분을 사용할 때는 장시간 자외선조사등 아래에서 작업을 하기 때문에 자외선이 직접 눈 및 피부에 쪼이지 않도록 방호 대책을 세워야 한다.

익 힘 문 제

1. ASTM E 709에서 규정하는 기자재의 점검항목과 그 주기에 대하여 설명하시오.
2. 탐상기를 포함한 탐상재료 중 일일 점검해야 할 품목에 대하여 설명하시오.
3. 탐상장치의 종합 성능 점검방법에 대하여 설명하시오.
4. 자외선조사등의 점검방법에 대하여 설명하시오.
5. 검사장소의 밝기와 어둡기의 점검에 대하여 설명하시오.
6. 자분 및 검사액의 성능 점검방법에 대하여 설명하시오.
7. 검사액의 농도 점검에 대하여 설명하시오.
8. 침전시험에 대하여 설명하시오.
9. 검사액의 외관 점검에 대하여 설명하시오.
10. 자분탐상시험에서 안전하게 작업하기 위한 대책과 문제점에 대해서 설명하시오.

제 5 장 자분모양의 해석과 평가

자분탐상시험에서 불연속(결함)에 의한 자분모양이 나타났을 때 그 모양이 무슨 결함인
지는 자분모양만으로는 알 수 없다. 그러나 검사원이 결함의 유해성과 시험체의 제조방법
및 공정, 결함의 발생시기 그리고 결함이 시험체의 성능에 미치는 영향 등에 대한 충분한
지식을 갖추고 있다면 그 결함이 어떠한 결함인지를 알 수 있게 된다. 여기서는 결함의 유
해성과 자분모양의 해석과 평가에 대하여 설명한다.

제 1 절 결함의 유해성

재료 및 시험체에 결함(flaw)이 있으면 단면적이 감소한다. 또한 시험체 속에 존재하는
구멍과 홈(groove) 및 파인 부분 등도 단면적을 감소시키는데, 이들을 통털어 노치(notch)
라 한다. 이와 같은 노치가 있으면 단면적이 감소하기 때문에, 이 부분의 응력은 커지게
된다. 이 이외에 노치가 있으면 다음과 같은 현상이 일어난다. **그림 5-1** 과 같이 V자 모
양의 노치에 대하여 예를 들어 설명한다. 노치의 깊이를 t, 그리고 노치 바닥의 곡률 반지
름을 ρ라 하면, 노치의 바닥 부근의 응력(**그림 5-1** 에는 $t/\rho \fallingdotseq 6$인 경우이다)은 노치의
바닥에서 멀리 떨어진 장소의 응력(σ_n ; 이것을 이 단면적에 대한 공칭 응력이라 함) 보다
도 크다. 이러한 현상을 응력집중(stress concentration)이라 한다. 또한 응력집중부에 생긴
최대 응력을 σ_n 으로 나눈 값을 응력집중계수(stress concentration factor, α로 표시한다)
라 하며(**그림 5-1** 의 경우에는 α 는 약 6이 된다), 응력집중의 정도를 나타낸다. 응력집
중계수는 노치가 깊고 예리(ρ가 작다)할수록 크게 된다.

재료는 각각 고유의 강도[예를 들면 일반 구조용 압연강재 SS 400의 인장강도(tensile
strength)는 400~510MPa 이라고 KS 에서는 규정하고 있다]를 지니고 있기 때문에 재료에
작용하는 응력이 재료의 강도보다도 크게 되면 그 부분에는 균열(crack)이 발생한다. 균열
이 발생한 후에도 응력이 계속 작용하게 되면 균열은 점차로 진전되어 마침내는 파괴에
이른다. 이러한 노치가 있으면 재료와 시험체의 강도가 저하되거나 구조물의 건전성 등에
영향을 미친다.

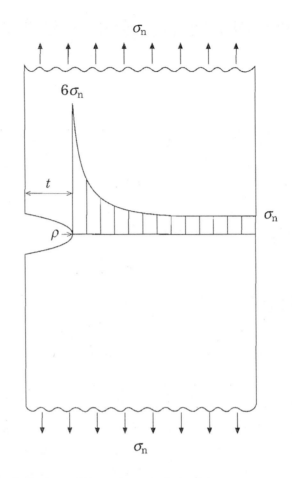

그림 5-1 판 속의 V 자형 노치 근방의 응력분포($t/\rho \fallingdotseq 6$의 경우)

결함은 구조물 등의 응력상태나 사용환경에 따라 성장하여 손상을 일으키거나 경우에 따라서는 파괴를 초래하는 유해한 결함(이것을 결함이라 함)과 그 자체로는 특별히 나쁜 영향을 미치지 않는 흠으로 분류된다. 비파괴시험에 의해 검출된 흠을 결함(※ 참고)이라 판단할지 여부는 시방서, 규격 또는 기준 등에 따라 행하는 것이 보통이다. 결함 중에서 재료의 강도에 영향을 미치는 가장 중대한 것은 균열(crack)이다. 이 균열의 끝은 아주 날카롭고, 그림 5-1 의 ρ가 아주 작으므로, 그다지 깊이가 깊지 않더라도 응력 집중계수가 아주 커져서 이러한 곳에 응력이 작용하면 균열이 진전되기 쉬워 파괴에 이를 위험성이 커지게 된다. 그런데 결함이 발생하는 곳은 재료 표면과 재료 내부로 크게 나누어지므로, 표면이 열린 결함과 내부에 있는 결함을 비교하면 재료에 작용하는 평균적인 응력이 똑같고 결함의 형상과 치수가 같다면, 표면이 열려있는 결함이 재료의 강도에 미치는 영향은 더 크며, 파괴에 이를 위험성도 높다. 자분탐상시험을 이용하면 이러한 재료의 표면이 열려있거나 또는 표면 부근에 존재하는 균열모양의 결함을 검출하기 쉬우므로, 강자성체인 강 제품의 구조물 등의 탐상에 널리 적용되고 있다.

■ **참고 :**

한국산업규격 등에서 규정하고 있는 결함과 관련된 용어

o 결함(defect) : 크기, 형상, 방향, 위치 또는 특성이 규격 및 시방서 등에서 규정하고 있는 판정기준을 초과하는 흠으로 불합격되는 결함.

o 흠(flaw) : 비파괴시험에 의해 검출된 불완전 또는 불연속부.

o 불연속부(discontinuity) : 비파괴시험에서 지시가 결함, 조직, 형상 등의 영향에 의해 건전부와 다르게 나타나는 부분.

o 건전부(sound area) : 시험체가 비파괴시험의 지시로부터 이상이 없다고 판정된 부분.

o 지시모양(indication) : 비파괴시험에서 시험체 위에 나타나는 모양. 자분탐상시험에서는 자분모양이라 부른다.

o 판정기준(acceptance criteria) : 비파괴시험에 의해 검출된 결함이 치수 . 위치 또는 종류 등을 고려하여 사용상 유해한지 여부를 결정하는 기준.

제 2 절 자분모양의 해석과 평가

1. 자분모양의 해석

자분모양의 해석이란 자분모양이 나타나면 자분모양의 발생상황으로부터 그 발생 원인을 고려하여 합격·불합격 기준에 따라 합부 판정의 대상이 되는 불연속부에 의한 자분모양인지 여부를 결정하는 것을 말한다. 자분모양의 해석에 있어서 가장 중요한 것은 자분모양이 나타났다고 해서 곧바로 재료, 부품, 구조물 등의 실용성에 영향을 미치는 유해(有害)한 결함이라고 단정해서는 안 된다는 것이다. 자분모양 중에는 유해한 결함이 아닌 것도 포함되어 있으므로 유해한 결함에 의한 자분모양인지 여부를 확인해야 한다. 그러므로 우선 탈자를 한 후, 자분모양을 제거하고 밝은 가시광선 하에서 시험 면을 잘 관찰하며 부착물 등을 제거하고 나서, 재시험해서 다시 나타나는지 재현성(再現性)을 조사한다. 이때 중요한 것은 나타난 자분모양이 판정 대상이 아닌 자분모양(nonrelevant indication)인지, 판정 대상 자분모양(relevant indication)인지를 분별해야 하는 점이다. 그래서 판정 대상이 아닌 자분모양은 어떤 자분모양이며, 판정 대상 자분모양은 어떤 자분모양인지를 두 용어의 정의를 통해 알아본다.

① 판정 대상이 아닌 자분모양(nonrelevant indication, false indication) : 결함 이외의 원인에 의해 나타나는 자분모양이다. 즉 거짓지시(의사모양)로써, 실제 불연속부의 누설자속에 의해 생기는 자분모양이 아니며, 부품의 실용성에도 영향을 미치지 않는 어떤 다른 조건에 의해 생긴 자분모양이다.

② 판정 대상 자분모양(relevant indication, flaw indication) : 시험체의 결함부에 자분이 흡착되어 생기는 자분모양이다. 즉 결함지시로써, 치수와 방향성에 따라서는 부품 등의 실용성에 영향을 미치는 종류의 불연속부에 의한 자분모양을 말한다.

이를 구체적으로 나타내면 다음과 같다.

가. 판정 대상이 아닌 자분모양(nonrelevant indication)

1) 자분모양의 종류

판정 대상이 아닌 자분모양의 전형적인 것은 의사모양이다. 의사모양에 대해서는 앞에서 설명한 것과 같이 여러 종류의 자분모양이 있다.

① 긁힘 지시 ② 자기펜 자국, ③ 자극 지시, ④ 전극 지시, ⑤ 전류 지시, ⑥ 단면 급변 지시, ⑦ 표면 거칠기 지시가 있다.

이들 자분모양은 모두 자화조작의 부주의 또는 시험 준비단계에서의 시험체의 표면처리가 제대로 되지 않아 발생하는것으로, 재료 와 부품 및 구조물의 실용성에 영향을 미치지는 않지만, 이들 자분모양에 유해한 결함이 숨어 있을 가능성이 있으므로 주의해야 한다. 그리고 실제로 불연속에 의해 발생하는 자분모양 중에서도 판정 대상이 아닌 자분모양으로 취급해야 할 것이 있는데, 이것은 주로 재료 속에 고유의 불연속부로서 존재하는 것으로 다음과 같은 불연속부에 의해 나타나는 자분모양이다.

○ 재질 경계 지시 : 재료의 금속 조직이 다른 부분을 말하며, 용접부의 용접금속과 모재와의 경계 등을 가리킨다. 다른 부분에 비해 특히 경도(硬度) 등이 높은 경우를 제외하고 유해하지 않다.

○ 비금속 개재물(nonmetallic inclusion) : 슬래그, 산화물, 황화물 등의 비금속 불순물을 말한다. 일반적으로 높은 응력이 작용하는 표면의 위험 영역 및 특별히 개수가 많은 경우를 제외하고 유해하지 않다.

○ 라미네이션(lamination) : 판 두께 방향의 응력을 고려해야 하는 경우를 제외하고 유해하지 않다.

○ 편석(segregation) : 특히 유해한 금속 원자에 의한 편석을 제외하고 유해하지 않다.

○ 단류선(flow line) : 단조 제품의 입자 흐름을 말하는데, 단조할 때 재료의 소성(塑性)의 흐름을 나타나는 왜류선[歪流線] 모양으로 유해하지 않다.

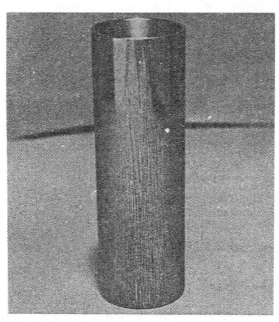

그림 5-2 단류선에 의한 자분모양

○ 언더컷(undercut) : 용접비드와 모재의 경계부에 발생하는 것으로, 특히 예리하거나 깊어서 높은 응력이 작용하는 경우를 제외하고 유해하지 않다.

이들은 일반적으로 판정 대상이 아닌 자분모양으로 취급되는 불연속부이지만, 각각 그 성질과 양(量) 및 그 부분에 작용하는 응력의 종류와 크기에 따라 유해한 것으로 취급되는 경우도 있다. 유해하다고 생각되는 경우에는 그 발생장소와 종류 및 양에 대하여 규격, 기준, 절차서 등에 규정되어 있으므로, 실수하지 않고 합격·불합격 기준에 따라 유해(有害)한지 무해(無害)한지를 판단해야 한다.

2) 자분모양의 발생원인과 성질

가) 의사모양

의사모양의 대부분은 절차서나 지시서에서 지시하고 있는 시험방법을 정해진 절차에 따라 실시하면 발생은 피할 수 있지만, 그래도 나타나는 경우에는 재시험이나 상태를 확인하면 쉽게 판단할 수 있다.

① 자기펜 자국(magnetic writing)

자화된 시험체가 서로 접촉하거나 다른 강자성체에 접촉하게 되면 그 접촉된 곳에 발생하는 자분모양으로, 강자성체 이외의 물체와 접촉하면 이런 의사모양은 나타나지 않는다. 그러므로 자분탐상시험을 실시할 때에는 검사대(table) 위를 잘 정돈하고, 강자성체는 가능한 한 두지 않아야 한다. 또한 시험을 실시할 시험체와 시험을 마친 시험체는 검사대 위에 분리하여 배열하면 이러한 문제는 피할 수 있다.

② 자극 지시(magnetic pole indication)

극간법에서만 나타나는 의사모양으로, 반드시 자극(磁極)의 접촉부에 자극의 흔적이 생기고, 많은 양의 자분이 사각모양으로 부착하여 자분모양을 나타내므로 검사원이라면 아마도 결함에 의한 지시모양으로 잘못 판단하지는 않을 것이다. 특히 자극의 위치는 반드시 몇 %는 중복하여 탐상하므로 자극을 이동시켜 탐상 할 때는 다음 자화를 하기 전에 표면을 걸레로 깨끗이 닦은 후 자화하고, 자분을 적용하면 결함 자분모양이라고 실수하지 않게 된다.

③ 전극 지시(electrode indication)

전극 지시는 프로드법의 전극이 모재와 접촉하는 부분에 나타나는 의사모양으로, 국부적으로 전류 밀도가 높기 때문에 자분이 전극의 접촉점을 중심으로 부착되어 동심원 모양의 자분모양을 형성하는 것으로, 시험체 자체에 불연속부가 없어도 발생한다. 그러나 전류 밀도가 너무 높게 되면 모재를 파내는 현상을 수반하여 오목(凹)하게 파인 부분이 생겨서, 균열 발생의 노치가 만들어 지는 경우도 있으므로, 그 파인 부분의 깊이에 대해서는 기준을 세워 관리해야 한다. 또한 파인 부분이 없어도 전극과 모재와의 접촉이 잘 되지 않아 통전할 때 스파크가 발생하면 미세한 균열이 발생할 수 있으므로, 미세한 균열의 유무에 대하여 확인해야 한다. 프로드법도 극간법과 같이 탐상범위를 중복하여 탐상하므로, 전극 지시를 결함 자분모양으로 착각하는 일은 없을 것이다.

④ 전류 지시(current indication)

프로드법으로 탐상을 하는 경우, 자화 케이블에 의해 자화된 부분에 폭이 넓고 그다지 예리하지 않은 윤곽을 가진 선상(선모양)으로 자분이 부착되어 나타나는 자분모양이다. 즉 굵고 희미한 자분모양으로 케이블을 따라 나타난다. 넓은 면적을 국부 탐상할 때와 전면 탐상할 때와 같은 특수한 경우에만 나타나는 자분모양이다.

⑤ 단면 급변 지시(indication of abrupt sectional variation)

시험체의 단면적이 급격히 변화하고 있는 곳이나 모서리부분에 자분이 흡착되어 나타나는 자분모양이다. 소형 기계 가공부품에 잘 나타나는 자분모양이며, 시험체의 앞, 뒷면의 모양을 잘 조사하여, 단면이 변화하는 부분이 있으면 자분모양이 나타날 가능성이 있음을 고려하여 신중히 판단해야 한다.

⑥ 표면 거칠기 지시(rough surface indication)

미세한 요철부(凹凸部)에 생기는 누설자속에 의해 형성되는 자분모양과 자분이 오목한 부분에 채워져서 생기는 자분모양이다. 그러나 어느 경우도 높은 반복 응력이 가해지는 경우를 제외하고는 일률적으로 유해하다고 할 수 없다. 그러므로 그 정도에 대해서는 미리 작용하는 응력의 종류와 크기에 따라 정해두어야 한다. 특히 주의할 것은 표면이 거친 곳에 숨어있는 미세한 균열이다. 큰 것은 다소 표면이 거칠어도 쉽게 식별할 수 있으나, 작은 것은 거칠기에 의한 의사모양인지, 균열에 의한 자분모양인지를 식별하기가 곤란한 경우도 있으므로 중요한 부품에 대해서는 표면을 매끄럽게 한 후에 탐상해야 한다. 표면 거칠기에 의한 자분모양은 결함 자분모양과 가장 틀리기 쉬운 자분모양으로 자화하기에 앞서 시험체의 표면상태를 잘 관찰하여 표면상태가 나쁘고, 의사모양이 많이 나타날 가능성이 있을 경우에는 표면을 매끄럽게 하고 나서 시험해야 한다. 표면 거칠기에 의한 의사모양은 탈자, 재 자화를 반복하거나 또한 전류치를 변화시켜도 자분 부착에 다소 차이는 있으나 같은 장소에 반복하여 나타나므로, 표면상태의 관찰과 표면상태를 바꾸는 것 이외에 확인할 방법은 없으므로 특히 주의하여 확인해야 한다.

나) 기타 판정 대상이 아닌 지시모양

① 재질 경계 지시(material junction indication)

재질 경계란 이종(異種)금속 간의 경계나 조직이 다른 부분의 경계인 곳에서 재질에 따라서는 편석부나 용접 지단부에 투자율의 차이에 의해 자분이 흡착되어 자분모양이 나타난다. 이 자체는 유해한 결과를 초래하지 않으므로, 단순히 판정 대상이 아닌 지시모양(nonrelevant indication)으로 처리해도 된다. 그러나 이따금 용접 열 영향부에 발생하는 균열의 존재를 알 수 없는 경우도 있으므로, 판정에 있어서는 내부에 균열이 존재하지 않음을 확인한 후 결정해야 한다. 또한 이러한 부분에서는 이상하게 경도가 높으면 취화의 경향이 강해지는 경우도 있으므로 주의해야 한다.

재질 경계 지시는 판단하기 어려운 자분모양의 하나이기 때문에, 그 확인은 조직시험에 의존 할 수밖에 없다. 판단하기 어려운 자분모양에 대해서는 경험이 많은 검사원의 판단에 맡기도록 해야 한다.

② 국부 냉간 가공(local cold working)

경화된 부품의 표면에 각종 게이지(gauge)나 마이크로 미터(micrometer)의 끝 또는 각종 기구의 끝부분이 스치게 되면, 금속의 표면이 조금이라도 냉간 가공되어 자화된 경우에 누설 자계가 발생, 자분모양을 형성하는 자성(磁性)의 변화가 일어난다. 일반적으로 자분모양은 자분의 흡착량도 적고 뚜렷하지도 않다. 부품을 불림(normalizing)하고 재시험하면 자분모양은 나타나지 않는다.

③ 단류선(鍛流線, flow line)

높은 전류로 자화하면 모든 불연속부가 나타나지만, 특히 단조품에서는 금속 속의 단류선에 의한 지시모양이 나타난다. 이것은 금속 속의 소성(塑性)이 적은 변화에 의한 것이므로 부품의 강도와는 관계가 없다. 이것은 과도한 자화전류를 사용한 경우에 발생하므로 한번 경험하게 되면 단류선에 의한 자분모양인 것을 판단하기는 쉽다. 만일 단류선이 나타난다면 자화전류가 지나치게 높기 때문에 나타난 자분모양이므로, 자화 전류를 낮추어 재시험하면 나타나지 않게 된다.

④ 개재물(inclusion) 지시

금속이 응고할 때에 잔류하거나, 고체 금속이 되기까지의 반응에 의해 생긴 불순물의 입자를 말한다. 일반적으로는 산화물, 황화물 및 규산염 등을 말한다. 보통 기계 가공면에 재료의 길이방향에 평행한 직선의 자분모양으로 나타난다. 길이가 긴 경우와 짧은 경우도 있으며, 군(group)을 이루어 발생하는 것도 있다. 단조품에서는 단류선을 따라 나타나는 경우도 있다. 특수한 경우를 제외하고 판정 대상이 아닌 자분모양으로 취급한다.

⑤ 라미네이션(lamination) 지시

조괴 시 잉곳(ingot) 중에 발생한 기공, 기포와 개재물이 원인이 되어 발생하는 강판의 불연속부로 압연 후에는 평탄하게 표면에 평행하게 나타난다. 판 표면에는 나타나지 않고, 기계 가공한 끝 면에서만 판 표면에 평행한 선모양의 자분모양으로 나타난다. 판 두께 방향의 응력을 고려할 경우를 제외하고 유해하지 않다.

⑥ 편석(segregation) 지시

공업용 재료로 이용되는 합금 중의 화학성분의 분포는 용융상태에서는 균일하지만 응고될 때에는 용해하기 어려운 부분에서부터 응고가 시작, 용해하기 쉬운 부분이 뒤에 남는다. 이 때문에 응고된 상태에서는 합금 성분의 분포는 항상 일정하지 않아 어떤 영역에서는 어떤 종류의 성분이 높고, 또한 어떤 영역에서는 그 성분은 낮아진다. 이 때문에 양 영역사이에서 성분 함유량의 기울기가 발생하며, 자기적 성질의 차가 생긴다. 이와 같이 합금 성분이 편재(偏在)하는 이외에 불순물이 편재하는 경우도 있다. 편석에는 육안으로 관찰할 수 있는 큰 매크로(macro) 편석과 육안으로는 관찰할 수 없는 마이크로(micro) 편석이 있으며, 전자는 자분모양으로 관찰할 수 있으나 후자의 경우는 자분모양으로 관찰할 수 없다. 특수 합금 성분이 편석되어 있는 경우를 제외하고 유해하지 않다.

⑦ 언더 컷(undrercut) 지시

용접에서 용착 비드의 양쪽 모재가 지나치게 녹아서 홈이나 오목부분이 생기는 상태로써, 용접 조건이 올바르지 않기 때문에 용접부의 지단부를 따라 모재가 파이고, 용접 지단부에 용접 금속이 채워지지 않으므로 파인 상태로 잔류한 것이다. 뚜렷한 자분모양으로 나타나지만 언더 컷 자체는 특히 깊이가 깊은 경우나 반복응력에 의한 피로파괴를 고려해야 하는 구조물 이외의 경우에는 유해하지 않다.

나. 판정 대상 자분모양(relevant indication)

✎ 1) 자분모양의 종류

여기서는 실용상 유해하여 영향을 초래하는 결함, 즉 판정 대상인 자분모양에 대하여 설명한다.

결함에 의한 자분모양을 해석함에 있어서 첫째로 중요한 것은, 자분탐상시험에 의해 검출되는 결함은 표면이 열려 있는 결함(surface defect)과 표면 근방 결함(near surface defect)이라는 것을 늘 의식해야 하며, 이와 동시에 이들 결함이 시험체의 종류(예 : 주조품, 단조품)와 형상 및 처리조건에 따라 각각의 특징이 있는 자분모양을 나타낸다는 것이다. 그러므로 시험체마다 과거에 가해진 조건을 알거나, 어떠한 결함이 어느 장소에 발생하며, 자분모양의 특징이 무엇인지를 알고, 각각의 자분모양에 대한 조치를 결정해 놓아야 한다. 판정 대상의 자분모양을 나타내는 결함을 제조와 가공의 단계별로 나타내면 다음과 같다.

✎ 2) 결함의 종류와 발생 원인 및 자분모양의 특징

여기서는 이해하기 쉽도록 하기 위해서 각 단계에서 발생하는 결함을 다음 4종류로 분류하여 설명한다.

가) 고유 결함(inherent defect)

제강 시에 발생하는 결함으로, 용융상태의 강(鋼)이 처음 응고될 때에 재료 속에 보통 정상적으로 존재하는 결함을 말한다.

1차, 2차 가공품의 구분에 관계없이 모든 금속제품에 공통적으로 나타나는 불연속부로써, 앞에서 설명한 것과 같이 일반적으로 재료 강도를 현저히 저하시키는 경우를 제외하고 평가대상으로 하지 않는다. 일반적으로는 개재물(inclusion), 라미네이션(lamination), 파이프(pipe) 등이 이에 해당되지만, 어느 것도 강괴를 만들 때에 발생하는 수축관(shrinkage), 블로우 홀(blow hole), 핀홀(pinhole), 비금속 개재물, 편석 등이 다음의 가공 공정에서 형상, 분포가 변하여 나타나는 것이므로, 이들 자분모양은 모두 판정대상이 아닌 자분모양으로 해석한다.

나) 1차 가공처리 결함(primary processing defect)

압연, 단조, 주조, 용접 등의 작업에 의해 생긴 결함을 말한다.

1차 가공처리를 마친 소재(사용 전)를 자분탐상시험을 실시하는 경우, 검출되는 결함의 종류에 대해서는 다음의 제 6 장에서 설명하므로 여기서는 생략한다. 여기서는 2차 가공제품으로 가공되기 전 상태의 압연품, 주조품, 단조품 및 용접품을 포함하여 소재(素材)로서 취급하지만, 이들 소재 결함에 공통되는 원인으로는 다음과 같은 것이 있다.

① 잉곳(ingot) 조괴 시에 발생하는 재질적, 조직적 이상(異常)
② 조괴 시의 용탕 처리의 불량에 의한 찌꺼기 및 용제, 각종 가스 기공의 혼입
③ 압연, 압출, 인발, 단조 등의 분괴(分塊) 또는 성형 가공을 하는 때의 잉곳처리의 부적절(예를 들면, 잉곳의 절단 제거량의 불충분, 표면 결함 손질의 불안전 등)
④ 분괴 시 또는 성형 가공 시의 성형기의 조정불량, 관리불량 등
⑤ 열처리 불량 등

다) 2차 가공처리 결함(secondary processing defect)

기계가공, 열처리, 연마, 도금 등 최종 가공이나 최종 마무리 처리에 의해 생긴 결함을 말한다. 성형 가공, 열처리, 연삭, 연마, 도금을 포함한 2차 가공품에는 소재(素材)에 들어 있는 내부 결함 이외에 새로 생긴 표면 가공에 의한 표면 결함, 열처리에 의한 이상(여기서의 이상(異常)은 결정의 조대화(粗大化), 버닝(burning), 균열 등이 포함된다)이 발생한다. 구체적으로는 다음과 같다.

① 기계가공 균열

공작기계의 부적절한 조정이나 둔한 공구를 사용함에 따라 금속 표면이 절삭되는 대신에 상처가 난 것이다. 이러한 균열은 일반적으로 짧고, 톱니모양으로 기계가공 방향에 직각으로 나타난다. 자분모양은 짧고, 불규칙한 모양으로 단독 균열로써 나타난다. 불합격의 대상이다.

② 열처리 균열(heat treating crack) 및 담금질 균열(quenching crack)

이 처리는 재료를 경화(硬化) 또는 재료의 강도를 원하는 성질로 하기 위하여, 관리되는 조건하에서 금속재료를 가열·냉각하는 방법이다. 이 처리 중에 발생하는 균열은 시험체의 각 부분에서의 불균일한 가열·냉각으로 인하여 발생하는 응력에 의해 생긴다. 균열은 가열 또는 냉각의 어느 과정에서도 발생한다. 균열은 보통 깊이가 깊고, 뚜렷한 형상을 나타내며, 임의 방향으로 성장한다.

담금질 균열은 단면(斷面)이 얇은 곳 또는 두꺼운 단면과 얇은 단면이 접한 부분이나 필릿(fillet)이나 예리한 노치(notch) 부분에서 많이 발생한다. 깊은 균열은 누설 자속밀도가 높기 때문에 자분모양은 예리하고, 빛과 같은 선으로 나타난다. 불합격의 대상이다.

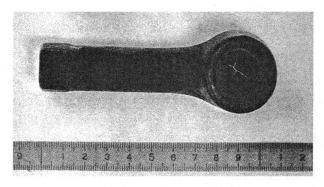

그림 5-3 열처리 균열

③ 유도 가열 경화(誘導 加熱 硬化) 및 화염 경화(火炎硬化)

　이들의 처리는 열이 금속 속으로 깊이 침투하기 전에 급속히 경화 또는 담금질을 위하여 부분적으로 경화시키는 방법이다. 균열은 각각의 처리 중에 발생한다. 경화된 표면 위에 비금속 개재물이 있으면 균열의 출발점이 된다.

④ 연마 균열(grinding crack)

　경화된 표면의 연마는 자주 균열을 발생시킨다. 이들은 열처리 균열이나 경화 균열과 비슷한 실제의 가열 균열이다. 이때의 가열은 연마 판 아래에서 발생하는데, 매우 적은 냉각제, 지나치게 많은 양의 표면 절삭, 너무 빠른 속도로 표면을 절삭하는 경우에 발생한다. 균열은 일반적으로 연마방향과 직각으로 발생하며, 심할 때는 그물모양으로 나타난다. 자분모양은 가늘고 예리한 선 모양으로 밀착되어 있다. 균열 폭은 매우 좁고 미세하므로, 표면상황에 따라서는 발견하기 어렵다.

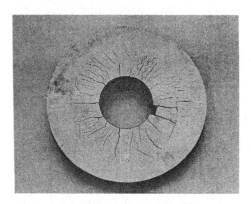

그림 5-4 연마 균열

⑤ 도금 균열(plating crack)

　도금작업 중에도 때로는 균열이 발생할 때가 있다. 특히 단단한 재료를 도금하는 경우에는 도금 후에 균열이 발생하기 쉽다. 냉간 성형 스프링과 같이 부품에 열처리와 연마 및 가공으로 인하여 잔류된 높은 내부응력이 있을 때에는 도금하기에 앞서 실시하는 세척이나 산세척할 때에 균열이 발생한다. 균열이 발생하면 내부 응력은 개방된다.

라) 보수검사, 정기검사, 사용 중 검사에서 검출되는 결함.

　침식(erosion) 및 부식(corrosion)에 의한 두께 감소와 각종 부식에 의한 두께 감소 그리고 여러 종류의 파괴 양식(mode)에 의해 균열이 발생하지만, 이때 발생하는 결함은 대부분 표면이 열린 결함이며, 이 중에서도 균열의 대부분은 작용능력이 매우 높은 금속표면에서 발생한다. 지금까지 설명한 이들 결함들은 어떠한 것도 여러 환경 하에서는 피로균열의 발생원이 될 수 있다. 피로균열에 의해 발생하는 파괴는 특징이 있기 때문에 쉽게 확인되는데, 피로균열은 반복 응력 하에서 비교적 천천히 진행한다. 균열 표면에는 쉽게 알 수 있는 같은 간격으로 조밀하게 늘어진 줄무늬(striation)가 나타나는 특징이 있다.

자분모양은 표면 균열이기 때문에 항상 예리하고 뚜렷하게 나타난다. 균열은 발생점으로부터 최대응력이 작용하는 방향에 직교하는 방향으로 펼쳐진 물결모양을 한 선으로 나타난다. 어떠한 방법으로든 성장을 정지시키는 조치를 하거나 또는 균열을 제거해야 한다. 또한 응력부식균열도 자분탐상시험의 대상이다.

그림 5-5 피로균열

2. 자분모양의 평가

자분모양의 평가란 시험체에 나타난 자분모양의 원인이 되는 조건이 그 시험체를 부품 또는 기기·구조물로 실제 사용하는 경우에 그 역할을 함에 있어, 유해한지 여부를 결정하고 판정기준에 따라 합격·불합격을 결정하는 것을 의미한다. 앞에서 설명한 것과 같이 자분모양이 나타났다고 해서 실제로 그곳에 유해한 결함, 즉 균열이 있다는 것을 나타내는 것이 아니며, 자분모양을 나타내는 불연속부가 있어도 사용상 위험하다는 것을 의미하는 것이 아니라는 것을 인식해야 한다.

자분모양을 평가할 때에는 어디까지나 자분모양이 나타난 부품이나 기기 및 구조물에 요구되는 사용상의 능력과의 관계로부터 자분모양을 발생시키고 성장시키는 원인을 고려하여 평가기준으로 해야 한다. 이를 위해서는 시험하기에 앞서 다음 항목에 대한 정보를 알고 있어야 한다.

① 부품, 기기 및 구조물이 어떠한 응력 조건에 견디도록 설계되어 있는지.

② 설계 시점에서 고려하지 않았던 이상(異常)한 사태가 발생할 때의 예상 응력.

③ 부품, 기기 및 구조물이 실제로 파괴될 경우, 그 파괴가 인명재해, 주변환경과 주변의 물건들에 대한 피해에 미치는 영향의 중요성.

즉, 자분모양이 검출되면 우선 자분모양의 원인이 되는 불연속부의 종류를 확인하고, 만일 실제 사용할 때 유해하고 판단되는 결함에 의한 자분모양이라면 위의 3가지 항목을 고려하여 판정기준에 따라 합격·불합격을 결정해야 한다.

위의 3가지 항목을 고려하는 경우에도 다음 결함들이 지닌 기본적 성질을 알고 있어야 한다.

① 응력이 가해지는 표면에 발생한 결함, 특히 균열 및 예리한 노치(notch)는 어떠한 표면 아래의 결함보다도 해롭다.

② 응력 방향에 직각 또는 직각에 가까운 각도로 존재하는 결함은 응력 방향에 평행하게 발생하는 유사한 결함보다도 해롭다.

③ 높은 응력 부분에 발생한 결함은 종류에 관계없이 낮은 응력 부분에 발생하는 유사한 결함보다도 위험성이 높다.

④ 균열 또는 끝이 예리한 노치로 되어 있는 결함은 등근모양의 결함보다도 중요한 응력 발생원이 되기 때문에 피로파괴의 잠재적 영역이다.

⑤ 설계상 판 두께 차이가 있는 부분과 기타 높은 응력이 발생하는 영역에 발생한 결함은 이러한 영역에서 벗어난 곳에서 발생하는 유사한 결함보다도 중요하다고 생각해야 한다.

위에서 설명한 결함에 대한 기본적 성질은 공학적인 상식에 기초를 둔 일반적인 내용이다. 그러므로 이들은 판단의 기본이 되지만, 최종 판단은 앞에서 설명한 것 같이 그것을 사용할 때에 항상 우연히 맞닥뜨리는 개개의 부품 조건마다 행해져야 하며, 이것만을 가지고 합격, 불합격의 기준으로 하는 것은 불충분하다.

익힘문제

1. 노치(notch)에 대하여 설명하시오.

2. 판정 대상이 아닌 자분모양(non-relevant indication, false indication)과 판정 대상 자분모양(relevant indication, flaw indication)에 대한 용어를 정의하시오.

3. 판정 대상이 아닌 자분모양(non-relevant indication, false indication)의 종류에 대하여 설명하시오.

4. 판정 대상 자분모양(relevant indication, flaw indication)에는 어떠한 것이 있는지 예를 들어 설명하시오.

5. 자분모양을 평가할 때 평가에 앞서 고려해야 할 3가지 항목과 결함에 대한 기본적 성질에 대하여 설명하시오.

제 6 장 자분탐상시험의 적용

제 1 절 탐상에 필요한 기본사항

1. 탐상의 기본사항

자분탐상시험은 앞에서 설명하였듯이 강자성체의 표면(surface)과 표면 근방(sub-surface)에 있는 결함을 검출하는데 우수한 비파괴시험 방법이다. 그래서 강자성체에 대한 자분탐상시험은 소재와 부품 그리고 용접부 등 그 시험대상이 무엇이든 구애받지 않고 적용할 수 있어서, 강자성체의 주강품, 단강품의 제조공정에서의 시험 또는 구조물의 용접 가공 공정에서의 시험과 가동 중의 구조물, 기계 조립 기능부품 등을 보수하거나 정비함에 있어서도 필요한 시험으로 널리 활용되고 있다. 특히 고압용기 및 석유탱크 등을 정기적으로 보수검사를 하는 경우, 용접부에 대한 시험은 빼 놓을 수 없는 비파괴시험 방법으로 되어 있다. 물론 이들을 시험함에 있어 사용되는 시험방법이나 이에 필요한 탐상장치는 다양하고 탐상장치의 규모도 극간식 탐상기와 같이 간편한 것으로부터 여러 종류의 자화 방법을 자유자재로 사용할 수 있는 설치형 탐상장치, 그리고 자동 탐상장치 등과 같이 대형인 것도 많이 사용되고 있다.

자분탐상시험에서 검출되는 표면결함은 재료 파괴라는 관점에서 보면, 내부결함에 비해 더 유해하다는 것은 이미 제 5 장에서 설명했다. 그러나 그 유해성의 정도는 결함의 위치, 형상, 방향과 깊이에 따라 다르고, 결함이 있다고 해서 반드시 유해하다고 판단해서는 안 되므로, 검출된 불연속이 유해하다고 판단하기 전에 우선 검출된 자분모양이 확실히 결함에 의한 자분모양인지, 그 불연속이 합격 또는 불합격 판정대상이 되는 결함인지를 결정(**결함의 검출**)해야 하며, 다음으로 결함의 성질, 치수에 관한 정보(**결함의 치수 측정**)를 상세히 얻어야 한다. 만일 자분탐상시험만으로 이들을 판단하기 위한 필요한 정보가 얻어지지 않을 때에는 다른 시험법을 사용해서라도 유해성을 판단하는 필요한 정보를 얻지 않으면 안 된다.

여기서는 자분탐상시험을 실제로 적용함에 있어서 우선 앞에서 배운 탐상할 때의 중요한 기본사항 및 각 자화방법에 의한 필요한 기초사항 그리고 각종 소재(素材)와 용접부에 대한 자분탐상시험의 적용에 대하여 살펴본다.

각종 소재(素材)와 용접부에 대한 시험은 어느 시점에서 실시하는 자분탐상시험인지에 따라 검출대상이 되는 결함의 종류와 성질 및 발생 위치가 다르며, 이를 검출하기 위하여 사용하는 최적의 시험방법 및 시험조건도 다르므로, 이러한 목적에 따라 제조할 때의 검사와 보수할 때의 검사로 나누어 설명한다.

가. 자화방법의 선택

자분탐상시험에서 결함을 검출하기 위해서는 시험체 표면에 적정한 유효 자계의 세기가 얻어지도록 자화해야 한다. 이때 결함의 검출능력에 큰 영향을 주는 인자로 자계의 세기와 자계의 방향이 있는데, 자계의 방향은 자계를 가하는 방향 또는 자화방법에 따라 다르며, 결함의 검출능력은 결함의 방향과 자계의 방향이 직각방향으로 자화한 때에 최대가 된다. 자화방법 중 어느 방법을 사용하는 것이 좋은지는 시험체의 크기, 형상, 시험할 수량, 시험대상 부위 그리고 작업환경 등을 고려하여 결정하지만, 원칙적으로는 임의의 방향을 향하고 있는 결함을 빠짐없이 검출하기 위해서는 서로 직교하는 방향으로 자화하는 것이 필요하기 때문에, 이것을 달성할 수 있는 자화방법을 선택하는 것도 고려해야 한다. 예를 들어 동일한 자화방법을 사용한다고 하면 직교하는 2 방향에서 2 번 자화해야 한다. 그러나 자화방법에 따라서는 한 방향에서는 자화가 가능하지만 이것과 직교하는 방향에서의 자화가 불가능한 경우도 있다. 이때는 자화방법을 바꿔야 한다. 즉 선형자화(longitudinal magnetization)와 원형자화(circular magnetization)를 병용(倂用)하는 것도 고려해야 한다. 그런 다음에 강도(强度)상, 어느 특정방향의 결함만을 검출하더라도 충분하다면 특정방향의 결함만을 검출할 수 있는 자화방법을 선택하여 시험을 실시해도 지장이 없게 된다.

나. 자화조건의 결정

자분탐상시험에 의해 결함을 검출하고자 하는 경우에는 시험체 표면의 결함을 검출하는 데 필요한 유효 자계의 세기가 얻어지도록 자화하지 않으면 안 된다. 즉 시험체 재료의 자기특성을 고려하여 시험체의 건전한 표면에서의 누설자속은 가급적 적게 하고, 결함으로부터의 누설자속은 가급적 많게 하는 표면 자계의 조건을 구하여 자화해야 한다. 이를 위해서는 미리 여러 종류의 재료 및 결함에 대하여 각각 결함을 검출하는데 필요한 시험체 표면의 유효 자계의 세기를 구하여 놓고, 이 표면의 유효자계가 얻어지도록 자화하여, 이 것을 A형 표준시험편으로 확인하는 방법을 사용한다. 현재는 결함을 검출하는데 필요한 표면 자계의 세기의 목표 값을 우선 시험체 재료의 자기특성으로부터 추정하는 방법을 사용하고 있다. 예를 들면 우리나라에서는 자화곡선을 구하는 경우, 포화자속밀도 B_S 의 80% 정도의 자속밀도(초기 자화곡선에서 어깨 부분)가 얻어지는 자계의 세기를 걸어주는 것이 적정하다고 하며, IIW(국제용접협회)의 권고안에서는 자화곡선으로부터 투자율을 구하고, 그 값이 최대가 되는 자계의 세기를 사용할 것을 권고하고 있다.

이와 같이 결함을 검출하기 위하여 필요한 표면의 유효자계의 세기는 시험체의 자기특성에 따라 각각 다르며, 검출해야 할 결함의 종류에 따라서도 다르기 때문에, 어느 경우에는 $0.4kA/m(5Oe)$ 전후의 자계의 세기에서 충분히 결함 검출이 가능한 경우도 있으며, 어느 경우에는 $1.6kA/m(20Oe)$ 이상에서도 결함을 검출할 수 없는 경우도 있다. 자화조건은 시험체의 자기특성, 검출해야 하는 결함의 종류, 결함의 성질과 상태 등을 충분히 고려하여 각각 결정하도록 해야 한다.

다. 자분의 선택

자분탐상시험에 의한 결함의 검출능력은 사용하는 자분의 종류, 사용방법에 따라서도 크게 영향을 받는다. 자분의 종류, 성질 및 사용방법에 대해서는 이미 설명하였지만, 자분의 입도는 일반적으로 입도(粒度)가 거친 자분은 폭이 넓은 결함의 탐상에 알맞으며, 입도가 미세한 자분은 폭이 좁은 결함의 탐상에 알맞다. 자분 입도와 검출 가능한 결함 폭과의 관계는 자분의 최대 지름이 결함의 폭과 같거나 폭의 1/2 과 같은 경우에 가장 많이 자분이 흡착된다고 보고되어 있다. 일반적으로 시험체에 어떤 결함이 존재하고 있는지 예측하기가 어려우므로 사용하는 자분도 비교적 여러 가지 입도를 적당히 섞은 입도 분포를 나타내는 것을 사용한다.

자분을 선택할 때, 건식법을 사용할 것인지 또는 습식법을 사용할 것인지를 결정해야 한다. 일반적으로 건식법에 사용하는 자분은 습식법에 사용하는 자분에 비해 입도가 거칠기 때문에, 건식용 자분은 결함 폭이 비교적 넓은 것에 사용하며, 또한 표면이 거칠고 시험을 끝낸 후에 자분의 제거가 아주 곤란하거나 자분의 제거가 요구되는 경우에 사용한다. 그리고 습식용 자분은 비교적 매끈한 표면의 미세한 결함 탐상에 사용되고 있다.

다음에 선택할 것은 자분의 성질로 형광 및 비형광(착색)의 문제이다. 이것은 시험체의 전부 또는 일부를 어둡게 할 수 있는지 여부의 환경조건에 따라 결정하는 것으로, 형광 자분은 비형광 자분보다도 자분모양을 식별하기는 쉽지만 어둡게 할 수 없는 경우에는 사용할 수 없다. 오히려 밝은 곳에서는 비형광 자분보다도 감도가 떨어진다. 비형광 자분을 사용하는 경우도 시험체 표면의 색과 대비가 잘 되는지를 충분히 고려하여 어떠한 색의 자분을 사용할 것인지를 결정해야 한다. 그렇지 않으면 자분모양은 나타나도 배경색과 식별이 곤란하여 결함의 검출능력이 저하된다.

자분의 적용방법은 결함 검출능력에 매우 큰 영향을 미치는 인자이다. 이 경우 결함 검출능력을 저하시키는 가장 큰 원인은 연속법의 기술에 대한 인식부족과 아주 복잡한 자분의 산포에 있다.

연속법은 자화전류를 흘리고 있는 동안에 자분의 적용을 끝마치는 방법이며, 잔류법은 자화전류를 끊고 나서 자분을 적용하는 방법이다. 그러므로 연속법으로 습식법을 사용할 때 자화전류는 검사액(자분)의 유동이 완전히 정지된 것을 확인하고 나서 자화를 중지해야 한다. 만일 검사액이 흐르고 있는 도중에 자화전류를 끊으면 결함에 자분이 흡착되지도 않으며, 애써 흡착시킨 자분모양이 검사액의 흐름으로 파괴된다.

라. 자화전류 파형의 선택

자화하는데 사용되는 전류는 특수한 장치를 사용하는 경우를 제외하고, 일반적으로 교류나 정류된 직류가 사용되고 있다. 직류를 사용하는 경우와 교류를 사용하는 경우의 특징에 대하여 살펴보면 다음과 같다.

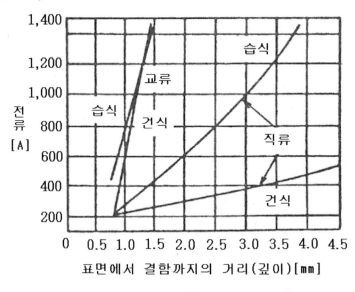

그림 6-1 자화전류와 자분에 의한 검출 감도

자화전류로 직류를 사용하는 경우, 직류에 의해 발생하는 자속은 표면에서 깊이방향에 대하여 직선적으로 감소하며, 교류를 사용한 경우에는 지수 함수적으로 감소하여 표피효과가 나타나기 때문에 동일한 자분을 사용한다면 표면 결함에는 교류가 직류에 비해 검출 감도가 높으며, 표면 아래의 결함에는 직류가 교류에 비해 검출 감도가 높다. 그 예를 그림 6-1에 나타낸다.

여기서는 깊이가 같은 표면 아래의 결함에 대하여 직류와 교류를 사용했을 때, 자화전류치가 어느 정도 다른지를 습식과 건식, 각각의 자분을 사용하여 구한 결과를 나타내고 있다. 어느 경우도 건식 자분이 모두 낮은 자화전류치에서 결함 검출이 가능하게 되어 있다. 즉 직류로 건식 자분을 사용하는 것이 표면 아래의 결함 검출에 대해서는 유리하다. 표면결함은 교류로 습식 자분을 사용하는 것이 가장 유리하다.   그러나 많이 사용하고 있는 극간법을 이용하는 경우, 직류 극간법은 두께 $5mm$ 이상의 시험체에서는 결함 검출능력이 내부 결함은 물론 표면결함에 대한 검출능력도 현저하게 낮으므로, 직류 극간법을 사용하는 경우는 충분한 표면결함에 대한 검출 능력이 있는지를 확인한 후에 사용해야 한다.

마. 표면상태의 확인

시험체의 표면상태는 시험결과의 판정에 중요한 영향을 미친다. 이중 가장 큰 영향은 의사모양((nonrelevant indication, false indication))의 발생이다. 그러므로 시험체 표면은 미세한 결함도 검출할 수 있도록 매끈하지 않으면 안 된다. 또한 표면 아래에 있는 결함의 검출능력은 표면 결함보다도 표면 상태에 더 많은 영향을 받는다. 그러므로 연삭기(grinder)로 마무리와 기계 가공, 연마 등을 어느 정도했는지에 따라 표면 아래의 어느 정도 위치에 있는 결함을 검출할 수 있는지가 결정된다. 그러나 어느 정도의 결함까지 검출할 수 있는지는 결함의 종류, 형상, 방향성 등에 따라 다르며, 더욱 자화조건의 적합여부, 사용하는 자분의 종류 등에 따라 다르므로 정량적으로 표현하기는 어렵다.

표면상태가 매끄러울수록 미세 균열과 표면 아래에 있는 결함이 검출되는 정도는 상승하게 되며, 규격에 따라서는 표면 마무리의 정도를 규정하고 있는 것도 있다.

제 2 절 자화방법에 의한 탐상의 기초

1. 극간법에 의한 자분탐상시험

가. 탐상에 필요한 기초지식

극간법은 이미 제 2 장에서 설명한 것과 같이 전자석(電磁石, electro magnet) 또는 영구자석(永久磁石, permanent magnet)을 시험체의 표면 위에 접촉시키고 자극사이에서 자화하는 방법으로, 사용법이 간편하고 휴대성이 좋아서 자분탐상시험에 널리 사용되고 있다. 탐상기에는 전자석과 영구자석을 이용하는 것이 있는데, 각각의 특징을 비교하면 다음과 같다.

✤ 1) 극간법의 특징

가) 전자석
- 장점 : 소형이지만, 강한 자계가 얻을 수 있으므로 작업성이 좋다. 일반적으로 교류로 자화하므로 두꺼운 재료의 표면 결함의 탐상에 알맞다.
- 단점 : 전원이 필요하다.

나) 영구자석
- 장점 : 전원이 필요없다.
- 단점 : 강한 자계를 얻을 수 없다. 강한 자계의 영구자석을 사용한다면 시험체에서 자극을 떼어내는 것이 곤란하여 작업성도 나쁘게 된다.

위와 같은 특징이 있지만, 작업성 및 자화의 세기 등의 이유로 현재는 전자석을 이용하는 휴대형 교류 극간식 탐상기(교류 극간식 자화기 또는 yoke 식 자화기)가 주로 사용되고 있다. 휴대형 극간식 탐상기의 성능으로 결함의 검출성능에 가장 영향을 주는 것은 전자석의 철심 속에 발생하는 자속 총량의 최대값(최대 전자속이라 한다)이다. 최대 전자속 ϕ_{max}는 식 (6. 1)로 표시된다.

$$\phi_{max} = Bs \cdot A \quad \text{...} \quad (6. 1)$$

여기서 Bs : 포화자속밀도, 그리고 A : 자극의 단면적(斷面積)이다.

휴대형 극간식 탐상기는 코일에 흐르는 전류치(A)와 코일의 감은 수(T)를 곱한 만큼의 기자력(AT, 자속을 발생시키는 힘)이 발생한다. 이 기자력은 철심 속을 흐르는 자속밀도가 포화하는데 충분한 값이 되도록 되어 있다. 이 포화자속밀도는 철심의 재질(적층한 전자강판)에 의해 결정되며, 거의 일정(1.7~2.0T)하다. 그러므로 전자속의 최대값은 자극의 단면적으로 결정된다.

■ 참고 :

AT(ampere turn)라 표시는 하지만, 이것은 단위가 아니다.

그림 6-2 에 교류 전자석과 직류 전자석을 이용할 때의 시험체 속의 자분 분포를 나타낸다. 극간법에서는 일반적으로 교류(AC)를 사용한다. 교류는 표피효과(자속이 시험체 표면 가까이에 집중되어 흐르는 현상)로 인하여 시험체 속의 자속이 표면 가까이에 집중되어 흐르기 때문에, 얇은 강판과 두꺼운 강판에서도 표면 근방의 자속밀도는 거의 같다. 그러나 동일한 자화장치라도 직류(DC)를 사용하는 경우는 강판의 내부까지 자속이 흐르기 때문에, 두꺼운 강판은 자속밀도가 낮아진다. 따라서 표면 결함으로부터의 누설자속도 적어져서 표면 결함의 검출능력이 떨어진다.

이와 같이 극간법에서는 교류를 주로 사용하므로, 표면결함의 검출이 주된 목적으

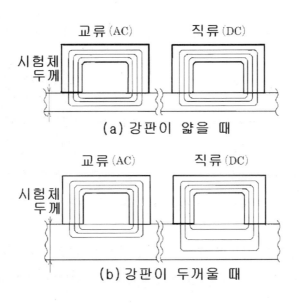

그림 6-2 교류 전자석과 직류 전자석의 자속 분포의 비교

로 되어 있다. 또한 직류를 적용하고자 하면 전자속(全磁束)을 크게 하지 않으면 안 되기 때문에, 장치를 크게 만들어야 하는 단점이 있다.(제철소 등에서는 직류도 사용한다). 이러한 교류 및 직류에 의한 자속 분포의 특징에 따라 표면 근방에 있는 결함만을 검출할 수 있는지, 또는 조금 내부에 있는 결함도 검출할 수 있는지의 차이가 생기는 것이다.

일반적으로 교류는 표면 아래 2~3mm 정도 범위에 있는 결함의 검출이 가능하며, 직류는 표면 아래 6mm 정도 범위에 있는 결함의 검출이 가능하다. 따라서 직류 전자석의 탐상기라도 약 6mm 이상의 판 두께에 적용하는 것은 부적당하다.

2) 휴대형 극간식 탐상기

휴대형 극간식 탐상기는 ㄷ자 모양의 얇은 전자 강판(電磁鋼板)을 적층(積層 ; 다수를 포개는 것)한 철심(iron core)에 도선을 코일모양으로 감아 만들고 있다. 그 이유는 만일, 속이 찬 각봉(角棒)을 자극(磁極)으로 사용하게 되면, 교류를 사용하는 경우에 **그림 6-3(a)**와 같이 표피효과로 인하여 자속이 표면층밖에 흐르지 않는데 비해 적층판(積層板)을 사용하면, 1매 1매가 절연되어 있으므로 철심 전체로 자속이 흐르게 된다(**그림 6-3(b)**. 그러므로 적층판을 사용하는 것이 속이 찬 각봉보다 전자속의 최대값을 더 많이 얻게 되어 탐상하는데 유리하기 때문이다.

이 전체가 하나로 된 자극

1매 1매가 절연되어 있다

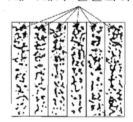

(a) 속이 찬 각봉

(b) 전자 강판을 적층한 것

그림 6-3 교류 자화한 경우의 자속분포 비교

3) 극간식 탐상장치의 자계의 세기 및 가장 결함을 검출하기 쉬운 방향

그림 6-4 에 양쪽 자극 사이 자계의 세기의 분포를 나타낸다. 자계의 세기는 자극과 자극을 잇는 직선 위에서는 오목(凹)한 모양의 분포가 된다. 즉 자극의 근방이 가장 높고, 중앙으로 갈수록 낮아져서 자극 간 중앙이 가장 낮아진다. 이에 비해 자극 간 중앙에서 자극 사이를 잇는 방향과 직교하는 방향에서는 중앙부분이 최대가

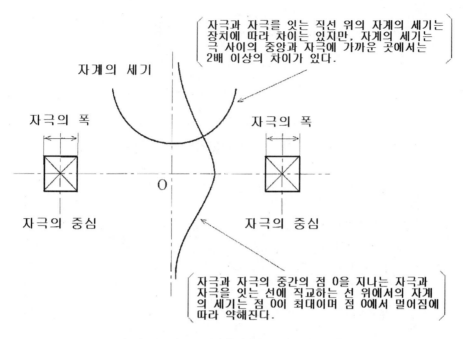

자극과 자극를 잇는 직선 위의 자계의 세기는
장치에 따라 차이는 있지만, 자계의 세기는
극 사이의 중앙과 자극에 가까운 곳에서는
2배 이상의 차이가 있다.

자계의 세기

자극의 폭

자극의 폭

O

자극의 중심

자극의 중심

자극과 자극의 중간의 점 0을 지나는 자극과
자극을 잇는 선에 직교하는 선 위에서의 자계
의 세기는 점 0이 최대이며 점 0에서 멀어짐에
따라 약해진다.

그림 6-4 자극사이에서의 자계의 세기

되는 불록(凸)한 모양의 분포가 된다. 즉 중앙부분의 자계의 세기가 가장 강하고, 여기서
부터 멀어질수록 약해진다.

  자계의 세기와 동시에 자속선의 방향도 결함으로부터의 누설자속의 발생에 큰 영향을
미치기 때문에 자계의 세기와 자속선의 방향을 충분히 고려하여 한 번에 탐상 가능한 범
위(탐상 유효범위)를 결정하고, 탐상해야 한다.

✎ 4) 자극 간격과 시험체에 흐르는 자속

  결함으로부터의 누설자속은 시험체 속에 흐르는 자속의 양, 즉 자속밀도에 영향을 미친
다. 자속밀도는 자극 간격이 길어지면 낮아진다.

  그림 6-5 는 일반 탐상기의 자극간격을 나타낸 것이며, **그림 6-6** 은 중간 이음매가 있
는 탐상기(이것은 결함의 검출성능이 그다지 좋지 않다)의 자극 간격을 나타낸 것이다.

  또한 자극 간격이 같아도 시험체 속을 흐르는 자로(磁路, magnetic circuit)의 길이가 변
화하면 자속밀도도 변하게 된다.

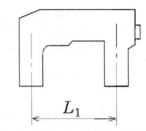

그림 6-5 일반 탐상기의 자극 간격

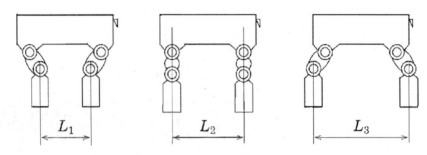

그림 6-6 중간 이음매가 있는 탐상기의 자극 간격($L_1 < L_2 < L_3$)

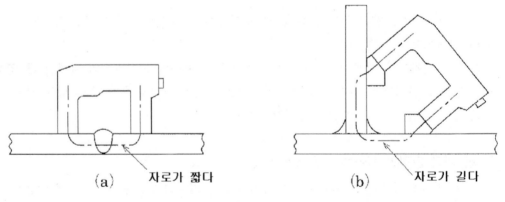

(a)　자로가 짧다　　　　　　　　(b)　자로가 길다

그림 6-7 평판 맞대기 용접부와 필릿 용접부의 자로의 관계

그림 6-7(a) 은 평판 맞대기 용접부를 탐상할 때의 자로(磁路)의 길이를 나타낸 것이며, 그림 6-7(b) 는 필릿 용접부를 탐상할 때의 자로의 길이를 나타낸 것이다. 당연히 (b)는 (a)에 비해 자로가 길어서, 용접부에 흐르는 자속밀도는 낮아진다.

✎ 5) 자극 주변의 불감대

시험 면에 접촉시킨 자극의 주위에는 결함이 있어도 결함 자분모양이 형성되지 않는 영역, 즉 불감대(dead zone)가 존재한다. 이 불감대의 넓이는 시험조건에 따라 달라지는데, 일반의 교류 전자석으로 용접시험편을 습식법으로 탐상하는 경우, 불감대는 **그림 6-8** 과 같이 자극의 주변 $2{\sim}3mm$ 의 곳에 생기는 자분모양과 자극의 주변 $10{\sim}16mm$ 의 곳에 생기는 원형의 영역(영역의 주변에는 자분이 부착되지만 원형의 영역 내에는 자분모양이 형성되지 않는다)으로 되어 있다. 이 원형의 영역(주변의 자분 부착부분을 포함) 내(內)가 결함 자분모양이 형성되지 않는 불감대이다. 또한 자극 주변 $2{\sim}3mm$ 의 곳에 부착되는 자분모양과 자극 주변 수 mm 의 곳에 부착되는 자분모양은 결함에 의하지 않는 자분모양(의사모양)으로, 자극지시(磁極指示, magnetic pole indication)라 한다. 자극과 시험 면의 접촉상태가 좋지 않아서 틈(gap)이 너무 벌어지게 되면 불감대도 넓어지므로 주의해야 한다.

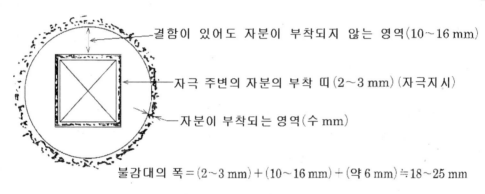

결함이 있어도 자분이 부착되지 않는 영역($10{\sim}16$ mm)

자극 주변의 자분의 부착 띠($2{\sim}3$ mm) (자극지시)

자분이 부착되는 영역(수 mm)

불감대의 폭 $= (2{\sim}3$ mm$) + (10{\sim}16$ mm$) + ($약 6 mm$) \fallingdotseq 18{\sim}25$ mm

그림 6-8 자극 주변의 불감대

ᕲ 6) 자극과 시험 면의 접촉상태

자극과 시험 면의 접촉상태가 좋지 않아서 틈이 벌어지게 되면 위에서 설명한 것과 같이 불감대가 넓어진다. 더욱이 자로(磁路)의 자기저항이 증대되어 자극에서 시험체에 유입되는 자속이 감소하여 시험체 속의 자속밀도가 저하되어 결함 자분모양의 형성에 나쁜 영향을 미친다.

ᕲ 7) 결함을 가장 잘 검출하기 위해 필요한 자극의 배치와 결함 방향과의 관계

결함을 가장 잘 검출하기 위해서는 **그림 6-9** 와 같이 결함 방향에 대하여 직교하는 방향으로 자속을 흐르게 해야 한다. 이렇게 하기 위해서는 자극의 배치를 어떻게 하는 것이 좋은지 또는 자극의 배치와 결함 자분모양의 형성과의 관계를 명확히 하

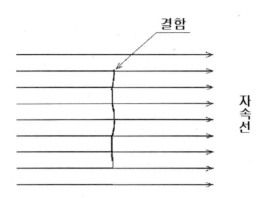

그림 6-9 결함을 가장 잘 검출할 수 있는 자속선의 방향과 결함

기 위하여 A형 표준시험편의 인공결함을 모의결함으로 하여, 휴대형 탐상기를 이용해서 실험을 실시한 결과에 대하여 설명한다.

그림 6-10 과 같이 A형 표준시험편에 대하여 자극을 여러 방향으로 배치하고 자화하여 검사액을 적용한 결과를 **표 6-1** 및 **그림 6-11** 에 나타낸다.

표 6-1 표준시험편 A1-7/50(직선)의 인공결함이 자분모양의 형성에 미치는
인공결함의 방향과 자속의 흐르는 방향과의 이루는 각도(θ)의 영향

θ(도)	결과	대응되는 사진번호
90°	◎	그림 6-11의 (a)
60°	○	그림 6-11의 (b)
45°	△	그림 6-11의 (c)
30°	×	그림 6-11의 (d)
0°	×	그림 6-11의 (e)

◎ : 뚜렷하게 자분모양이 확인된다.
○ : 조금 뚜렷하지 않게 자분모양이 확인된다.
△ : 희미하게 자분모양이 확인된다.
× : 전혀 확인되지 않는다.

자극 중심을 잇는 직선 위에서의 자속의 방향은 이 직선과 평행하기 때문에 θ는 자속과 결함 방향과의 교차(交差)하는 각(角)이다. 이 실험결과로부터 θ가 90° 및 60°에서는 결함을 확실히 검출할 수 있는 자분모양이 형성되지만, θ가 45°인 경우에는 주의해서 보지 않으면 확인할 수 없을 정도로 식별성이 현저하게 떨어진 희미한 자분모양밖에 형성되지 않음을 알 수 있다. 이것으로부터 가장 확실히 결함을 검출하기 위해서는 결함의 방향과 가급적 직교하는 방향으로 자속이 흐르도록 해야 한다는 것을 알 수 있다. 그러나 이것은

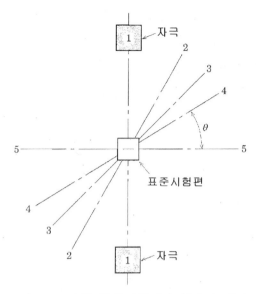

그림 6-10 A형 표준시험편과 자극의 배치

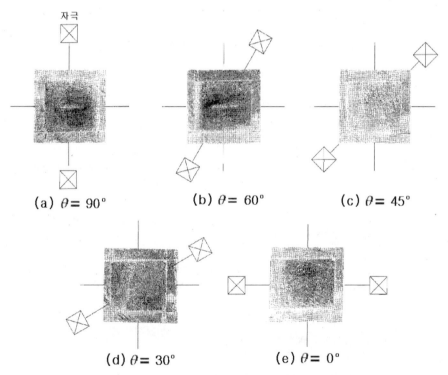

(a) $\theta = 90°$ (b) $\theta = 60°$ (c) $\theta = 45°$

(d) $\theta = 30°$ (e) $\theta = 0°$

그림 6-11 자극의 배치 각도를 변경했을 때의 표준시험편의 자분모양 "예"

거의 직선에 가까운 표준시험편의 인공결함이기 때문에, 여기서 얻어진 결과가 그대로 실제의 자연결함에 반드시 대응되지는 않는다. 오히려 자연결함(표면결함)인 경우에는 θ가 조금 더 작은 각도까지 뚜렷한 자분모양을 확인하는 것이 가능하다. 조금 더 비교하기 위하여 자연결함(표면결함)에 대하여 앞에서 실시한 것과 같이 실험한 결과를 **그림 6-12** 에 나타낸다. 이 결과에서는 θ가 90°에서부터 45°까지 뚜렷한 자분모양이 확인되고 있다.

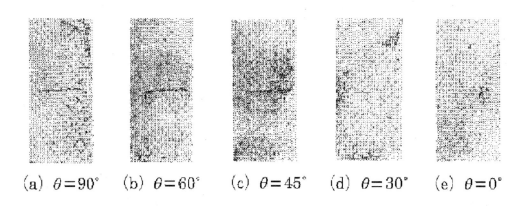

(a) $\theta = 90°$ (b) $\theta = 60°$ (c) $\theta = 45°$ (d) $\theta = 30°$ (e) $\theta = 0°$

그림 6-12 자연결함에 대해 자속의 배치각도를 변경했을 때의 자분모양

이것은 이 결함의 경우, 전체적으로는 언뜻 볼 때 직선(直線)과 같이 보여도 국부적(局部的)으로 보면 들쭉날쭉한 모양의 가늘고 굴곡이 있는 형상을 하고 있으며, 어느 부분에서는 자속의 흐름방향과 평행하고 있어도 다른 부분에서는 이것과 직교되는 부분도 있기 때문에, 육안으로는 전체적으로 연결된 것처럼 보여도 확대경으로 보면 자분이 흡착되지 않은 부분과 흡착되어 있는 부분이 단속(斷續)되어 있어, 어느 방향의 부분이 많은지에 따라 자분모양의 뚜렷하게 나타나는 것이 변하기 때문이다. 또한 이 자연결함은 시험 면에 열려있는 균열이기 때문에 사용할 때에 인공 흠이 있는 면을 시험 면에 배치하는 A형 표준시험편과 비교하여 자분을 흡착하는 힘이 강한 것도 영향을 미치고 있다. 그러나 모든 자연결함에 대해 θ가 45° 까지 뚜렷한 자분모양을 형성시키는 것이 아니므로, 실제의 시험에서는 빠뜨릴 위험성을 고려하여 자속의 방향과 거의 직교하는 방향의 결함을 검출할 수 있도록 고려하여 시험해야 한다.

이상은 비교적 단순한 형상의 균열을 대상으로 설명했지만, 형상이 복잡하면 이와는 다른 양상을 나타낸다. 즉 복잡한 형상의 균열이라면 그중 어느 곳의 일부는 반드시 자속의 방향과 적절한 각도를 이루는 부분이 있어서 균열의 자분모양이 조금은 얻어진다. 그러나 전체의 형상 및 미세한 부분의 상황은 자속의 흐름방향이 다르면 변하기 때문에, 자분모양이 얻어지면 정확한 형상을 파악하기 위하여 적어도 직교하는 2 방향에서 자화를 하여 시험을 실시해야 한다. **그림 6-13** 은 복잡한 형상의 균열(자연결함 = 표면결함)에 대한 자극 배치를 각도에 따라 여러 번 변경했을 때 자분모양이 어떻게 변화하는지를 조사한 것이다. 자분모양은 복잡한 형상을 하고 있어 모두 똑같은 것처럼 보이지만, 아주 주의하여 미세한 부분을 비교하면 각각에 차이가 있음을 알 수 있다.

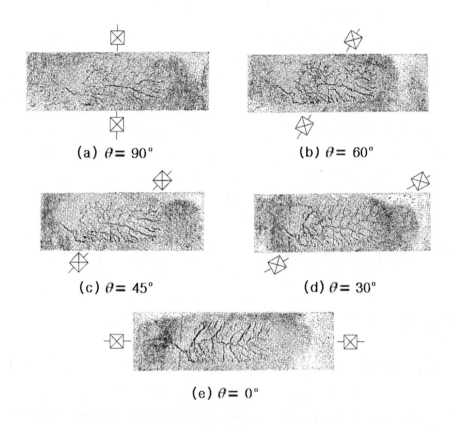

그림 6-13 복잡한 형상의 자연결함(표면결함)에 대해 자극의 배치 각도를
변경했을 때의 자분모양 "예"

🐾 8) 자극 간의 탐상 유효범위

탐상 유효범위란 1회의 탐상조작으로 어느 특정방향의 결함을 검출할 수 있는 시험 면 위의 영역을 말한다. 이 영역은 탐상장치 및 재료의 성능, 탐상조건 및 시험체의 재질과 형상 그리고 결함의 성질과 상황에 따라 달라지므로, 시험대상물이 결정되면 사용할 탐상장치와 탐상조

건에 따라 시험 면 위의 탐상 유효범위를 미리 조사해 두어야 한다. 자극간의 탐상 유효범위에 영향을 미치는 탐상 기자재의 성능 및 탐상조건 중 주요 항목을 열거하면 다음과 같다.

　가) 자속의 철심 속에 발생하는 자속의 총량(전자속)

　나) 자석의 자극 간격

　다) 결함의 방향에 대한 자극의 배치 각도

　라) 자극과 시험 면과의 접촉상태

　마) 자분과 검사액의 종류 및 검사액 농도

　바) 통전시간 및 자분의 적용시간

　사) 시험 면 위에서의 검사액의 흐름 상태

　아) 자분모양의 관찰 환경 및 관찰방법

　그러므로 탐상 유효범위를 구할 때는 위의 탐상조건을 실제의 탐상조건과 똑같게 해야 한다. 탐상 유효범위는 위의 탐상 기자재의 성능과 탐상조건 이외에 시험체의 재질과 형상, 결함의 종류와 크기에 따라서도 달라지기 때문에 실제의 시험대상물과 같은 재질 및 형상에 대하여 검출해야 하는 최소의 결함을 만들어 그 결함에 대하여 탐상 유효범위를 구해야 한다. 그러나 이것은 매우 곤란하기 때문에 일반적으로는 A형 표준시험편을 시험체의 표면에 붙이고 그 인공결함을 대상으로 하여 구한 탐상 유효범위를 참고로 하고 있다.

9) 탐상기의 인상력(lifting power)

　인상력(lifting power)은 극간식 탐상기의 자화능력 또는 경년변화를 조사할 목적으로 들어 올리는 힘(揚力), 즉 전자석이 어느 정도의 중량을 들어 올릴 수 있는지를 측정하는 것이다. 제 2 장에서 설명한 것과 같이 ASME Sec. Ⅴ 에서는 이 인상력을 규정하고 있다. 전자석의 철심 속에 발생하는 자속이 많으면 많을수록 자극이 강해져서 무거운 것을 들어 올릴 수 있기 때문에 인상력이 좋아진다. 일반적으로 인상력이 좋으면 결함 검출성능은 높아진다. 그러나 탐상기가 지닌 탐상성능, 즉 결함의 검출능력은 단지 간단히 철심 속의 전자속으로만 결정되지 않고, 자극간 거리가 관계된다. 즉 동일한 세기의 자극을 갖고 있는 탐상기라도 자극 간격의 길고 짧음에 따라 자극 사이에 흐르는 자속의 분포가 변하며, 자속밀도가 변화하기 때문에 탐상 유효범위도 변하게 된다. 이에 대하여 인상력은 자극의 세기가 일정하면 자극 간격에 관계없이 일정하다. 이 관계를 **그림 6-14** 에 나타낸다.

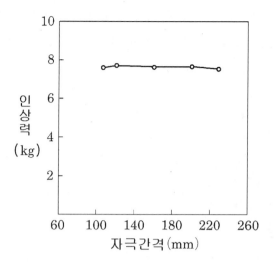

그림 6-14 인상력과 자극관계

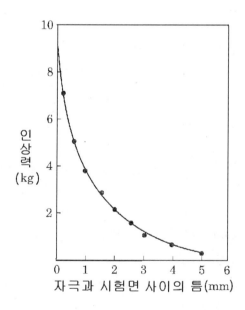

그림 6-15 자극과 시험 면 사이의 틈과 인상력과의 관계

따라서 결함 검출능력을 중심으로 탐상기의 성능을 조사하는 경우는 간단히 인상력 뿐만 아니라 탐상 유효범위를 구하여 비교 검토해야 한다. 또한 이 인상력의 문제점으로는

자극과 시험 면과의 틈(air gap)이 문제가 된다. 자극과 시험 면과의 틈이 $1mm$ 정도 이하이면 시험 면의 자속밀도는 그다지 저하되지 않지만, 인상력은 **그림 6-15** 와 같이 급격히 저하된다. 이것은 오랫동안 사용한 탐상기의 인상력을 측정하는 경우에 주의해야 한다는 것을 나타낸다.

탐상기는 사용법을 볼 때 자극의 끝 면은 시험 면과 접촉이 많아서 오랫동안 사용하다 보면 자극의 끝은 요철(凹凸)이 생기고, 그 주변부는 상당히 마모된다. 이렇게 되면 시험 면과의 접촉부에 틈이 생기기 때문에 인상력은 당연히 저하된다. 그러므로 이러한 경우에는 자극의 끝 면을 평탄하게 다듬은 후에 인상력을 측정해야 한다.

나. 용접 구조물의 탐상

1) 사용 기자재의 준비

우선 작업 절차서를 숙독한 후 시험 대상물 및 시험 부위에 대한 내용을 확인하여, 어떠한 방법으로 시험할 것인지에 대하여 충분히 검토한다. 다음에 머릿속에 실제로 해야 할 탐상작업의 절차를 설계하고, 탐상에 필요한 장치와 기구 및 재료를 고려해서 필요로 하는 충분한 기기(器機) 및 재료를 준비해야 한다. 그리고 탐상을 하기 전에 가능하다면 한차례 준비를 위하여 시험체에 대하여 예비조사를 한다. 예를 들면 절차서에 기재되어 있지 않은 기기 및 재료에 대해서도 필요하다고 생각되는 것이 있으면 미리 준비하도록 해야 한다.

2) 시험준비 및 전처리

탐상작업을 시작하기에 앞서 먼저 해야 할 일은 시험체의 확인이다. 시험체의 확인이란 시험할 시험체가 틀림없는지의 확인과 시험체의 표면상태에 대한 확인이다. 이 2가지는 모두 확실한 탐상을 하기 위한 것으로, 전자(前者)는 시험 대상물이 바뀌는 것을 방지하기 위해서이고, 후자(後者)는 탐상조건을 정하기 위해서 필요하다.

만일 이 확인 작업에서 용접비드의 요철(凹凸)이 너무 심하거나, 슬래그 등이 충분히 제거되지 않았거나, 스패터(spatter)가 너무 많아서 적절한 표면상태가 아닌 경우와 보수검사(maintenance inspection)할 경우에는 유지류 등의 오물이 표면에 남아 있거나 지난번 보수검사를 했을 때의 자분 및 녹 등이 충분히 제거되지 않고 남아있는 것이 확인된 경우에는 신속하게 적절한 조치를 취하도록 담당자에게 의뢰해야 한다.

일반적인 전처리 방법으로는 시험 면에 기름, 오물 등이 부착되어 있는 경우에는 에어로졸형 세척제를 적용하여 걸레로 닦아 제거한다. 그 다음 검사액을 적용함에 있어 튀지 않게 적용할 수 있는지를 확인한다. 또한 용접비드가 있는 경우는 용접부를 쇠솔(wire brush)로 닦아서 시험 면을 은백색(銀白色)이 되게 하거나 콘트라스트 페인트를 도포하면 된다(흑색자분을 적용하는 경우).

콘트라스트 페인트는 래커(lacquer)에 비해 검사액의 적심성이 좋고 또한 시험 후에 쉽게 쇠솔로 제거가 가능하다. 그러나 지나치게 두껍게 도포하면 누설자속이 적어지며 동시에 시험 면이 너무 매끄럽게 되어 검사액의 흐름이 빨라지므로 자분모양이 형성되기 어렵게 된다. 그러므로 대비(contrast)가 확보되는 범위에서 얇게 도포해야 한다.

3) 자극의 배치 및 탐상피치(pitch)의 설정

일반적으로 자극의 배치 및 탐상피치는 탐상조건의 일부로서 절차서에 지정되어 있어야 하지만, 절차서에 탐상 유효범위만을 표시하고, 자극의 배치 및 탐상피치가 지정되어 있지 않은 경우에는 검사원 스스로 아래의 설명을 잘 이해하여 자극의 배치와 탐상피치를 설정하고 확인한 후에 탐상작업을 해야 한다.

우선 자극의 배치를 결정할 때에는 시험체의 형상과 결함이 발생하기 쉬운 위치 및 방향을 고려하여, 시험체의 결함을 가장 검출하기 쉽도록 자극의 배치를 선택해야 한다. 예를 들면 단순한 평판 맞대기 용접부를 탐상하는 경우라면 이 용접부에 발생하는 결함을 방향성에서 보면 종(세로)균열, 횡(가로)균열 또는 이것과 동등한 방향을 갖는 결함의 발생률이 높다는 것과 이미 앞에서 설명한 자극 간 및 자극 주변의 자속의 방향성을 고려하여 일반적으로 **그림 6-16 (a)**와 같이 자극의 배치를 선택하는 것이 바람직하다.

이 경우 A-A' 방향으로 자극을 배치한 탐상에서는 종 균열(longitudinal crack)이, 그리고 B-B' 방향으로 자극을 배치한 탐상에서는 횡 균열(transverse crack)이 탐상의 대상이 된다. 이 경우 B-B' 방향으로 자극을 배치한 탐상에서는 자극을 용접비드 위에 위치시키고 자화를 하기 때문에 자극 지시라 부르는 의사모양이 비드 위에 발생하기 쉬우므로 관찰할 때에는 주의해야 한다.

이와 같이 용접 비드에 대하여 직교하는 방향과 평행한 방향의 2 방향으로 자극을 배치하면, 비드 위에 자극 지시가 나타나게 되는 관찰 상의 번잡함을 피하기 위해 용접 비드를 걸쳐서 자극을 배치하고 교차되도록 해서 2방향으로 자화하는 경우도 있다. 그러나 이러한 자화를 하는 경우에는 탐상할 수 있는 결함의 방향과 탐상할 수 있는 범위가 상당히 한정되게 된다. 즉 **그림 6-16(b)** 와 같이 용접비드에 걸쳐서 자극을 배치하여 교차하는 2 방향의 자화를 하는 경우, 각각 방향의 자화에서 흐르는 자속의 방향은 **그림**에 나타낸 것과 같이 된다. 이 **그림**에서 알 수 있듯이, 우선 A-A'방향의 자화에 의해 검출되기 쉬운 결함의 방향은 자화범위의 양 끝부분에서는 C-C'방향이며, 중앙부에서는 B-B' 방향이다.

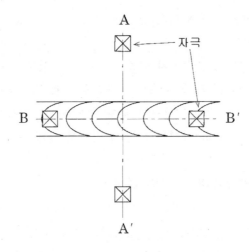

(a) 용접비드에 대한 표준적인 자극의 배치

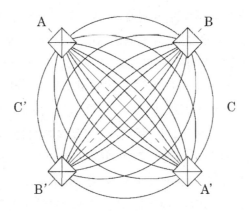

(b) 용접선에 45°로 교차하는 자극의 배치

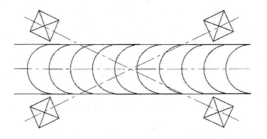

(c) 용접선에 근접시킨 자극의 배치

그림 6-16 용접선에 대한 자극의 배치

또 B-B' 방향에서 자화를 하는 경우, 양 끝부분에서는 A-A' 방향의 자화와 같은 방향이므로, C-C' 방향의 결함이 검출되기 쉽고, 중앙부에서는 A-A'방향의 결함이 검출되기 쉽게 된다. 그러므로 이 2 방향의 자화에 의한 2 회를 탐상해도 횡 균열을 검출하는 것은 곤란하다. 또한 만일 자극의 위치를 **그림 6-16(c)** 와 같이 용접 비드에 근접시킨 경우에는 **그림 6-16(b)** 의 경우와 조금 달라서, 중앙부에서는 횡 균열이 검출되기 쉽고, 양 끝부분에서는 종 균열이 검출되기 쉬워, 중앙부와 양 끝부분에서 검출되는 결함의 방향성에 극단적인 차가 생긴다. 그러므로 자분모양을 관찰하는 경우는 장소마다 이 부분은 종 균열을 검출할 수 있는 영역, 이 부분은 횡 균열을 검출할 수 있는 영역과 같이 나누어 복잡한 관찰을 해야 한다. 또한 **그림 6-16(b)** 에서 검출하기 쉬운 A-A' 방향 또는 B-B' 방향의 결함 발생률은 낮다. 그러므로 용접부를 탐상할 경우에는 우선 종 균열 및 횡 균열을 확실히 탐상할 수 있는 방법을 고려하고, 다음에 의심스러운 경우가 생기면 용접선과 45°를 이루는 방향의 결함에 대하여 탐상을 고려해야 한다.

이러한 관점으로부터 **그림 6-16**에 나타낸 각종 자극의 배치를 고려하는 경우, **그림 6-16(a)** 에 나타낸 방법이 가장 적합한 방법이라고 말할 수 있다.

위와 같이 자극의 배치를 결정하고 나면, 다음에는 용접부의 전면탐상을 하기 위하여 필요한 탐상피치를 결정해야 한다. 탐상피치는 일반적으로 개개의 장치에 대하여 구해져 있는 탐상 유효범위로부터 결정한다. 어느 탐상조건 하에서 자극 중심을 잇는 직선에 직교하는 방향의 결함에 대한 탐상 유효범위가 **그림 6-17**과 같이 나타났다면 우선 이 장치에 의한 용접부의 종 균열을 대상으로 하는 탐상 유효범위는 다음과 같이 결정된다.

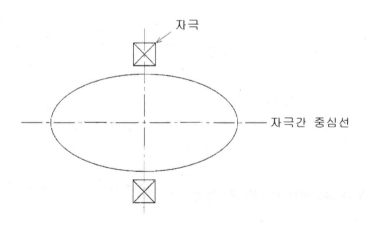

그림 6-17 자극간 중심선에 직교하는 방향의 결함에 대한 탐상 유효범위

그림 6-18 과 같이 용접부의 시험대상이 되는 범위의 중심선과 자극간의 중심선이 일치하도록 해서 그림 6-17의 탐상 유효범위와 겹치게 한다. 그리고 탐상 유효범위를 나타내는 경계선과 시험 대상범위와의 만나는 점(交點)을 a, b, c, d 라 하면, 이러한 자극의 배치로써 1 회의 자화조작에 의해 용접부의 종 균열을 탐상할 수 있는 범위는 abcd로 둘려 쌓인 그림 속의 빗줄 친 부분이 된다. 이것이 탐상기에 대한 탐상유효범위가 결정되어 있는 경우의 용접부의 종 균열에 대한 탐상 유효범위의 설정방법이다.

그러므로 용접부의 시험 대상범위의 폭 ab가 넓어지면 탐상 유효범위의 길이 L_{el} 은 짧아지며, 반대로 ab 가 좁아지면 L_{el} 은 길어진다. 이렇게 하여 용접부의 종 균열에 대한 탐상 유효범위가 결정되면, 다음에 전체 용접부를 탐상하기 위해 차례로 자극을 이동시켜 실시하는 경우의 이동거리, 이를 테면 탐상피치도 쉽게 결정할 수 있다. 즉

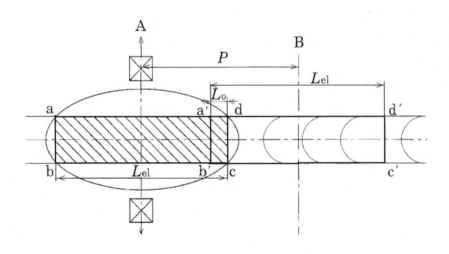

그림 6-18 용접부의 세로 균열에 대한 탐상피치를 결정하는 방법의 예

그림 6-18 의 A의 위치에서 탐상을 끝내고, 다음에 B의 위치로 자극을 이동시키는 경우, 이론적으로는 A의 위치에서의 용접부의 탐상 유효범위 *abcd* 에 바로 이어서 이것과 똑같은 영역을 고려하면 되지만, 보통 일반시험에서는 시험을 빠뜨리는 부분을 없게 하기 위해서 반드시 몇 %인가의 부분이 중복되도록 하고 있다. 그러므로 이 경우도 약 10%의 부분을 중복시키면 인접하는 탐상 유효범위는 *a'b'c'd'* 의 범위가 된다.

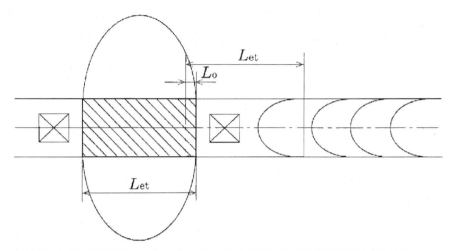

그림 6-19 용접부의 가로 균열에 대한 탐상피치를 결정하는 방법의 예

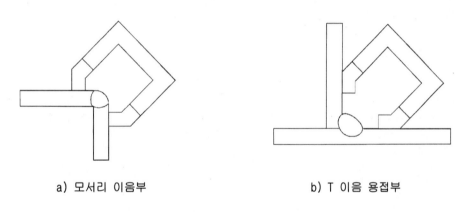

a) 모서리 이음부   b) T 이음 용접부

그림 6-20 모서리 이음 및 T 이음 용접부에 대한 자극의 접촉

그리고 $a'd'$의 중심선 B의 위치가 이때의 자극의 위치가 되며, AB 사이의 거리 P 가 탐상피치가 된다. 즉 탐상피치 P 는 식 (6. 2)로 표시된다.

$$P = L_{el} - L_o \quad \text{(6. 2)}$$

여기서 L_o 는 중복되는 부분의 길이이며, 요구되는 중복의 % 를 m 이라 하면 식 (6. 3)과 같이 된다.

$$L_o = L_{el} \times m/100 \quad \text{(6. 3)}$$

이상은 용접부의 종 균열에 대한 탐상피치를 결정하는 방법이지만, 횡 균열에 대해서도 거의 이와 같은 방법으로 결정할 수 있다. 즉 그림 6-19 와 같이 하여 우선 용접부의 횡 균열에 대한 탐상 유효범위를 구한 후, 지정된 중복부분을 포함하여 다음의 탐상 유효범위를 정하기 위한 자극 이동을 구하면 된다. 즉 횡 균열에 대한 탐상피치 P는 종 균열에 대한 탐상피치를 구하는 앞에서 설명한 식에서 L_{el} 은 L_{et} 로 치환하면 된다.

지금까지는 평판 맞대기 용접 이음부를 대상으로 한 자극 배치와 탐상피치에 대하여 설명했다.

모서리 이음 및 T 이음 용접부에 대한 자극의 배치 및 탐상피치는 기본적으로 위의 사항과 동일하다. 다만, 그 경우는 그림 6-20 과 같이 중간 이음매가 있는 탐상기를 사용하여 자극을 L자 모양으로 하여 시험체 표면과의 접촉을 좋게 해야 한다. 또한 현장 등에서 탐상 유효범위가 구해져 있지 않은 휴대형 교류 극간식 탐상기를 사용하여 탐상해야 하는 경우에는 탐상피치는 $50{\sim}60mm$(자극의 폭의 약 2배 길이)로 하면 된다. 그리고 배관 용접부에 대한 자극의 배치는 그림 6-21 과 같이 용접선에 직교 및 평행의 2 방향으로 한다.

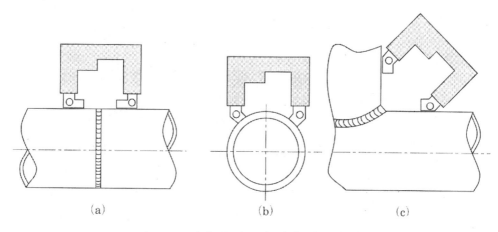

(a)   (b)   (c)

그림 6-21 배관 용접부에 대한 자극의 배치

✎ 4) 구조물의 용접부에 대한 자분의 적용

구조물의 용접부는 일반적으로는 시험 면이 넓고, 경사진 곳이 많으며, 움직일 수 없는 것이 보통이다. 이러한 시험 면을 극간법으로 시험할 때에는 교류 극간식 탐상기를 사용한다. 그러므로 자분의 적용은 연속법으로 해야 한다. 또한 최종 용접표면의 시험은 습식법으로 자분을 적용하는 경우가 대부분이다.

움직일 수 없는 구조물은 시험체의 형상 및 시험 면의 기울기에 따라 검사액의 적용방법을 변경해야 한다. 즉 결함 자분모양의 형성을 좋게 하기 위해서는 검사액의 흐름이 시험 면에 천천히 흐르도록 하는 것이 필요하여 이러한 검사액의 흐름상태를 만들지 않으면 안 된다는 것이다. 그러므로 시험하는 부분에 검사액이 빠르게 흐르도록 직접 적용해서는 안 된다. 예를 들면 용접비드가 시험 대상부인 용접부에 검사액을 적용하는 경우는 **그림 6-22**와 같이 모재부에 적용한 검사액이 막을 형성하면서 시험부로 흘러 결함부를 천천히 통과하도록 적용하는 것이 바람직하다. 결함의 누설 자속밀도가 낮아서 자분에 작용하는 흡착력이 약한 경우는 검사액의 유속(流速)이 빠르게 되면, 애써 형성시킨 결함 자분모양이 박리되어 탈락해 버릴 우려가 있기 때문이다. 마찬가지로 움직일 수 없는 구조물의 경우에서도 시험 면이 수평이 아닐 때에는 시험부에 강제적으로 검사액의 흐름이 만들어지도록 해야 한다.

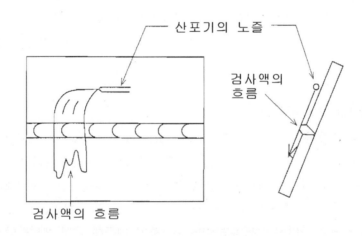

그림 6-22 경사면에 대한 검사액의 적용

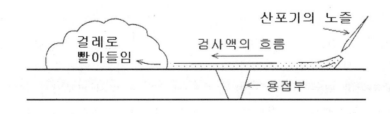

그림 6-23 수평면에 대한 검사액의 적용

예를 들어 수평으로 놓인 평판 맞대기 용접부에 검사액의 흐름을 천천히 흐르게 만들려면 그림 6-23과 같이 걸레를 이용하여 산포기에서 나온 검사액을 탐상 유효범위 밖의 근방에서 흡수되도록 해 주면 된다. 똑같이 수평인 시험 면에서도 위보기의 용접과 같은 시험 면의 경우에는 검사액의 흐름을 시험 면에 만드는 것이 곤란하기 하기 때문에 다른 경우와 동일한 적용방법으로는 탐상하는 것이 불가능하다.

또한 일반 산포기를 사용하는 경우는 위쪽으로 충분한 량의 검사액을 분사시키려면 상당한 세기로 분출하여 시험 면에 강한 세기로 검사액이 닿게 하지 않으면 안 된다. 이것은 자분모양이 형성되는 조건에서 생각할 때 바람직하지 않다. 이러한 경우에는 보통 노즐 입구를 넓게 하고, 분출 속도를 느리게 함과 동시에 많은 량의 검사액이 시험 면에 머물도록 자분을 적용하는 편이 좋은 결과를 얻을 수 있다. 그러나 적용한 만큼 많은 량의 검사액이 시험 면으로부터 방울지어 떨어지게 되므로 작업하기가 어렵게 된다. 이러한 경우에는 에어로졸 제품의 검사액을 분무하는 방법을 이용하는 편이 위의 방법보다 작업성이 좋으며 또한 좋은 결과를 얻을 수 있다. 이러한 특수한 상태의 시험 면의 경우에는 사전에 충분한 검토를 하고, 다시 실험해 보면서 최선의 작업방법을 결정하고 나서 실시해야 한다.

✎ 5) 의사모양과 그의 확인방법

의사모양이란 결함이 없는데도 마치 결함이 있는 것처럼 나타나는 자분모양을 말한다. 구조물의 용접부를 교류 극간식 탐상기를 사용하여 탐상했을 때 나타나는 자분모양에도 당연히 결함 자분모양과 의사모양이 포함된다. 그러므로 자분모양이 발견된 때에는 결함 자분모양인지 의모양인지를 확인하지 않으면 안 된다. 그 확인 방법은 제 2 장 제 2 절 6. 자분모양의 관찰에서 간단히 설명하였지만 중요하기 때문에 다시 설명한다. 우선 자분모양이 나타나면 그 자분모양을 닦아내고 재 탐상을 하여 시험 면 위의 같은 곳에 같은 자분모양이 나타나는지(이것을 재현성이라 한다)를 조사한다. 만일 재현성이 있으면 그 자분모양을 닦아낸 후 밝은 빛 아래에서 그곳을 잘 관찰하여 의사모양을 발생시키는 원인이 될 만한 것의 존재 유무를 조사한다. 긁힘지시 또는 표면거칠기 지시라 부르는 의사모양(용접 비드부분, 연삭 자국, 스크래치, 오목(凹)하게 파인부분 등에 자분이 부착 또는 모여서 발생한다)이 있는지도 조사한다. 만일 이러한 것이 아니면 결함 자분모양이다. 또한 결함 이외에 자분모양의 원인이 되는 것이 있으면 그것을 제거한 후 다시 자분탐상시험을 하여 재현성을 조사한다. 만일 재현성이 있으면 결함 자분모양이다. 용접부에 나타나는 자분모양 중에는 결함 자분모양인지, 의사모양인지 판단하기 어려운 것도 있다. 그것은 덧살(weld reinforcement)이 있는 용접부의 지단부에 나타나는 단면 급변지시와 언더컷에 의한 자분모양 그리고 덧살이 삭제된 용접부의 지단부에 나타나는 재질 경계지시라 부르는 의사모양이다. 이들 자분모양은 모두 재현성이 있기 때문에 동일한 곳에 발생하는 지단균 열(toe crack)과의 판별을 곤란하게 한다. 그렇기 때문에 결함 자분모양이 아니라는 것을 확인해야 한다.

휴대형 극간식 탐상기로 넓은 시험 면을 탐상했을 때 나타나는 독특한 의사모양으로 자극지시라 부르는 것이 있다(**그림 6-8 참조**). 이것은 용접부의 횡 균열을 탐상하기 위하여 자극을 시험 면 위에 배치하고 시험 면을 몇 번 나누어 탐상할 때 주의해야 할 의사모양으로, 자석의 자극이 접촉했던 곳에 생기는 자분모양이다. 그러므로 어떠한 탐상 피치로 용접부를 탐상하는 경우에는 반드시 이 자분모양을 닦아 낸 후 탐상해야 한다.

결함 자분모양이 확인되면, 표면이 열려있는 결함 자분모양인지 또는 표면 아래의 결함 자분모양인지는 자분모양을 제거한 후 15~20배 정도의 확대경을 가지고 관찰하면 판별이 가능하다. 표면이 열려 있는 균열에 의한 자분모양은 일반적으로 형상이 뚜렷한 자분모양으로 나타나며, 표면 아래의 결함에 의한 자분모양은 희미한 자분모양으로 나타나기 때문에, 시험 면이 자분으로 더럽혀져 있거나 검사액의 적용 얼룩이 있으면 의사모양이라 착각하여 빠뜨릴 수가 있으므로 주의해야 한다.

❧ 6) 극간법에 의한 탈자

구조물의 용접물에 대하여 자분탐상시험을 실시한 때에는 일반적으로 탈자는 요구되지 않는다. 그러나 요구하면 실시하지 않으면 안 된다.

여기서는 교류 극간법에 의한 자분탐상시험을 대상으로 하므로, 교류 극간식 탐상기에 의한 탈자에 대하여 설명한다.

탈자는 자극의 배치를 자화조작의 경우와 똑같이 하고, 탐상기의 자극을 시험체에 접촉시켜 통전하면서 자극을 시험 면으로부터 멀리한다. 이때 탐상기를 시험 면에서 수직으로 당기면 자극과 시험체의 흡착력이 강해져서, 자극을 시험체로부터 떼어내기가 곤란하다. 그래서 자극을 시험 면으로부터 멀리하기 위해서는 우선 탐상기를 시험 면에 대해 눕혀서, 양 자극의 모서리만이 시험체에 접촉된 상태에서 실시한다. 다음에 한쪽의 자극을 시험체로부터 떼어낸 후 또 한쪽의 자극도 떼어서, 탐상기를 시험 면으로부터 멀리한다. 탈자를 할 때의 탐상기의 이동피치는 자화 조작할 때의 탐상피치와 동일하게 한다.

자극부에 바퀴(roller)를 부착하여 통전 중에 시험체를 이동시킬 수 있도록 되어 있는 교류 극간식 탐상기를 사용하는 경우의 탈자는 자극을 시험 면으로부터 멀리하는 것이 아니라, 통전 중에 시험체 표면 위를 끝에서 끝까지 이동시키고 마지막에 탐상기를 시험 면으로부터 멀리하면 된다.

또한 전류치를 연속적으로 "0"까지 낮출 수 있는 교류 극간식 탐상기는 자극을 시험 면으로부터 멀리하는 것이 아니라, 자극을 시험체에 접촉시킨 상태 그대로, 전류치를 연속적으로 "0"까지 낮추는 것으로 탈자가 가능하다.

2. 축 통전법 및 전류 관통법에 의한 자분탐상시험

가. 탐상에 필요한 기초지식

① 축 통전법은 파이프(pipe) 및 환봉(round bar)강 등의 바깥 둘레 면을 탐상하기 위하여 시험체의 축 방향으로 직접 전류를 흘려서 전류 주위에 생기는 원형자계를 이용하여 자화하는 방법이다. 이 방법은 시험체의 축 방향으로 평행한 결함을 잘 검출할 수 있으며, 축에 직각인 결함은 검출되지 않는다. 전극을 시험체의 양 끝 면에 접촉시키고 통전하기 때문에 끝 면의 탐상은 불가능하며, 또한 파이프의 안쪽 면에 대한 탐상도 할 수 없다. 그러나 바깥 둘레 면의 결함을 능률적으로 탐상할 수 있는 특징이 있다. 또한 전극과 시험체의 접촉이 불완전한 경우에는 스파크 및 접촉 저항(抵抗)열에 의한 시험체를 손상시킬 우려가 있다.

② 전류 관통법은 파이프 및 중심구멍이 있는 샤프트(shaft) 등의 안과 밖 둘레 면 및 끝 면을 탐상하기 위하여 사용하는 방법으로, 시험체의 구멍에 도체(전류 관통봉)를 넣어 관통시키고, 이 도체에 전류를 흘려서 시험체를 자화하는 방법이다. 검출할 수 있는 결함은 축 방향에 평행한 결함으로 축 통전법과 같다. 다만, 시험체에 직접 전류를 흘리지 않으므로 시험체에 손상을 주지 않는 점이 다르다. 또한 대량 생산품과 같은 여러 개의 시험체를 관통봉에 관통시키고 동시에 탐상할 수도 있어 축 통전법에 비해 편리하다.

✎ 1) 축 통전법 및 전류 관통법에 있어서 전류와 자계의 관계

그림 6-24 와 같이 길고 곧은 도체에 전류가 흐르면 이 도체의 둘레에 자계가 발생한다. 이때 자계의 형상은 도체를 중심으로 하는 동심원(同心圓 ; 중심을 같이 하지만 반지름이 다른 두 개 이상의 원) 형상이므로, 반지름이 같은 원둘레 위에서는 자계의 세기는 일정하며, 자계의 방향은 원의 접선방향에서, 오른 나사(시계 방향으로 돌리면 앞으로 진행)가 진행하는 방향으로 전류를 흘렸을 때, 자계의 방향은 오른 나사를 돌리는 방향이 된다.

이때 전류의 방향에 직각으로 자계가 발생하며, 이 자계의 방향에 직각인 결함을 가장 잘 검출되므로, 전류의 방향과 같은 방향의 결함이 검출된다고 생각하면 된다. 또한 이 앙페르의 법칙을 이용하면 자화전류치는 식 (6. 4)으로 표시된다.

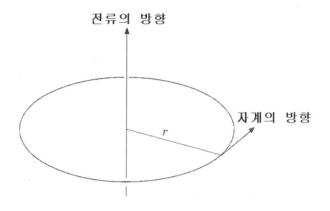

전류의 방향

자계의 방향

r

그림 6-24 직선 전류에 의한 자계

$$I \;=\; 2\pi r H \quad\text{...}\ (6.\ 4)$$

여기서 I : 자화전류치(A), π : 원주율, r : 시험체의 반지름(m), 그리고 H : 시험체의 탐상에 필요한 자계의 세기(A/m)이다.

탐상에 필요한 자계의 세기 H는 시험체의 자기특성에 의해 결정되며, 일반적으로 절차서나 지시서에 기재되어 있다.

2) 축 통전법에 대한 자화의 특징

① 축 통전법에 의해 발생하는 자기회로는 폐자로(閉磁路)이기 때문에, 반자계가 약해서 자계는 유효하게 작용한다.

② 원통형 시험체(환봉, 파이프 등)의 경우, 자계의 세기는 중심 축으로부터 반지름 방향의 거리에 따라 결정되기 때문에, 바깥 둘레 면은 일정한 강도의 자화상태가 되어 동일한 감도로 탐상할 수 있다.

③ 시험체의 크기 및 시험체의 자기특성에 따른 자화전류를 통전함에 따라 시험체를 적정한 자계의 세기로 자화할 수 있다. 예를 들면 원통형 시험체인 경우, 시험체의 바깥 지름에 따라 자화전류를 통전하므로 적정한 자계의 세기로 자화할 수 있다.

④ 자화전류로 교류를 사용하면 전류가 시험체의 표면으로 흐르는 이를 테면, 표피효과로 인하여 표면결함을 높은 감도로 탐상할 수 있다.

⑤ 자화전류로 직류를 사용하면 교류에 비해 표면 결함에 대한 검출 감도는 떨어지지만 표면 층 아래의 결함도 검출할 수 있게 한다.

⑥ 전류가 흐르는 시험체의 단면(斷面) 형상이 원형(圓形)과 각형(角形)일 때의 자속분포는 **그림 6-25** 에 나타낸 것과 같지만, 각형은 모퉁이(corner)부분 근방의 자속밀도가 조밀하지 않아 조금 저하된다.

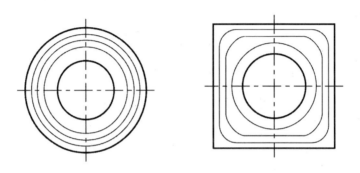

그림 6-25 전류와 직각방향의 자속 분포

3) 전류 관통법에 대한 자화의 특징

① 전류 관통법에 의해 발생하는 자기회로는 축 통전법에서와 같이 폐자로이므로, 반자계가 약해서 자계는 유효하게 작용한다. 그러므로 이음철봉은 필요로 하지 않는다.

② 시험체 표면의 자계의 세기는 전류관통봉의 중심으로부터의 거리에 반비례하지만, 거리가 같으면 동일한 세기가 되기 때문에 같은 감도로써 탐상할 수 있다.

③ 시험체의 크기 및 시험체의 자기특성에 따른 자화전류를 통전함에 따라 시험체를 적정하게 자화할 수 있다.

④ 자화전류로 직류를 사용하면 교류 보다 표피효과가 적기 때문에 표면 아래의 결함도 검출할 수 있다.

⑤ 관통전류의 방향에 직각방향인 시험체 단면의 형상이 원형(圓形) 또는 각형(角形)일 때의 자속 분포는 **그림 6-26** 에 나타낸 것과 같으며, 각형의 모퉁이부분은 자속 분포가 조밀하지 않고 엉성하여 결함 검출은 곤란하다.

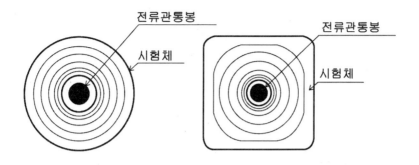

그림 6-26 시험체 속에서의 자속 분포도

✎ 4) 자화 조작할 때의 주의사항

- 축 통전법 : 시험체의 끝 면과 전극과의 접촉상태가 가장 중요하기 때문에, 끝 면의 어느 위치에서도 균일하게 전극에 접촉시키고, 국부적으로 통전시키는 것은 피해야 한다.

- 전류 관통법 : 시험체의 자화를 균일하게 하고 적정하며, 거의 동일한 감도로써 탐상하기 위해서는 관통봉을 가급적 시험체 구멍의 중심에 위치시키는 것이 필요하다. 이 때문에 관통봉은 굵은 것이 좋다. 다만 검사액의 적용조건을 갖추기 위해서 시험체의 원둘레를 3~4로 분할하여 회전시키면서 탐상하는 것이 필요하다. 또한 안쪽 둘레면의 탐상에는 검사액을 적용할 수 있는 공간이 확보되어야 한다.

그림 6-27 전류관통법의 자분탐상시험

그림 6-27 에 나타낸 것과 같이 시험체의 지름이 크고, 탐상장치의 용량이 작아서 필요한 자화전류치가 얻어지지 않는 경우는 관통봉을 시험체의 한쪽으로 치우쳐서 배치하면 관통봉의 가까운 위치에서 충분한 자계의 세기가 얻어지게 된다. 그러므로 이때는 시험체

를 4~5 로 분할하여 회전시켜 탐상하면 된다. 관통봉은 시험체의 축에 가급적 평행이 되도록 하는 편이 효과적으로 자화할 수 있다.

자화전류의 조정은 관통봉을 시험체에 통과시키고 시험을 실시하는 상태로 하고나서, 규정된 전류치보다 너무 높지 않도록 낮은 쪽에서부터 맞추어 조정해야 한다.

나. 기계부품 탐상의 기초

✎ 1) 시험준비 및 전처리

일반적으로 탐상시험을 시작하기에 앞서, 절차서를 잘 이해하고 절차서에 따라 시험을 실시해야 한다. 그리고 시험체를 확인해야 하는데, 즉 주어진 시험체가 절차서와 일치하는 시험 대상물인지를 확인하는 것이 필요하다.

다음에 시험체의 표면 탐상에 나쁜 영향을 주는 유지(油脂), 형광 자분, 기타 부착물이 있으면 완전히 제거함과 동시에, 아주 심한 요철(凹凸)이나 심한 녹이 있는 경우에는 이것을 제거해야 한다. 또한 의사모양의 원인이 되는 박리(剝離)나 스크래치(scratch) 등도 제거하고, 잔류자기가 있으면 탈자해야 한다.

✎ 2) 탐상순서 및 탐상구분

시험체를 능률적이고 확실하게 탐상하기 위해서는 시험체 표면을 검사액으로 더럽혀서는 안 된다. 시험 면이 검사액으로 더럽혀지면 배경(background)이 나빠져서 결함 자분모양과의 대비(contrast)가 잘 안 되어 식별성이 낮아진다. 그러므로 검사액을 적용할 때는 가장 먼저 오염되기 쉽고, 세척하기 어려운 곳부터 탐상을 시작한다. 예를 들면 구멍이 있는 사각 막대의 경우에는 먼저 구멍의 안쪽 둘레면 및 끝 면을 탐상하고, 다음에 나머지 4면을 탐상하는 순서로 한다. 이와 같이 검사액을 적용하기 전에 탐상순서와 검사액의 적용범위를 명확히 하고 탐상을 해야 한다.

✎ 3) 검사액의 적용방법과 통전시간 및 관찰방법

형광자분을 사용하는 경우는 시험 면이 자외선조사등(ultraviolet lamp) 바로 아래에서 조사방향이 가급적 직각이 되도록 자외선조사등을 배치한다. 검사액은 1회의 조작으로 탐상 유효범위 내에서 얼룩이 지지 않고 액이 막을 이루며 천천히 흐르도록 적용해야 한다. 예를 들어 구멍이 있는 막대모양의 시험체에 검사액을 적용하는 경우는 우선 시험체를 한쪽 손으로 천천히 회전하면서, 다른 쪽 손으로는 검사액을 적용한다. 이때 시험체의 끝 면과 안쪽 둘레 면에 천천히 적용하여 시험 면이 충분하게 검사액으로 적셔지도록 적용한다. 적용한 검사액은 적용한 반대쪽의 구멍으로 배액이 되는데, 통전은 검사액을 손가락으로 유도하여 배액이 완료되고 검사액의 흐름이 정지될 때까지 실시한다. 통전이 끝나면 관통봉과 시험체를 전극으로부터 떼어내고, 관통봉을 시험체로부터 가만히 빼낸 다음, 시험 면을 자외선조사등 바로 아래에서 시험 면에 가급적 수직으로 자외선을 조사하여 관찰한다.

시험체의 끝 면과 안쪽 둘레 면을 탐상한 후는 같은 방법으로 나머지 바깥쪽 4면을 1면씩 탐상을 한다. 우선 시험 면을 수평으로 하여 검사액이 시험 면 전체에 천천히 흐르도록 적용한다. 다음에 시험체를 손으로 가만히 기울여서 검사액이 움직이게 한다. 마지막으로 시험체 끝부분에 고여 있는 검사액을 손가락으로 유도하여 배액한다. 그리고 검사액의 흐름이 정지될 때까지 통전하고, 통전이 끝나면 자외선조사등 바로 아래에서 시험 면에 가급적 수직으로 자외선을 조사하여 관찰을 한다. 나머지 3면도 같은 방법으로 탐상한다.

고리모양의 시험체나 원통형 시험체도 똑같이 고려하여, 탐상 유효범위 내에 검사액이 얼룩지지 않도록 천천히 적용하고, 배액이 끝날 때까지 통전하는 것이 중요하다. 원통형 시험체의 경우는 원둘레를 3 또는 4로 분할하는데, 분할한 경계의 부분도 시험에 빠지지 않도록 각각 경계부를 중복시켜 탐상해야 한다. 또한 시험 면이 검사액으로 더럽혀져서 배경이 나빠진 때에는 반드시 세척수로 시험 면을 세척하여, 혼동하기 쉬운 자분모양은 없는지를 확인한 후에 검사액을 적용해야 한다.

관찰은 자외선조사등 바로 아래에서 하고, 시험 면 위에서의 자외선 강도는 검사원이 가장 관찰하기 쉬운 조건이 되도록 자외선조사등과 시험 면의 거리 및 각도를 조정한다. 자분모양이 나타나면 명확한 결함인 경우를 제외하고, 자분모양을 제거하여 가시광선에서 결함인지 여부를 확인한다. 만일 결함 여부를 판별하기 어려운 경우는 탈자를 한 후에 재(再) 탐상을 한다. 대부분의 경우는 재현성이 있으면 결함이며, 재현성이 없으면 의사모양이다. 타격 흠 및 스크래치와 균열을 구별하는 방법은 가시광선 아래에서 확대경을 사용하여 관찰하거나 국부적으로 연삭기(grinder) 또는 줄(rasp) 등을 사용하여 시험 면을 수정(修正)해 보는 것이 좋다.

3. 프로드법에 의한 자분탐상시험

가. 탐상에 필요한 기초지식

프로드법은 시험체의 국부(局部)에 직접 프로드 전극을 접촉시키고, 전류를 흘려서 전류 주위에 발생하는 자계에 의해 자화하는 방법이다. 그러므로 전극과 시험체의 사이의 접촉이 나쁘면 스파-크(spark)가 발생하여 시험체 표면을 손상시키기도 한다. 프로드법은 대

(大) 전류를 흘리기 때문에 상용전원으로부터 이러한 전류로 변환하는 장치를 필요로 하며, 대 전류가 흐르기 때문에 케이블(cable)이 굵어서, 프로드의 이동은 극간법의 전자석 탐상기의 이동에 비해 노력을 필요로 하는 단점이 있다. 장점으로는 극간법에 비해 프로드 간격을 자유로이 바꿀 수 있고, 전원에 여유가 있으면 프로드 간격을 넓게 하여 이것에 맞는 전류를 흐르도록 해서 한 번에 넓은 범위를 탐상할 수 있다는 점이다. 또한 자속의 흐름은 폐자로(閉磁路)이기 때문에 반자계의 영향은 없고, 직류 전류를 사용할 수 있으므로 일반적으로 극간법보다 검출감도가 좋다.

1) 전류와 자계의 관계

강판 위에 프로드 전극을 배치하고 통전하게 되면 **그림 6-28**에 나타낸 것과 같은 전류와 자계의 관계가 생긴다. 극간법과 비교하면 자속의 분포는 매우 비슷하지만, 자속의 방향은 전극을 중심으로 한 원둘레 방향이 되며, 극간법과는 방향이 90도 다르다. 그러므로 전극을 잇는 직선과 평행한 결함이 가장 잘 검출할 수 있다.

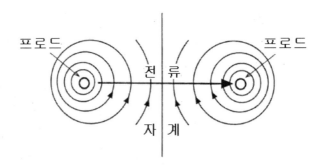

그림 6-28 프로드법에서 전류와 자계의 관계

2) 자화의 특징

① 프로드법에서 자속의 분포는 앞에서의 **그림 2-19** 에 나타낸 것과 같이, 양 전극을 잇는 선 위가 다른 곳에 비해 자계의 세기가 강하고, 더욱 더 양 전극에 가까울수록 강해진다. 자속의 방향은 양 전극을 잇는 수직 2등분선 위에서는 2등분선과 일치하지만, 그 이외의 곳에서는 다른 방향을 갖는다.

② 전극(prod) 간격을 넓게 하면 전류의 분포는 넓어지므로 자속의 분포도 넓어진다. 전류가 일정하면 시험체의 단위 면적 당의 전류밀도는 낮아지며, 자계의 세기도 약해진다. 이 때문에 결함으로부터의 누설자속이 적어지게 되며, 자분모양이 잘 형성되지 않는다. 또한 전극 간격을 좁게 해도 전류가 낮으면 자속도 적어져서 충분한 자분모양이

얻어지지 않는 경우도 있다. 그리고 전류를 너무 높게 하면 배경(background)에 자분 부착량도 많아져서, 결함 자분모양의 대비(contrast)가 잘 안 되게 되며, 전류가 너무 높으면 접촉부가 가열하거나 스파-크가 발생하기 쉽게 된다.

③ 자분탐상시험의 대상이 되는 시험체는 강자성체이므로 공기 중과 비교하여 전류나 자속은 아주 흐르기 쉽다. 그러므로 시험체의 형상이 어떠한 곡면으로 되어 있어도 전류나 자속은 곡면을 따라서 시험체 속을 흐른다.

④ 전극(prod)의 둘레에는 결함 자분모양이 형성되지 않는 영역이 있다. 이것은 **그림 2-19**와 **그림 6-28**의 전극의 부근에는 자분모양이 형성되지 않는 영역이 있는 것으로도 알 수 있다. 이 영역은 전극 간격이 일정하면 전류가 높을수록 넓어진다.

✎ 3) 자화 조작할 때의 주의사항

프로드법에서 전극(prod) 사이에 흐르는 전류의 크기는 결함 검출에 충분한 자계의 세기를 발생시키는 것이어야 한다. 절차서에 따라 검사원에게 지시하는 지시서에는 전극 간격, 자화전류치 및 탐상 피치(pitch)를 기재하여 검사원이 정확하게 검사를 할 수 있도록 해야 한다. 이들을 정확히 지키지 않고 탐상하면 검출감도가 균일하지 않게 되기 때문이다. 그리고 전극과 시험 면의 접촉이 나쁘면 스파-크를 발생시켜 시험 면에 결함을 만들게 되므로 주의해야 한다. 이들을 예방하기 위해서는 시험 면 및 전극 끝(prod tip)을 잘 연마하고, 전극 끝에 구리선으로 짠 망(copper braid)을 씌우거나 납판 등을 부착한다. 또한 전극의 탈착을 통전 중에 하면 스파-크가 발생하기 때문에 통전 중에는 전극을 탈착해서는 안 된다.

나. 용접부 탐상의 기초

✎ 1) 시험준비 및 전처리

일반적으로 유의해야 할 사항은 앞에서 설명한 전류관통법과 같다. 그 외에 프로드법의 경우에는 프로드 전극과 시험 면 사이에는 스파크가 발생하지 않도록 구리선으로 짠 망을 씌우거나 납판을 사용해야 한다는 점이 다르다. 고장력강 등에서는 스파-크가 발생하는 곳에 미세균열이 발생하여 이것이 구조물을 사용하는 동안에 반복 하중(荷重)을 받아 성장하여 사고로 이어질 위험성도 있으므로, 이점을 충분히 고려하고 사용해야 한다.

✎ 2) 전극의 배치 및 탐상 피치의 설정

전극(prod)의 배치 및 탐상피치는 전극의 간격, 자화전류, 시험체의 상태와 더불어 시험체의 결함 위치 및 방향과의 관계로부터 결정된다. 그러나 프로드 전극의 간격 및 자화전류치는 작업지시서에 지정되어 있어도 전극의 배치 및 탐상피치가 지정되어 있지 않은 경우가 많으므로, 이러한 경우에는 실험적으로 이들을 결정하고 나서 탐상을 해야 한다. 전극의 배치를 결정할 때에는 시험체의 형상을 고려하고, 결함이 발생하기 쉬운 위치 및 방향을 고려하여 이들 결함이 가장 쉽게 검출되도록 해야만 한다. 예를 들면 용접 시험체의 경우, 결함의 방향을 고려하면 종 균열과 횡 균열 또는 이와 동등하다고 간주되는 결함의 발생율이 높다. 그러므로 용접부의 탐상을 고려하는 경우는 우선 종 균열과 횡 균열을 확실히 검출할 수 있도록 용접비드(bead)에 대하여 평행방향과 비드에 직교하는 방향의 결함에 대한 탐상을 하고, 다시 의심스러울 경우는 용접선과 45도를 이루는 방향의 결함에 대하여 탐상을 해야 된다.

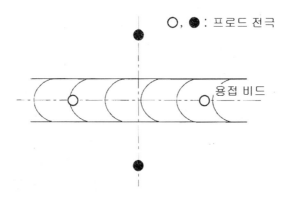

그림 6-29 용접비드에 대한 표준적인 전극(prod)의 배치

이러한 관점에서 전극의 배치를 고려하면 **그림 6-29** 와 같은 방법이 가장 알맞은 방법이라고 할 수 있다. 다음에 탐상피치는 전극(prod) 간격과 자화전류치에 의해 주어지는 탐상 유효범위로부터 결정한다. 용접부를 탐상할 때는 용접비드 및 열영향부가 탐상범위가 되기 때문에 **그림 6-30** 에 나타낸 것과 같이 전극을 배치하면 탐상 유효범위를 나타내는 경계선과 탐상범위의 경계선이 만나는 점 a, b, c, d로 둘러싸인 범위가 용접부의 종 균열을 대상으로 하는 탐상 유효범위가 된다. 다음에 전극을 A 에서 B로 이동하여 시험하는 경우는 빠지는 부분이 없도록 10% 정도 시험부가 중복($fbgd$ 로 둘러싸인 범위)되도록 해야 한다.

그러므로 탐상피치 P는

$P = ab \times 0.9$가 된다.

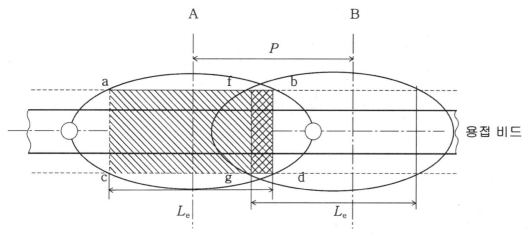

그림 6-30 용접부의 종 균열에 대한 탐상피치 결정방법

횡 균열에 대해서도 종 균열과 똑같이 탐상피치를 구하면 되므로, **그림 6-31** 과 같이 탐상피치 P는

$$P = L_e \times 0.9 \text{ 가 된다.}$$

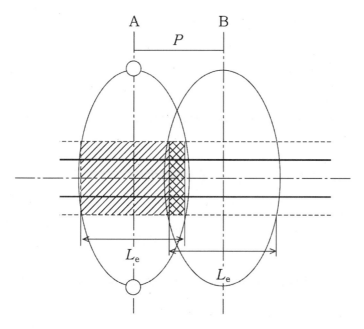

그림 6-31 용접부의 횡 균열에 대한 탐상피치 결정방법

3) 검사액의 적용방법과 통전시간 및 관찰방법

일반적으로 유의해야 할 사항은 앞에서 설명한 전류 관통법과 같다.

평판 시험체와 같이 시험 면이 수평일 때는 검사액의 흐름을 만들기 위하여 시험체 밑에 목제(木製) 받침대를 대고 시험체를 기울인다. 검사액은 노즐을 시험 면에 가까이 해서 높은 면으로부터 얼룩이 지지 않도록 차분하게 적용한다.

프로드법의 시험은 전류 관통법과 같이 1명이 탐상하기는 어렵다. 1명이 프로드 전극과 스위치를 작동하고, 다른 1명은 검사액과 자외선조사등을 들고 시험하기 때문이다. 그러므로 스위치를 작동하는 자는 검사액의 흐름이 멈추는 것을 확인하여 통전을 정지해야 하는 등, 협동(teamwork)을 필요로 하는 작업이다.

4. 코일법에 의한 자분탐상시험

가. 탐상에 필요한 기초지식

코일법은 미리 설치된 코일 속에 시험체를 넣거나, 대형 시험체 등을 부분적으로 탐상을 하고자 하는 경우는 그 부위에 도체를 감아 코일로 만들어, 이것에 통전하여 자화하는 방법이다. 코일법은 시험체에 직접 전류를 흘리지 않으므로 시험체 표면에 스파-크 등 결함을 만들 우려가 없는 것이 장점이어서 널리 사용되고 있다. 다만, 이 방법에서는 반자계가 발생하기 때문에 반자계의 대책이 필요하다.

1) 전류와 자계의 관계

코일에 전류를 흘리면 **그림 6-32** 와 같이 코일 내부에 자계가 발생하고, 그 방향은 코일의 축과 평행하게 된다. 즉 코일 속에 시험체를 넣으면 시험체 속에는 코일

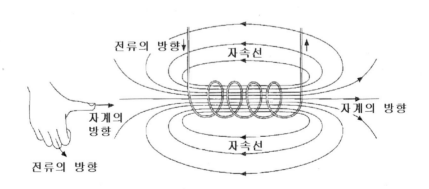

그림 6-32 코일법에서의 전류와 자계의 관계

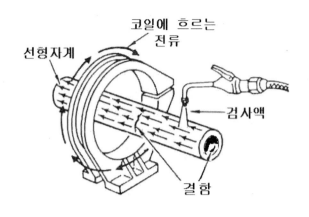

선형자계

코일에 흐르는 전류

검사액

결함

그림 6-33 코일법

축과 같은 방향으로 자속이 발생한다. 그러므로 자분탐상시험에 있어서는 이 자속을 방해하는 방향, 즉 코일 축에 대하여 직교하는 방향의 결함을 가장 잘 검출할 수 있으며, 코일 축에 평행한 방향의 결함은 거의 검출되지 않는다.

2) 자화의 특징

① 코일이 만드는 자계의 세기는 코일에 흐르는 전류와 코일 감은 수의 곱에 비례한다. 그러므로 동일한 세기의 자계를 얻고자 하면 코일을 많이 감으면 작은 전류로도 가능하지만, 반대로 코일을 조금 감은 경우는 대(大) 전류를 필요로 하게 된다.

② 코일의 지름이 코일의 길이에 비해 클 때는 코일 안쪽의 반지름 방향으로 자계의 세기 분포는 균일하지 않게 되어, 코일 안쪽 벽면이 가장 강하고, 코일 중심에 가까울수록 약해진다. 또한 반대로 코일의 길이가 긴 경우에도 코일 축방향의 자계의 세기 분포도 균일하지 않아서, 코일 중심부가 가장 강하고, 코일 끝부분에 가까울수록 약하게 된다.

③ 코일 감은 수와 코일에 흐르는 전류가 일정한 경우, 코일의 길이를 길게 하면 코일 중심의 자계의 세기는 약해진다. 또 코일의 지름을 크게 하면 똑같이 코일 중심의 자계의 세기는 약해진다.

④ 코일 속에 시험체를 그림 6-34 와 같이 배치하는 경우, 시험체 내부에는 코일에 의해 발생한 자계를 부정하는 반대방향으로의 자계가 발생하여 시험체에 유효하게 작용하는 자계의 세기는 약해진다. 이러한 코일에 발생한 자계를 부정하는 반대방향으로의 자계를 반자계(反磁界)라 한다. 반자계는 시험체를 자화했을 때 시험체의 양 끝에 자극(磁極)이 발생하는 것이 원인이다. 그러므로 유효하게 작용하는 자계의 세기는 시험체의 중앙부가 가장 강하고 양 끝부분은 가장 약하다.

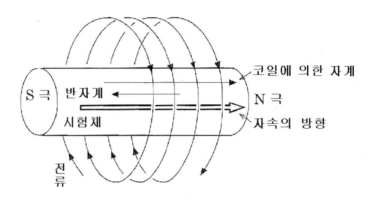

그림 6-34 시험체 내부의 자계와 자속의 관계

⑤ 반자계의 세기는 시험체의 길이(엄밀히는 자극간 거리) L과 단면 지름 D와의 비 L/D에 의해 결정된다. 이 비가 작을수록 또한 자화의 정도가 클수록 반자계는 강해진다. 이 반자계를 가급적 약하게 하기 위해서는 이음철봉을 연결하거나 자화전류로 교류를 사용하거나 하는 것이 필요하다.

⑥ 고리(바퀴)모양의 시험체인 경우는 그림 6-35 와 같이 시험체에 도체를 균일하게 감아서 코일(toroidal coil)로 하고, 이것에 전류를 흘려서 시험체를 원둘레(圓周)방향으로 자화할 수 있다. 이때 자극을 만드는 끝부분이 없으므로, 막대모양의 시험체와 같이 자극이 발생하지 않는다. 그러므로 반자계도 작용하지 않고, 코일의 자계는 모두 유효하게 작용한다.

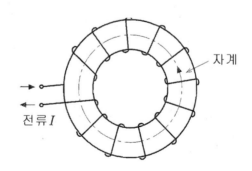

그림 6-35 고리(바퀴)모양 시험체의 자화

✍ 3) 자화 조작할 때의 주의사항

① 코일법으로 시험체를 자화하는 경우는 우선 코일 속에 시험체와 시험체 양 끝에 이음 철봉을 연결하여 검사액을 적용할 수 있는 상태를 만들고, 절차서 등에 설정되어 있는 자화전류치로 조정한다.

② 시험체에 흐르는 자계는 시험체 표면에 가급적 평행이 되도록 하는 것이 좋다. 이를 위해서 시험체는 코일 축 방향과 일치시킬 필요가 있다. 특히 대형 시험체에 도체를 감는 경우는 이 점을 고려해야 한다.

③ 코일법으로 막대모양의 시험체를 자화하는 경우에 중요한 점은 반자계를 얼마나 약하게 하여, 시험체에 유효하게 작용하는 자계의 세기를 강하게 하는가 하는 점이다. 반자계를 약하게 하기 위해서는 자화전류를 교류로 하고, 그림 6-36 과 같이 시험체의 양 끝에 시험체와 지름이 같거나 또는 더 굵은 이음철봉을 시험체의 양 끝에 밀착시키고 자화하면 된다. 교류에서는 표피효과 때문에 L/D 의 D가 작아져서, 결과적으로 L/D의 비가 크게 되어 반자계가 약해진다.

④ 이음철봉은 본래 시험체의 양 끝에 발생하는 자극을 이음철봉 쪽으로 이동시켜서, 동시에 겉보기 상의 자극간 거리를 넓어지게 함으로써 반자계를 약하게 하여 시험체에 유효하게 작용하는 자계의 세기를 강하게 하는 작용을 한다.

⑤ 코일의 길이보다 긴 시험체를 자화하는 경우는 그림 6-37 과 같이 자극이 시험체의 양 끝에 발생하지 않고, 코일 끝 가까운 곳에서 발생하므로, 자극간 거리는 짧아지며, L/D는 작아진다. 그러므로 가급적 긴 코일을 사용하여 탐상하고, 시험체는 코일의 중앙부분에 놓고 차례로 옆으로 움직이며 자화하여 그때마다 탐상을 반복해야 한다.

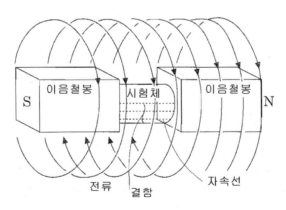

그림 6-36 이음철봉의 사용 "예"

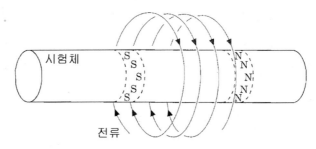

그림 6-37 코일 길이보다 시험체 길이가 길 때에 발생하는 국부 자극의 "예"

⑥ 코일의 속에 여러 개의 시험체를 병렬(竝列)로 겹쳐서 넣어 자화하면 L/D가 작아지기 때문에 반자계가 강해져서 시험체에 작용하는 자계는 약해진다. 그러므로 시험체는 직렬(直列)로 나란히 하고 자화해야 한다.

⑦ 이음철봉을 연결해도 시험체의 끝부분에 가까울수록 유효한 자화가 약해지므로 시험체의 끝부분은 검출감도가 떨어진다. 그러므로 L/D의 비가 큰 시험체라도 특히 끝부분을 탐상하는 경우는 이음철봉을 접속시키고 동시에 시험체의 끝부분을 코일의 중앙부분으로 이동시켜서 탐상하는 것이 좋다.

나. 기계부품 탐상의 기초

✎ 1) 시험준비 및 전처리

일반적으로 유의해야 할 사항은 앞에서 설명한 전류관통법과 같다.

코일법의 경우는 이음철봉을 사용하는데, 시험체와 이음철봉의 자속 흐름을 매끄럽게 하기 위하여 이음철봉은 시험체의 단면과 동일하거나 또는 그 보다도 조금 큰 것으로 하고, 재질도 시험체와 같은 것이 좋다. 코일과 전극의 접촉상태가 나쁘면 코일이 가열되어, 코일 속에 넣은 시험체의 취급이 어려워지므로 접촉면적을 충분하게 잡고 코일의 접촉부는 연마해 둘 필요가 있다.

✎ 2) 검사액의 적용방법과 통전시간 및 관찰방법

일반적으로 유의해야 할 사항은 앞에서 설명한 전류관통법과 같다.

코일법의 경우, 좁은 코일의 속에 시험체를 배치하고 검사액을 적용하기 때문에 전류관통법 및 축 통전법과 같이 검사액의 적용방법은 간단하지는 않다.

우선 그림 6-38 과 같이 코일의 끝부분부터 잘 교반한 검사액의 노즐을 시험 면에 가까이 하고, 시험 면이 검사액으로 균일하게 적셔지도록 적용한다.

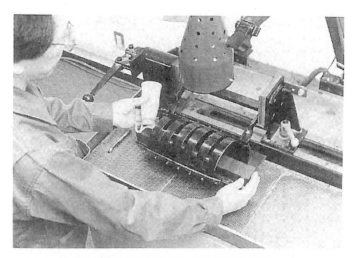

그림 6-38 코일법에서 검사액의 적용

그리고 코일의 양끝에서 코일 속으로 손을 넣어서 시험체와 이음철봉의 접촉부를 손으로 꽉 잡아 시험체와 이음철봉이 하나가 되게 하고서 코일 속에서 가만히 경사지게 하고 검사액을 흘린다. 시험 면에 충분하게 검사액이 흘리는 것을 확인한 후, 배액이 끝날 때까지 통전한다. 통전이 끝나면 코일로부터 시험체를 꺼내어 자외선조사등 바로 아래에서 시험체를 관찰한다.

시험체와 이음철봉은 항상 동일한 면을 이루지만, 이음철봉이 시험체 보다 굵지 않으면 층이 지는 부분에 자극이 발생하여 이음철봉의 효과는 급격히 떨어진다. 또한 코일이 방해가 되어 시험체의 검사액 흐름을 보기가 곤란한 경우가 있는데, 이때는 코일 틈 사이로부터 검사액의 흐름을 잘 확인해야 한다.

✎ 3) 탈자

탈자는 기본적으로 자화한 자화방법과 같은 자화방법으로 탈자를 실시하는 것이 가장 좋은 방법이다. 탈자에는 교류를 사용하는 경우와 직류를 사용하는 경우가 있다. 어느 경우도 시험체에 걸어준 자계의 세기보다 조금 높은 자계의 세기에서, 또한 잔류법의 경우는 자기 포화되는 자계의 세기에서 자계의 방향을 바꿔가면서 자계의 세기를 서서히 약하게 하여 "0"에 가깝게 해야 된다.

보수검사에 있어서는 자분탐상시험이 끝난 후 다시 조립하여 사용하기 때문에, 탈자를 필요로 하는 경우가 많으므로, 이점에 유의해야 한다.

5. 자속 관통법에 의한 기계부품 탐상의 기초

자속 관통법은 그림 6-39 와 같이 고리모양 시험체의 구멍에 규소강판을 적층(積層)한 관통봉 등을 통과시키고 교류자속을 흘려서 시험체에 유도전류를 발생시킨다. 시험체에 발생한 이 유도전류에 의한 자계를 이용하여 시험체를 자화하는 방법이다. 시험체에 흐르는 자속의 방향은 관통봉에 흐르는 자속의 방향과 같은 방향으로, 가장 검출하기 쉬운 결함은 시험체의 원둘레 방향의 결함이다.

이 방법은 교류 변압기와 같아서 교류 전자석의 여자(勵磁) 코일이 변압기의 1차 코일에 해당하며, 시험체가 변압기의 1회 감은 2차 코일에 해당한다. 그러므로 시험체에 흐르는 유도전류는 관통하는 자속의 변화량이 클수록 많아지기 때문에, 시험체를 관통하는 관통봉은 굵고, 자속을 많이 흐르게 하는 재질이 좋다. 그 외에 검사액의 적용방법 등은 앞에서 설명한 경우와 같다.

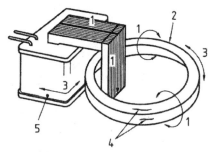

1. 자속
2. 시험체
3. 전류
4. 결함
5. 변압기 1차 코일

그림 6-39 자속 관통법

그림 6-40 에 자속 관통법에 의한 자분탐상시험을 실시하는 상황을 나타낸다.

그림 6-40 자속 관통법에 의한 자분탐상시험

제 3 절   제작할 때의 자분탐상시험

1. 강판에 대한 자분탐상시험

가. 강판의 종류

강판은 두께에 따라 후판(厚板)과 중판(中板) 그리고 박판(薄板)으로 구분하는데, 두께가 보통 $6mm$ 이상은 후판, $3{\sim}6mm$ 미만은 중판, $3mm$ 이하는 박판이라 한다. 여기서는 후판과 박판에 대하여 설명한다.

✎ 1) 후판

후판(厚板)이란 용강(溶鋼)을 연속 주조한 것 또는 한차례 주형(鑄型)에 넣은 강괴를 열간 압연에 의해 제조된 강판을 말한다. 후판의 두께는 일반적으로 $6{\sim}250mm(300mm$ 이상도 있다), 폭은 대강 $1{\sim}5m$, 길이는 최대 $20m$ 정도이다. 후판에 요구되는 품질 특성은 용도에 따라 다양하지만, 일반적으로 기계적 성질 이외에 용접성, 저온 인성(靭性), 내후성(weather resistance) 및 평탄도(平坦度) 등이 요구된다.

✎ 2) 박판

박판(薄板)에는 열간 압연에 의해 제조된 강판과 냉간 압연에 의해 제조된 강판이 있다. 일반적으로 강판에 도금 등의 다른 2차 가공을 하지 않은 것을 말한다.

냉연 강판에 요구되는 품질 특성은 용도에 따라 다양하지만 기계적 성질, 가공성(加工性), 프레스성, 표면의 성질과 상태, 평탄도, 도장성(塗裝性), 내식성(耐蝕性) 및 두께 정밀도 등이 있다.

나. 대상이 되는 결함

✎ 1) 후판에 발생하는 결함

후판의 대표적인 결함은 라미네이션(lamination)이다. 이 결함은 비금속개재물(nonmetallic inclusion)과 기포(gas pore) 또는 불순물(impurity) 등이 압연 방향으로 펼쳐져서 층을 이룬 것으로, 판이 2개로 박리되어 층이 형성된 것도 있다. 자분탐상시험에서는 후판의 단면(斷面)에서 검출된다.

후판재(厚板材)에서 탈수소가 불충분한 경우에는 판 두께 중앙부에 수소 취성균열(hydrogen embrittlement crack)이 발생할 때가 있는데, 이것이 단면(斷面)에 나타나면 자분탐상시험으로 검출할 수 있다. 최근에는 제강법의 발전에 따라 라미네이션은 거의 발생하지 않고 있다.

표 6-2 자분탐상시험의 대상인 압연재의 결함의 명칭과 발생형태

제품	결함의 명칭	결함의 발생형태	형태도
후판	라미네이션	바금속개재물, 기포 또는 불순물 등이 압연방향으로 펼쳐져서 층을 이룬 것. 자분탐상시험에서는 후판의 단면(斷面)에서 검출된다.	
	비금속 개재물	탈산생성물, 보온재, 벽돌조각 등이 금속의 응고과정에서 혼입된 것으로, 자분탐상시험에서는 후판의 단면에서 검출된다.	
	스캐브 * (scab)	표면이 부분적으로 겹침 또는 박리된 것으로, 부분적으로 뿌리를 가진 상태로 접혀서 겹쳐진 것으로 자분탐상시험에서는 후판의 표면에서 검출된다.	
	수소취성 균열	후판재에서 수소취성으로 기인하여 균열이 단면에서 검출된다.	
전기저항 용접강관	미용착 *	전기저항 용접강관의 용접부에 발생하는 결함으로, 깊이 $0.05{\sim}0.75t$, 길이 $5{\sim}10mm$ 정도의 미용착부이다. 일반적으로는 초음파사각탐상시험에서 검출되지만 바깥표면에 발생한 경우는 자분탐상시험으로 검출할 수 있다.	미용착 / 용접부
	후크 균열* (hook crack)	전기저항 용접강관의 단면에서 용접부 근방에 갈고리(hook)모양의 균열이 발생한다. 일반적으로는 초음파 사각탐상시험에서 검출되지만 바깥표면에 발생한 경우는 자분탐상시험에서 검출된다.	용접부

	비금속 개재물	후판의 비금속개재물과 같은 조성이지만 전기 저항 용접강관의 경우는 관의 단면에서 층모 양으로 나타나는 경우와 용접부 근방에서 갈 고리모양으로 나타나는데, 전자는 관 끝의 자 분탐상시험에서 검출되지만, 후자는 갈고리모 양의 개재물이 관의 바깥표면에 나타난 경우 에 자분탐상시험에서 검출된다.	갈고리모양 비금속개재물 용접부 층모양 비금속개재물
UOE 강관	용접균열 *	UOE 강관의 용접부중심이 부분적으로 용접선 방향으로 균열이 있는 것이 많다. 일반적으로 는 초음파 사각탐상시험에서 검출되지만 표면 에 발생한 경우는 자분탐상시험으로 검출할 수 있다.	
	언더컷 *	용접부를 따라 용접지단부에 V 모양의 홈으로 나타난다. 육안검사에서도 검출 가능하지만 자분탐상시험에서도 검출할 수 있다.	언더컷

※ : 압연공정, 조관공정에서 발생하는 결함.
　UOE 강관 : UOE 프레스로 성형하고, 잠호 아크용접(submerged arc welding)으로 용접한 것.

　압연 공정에서 발생하는 결함으로는 스캐브(scab)와 롤(roll) 결함이 있다. 스캐브 결함은 강괴(ingot) 및 강편(bloom)에 남아있던 미세균열(micro crack), 강편의 손질 및 절단할 때의 부스러기가 남아서 가열과 압연 중에 발생하는 스크래치(scratch) 등이 원인이 되어 발생하는 것으로, 표면에 부분적으로 겹침(lap) 또는 박리되어 있고, 부분적으로 뿌리를 가진 상태로 접혀서 겹쳐진 것이다. 일반적으로 강판의 가장자리에서 나타난다. 이들은 육안시험, 자분탐상시험, 침투탐상시험으로 검출되며 불합격의 대상이다. 표 6-2 에 자분탐상시험의 대상인 압연재에 나타나는 결함의 명칭과 발생형태를 나타낸다.

✎ 2) 박판에 발생하는 결함

　자분탐상시험의 대상이 되는 것은 주로 자동차, 가전제품, 식기 등에 사용되는 표면처리 강판이다. 이 강판은 용기를 제조할 때 프레스 가공을 하므로 미세한 비금속개재물이 포함되어 있어도 그 비금속개재물을 기점으로 균열이 발생한다. 이 비금속개재물은 후판의 비금속개재물과 같이 금속의 응고과정에서 강 속에 정출(晶出, crystallization) 또는 혼입된 것이지만, 후판의 경우보다 더욱 미세하다. 이 개재물은 알루미늄(Al), 칼슘(Ca)을 성분으로 한 $Al_2O_3 - CaO$ 계이다.

다. 자화방법과 자화전류 및 자분의 적용

↳ 1) 후판

라미네이션 및 비금속개재물은 일반적으로는 초음파탐상시험(수직 탐상)으로 검출하지만, 후판의 단면에 발생한 결함은 자분탐상시험을 적용하여 검출하기도 한다. 자화방법은 **그림 6-41** 과 같이 프로드법이 사용되며, 전류는 직류 또는 교류(일반적으로는 단상 반파 정류)로서 건식 자분(흑색)을 연속법으로 적용한다. 스캐브 결함 등의 표면결함에는 극간법(yoke method) 또는 프로드법을 적용한다. 일반적으로 극간법은 교류의 연속법으로 적용하며, 프로드법은 직류 또는 교류(일반적으로는 단상 반파 정류)의 연속법으로써 습식 형광 자분을 적용한다. 극간법의 경우, 작업성이 좋기 때문에 4극식의 회전 자계형 탐상기에 의한 탐상도 행해지고 있다.

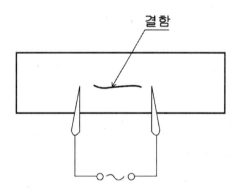

그림 6-41 후판 단면의 프로드법

↳ 2) 박판

표면처리 강판 내부의 비금속개재물은 극간법으로 검출한다. 비금속개재물은 미세하기 때문에, 자분은 미세 결함을 검출할 목적으로 형광 자분을 많이 사용하지만 흑색자분을 사용하기도 한다. 적용방법은 모두 연속법이며, 형광 자분을 사용할 때는 암실 내에서의 장시간 작업에 의한 피로 등으로 작업성이 나쁘기 때문에 오히려 흑색자분을 사용하여 밝은 공장 내에서 탐상하는 것이 좋은 경우도 있다.

용접 강관용 소재(素材)의 검사에서는 판의 끝부분을 자분탐상시험으로 실시하고 있다. 검사액의 농도는 미세 결함을 대상으로 할 때는 일반적으로 형광 및 비형광 자분 모두, 사용하는 농도보다 엷게 하는 것이 좋다. 검사액은 일반적으로 노즐에서 자동 산포하며, 순환시켜 재사용하기 때문에 사용 중에도 농도(濃度)관리를 적절히 잘 해야 한다.

2. 봉강에 대한 자분탐상시험

가. 봉강(棒鋼)의 종류

봉강(bar steel)은 열간 압연에 의해 제조되는 강재로서, 단면(斷面) 형상에 따라 환강(丸鋼, round bar), 각강(角鋼), 육각강(六角鋼) 및 평강(平鋼) 등이 있으며, 특수한 것으로는 팔각강(八角鋼), 반원강(半圓鋼) 및 이형봉강(異形棒鋼) 등이 있다.   봉강의 주요 용도는 건설, 기계, 자동차와 선박에 사용한다.

봉강에 요구되는 품질 특성은 용도에 따라 다양하지만, 기계적 성질, 치수 정밀도, 진직도(straightness), 표면의 성질과 상태(특히, 표면 결함이 없을 것)와 내부의 건전성(健全性) 등이다.

나. 대상이 되는 결함

봉강의 표면결함은 압연 신장(壓延伸張)에서의 겹침(overlap)에 의한 종 균열(longitudinal crack), 롤러(roller)구멍 틀의 조정불량 또는 튀어나온 결함이 다음의 구멍 틀로 들어가며 접히는 겹침(overlap) 결함, 재료 불량 또는 롤러의 표면 거칠기, 소재 흠(streak fissure) 등이 대표적인 결함이다.

볼트에 나타난 소재 흠의 자분모양을 **그림 6-42** 에 나타낸다.

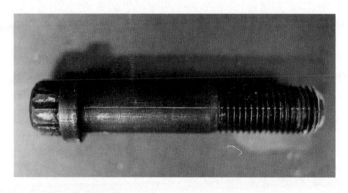

그림 6-42 볼트에 나타난 소재 흠의 자분모양

다. 자화방법과 자화전류 및 자분의 적용

자화방법으로는 축 통전법이 일반적이다. 대구경(大口徑) 제품(직경 100~260mmφ)에 있어서는 자화에 대 전류가 필요하고 또한 설비가 대형이기 때문에 극간법으로 부분적인 탐상을 순서대로 하는 경우도 있다.

자분의 적용은 형광 자분을 습식법에 의해 연속법으로 적용하는 것이 가장 일반적이다. 또한 백색자분을 건식법에 의해 연속법으로 적용하는 경우도 있다.

3. 강관에 대한 자분탐상시험

가. 강관의 종류

강관은 제조법에 따라 용접 강관과 이음매 없는 강관으로 구분한다. 이들 강관에 요구되는 품질 특성은 용도에 따라 다양하지만, 용접부의 건전성(健全性), 내식성(耐蝕性), 기계적 성질, 수소 유기 균열(hydrogen induced crack) 특성 및 저온인성(低溫靭性) 등이 있다.

나. 대상이 되는 결함

↳ 1) 용접 강관

일반적으로 용접부에 발생하는 결함이 대상이다. 초음파탐상시험으로 탐상하기 어려운 관 끝부분의 라미네이션(lamination)의 검출과 나사부의 결함 검출에 자분탐상시험이 적용될 때도 있다. 또한 전기저항 용접(electric resistance weld, ERW) 강관의 용접부에 발생하는 결함으로, 표면에 발생한 경우는 자분탐상시험으로 검출할 수 있다. 또한 용접 강관의 관 끝부분의 자분탐상시험에는 극간법(습식 형광자분을 사용, 연속법)에 의해 검출되는 결함을 CCD 카메라(charge-coupled device camera)로 촬영하여 화상처리 기술을 응용한 자동화 기기가 실용화되고 있다.

↳ 2) 이음매 없는 강관

이음매 없는 강관(seamless tube)의 제조법은 **표 6-3**과 같이 분류하는데, 천공(穿孔)방법에 따라 발생하는 결함의 종류는 다르다. 스캐브(scab), 슈 마크(shoe mark) 등의 결함은 소재의 불순물, 편석(偏析 : segregation), 비금속개재물과 소재의 표면 결함 등의 재료 결함이 있을 때에 천공에 의해 발생한다. 천공기(穿孔機, boring machine)의 조정 불량 등에 의해 발생한다.

표 6-3 강관의 제조법 방식의 분류

용접 강관	straight seam 용접방식
	        ├── UO press expand 성형 : ┐├─아크 용접
	        └── roll bend 성형 : ┘
	Spiral seam 용접 방식
	전기저항 용접(ERW) 방식
	단접(furnace-butt weld) 방식

이음매없는 강관	Mannesmann plug 방식 : 경사 롤(roll) 천공 Mannesmann mandrel 방식 : 경사 롤 천공 press piercing plug 방식 : 특수한 프레스 천공 Ugine-sejournet 방식 : 프레스 천공 Ehrhart push-bench 방식 : 프레스 천공

다. 자화방법과 자화전류 및 자분의 적용

길이방향의 결함을 검출하는 데는 습식 형광자분을 사용하는 연속법으로 축통전법 또는 전류관통법이 널리 사용되고 있으며, 자화전류는 교류 또는 직류가 각각 목적에 따라 이용되고 있다.

관의 끝부분 탐상에는 습식 형광 자분을 사용하는 연속법으로 교류의 극간법이 널리 사용되고 있다. 나사부의 탐상에는 2가지 이상의 자화법(예를 들면 코일법과 극간법)이 적용된다. 또한 나사부와 같이 요철(凹凸)이 심한 시험 면에 대해서는 의사모양의 발생을 방지하기 위하여 자분의 적용시기는 잔류법을 이용하는 것이 일반적이다.

4. 주단강품에 대한 자분탐상시험

가. 주단조품(鑄鍛造品)의 종류

주단조품은 주조품(casting)과 단조품(forging)으로 분류한다. 주조품이란 용탕을 필요한 형상으로 만든 주형(鑄型) 속에 넣어서 응고시킨 것으로, 탄소 함유량이 약 2% 이상인 것을 주철품(鑄鐵品), 2% 미만인 것을 주강품(鑄鋼品)이라 한다. 주조품의 제조공정을 **그림 6-43** 에 나타낸다.

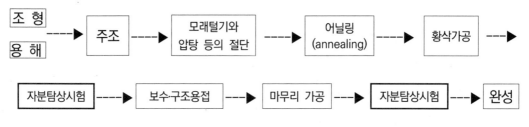

그림 6-43 주조품의 제조 공정

주조품의 주요 용도는 차량용 프레임(frame), 바퀴, 연결기, 증기 및 가스 터빈(gas turbine)용 케이싱(casing), 수차용(水車用) 라이너(liner)와 케이싱, 압연기용 하우징 (housing), 롤(roll), 건축 구조물용 물받이(shoe), 선박용 골재(骨材), 공작 기계부품, 토목 기계부품, 펌프 라이너(pump liner), 각종 밸브(valve body) 및 이음매 등이 있다.

단조품은 용강(溶鋼)을 금형(金型)에 주입하여 강괴(ingot)를 만들고, 이 강괴를 프레스 (press)나 햄머(hammer)로 단련 성형하고 열처리를 하여 소정의 기계적 강도를 갖도록 해서 주조품보다 강인(强靱)한 재료가 되도록 한 것이다. 단조품의 제조공정을 **그림 6-44** 에 나타낸다.

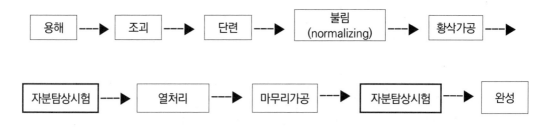

그림 6-44 단조품의 제조 공정

단조품의 주요 용도는 선박용 크랭크 축(crank shaft), 추진 축(shaft), 발전기와 증기 터 빈용 축차(rotor), 수차용 주축(主軸), 항공기용 엔진부품, 원자력용 압력용기 재료, 차량용 차축(車軸), 기타 각종 모터용 축 등 회전부품이 많으며, 특히 기계적 강도가 요구되는 기 계부품이다.

일반적으로 주단조품은 그 형상이 비교적 복잡하고 그 크기도 여러 가지로 잡다하다. 그 중에서도 단조품에 비해 주조품이 보다 복잡한 형상의 것들이 많다. 또한 단조품의 탐 상 면은 대부분 기계가공 면이지만, 주조품은 감합부(勘合部 : 기계 조립시 맞물리는 부 분)와 접합부 그리고 합쳐지는 면과 용접부 등을 제외하고는 대부분 거친 주물 면이 많다.

주조품과 단조품을 비교하면 일반적으로 주조품은 단조공정을 생략할 수 있고, 기계 가공도 적고, 생산비도 싸지만, 단조품이 품질의 신뢰성이 높으며 강하고 질기다.

주단조품의 제조공정에서 강도를 저하시키는 원인이 되는 결함 검출과 그 제거는 제품의 품질보증을 위하여 반드시 필요하며, 주단조 제품의 가동 중에 있어서 안전 확보에 중요한 역할을 한다. 그리고 주단조품의 우열(優劣)판단은 사용목적에 따라야 하기 때문에 주단조품에 존재하는 결함에 대해서는 그 성질과 상태 등을 잘 파악하여 제품으로서의 평가를 해야 한다. 즉 자분탐상시험에서는 단순히 결함 검출뿐만 아니라 결함의 성질과 상태, 크기, 방향, 위치와 분포 등 주단조품의 사용 적합여부를 판단하는 중요한 기초 자료를 얻는 수단으로 활용하는 것이 필요하다. 그래서 이러한 의미에서 주단조품의 사용조건과 더불어, 주단조품의 본질과 결함 성질과 상태를 충분히 이해하지 않으면 안 된다.

나. 대상이 되는 결함

✎ 1) 주조품의 결함

주조품의 결함에는 균열(crack), 핀홀(pinhole), 블로우 홀(blow hole), 모래 개재물(sand inclusion), 슬래그 개재물(slag inclusion), 수축공[(收縮孔 ; shrinkage cavity, 수축공동(收縮空洞)이라고도 함)] 및 미세 기공 등이 있지만, 자분탐상시험의 대상이 되는 결함은 주조된 거친 상태에서는 대부분 표면 또는 표면 아래의 균열과 같은 결함이다. 다만, 결함의 발생위치 및 형상 등의 조건에 따라서는 그 외의 다른 결함이 검출되기도 한다.

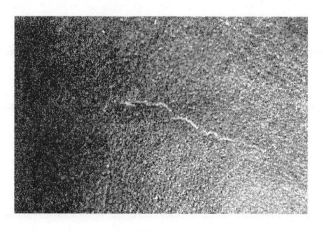

그림 6-45 주조품에 나타난 균열의 자분모양

① 균열(crack)

주조할 때 주형(鑄型)의 강도, 주물의 두께 차 등이 적당하지 않으면 응고 수축 시에 균열이 생길 수 있다. 특히 몸체에 붙어 있는 것 등 두께 변화부와 살두께 차가 있는 부분 등 다른 부분보다 냉각(冷却)이 늦어지는 곳으로, 인장력이 작용하는 곳에 발생하기 쉽다. 또 어느 정도는 재질의 성분도 영향을 미치는데 유황(S)과 구리(Cu)가 많은 곳은 균열이 발생하기 쉽다.

표면에 있는 균열은 자분이 예리하게 쌓여 나타나지만, 표면 아래에 있으면 자분모양이 희미하게 나타나서 빠뜨리기 쉬우므로 주의해야 한다.

② 핀홀(pinhole, pin hole), 블로우 홀(blow hole)

용탕(溶湯) 중의 가스 또는 주형에서 발생한 가스 등이 들어가서 핀홀이나 블로우 홀이 발생한 것이다. 바늘구멍과 같이 비교적 작은 것을 핀홀, 그리고 2~3mm 이상 비교적 큰 것을 블로우 홀이라 부른다. 이들은 균일하게 분포 하거나 특정한 장소에 한정되어 나타나며, 핀홀의 구멍이 커져서 블로우 홀이 된 것도 있다. 일반적으로 아래 부분보다도 위쪽 주물 표면 가까이에서 많이 발생한다. 표면에서는 작게 보이는 것도 내부에서는 큰 것이 있으므로 주의해야 한다. **그림 6-46** 과 **그림 6-47** 에 이들 결함의 자분모양의 예를 나타낸다.

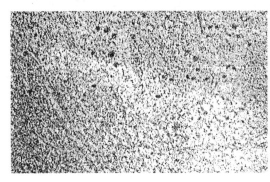

그림 6-46 핀홀의 자분모양   그림 6-47 블로우 홀의 자분모양

③ 모래 개재물(sand inclusion)

모래 개재물은 주탕(注湯) 시에 주형의 모래 입자가 떨어져서 주물 속으로 들어감에 따라 생긴다. 보통 주물 표면 가까이에 존재하는 것으로, 표면에서는 작게 보여도 내부에서는 큰 경우가 있지만, 그 형태로부터 자분의 부착은 아주 적기 때문에 주의해야 한다.

④ 슬래그 개재물(slag inclusion)

탕구(湯口)의 형상이나 치수불량 때문에 용탕과 공존해 있던 슬래그(탈산 생성물)가 주탕 시에 휩쓸려 들어감에 따라 생긴다. 슬래그는 금속보다 가볍기 때문에 일반적으로 위로 떠올라 위부분의 표면에 나타나지만, 자분모양은 희미하며, 자분의 부착량도 적다.

⑤ 수축공(收縮孔, shrinkage cavity), 미세 기공(micro porosity)

금속이 응고될 때 수축으로 인하여 생기는 결함으로, 속이 빈 모양의 수축공 (shrinkage cavity]을 만들거나 미세 기공(micro porosity)이라 부르는 다공질의 부분을 만든다. 주강(鑄鋼)은 수축량이 비교적 많기 때문에 살 두께부의 내부 및 주형이 가열되는 탕구의 부근 등에서는 그 외의 부분보다 응고가 늦어지기 때문에 이러한 종류의 결함이 발생하기 쉽다. **그림 6-48** 은 수축공(收縮孔, shrinkage cavity)의 자분모양의 "예"를 나타낸다.

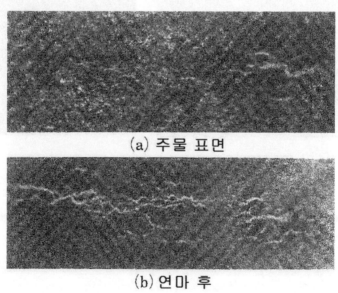

(a) 주물 표면

(b) 연마 후

그림 6-48 수축공의 자분모양

2) 단조품의 결함

단조품의 결함에는 균열(crack), 겹침(overlap), 모래 흠 및 모래 개재물(sand inclusion), 백점(flake) 및 미세 기공(micro porosity) 등이 있다. 이 중에서 자분탐상시험의 대상이 되는 결함은 단조의 흑피상태에서는 균열과 겹침 뿐이며, 기타는 기계 가공 면에서 검출된다.

① 균열(crack)

단조품에 나타나는 균열에는 단조 균열(forging crack)과 담금질 균열(quenching crack)이 있다. 단조 균열은 단조 온도가 너무 낮은 경우와 단조비(鍛造比)가 큰 경우에 생기며 길게 뻗어 있는 것이 많다.

틀 단조품에 대해서는 틀의 설계에 따라 특정 장소에서 발생하기도 한다. 또한 담금질 균열은 담금질 열처리할 때 모퉁이부분이나 노치(notch)부분의 열 응력집중에 의해 발생하는 것으로, 직선모양인 것이 많다. 이들은 모두 단조품에서 가장 유해한 결함이다. **그림 6-49** 는 크레인 훅(crane hook)을 형광 습식자분을 사용하여 시험했을 때 나타난 균열의 자분모양이다.

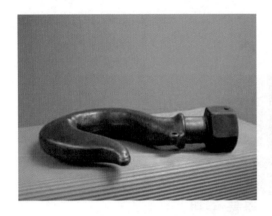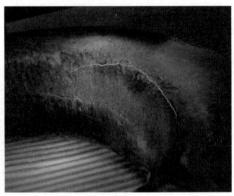

그림 6-49 크레인 훅에 나타난 균열의 자분모양

② 겹침(lap)

강괴·강편의 거친 표면, 표면 결함, 단조 가공할 때 주름 등이 압착되어 표면에 박혀 겹쳐진 것을 말한다. 표면에서 보이는 것보다 실제로는 깊이 들어 있는 경우가 많다. 단조 흑피품에서도 산세척(酸洗滌), 샌드 블라스트(sand blast)및 쇼트 블라스트(shot blast) 등으로 표면의 산화스케일 제거를 위한 전처리를 하면 검출할 수 있다.

③ 비금속 개재물, 모래 개재물, 모래 홈

강의 정련 및 조괴(造塊) 과정에서 강(鋼) 속에 들어간 산화물, 황화물 및 규산염 등으로 단조방향으로 길게 사슬처럼 이어져 있는 모양으로 나타나며, 불연속에 이어진 것도 있다. 비금속 개재물의 크기는 $1\sim2mm$ 정도로 미세하며, 단조에 의해 가늘고 길게 늘어난다. 육안에서 보이는 것은 모래 홈, 이것보다 큰 것은 모래 개재물이라 한다. 자분모양은 길이가 짧고 비교적 폭을 가지지만 희미하여 빠뜨리기 쉽다.

그림 6-50 비금속 개재물

④ 백점(flake)

합금강의 모발균열 또는 머리카락 균열(hair crack)이라 부르는 것으로, 용탕에 수소 함유량이 높은 경우에 편석 띠에 수소가 모여서, 변태응력 및 열응력 아래에서 발생하는 것이다. 이것은 방향성이 없이 밀집하여 나타날 때가 많고, 그 파단(破斷) 면이 원형의 백색을 띠고 있어서 백점(white spot)이라 부른다. 최근에는 제강기술의 향상에 따라 백점은 드물게 나타나는 결함이 되었다. **그림 6-51**은 환봉에 나타난 백점에 대한 자분모양의 "예"이다.

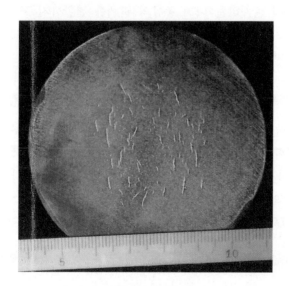

그림 6-51 백점

⑤ 미세 수축공(macro 또는 micro shrinkage cavity)

강이 응고될 때 강괴의 중앙부에서 발생한 미세 기공(micro porosity)이 단련(鍛鍊)으로 인하여 완전히 단착(鍛着)되지 않고 남은 것으로, 대형 단조품에 밀집하여 나타날 때가 많다. 각각의 크기는 1~2mm 정도이다.

다. 자분탐상시험

✎ 1) 전처리

주단조품을 제조할 때의 중간 검사에서는 탐상 면이 주물 표면 또는 단조 표면이므로, 모래와 산화 스케일이 부착되어 있거나 표면이 거친 부분은 쇼트 블라스트(shot blast), 샌드 블라스트(sand blast)와 연삭기(grinder) 등으로 검사면을 매끄럽고 깨끗이 해야 하며, 동시에 그리스(grease)와 기름 및 도료 등의 부착물도 완전히 제거해야 한다. 그리고 압탕(押湯), 탕구(湯口)와 제품에 필요없는 리브(rib) 등도 제거해야 한다. 탐상 면의 거칠기는 당연히 결함 검출성능을 크게 좌우하므로 미세한 편이 좋으며, 검사목적에 따라 정해져야 하지만, 일반적으로 ▽▽(25μmRz 이하)는 필요하다.

✎ 2) 자화

제조할 때의 주단조품은 표면은 물론, 가급적 표면 아래의 깊은 부분까지를 탐상범위로 해야 한다. 주단조품에 존재하는 여러 종류의 미세한 결함까지 모두 정밀하게 검출할 수 있어야 하므로, 각각 시험체의 재질에 따라 탐상에 필요한 자계의 세기로 가급적 균일하게 자화할 수 있는 자화방법을 하나 또는 두, 세가지를 선택해야 한다. 주단조품의 크기와 형상에 따라 일반적으로 선택하는 자화방법과 자화전류를 **표 6-4** 에 나타낸다.

형상에 따라 전류 관통봉을 넣고 자화할 수 있는 시험체에 대하여 전류 관통법을 선택하면 안쪽 면과 양 측면(側面) 및 바깥쪽 둘레 면을 탐상할 수 있다.

직접 시험체에 자화전류를 흘리지 않으므로, 전극간의 스파-크가 일어날 염려가 없고, 또한 반자계도 발생하지 않기 때문에 가장 적합한 방법이다. 그러나 축 통전법은 전류 관통법과 같이 축 방향의 결함을 탐상할 수 있는 자화방법이지만, 이 방법은 안쪽 면과 양 측면을 탐상할 수 없을 뿐만 아니라 시험체에 직접 자화전류를 흘리기 때문에 스파-크가 발생할 염려도 있으므로 사용해서는 안 된다.

소형 주단조품은 전체를 자화하지만, 대형 주단조품은 일반적으로 분할하여 자화해야 하므로 각 부분들이 탐상에 필요한 자계의 세기가 얻어지도록 해야 한다.

표 6-4 주단조품의 자화방법과 자화전류

탐상조건 / 시험체	자화방법	자화의 정도	자화전류의 종류
주조품	프로드법	1,500 ~ 2,000 A	DC
	극간법	$5.0 \times 10^{-4}\ Wb$	AC
	전류 관통법	2,000 ~ 3,000 A	DC
	코일법	3,000 ~ 4,000 AT	AC
단조품	축 통전법	1,000 ~ 3,000 A	DC
	코일법	3,000 ~ 5,000 AT	AC
	전류 관통법	1,000 ~ 5,000 A	DC
	직각 통전법	500 ~ 2,000 A	DC

소형 주단조품의 자화는 반자계가 가능한 한 적게 되도록 원형 자계를 만드는 축 통전법이나 전류 관통법을 사용한다. 또 코일법에서는 반자계 대책으로 시험체보다 지름이 큰 이음철봉을 가급적 밀착시키고 자화전류는 교류를 사용해야 한다.

대형 주조품은 일반적으로 돌기부(突起部)와 모서리부분, 분기점(分岐點)이나 살 두께가 변하는 부분 등이 많고 형상이 복잡하다. 이것을 가능한 한 균일하게 자화하기 위해서 프로드법을 가장 많이 사용하고 있다. 또한 보조적으로 용접 개선부 등의 부분 자화에는 극간법을 사용하며, 관(pipe)과 같은 종류는 전류 관통법과 코일법을 조합시켜 사용하고 있다.

대형 주조품을 프로드법으로 탐상할 때, 시험체 전면을 가급적 균일하게 자화하며 또한 빠뜨리지 않고 모든 부분을 능률적으로 탐상하기 위해서는 우선 탐상 면을 형상에 따라 분할하여 그 탐상 면에 따라 전극(prod) 간격의 1/2 의 격자선을 탐상 면에 마킹 펜으로 줄을 그어 표시해야 한다. **그림 6-52** 에 터빈 케이싱에 격자선으로 줄을 그은 상황을 나타낸다. 전극 간격은 시험면 형상에 따라 다르지만 비교적 복잡한 경우는 100mm 전후가 알맞으며, 평탄한 경우는 200~250mm 정도가 적당하다.

전극(prod)의 배치방법은 **그림 6-53** 과 같이 배치하여 탐상하면 불감대 없이 전극의 자국도 확인할 수 있다. 그리고 탐상순서는 처음 세로 방향을 탐상하고, 다음에 가로방향을 탐상하면 모든 부분을 빠뜨리지 않고 탐상할 수 있다.

그림 6-52 격자선으로 줄을 그은 모양

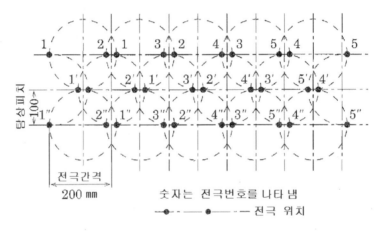

그림 6-53 전극(prod)의 배치방법

대형의 단조품은 일반적으로 회전체(回轉體)로 많이 사용하며, 그 형상 때문에 축 통전법과 코일법을 조합시켜 사용하고 있다. 이 외에 전류 관통봉을 통과시킬 수 있는 형상을 가진 시험체들의 안쪽 면의 검사에는 전류 관통법이 사용되며, 끝면 부분의 검사에는 직각 통전법 등을 사용하고 있다. 프로드법은 스파-크의 문제가 있기 때문에 그다지 사용하지 않는다.

코일법은 코일 축의 중앙부가 유효자계의 세기가 가장 강하기 때문에 코일 중앙부분에서 분할 탐상을 해야 한다.

자화방법의 한 예로 크랭크 축(crank shaft)을 예를 들어 설명한다. 크랭크 축의 콘넥팅

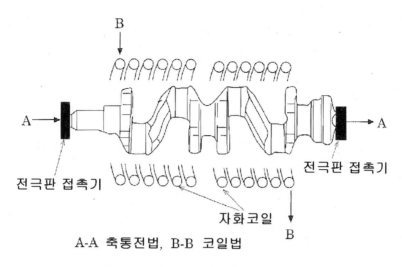

A-A 축통전법, B-B 코일법

그림 6-54 크랭크 축의 자화방법의 "예"

로드(connecting rod)를 끼운 부분이나 베어링 부분은 기계 가공되어 있으나 크랭크 암 (arm)의 부분은 단조된 표면을 쇼트 블라스트 가공만으로 사용할 때가 많다. 크랭크 축에 서는 때로 크랭크 암의 주축부분의 결함이 문제가 되기 때문에 **그림 6-54** 와 같이 축 통 전법(A → A)과 코일법(B → B)을 사용하여 직각 2 방향에서 자화하는 것이 일반적이다.

대량 생산하는 소형의 주단조품일 때는 그 재질이 합금강이나 담금질한 강이면 전체 자 화로써 잔류법을 사용하면 능률이 오른다. 다만 이때에는 전체를 자화하는 것이 필요하며, 분할 자화해서는 안 된다.

자화전류의 종류는 주단조품과 함께 표면 결함뿐만 아니라 표면 근방의 결함도 검출할 수 있도록 축 통전법, 프로드법, 전류 관통법 및 직각 통전법에서는 직류를 사용하는 편이 좋다. 이때 표피효과가 적은 삼상 전파정류를 사용하는 편이 바람직하다. 그리고 코일법에 서는 이음철봉을 연결하더라도 반자계의 영향이 적은 교류를 사용하는 편이 좋다.

자화전류치는 원칙적으로 연속법의 경우, 탐상 유효범위에서 보통 강이면 자계의 세기가 1,600A/m, 합금강이면 3,200A/m, 담금질한 강이면 6,400A/m 정도가 되도록 한다. 그리고 잔류법의 경우, 합금강은 8,000A/m, 담금질한 강은 16,000A/m 정도가 되도록 결정해야 한 다. 각 부분의 자화가 균일하지 않거나 탐상 면이 거친 경우 등은 배경(background)을 고려 하면서 경험을 기반으로 하여 수정하는 것이 필요하다.

직접 시험체에 통전하는 프로드법, 축 통전법 및 직각 통전법에서는 시험체에 접촉하는 전극부는 잘 닦아 항상 깨끗이 유지하여 자화전류치에 대응하는 접촉 면적이 되도록 해야 하며, 시험체에 충분히 접촉시키고 나서 통전해야 한다.

그리고 자분적용 후, 자화전류를 끊고 나서 시험체에서 전극을 떼도록 해야 한다. 전극의 접촉이 나쁘면 스파-크의 발생 및 가열(加熱)로 인하여 이 부분에 경점   (hard spot) 및 미세 균열(micro crack)이 발생할 수가 있으므로 주의해야 한다.

✥ 3) 자분의 적용

일반적으로 주조품의 결함은 단조품의 균열 폭보다 넓다. 주조품은 주로 주물표면을 탐상하기 때문에 비형광 자분을 사용하여 건식법 또는 습식법으로 탐상한다. 그리고 단조품은 주로 기계 가공면의 탐상이므로 형광 자분의 습식법 또는 비형광 자분의 습식법으로 탐상한다. 비형광 자분에 비해 형광 자분이 대비(contrast)가 훨씬 좋기 때문에 미세 결함을 검출하기 위해서는 형광 자분이 좋다. 연삭면의 미세 결함을 검출하고자 하는 경우에는 분산매로 백등유를 사용한다. 또한 비형광 자분을 사용하는 경우, 시험체와의 대비를 고려하여 주조 또는 단조 표면에는 백색자분을 선택하고, 기계 가공면에는 적색 또는 흑색 자분을 선택하면 된다.

검사액의 자분농도(magnetic particle content)는 비형광 자분에서 2 g/l, 형광 자분에서 0.2 g/l 을 표준으로 하며, 탐상 면의 경사가 높아서 검사액의 유속(流速)을 늦출 수 없는 경우는 정도에 알맞게 자분 농도를 높일 필요가 있다.

자분을 적용할 때에는 대비가 잘 되는 자분모양을 만드는 것이 중요하기 때문에 적용면의 형상과 표면 거칠기 및 경사각도 등에 따라 알맞게 분할하여 배경을 높이지 않고 균일하게 적용하는 것이 중요하다. 건식법에서는 모든 방향으로 얇고 균일하게 자분을 분산시켜 농담(濃淡)의 얼룩모양을 만들지 않도록 함과 동시에 파인 곳, 구멍, 모퉁이나 모서리부분에 모인 자분은 가볍게 불어 날려 보내고, 자분이 정지된 후에 자화전류를 끊어야 한다.

습식법에서는 검사액이 적용면 전체에 균일하고 천천히 흐르도록 적용해야 하며, 파인 곳, 구멍, 모퉁이나 모서리부분에 모여 있는 얼마 안 되는 검사액이라도 결함에 의한 자분모양을 흩어지게 하므로, 자화 중에 충분히 배액(排液)하며, 검사액의 유동이 없어질 때까지 통전하는 것이 중요하다. 자분을 많이 적용하면 적용할수록 자분이 결함에 많이 모일 것으로 생각하지만 이는 잘못된 생각이다. 반대로 대비(contrast)가 잘 안되어 결함 검출의 정밀도가 떨어지므로 주의해야 한다.

✥ 4) 자분모양의 관찰

① 탐상 유효범위 내에서 의사모양과 결함 자분모양을 확실히 식별함과 동시에 자화방법으로부터 어느 방향의 결함을 검출할 수 있는지, 결함의 발생이 예상되는 부위는 어디인지를 고려하여 적절한 관찰을 해야 한다. 일반적으로 단강품에 나타나는 결함은 주

조품이나 용접부에 나타나는 결함보다 상당히 적고 그 폭도 좁기 때문에 나타나는 자분모양도 관찰하기가 쉽지 않다. 그래서 단강품을 탐상할 때에는 반드시 직교하는 2방향에서 자화하고, 의심스러운 자분모양이 나타나게 되면 일단 자분모양을 지운 다음 재시험하여 결함인지 여부의 확인한다. 판단하기 어려운 경우에는 확대경 등으로 관찰하는 자세를 가져야 한다. 주조품도 전체 표면 또는 응력이 집중하는 장소, 결함의 발생이 많이 예상되는 부위 등을 대상으로 주로 표면 또는 표면 부근의 결함을 탐상 목적으로 실시하므로 미리 충분히 검토하여 그 부위를 집중적으로 관찰해야 한다.

② 주단조품은 형상이 복잡하므로 전면을 관찰하기 위해서는 시험체를 회전하거나 백열등 또는 자외선조사등을 들고 회전시켜 가며 관찰해야 한다. 특히 이때 자외선조사등은 자외선이 가급적 관찰 면에 수직으로 조사되게 해야 한다. 이 때문에 형상이 복잡한 주조품의 관찰에서는 휴대형 백열등과 자외선조사등을 사용해야 한다.

5) 주단강품에 대한 자분모양의 분류

KS D 0213-1994 「철강 재료의 자분탐상시험방법 및 자분모양의 분류」에서는 결함 자분모양을 4가지로 분류하고 있는데, 주단강품에 나타나는 결함에 대한 지식을 갖고 있으면 그것이 어디에 해당하는지 쉽게 구별할 수 있다. 따라서 자분모양의 평가에 있어서는 주단강품의 결함에 대한 지식과 경험들이 중요하다.

자분탐상시험에서 얻어지는 자분모양은 형상 및 집중성에 따라 ① 균열에 의한 자분모양, ② 독립한 자분모양, ③ 연속한 자분모양, ④ 분산한 자분모양으로 분류한다. 독립한 자분모양은 다시 ㉮ 선상의 자분모양(자분모양에서 그 길이가 폭의 3배 이상인 것)과 ㉯ 원형상의 자분모양(자분모양에서 선상의 자분모양 이외의 것)으로 분류하며, 연속한 자분모양은 여러 개의 자분모양이 거의 동일 직선상에 연속하여 존재하고 서로의 거리가 2 mm 이하인 자분모양을 말한다. 또한 분산한 자분모양은 일정한 면적 내에 여러 개의 자분모양이 분산하여 존재하는 자분모양을 말한다.

6) 주조품의 평가

주조품의 탐상결과로 그 품질을 평가하려면 미리 체결된 계약문서 등에 의하지만, 이러한 것이 없는 경우는 KS D 0213-1994 「철강 재료의 자분탐상시험방법 및 자분모양의 분류」에 의한다. 이 규격 에서는 자분모양이 나타나면, 우선 균열에 의한 자분모양인지, 균열 이외의 결함 자분모양인지를 식별하고, 만일 균열 이외의 결함 자분모양이라면 자분모양의 형태에 따라 독립한 자분모양과 연속한 자분모양 그리고 분산한 자분모양으로 분류한다.

독립한 자분모양은 선상의 자분모양(자분모양에서 그 길이가 폭의 3배 이상인 것)과 원형상의 자분모양(자분모양에서 선상의 자분모양 이외의 것)으로 분류한다. 균열은 일반적으로 제조할 때의 조건불량 또는 사용 중의 이상(異常) 응력에 의해 발생하므로, 그대로 방치하면 파괴로 이어질 위험성이 있으므로, 지금까지는 모든 규격이 「균열이 있어서는 안 된다」 라고 규정하고 있다. 만일 균열이 있어도 지장이 없다고 한다면 오히려 자분탐상시험을 실시할 필요가 없을 것이다.

균열에 의해 나타나는 자분모양에는 냉간균열(cold crack), 열간균열(hot crack), 담금질균열(quenching crack), 수축균열(shrinkage crack), 피로균열(fatigue crack), 응력부식균열(stress corrosion crack), 연마균열(grinding crack) 등이 있다.

선상의 자분모양이란 탕(湯)주름(surface folds), 탕계(cold shut), 주물 지느러미 등 주물 표면불량에 의해 생기는 선모양의 자분모양을 말한다.

표 6-5 ASME Sec. VIII 압력용기의 자분탐상시험 기준

자분	건식 자분	ASTM E 109
	습식 자분	ASTM E 138-58T
자화방법	프로드법	전극(prod) 간격 3~8 inch(76.2~203.2mm)
		자화전류 100~125A /프로드 간격 1 inch(25.4mm)
	극간법	교류 전자석 25 ~30A /인치, 인상력 10 파운드 이상, 자극 간격 3"~8"(76.2~203.2mm)
		영구자석　　25~30A /인치, 인상력 40 파운드 이상, 자극 간격 3"~8"(76.2~203.2mm)
	코일법	45,000AT
		800~1,000A /인치(외경 25.4mm 이상)
판정기준		선상의 자분모양은 모두 제거하고, 용접 보수한다.

원형상으로 나타나는 자분모양이란 핀홀(pinhole), 블로우 홀(blow hole), 모래 개재물(sand inclusion), 슬래그 개재물(slag inclusion), 수축홈(shrinkage) 등 결함에 의해 발생하는 원형모양 또는 선모양 이외의 폭넓은 면적을 갖는 자분모양을 말한다. 자분탐상시험의 결과로써 주조품의 전체 품질을 평가할 때는 표면 또는 표층부의 유효 탐상범위에 한하며, 이외에는 방사선투과시험 또는 초음파탐상시험 등의 다른 시험법에 의한 결과도 참고해야 한다.

ASME Sec. VIII 의 압력용기에 관한 자분탐상시험 기준 예를 **표 6-5** 에, 그리고 주강품에 관한 자분탐상시험의 판정기준 예를 **표 6-6** 에 나타낸다.

표 6-6 ASME Sec. VIII 주강품의 판정 기준

	결함의 형상	등급
I	선형 불연속(열간균열, 냉간균열)	불합격
II	수축흠(shrinkage)	2
III	비금속 개재물	3
IV	chill 및 chaplet	1
V	기공(porosity)	1

5. 용접부에 대한 자분탐상시험

가. 용접

용접이란 재료의 접합법(接合法) 중 금속적 접합법을 말한다. 접합기구에 따라 융접(fusion welding), 압접(pressure welding)과 납땜(soldering)으로 분류되고 있다. 이 중 융접은 금속을 용접하고자 하는 부분에 아크, 전자빔 또는 레이저 등의 열을 이용하여 가열해서 모재(용접하는 재료)와 용가재(용접봉 등)를 융합시켜 발생하는 용융금속을 응고시킴에 따라 접합하는 방법이다. 이때 기계적 압력은 특별히 가하지는 않는다. 이에 비해 납땜은 가스 등의 열을 이용하거나 모재와 융합시키지 않고, 모재보다도 융점이 낮은 금속(납)을 용융시켜 액체 금속의 모세관 현상을 이용하여 접합면의 틈에 침투시켜 접합하는 방법이다. 또한 압접은 접합부에 기계적 압력을 가하는 용접법이다. 이 중 압력용기, 선박, 교량(橋梁) 및 건축 등 소위 용접 구조물에 대하여 일반적으로 널리 이용되고 있는 것이 용가재를 이용하는 융접(fusion welding)이다.

여기서는 용가재를 이용하여 용접하는 경우, 다음 용접의 각 단계별 자분탐상시험에 대하여 설명한다.

용접의 각 단계란.
① 개선 면이 가공된 단계
② 뒷면(밑면) 따내기(back gouging)가 완료된 단계
③ 용접 중, 중간층의 용접이 끝난 단계
④ 용접이 완료된 단계
⑤ 용접 결함을 제거한 후, 보수 용접을 위하여 표면 가공을 완료한 단계

따라서 개선 면 검사에서부터 용접 표면의 최종 검사가 끝날 때까지 각 단계에서 행해지는 자분탐상시험에 대하여 설명한다.

나. 용접의 각 단계별 자분탐상시험

1) 개선 면 검사

가) 대상이 되는 결함

중요한 용접 구조물에 사용되는 후판(厚板) 용접부에서는 용접을 시작하기 전에 개선 면에 대한 표면검사가 행해진다. 그 목적은 첫째, 용접된 재료의 개선 면에 결함이 있으면 용접을 할 때 가해지는 열의 영향으로 인하여 모재 속에 균열이 성장하거나 또는 균열 이외의 결함이 있을 경우에는 모재 속에 새로운 균열을 발생시킬 우려가 있기 때문에 이것을 사전에 제거하기 위함이며, 둘째는 용접을 했을 때, 개선 면에 있던 결함이 원인이 되어 용접 금속 속에서 균열이나 그 이외의 각종 결함을 발생시킬 우려를 없애기 위해서이다. 이러한 원인이 되는 모재의 결함으로는 균열(crack) 이외에 라미네이션, 비금속 개재물, 블로우 홀 등의 결함이 있다. 이들 결함 중 자주 나타나는 결함으로는 비금속 개재물과 라미네이션이다.

라미네이션(lamination)은 비교적 표면이 넓게 열려 있기 때문에 균열보다도 크고 뚜렷한 자분모양을 나타낸다. 라미네이션은 강괴(ingot)를 만들 때에 발생한 가스에 의한 기포가 표면으로 떠오르지 못하고 강괴 내부에 남은 것이지만, 다시 압연에 의해서도 압착되지 못하고 넓고 편평(扁平)한 기공으로 남은 것이다.

그림 6-54 는 개선 면에 나타난 라미네이션의 "예"이다. 이러한 것에는 압연이 충분히 행해져서 압착된 것과 함유된 가스에 의해 내면에 피막이 발생하여 스케일 등을 만들어 압착되지 않고 잔류하는 것의 2종류가 있다.

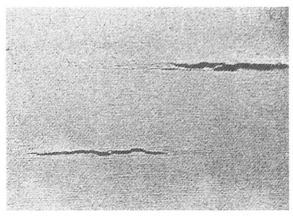

그림 6-55 개선 면에 나타난 라미네이션의 "예"

개선 면을 시험했을 때 자분모양이 나타났다면 강판의 제조 품질과 관계되므로 그 종류와 양에 따라서는 허용되는 것과 허용되지 않는 것도 있을 수 있기 때문에 자분모양이 나타나면 반드시 그 원인이 어디에 있는지를 찾아내어 결함의 종류와 그 유해성을 고려하여 판정해야 한다. 결함의 종류는 그 자분모양이 뚜렷한지 아니면 흐릿하게 나타나는지, 분산형태, 발생위치 및 형상 등으로부터 어느 정도 추정이 가능하다. 자분모양이 나타났다고 모두가 균열이라고 판단해서는 안 되며 또한 모두를 라미네이션 또는 비금속 개재물이라고 판단해서도 안 된다.

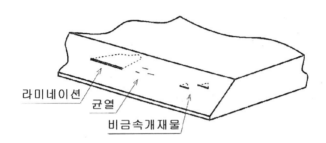

그림 6-56 개선 면에서 검출되는 결함

나) 자분탐상시험
① 자화방법 및 자화전류
　　일반적으로 개선모양은 그리 복잡하지 않기 때문에 자화방법으로 극간법 또는 프로드법을 이용한다. 이 중 극간법으로 이용할 때는 교류 극간식 탐상기를 사용하며, 탐상기의 자극(磁極) 치수를 고려하여 어느 정도 두꺼운 판의 개선 면이 있는 후판으로 한정한다. 두께가 두껍지 않은 판은 프로드법을 이용한다. 이 시험의 최대의 목적은 판 표면에 평행인 방향의 결함을 검출하는 것이다. 이들 결함을 검출하기 위해서는 프로드법이 가장 알맞다. 만일 극간법을 사용하고자 한다면 여러 가지 조건에 대해 검토하여 적합한 장치를 준비해야 한다. 자화전류도 극간법의 경우는 변경할 수 없지만, 프로드법은 전극(프로드) 간 거리 및 시험체의 재질에 맞춰 변경할 수 있어, 검출대상이 되는 결함의 종류에 맞춰 적정한 자계의 세기를 걸어줄 수가 있어서 유리하다.
② 자분의 적용
　　자분은 대부분 습식법으로 적용한다. 적용방법과 농도 및 적용시간 등은 일반 자분탐상시험의 경우와 마찬가지로 주의가 필요하다. 다만 개선 면에 부착된 자분은 용접금속의 품질에 영향을 미치지 않도록 가급적 제거하는 것이 바람직하다.

2) 뒷면 따내기(back gouging)한 면의 검사

가) 대상이 되는 결함

용접부의 판 두께가 두꺼운 경우에는 용입부족(incomplete penetration, lack of penetration)을 없애기 위하여 처음에 2~3 층의 용접 덧붙임을 한 후 반대쪽에서 아크 에어 가우징(arc air gouging) 또는 치핑(chipping)에 의해 뒷면 따내기를 하여 용입부족이 있는 부분을 완전히 제거하고 나서 다음 용접을 이어서 계속 실시할 때가 많다(**그림 6-57** 참조). 이때 용입부족이 완전히 제거되었는지 여부를 조사하기 위한 목적으로 뒷면 따내기한 면에 대하여 자분탐상시험을 실시한다.

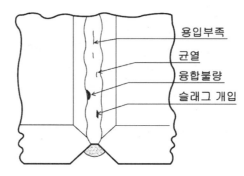

용입부족
균열
융합불량
슬래그 개입

그림 6-57 뒷면 따내기한 면에서 검출되는 결함

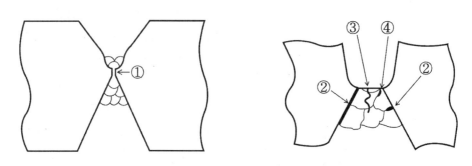

① 용입부족 ② 융합불량 ③ 균열 ④ 슬래그 개재물

그림 6-58 뒷면 따내기한 면에서 검출되는 결함의 단면 형상

뒷면 따내기를 함으로써 새로운 균열이 발생하거나 내부에 있는 결함이 나타날 경우도 있으므로 따내기한 면에 대한 시험은 중요하다. 따내기한 면이 거칠 경우에는 연삭기 (grinder) 등으로 표면을 매끄럽게 하고 나서 시험을 해야 한다. 이 경우에 대상이 되는 결

함은 용입부족과 처음 층에 발생하기 쉬운 균열(crack), 융합불량(lack of fusion), 슬래그 개재물(slag inclusion), 블로우 홀(blow hole) 등의 용접 결함이다. **그림 6-57** 과 **그림 6-58** 에 대표적인 예를 나타낸다.

이들 결함 중에서 용입부족은 뒷면 따내기가 불충분하기 때문에 루트(root)면에 남은 것이다. 균열에는 용접금속이 응고하는 과정의 연성이 부족할 경우에 발생하는 고온균열(hot crack)과 용접부가 약 200℃ 이하의 저온에서 발생하는 저온균열(cold crack)이 있다. 또한 융합불량은 개선 면과 비드(bead) 또는 비드와 비드와의 경계 면이 서로 충분히 용융 결합되지 않은 것이며, 슬래그 개재물은 슬래그의 청소가 불충분할 때 등으로 용접금속 속에 슬래그가 남아 있는 것이다. 이와 같이 이 검사의 목적은 용입부족이 완전히 제거되었는지 여부를 확인하는 것과 이미 용접된 부분에 대하여 균열이나 슬래그 개재물 등의 유무를 조사하는 것이다. 물론 너무 작은 결함은 그 후의 용접에 의해 없어지기도 하지만 그때까지의 과정에서 용접기술의 좋고 나쁨을 결함의 유무를 통하여 판단하는 것이 중요하다.

나) 자분탐상시험

① 자화방법 및 자화전류

뒷면 따내기한 면의 자분탐상시험에서 가장 특징적인 것은 강재의 종류에 따라서는 150℃ 정도로 예열된 그 상태에서 실시해야 하는 경우가 있다는 점이다. 상온까지 온도를 낮추어 시험해도 지장이 없는 경우는 일반 자분탐상시험과 같이 한다. 다만 자화방법으로 프로드법이 많이 사용된다는 점이 다르다. 이것은 뒷면 따내기한 면이 U자 모양을 하고 있어서 평탄한 자극을 가진 극간법 탐상기로는 충분하게 밀착시킬 수 없는 경우가 많고, 대상이 되는 결함도 U자 홈에 평행방향의 용입부족이므로 적절하게 자화를 시킬 수 있기 때문이다.

150℃ 정도의 시험체 온도에서 시험할 경우에도 자화방법이나 자화전류를 특별히 바꿀 필요는 없다. 그러나 사용하는 자분과 그 적용방법에 대하여 미리 검토해 두어야 한다. 그리고 극간법을 사용하여 충분한 검출능력이 있음이 확인된 경우에는 극간법의 탐상기를 사용해도 된다.

② 자분의 적용

뒷면 따내기한 면의 시험에서 가장 문제가 되는 것이 시험할 때의 온도이다. 일반적으로 탄소강의 경우에는 시험을 위하여 용접부의 온도를 50℃ 부근까지 낮추어도 문제가 되지 않으므로, 자분탐상시험도 늘 사용하는 검사액을 사용하여 실시할 수 있다. 그러나 고장력강(high tensile steel) 등의 경우에는 전체 용접기간을 통하여 150℃ 이하로 온도를 낮추어서는 안 되는 경우(이것은 균열 발생을 방지하기 위함이며, 강의 종류에 따라서는 더욱 더 높은 온도를 유지시켜야 하는 경우도 있다)도 있다. 이러한 경우에는 일반 검사액을 사용해서는 안 되며, 고온용의 건식 자분을 사용해야 한다. 이때 적용방법을 결정하기 전에 충분하게 실시방법에 대하여 검토하여 시공방법을 확립해 두어야 한다. 특히 고온에서의 작업은 안전에 대해서도 매우 주의가 필요하다. 뒷면 따내기한 면은 개선 면이나 최종 용접 면과 같이 아주 매끄러운 표면을 얻는 것은 아무래도 곤란하므로, 치핑(chipping)이나 연삭기에 의한 가공 결함이 의사모양을 발생시키기 쉽기 때문에 세심한 주의를 기울여 시험을 실시해야 하며, 신중하게 판정을 해야 한다.

❧ 3) 용접 중간층 표면의 검사

가) 대상이 되는 결함

여기서 말하는 용접 중간층 표면이란 뒷면 따내기를 마치고 나서 용접을 개시한 후 몇 층인가를 용접한 용접면을 말한다. 일반적으로 이러한 중간층은 전체 용접 깊이의 1/2 또는 1/3 정도 되는 면이다. 이러한 면을 검사하는 목적은 필릿 용접부와 같이 형상이 복잡한 용접부에 용접 완료 후에 방사선투과시험이나 초음파탐상시험을 의무적으로 실시하더라도 최적의 시험조건으로 검사를 할 수 없고, 결함의 검출능력에도 의문이 생기게 되므로, 용접 중간 단계에서 검사를 실시하여 일단 그 시점에서 큰 결함이 발생하지 않았음을 확인하고 나서, 다음의 용접 공정을 진행하기 위해서이다. 그러므로 대상이 되는 결함은 모든 용접결함이지만, 결함이 중간 층 표면 위에 나타나는 경우에는 검출하기 쉽지만, 용접 금속 내부에 숨어 있는 경우에는 검출을 할 수 없는 경우도 있다. 그러나 용접조건이 적절한 조건을 벗어나서 중간 단계에서 균열 등의 중대한 결함이 발생한 경우에는 최종 표면까지 용접을 완료하고 나서는 검출도 어렵고, 검출하더라도 보수용접이 곤란한 경우도 있다. 그러나 이것을 중간 단계에서 검출하면 보수하기도 쉽고, 또한 부적절한 용접조건도 비교적 빠른 단계에서 시정할 수 있는 등, 용접의 품질을 향상시키는데 있어서도 도움이 된다. 그러나 검출할 수 있는 용접결함은 극히 한정되며, 그 효과를 너무 기대하는 것은 위험하다.

용접을 중간에서 멈추고 자분탐상시험을 실시하는 것은 어느 경우에는 용접부의 온도를 낮추는 것이 되며, 결국에는 열응력을 반복해서 가하는 것이 된다. 또한 자분을 산포하고 이것을 제거한 면에 다시 용접을 하는 것은 용접 시공법 상 용접의 품질을 높이는데 있어서도 결코 바람직하지는 않다. 오히려 적절한 조건에서 필요로 하는 비파괴시험을 실시해도 충분한 검출 능력을 갖는 시험이 될 수 없는 경우는 용접설계 자체에 문제가 있으므로,

품질관리 상으로는 이러한 검사는 피하는 것이 바람직하다.

나) 자분탐상시험
　① 자화방법 및 자화전류
　　　이 검사에서 사용하는 자화방법과 자화전류는 뒷면 따내기한 면의 경우에 사용하는
　　　방법과 대부분 동일하다.
　② 자분의 적용
　　　상온까지 낮추어도 지장이 없는 용접 시공법의 경우에는 일반 탐상제를 사용하고, 예
　　　열 온도가 150℃ 정도 이하로 낮추어서는 안 되는 경우의 탐상제는 각각 온도에 적합
　　　한 고온용 탐상제를 사용해야 한다. 이들 시험기술에 대해서는 사전 확인과 검사원에
　　　대한 충분한 교육과 훈련을 실시해야 한다.

✎ 4) 용접 표면의 검사
가) 대상이 되는 결함
　일반적으로 용접부의 검사라 하면 이 용접 표면의 검사를 가리킨다. 용접이 끝난 후 규
격 등에서 요구되고 있는 표면상태에서의 최종검사로써, 용접부의 시험으로 가장 많이 실
시되고 있는 것이 이 검사이다. 앞에서 설명한 개선 면 및 뒷면 따내기한 면 또는 용접 중
간층 표면의 검사는 요구하지 않아도 이 검사는 요구되는 경우가 많다. 특히 내압 기기로
사용되는 배관이나 압력용기의 용접부에 대하여 많이 요구되고 있다. 이 검사는 최종 표
면검사이기 때문에 상온까지 냉각된 시점에서 시험하므로, 일반 탐상제를 사용한다. 또한
용접부의 표면은 대부분의 경우, 비파괴시험 결과의 판정을 저해하는 의사모양이 발생하
지 않도록 용접부의 표면을 제거하여 매끄럽게 되도록 요구하고 있다. 이러한 경우에는
의사모양을 결함 자분모양으로 잘못 판단을 하지는 않지만, 때로는 용접 덧살이 있는 용접
그대로의 상태에서 자분탐상시험만 요구되는 경우가 있다. 따라서 의사모양과 결함 자분
모양과의 판별에 주의해야 한다. 그러나 용접 덧살이 그대로 있는 것은 그 자체가 형상적
인 결함을 갖고 있는 것이므로, 자분탐상시험에서 검출대상이 되는 결함은 재료의 강도적
인 측면에서 보면 언더 컷(undercut)과 지단부(모재 면과 비드 면이 만나는 곳)에서의 겹
침(overlap) 그리고 가장 유해한 것은 지단부에 발생하는 균열(toe crack)이다.
　비드 위의 깊지 않은 미세 균열(micro crack), 핀홀(pin hole), 블로우 홀(blow hole) 및
슬래그 개재물(slag inclusion) 등은 거의 영향을 미치지 않는다고 생각해도 된다. 그러나
품질의 관점에서 보면 이러한 용접결함이 발생하는 것은 용접 시공관리에도 문제가 있는
것이다.

일반적으로 용접 후에 표면을 매끄럽게 할 필요가 없는 기기나 구조물과 같은 용접부의 용접 표면에 대하여 자분탐상시험을 요구하는 것 자체가 문제이며, 자분탐상시험을 적용하는 이유를 명확히 하지 않은 채, 다만 단순히 참고하기 위하여 실시하는 경우에는 공수(工數)와 경제적 그리고 강도의 측면에서도 전혀 관계가 없는 용접 결함도 마치 중대한 용접 결함으로 해석될 우려가 있다. 또한 보수를 하는 경우에는 재료적으로도 손실을 초래하는 것이며, 과잉 품질을 요구하는 것이 된다. 그러므로 이러한 점을 잘 생각하여 자분탐상시험의 적용을 고려해야 한다. 용접표면에 자분탐상시험이 요구되는 것으로는 항공기, 잠수함, 원자력 내압기기(耐壓機器)와 미사일 등 매우 중요한 구조물 이외에 고압가스관계의 내압기기 등이 있다.

일반적으로는 표면을 매끄럽게 다듬질한 면(덧살을 삭제하는 것은 아님)에 대하여 실시하도록 요구되고 있다. 이때 자분탐상시험의 대상이 되는 용접결함은 균열과 언더컷이다. 블로우 홀과 슬래그도 큰 것은 문제가 되지만, 작은 것은 보수 등의 대상이 되지 않는 경우가 대부분이다. 언더 컷은 응력집중을 일으키는 원인이 되므로 보수의 대상이 되는 결함이다. 가장 유해한 결함은 균열이며, 재료와 용접조건과 균열 발생의 관계에 대하여 충분한 지식을 갖출 필요가 있다.

일반적으로 용접부에 결함이 발생하는 원인으로, 다음 7 가지 인자가 고려된다.
① 용접에 관한 지식과 경험의 결여
② 용접시공방법의 특성(용입, 아크 특성 등)
③ 모재의 결함 또는 모재성분(균열 감수성)
④ 용접봉 또는 용접 와이어(심선의 화학성분, 플럭스의 성분, 실드(shield)가스 등)
⑤ 모재의 성질
⑥ 용접 설계, 용접 절차, 용접 준비
⑦ 용접 분위기(분위기, 예열, 층간 온도 등)

이들의 조건이 어떠한 경우에는 단독으로, 어떠한 경우에는 중첩되어 용접결함이 발생한다. 균열은 고온 균열, 냉간 균열과 미세 균열(fissure 및 micro fissure)의 3가지로 크게 나눈다. 이 중 균열은 자분탐상시험으로 비교적 쉽게 검출할 수 있지만, 매우 미세한 균열인 미세 균열(micro fissure)이라 부르는 것은 그 원인이 여러 가지이므로, 이러한 균열의 발생이 예상되는 경우에는 자분탐상시험을 할 때 특히 세심한 주의를 기울려야 하며, 가능하면 특수한 기술을 사용하는 것이 바람직하다.

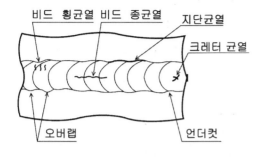

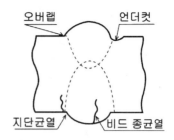

그림 6-59 최종 용접면에서 검출되는 결함

그림 6-60 최종 용접면에서 검출
되는 결함의 단면형상

일반적으로 고온 균열(hot crack)과 저온 균열(cold crack)은 용접 이음매의 강도에 악영향을 미친다. 미세 균열(micro fissure)은 미세하기 때문에 용접 이음매의 강도에 그다지 영향을 미치지 않을 것으로 생각되기도 하지만, 균열과 미세 균열(micro fissure)도 그 허용 한계치수는 사용조건에 따라서 다르며, 허용응력이 크면 허용 한계치수는 작아진다. 이전에는 허용해도 지장이 없던 미세 균열도 높은 응력 설계를 채택하는 경우에는 허용할수 없을 경우도 있다. 미세 균열은 자분탐상시험으로 검출할 수 있는 것과 검출할 수 없는 것이 있다. 또한 자분모양의 형상만으로는 미세 균열이라고 판단할 수 없는 경우가 대부분이다. 특히 용접 금속이 응고되는 과정의 최종 단계에서 용접 금속의 수축에 의해 형성된 것은 검출하기 어렵다. **그림 6-61** 에 응고 과정에서 균열이 형성된 "예"를 나타낸다. 그리고 용접금속이 응고가 완료된 후, 냉각될 때에 발생한 균열은 검출하기 쉽다. 즉 용접금속이 응고된 후, 재료의 취화에 의해 냉각과정에서 발생하는 균열이 입계 균열(intercrystalline crack)인데, 이 "예"를 **그림 6-62** 에 나타낸다. 이것은 저온균열로써, 용접부에 침입한 수소(水素)와 용접부의 경도(硬度) 및 인장응력이 주된 원인이다. 이 결함은 고온에서는 발생하지 않으며, 약 300~200℃ 이하에서 발생한다. 냉각과정에서 발생하는 입계 균열(**그림 6-62**)은 응고 과정에서 발생한 입계 균열(**그림 6-61**)에 비해 열린 폭은 넓어서 자분탐상시험에 의한 자분모양은 뚜렷하게 나타난다. 길이가 짧은 것은 작은 점 모양으로 밖에 나타나지 않아서, 경험이 부족한 검사원은 빠뜨리는 경우도 많이 있다. 일반적으로 고온 균열과 저온 균열은 대체로 뚜렷한 선상(線狀)의 자분모양으로 나타나기 때문에 그 나타나는 모양과 장소와 방향 등으로부터 균열의 종류를 알아낼 수 있도록 하지 않으면 안 된다.

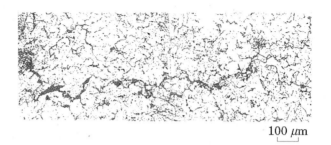

그림 6-61 응고 과정에서의 입계 균열

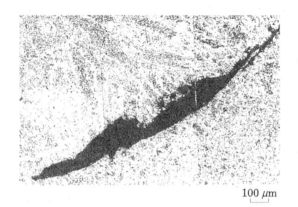

그림 6-62 냉각 과정에서의 입계 균열

나) 자분탐상시험

① 자화방법 및 자화전류

　　최종 용접표면의 자분탐상시험에 가장 많이 이용되는 것은 극간법이며, 용접부의 자분탐상시험이라면 극간법으로 실시한다 해도 과언이 아니다. 극간법은 사용상 편리하며 대형 구조물의 임의 부위를 쉽게 탐상할 수 있는 등의 편리함과 결함의 검출능력도 우수한 방법이지만, 탐상장치의 구조가 간단한 만큼 충분한 탐상능력을 발휘하기 위해서는 상당한 제약이 따른다. 적용하는 장소나 적용방법에 따라서는 충분한 결함 검출능력을 발휘할 수 없는 경우가 있으므로 이를 잘 인식하고, 극간법에 의한 자화방법의 문제점을 잘 알고 나서 시험을 해야 한다. 특히 용접부의 형상에 따라서는 극간법으로 검사할 수 없는 곳인데도 불구하고 이를 무리해서 실시하면 결함 검출능력이 현저히 저하되기도 한다. 그러므로 형상에 알맞은 적절한 방법을 사용해야 한다.

② 자분의 적용

　　자분탐상시험이 요구되는 용접부의 대부분은 표면이 연삭기(grinder) 등으로 평활(平滑)하게 마무리 되어 있어, 자분의 적용은 기본적인 주의사항을 지켜서 적용하면 충분하다. 이 검사는 최종 용접표면에 대한 검사이기 때문에 항상 상온의 상태에서 실시하며 일반 탐상재의 사용이 가능하다.

일반적으로는 습식법으로 이용하지만 덧살(reinforcement of weld)이 있는 용접상태에서의 실시가 요구되는 경우에는 건식법을 사용해도 괜찮다.

5) 기타의 자분탐상시험

가) 용접결함 제거 후의 표면의 검사

용접부의 최종 검사는 일반적으로 방사선투과시험을 실시하도록 규정하고 있다. 자동용접을 한 경우는 초음파탐상시험이 적용되기도 한다. 그래서 합격·불합격의 판정기준에 따라 불합격이 되는 용접결함이 있는 경우에는 이것을 제거하고, 제거한 용접금속의 양이 많은 경우에는 용접으로 보수하도록 규정하고 있다. 이때 용접결함을 제거하여 오목하게 파인 부분의 표면에 대해서는 보수 용접을 하기 전에 용접결함의 제거 여부를 확인하기 위하여 자분탐상시험이 요구되고 있다. 이것은 얼핏 합리적인 것 같이 들리지만 자분탐상시험은 표면 결함(표면 및 표면 근방의 결함도 포함)만을 대상으로 하는 시험방법이기 때문에, 이 시험에서 얻어지는 결과는 보수용접을 한 표면 근방의 결함 유무(有無)뿐이다. 만일, 내부에 결함이 잔류하고 있는지 여부를 알고 싶다면 방사선투과시험이나 초음파탐상시험을 실시해야 한다. 용접결함을 보수하는 경우에 제거하는 용접금속의 양은 가급적 적게 하는 것이 원칙이지만, 한편으로는 보수 용접을 하기 쉬운 형상으로 하는 것도 필요하다.

오목하게 파인 부분의 표면은 자분탐상시험을 실시하기 전에 연삭기(grinder)로 연삭하는 것이 보통이지만, 이때 잘못하면 의사모양의 원인이 되는 깊은 홈을 만들거나 거친 연삭으로 인하여 자국이 남는 경우도 있기 때문에 주의하여 실시해야 한다. 그럼에도 불구하고 최종 용접부 표면을 연삭하는 것은 잘 한다고 하더라도 의사모양이 발생하기 쉽다. 또한 큰 용접결함을 제거한 후에 움푹 파인 부분의 표면을 자분탐상시험을 하면 새로운 용접결함이 검출되는 경우도 자주 있다. 그러나 이때 나타나는 용접결함들은 작은 점 모양의 자분모양밖에 얻어지지 않아서 현미경을 사용하여 100배 이상 확대해야만 비로소 균열을 확인할 수가 있다. 물론 이러한 용접결함은 깊이도 그다지 깊지 않기 때문에 연삭기로 다시 연삭하거나 제거한 후 용접보수를 해야 한다. 이와 같이 새로 검출되는 용접결함이 균열이라고 확인되면 그것이 작다 하더라도 용접 시공방법에 대하여 의문을 가져야 한다. 그리고 그 발생원인에 따라서는 다른 비파괴시험에서 검출되지 않는 균열도 잔류해 있을 가능성이 있으므로, 다른 검사항목을 추가하여 품질에 문제가 없는지 여부를 검토해서 그 결론에 따라 합격·불합격을 결정해야 한다. 치수가 작다고 해서, 균열인데도 문제가 없다고 방치하게 되면 용접 시공조건의 좋고 나쁨에 관한 매우 중요한 조건을 못보고 빠뜨리는 결과가 된다.

　용접결함을 제거하기 위하여 용접금속을 제거하고, 그 표면을 검사하는 것은 가장 정밀한 체적검사를 하는 것과 같은 의미를 가지기 때문에, 여기서 얻어지는 용접부에 관한 정보는 가능한 한 상세히 해석하여 품질 평가에 도움이 될 수 있도록 해야 한다.

나) 용접보수 종료 후의 용접 표면의 검사

　용접결함을 제거한 후, 오목하게 파인 부분의 표면은 뒷면 따내기한 면의 검사와 똑같이 자분탐상시험을 실시하고, 결함이 없음을 확인한 후에 용접 보수를 해야 한다. 그 후 보수한 용접부 표면에는 최종 용접표면에 실시하는 것과 똑같이 자분탐상시험을 실시하고, 평가한다.

제 4 절 보수검사에 이용되는 자분탐상시험

1. 보수검사의 목적

보수검사(補修檢査, maintenance inspection)는 기기나 구조물을 사용한 후에도 건전성을 유지하고 있는지 여부를 확인하기 위하여 실시하는 검사로써, 운전을 정지하지 않고 실시하는 가동 중 검사(inservice inspection)와 운전을 정지하고 실시하는 개방검사(開放檢査)가 있다. 이들을 정기적으로 실시하는 경우를 일반적으로 정기검사(定期檢査, periodic inspection)라 부르고 있다. 그러나 어떤 명칭으로 부르는가는 산업분야에 따라 다르기 때문에, 통일되어 사용하는 용어는 없으며, 각각의 분야에서 관습적으로 부르는 것에 따른다.

2. 대상이 되는 결함

자분탐상시험의 보수검사가 제조할 때의 자분탐상시험과 크게 다른 점은 검출대상인 결함의 종류가 다르다는 점이다. 운전 중에 발생하는 결함은 특수한 예를 제외하고는 모두가 표면이 열린 균열을 주체로 한 결함이다. 따라서 제조할 때의 검사에서는 발생하는 모든 내부결함과 표면결함이 대상인데 비해, 보수검사에서는 제조할 때의 검사에서 빠뜨린 결함 등을 제외하면, 표면이 열린 결함을 대상으로 한정해도 무방하다. 여기서는 강판(鋼板), 강관(鋼管), 주단강품(鑄鍛鋼品) 및 기계 가공품(機械加工品) 그리고 용접부로 나누어 설명한다.

가. 강판, 강관, 주단강품 및 기계 가공품

강판, 강관, 주단강품과 기계 가공품의 보수검사에서 대상이 되는 결함은 가동 중에 있어서 반복 응력에 의한 피로균열, 인장 응력 하에서의 응력부식균열과 예기치 않는 과대응력에 의한 균열 등이지만 보수 가공(기계 가공 및 용접 등)에 의해 발생한 결함이 검사 대상이 되기도 한다. 또한 제조시의 검사에서 빠뜨린 결함이 피로균열의 출발점이 되기도 하는데 즉 ① 제조할 때의 검사기준에 합격한 결함. ② 자분탐상시험에서는 검출할 수 없었던 결함 ③ 제조할 때의 검사에서 빠뜨린 결함이 있다. 이들도 검사의 대상이 된다.

가동 중에 발생하는 균열은 부품의 응력 집중부의 표면 또는 표면 근방의 타격 홈, 비금속 개재물, 편석과 부식 구멍 등을 출발점으로 하여 발생하기 때문에 자분탐상시험이 가장 적합한 비파괴시험 방법이라 할 수 있다. 부품의 나사, 구멍 주위, 모서리각과 스프라인

(spline) 등은 응력 집중부이기 때문에 이들 부분에 균열이 발생할 때가 많다. 일반적으로 이러한 곳은 자화가 어렵거나 누설자속에 의해 의사모양이 나타나기 쉬운 곳이기 때문에 특히 꼼꼼하게 검사해야 한다.

균열의 초기단계에서는 균열의 폭이 좁고, 깊이가 깊지 않기 때문에 검출성능이 우수한 자분을 사용하고, 자분의 적용에도 세심한 주의를 기울여야 한다. 또한 관찰에 있어서도 필요에 따라 5~10배 정도되는 확대경을 이용하여 아주 작은 결함에 의한 자분모양을 못 보고 빠뜨리지 않도록 주의를 기울여 관찰하는 것이 중요하다.

제조할 때에 발견하지 못하고 빠뜨린 결함 등 중에서 특히 자분탐상시험에서 문제가 되는 것으로는 비금속 개재물이 있다. 결함으로 취급하지 않는 경우도 많지만, 열처리에 의해 높은 강도를 지니고, 집중 하중(荷重)의 전달부에 사용하는 부품에 있어서는 주응력에 직교하는 방향의 비금속 개재물로 표면이 열린 것과 표면 근방에 있는 것은 균열에 비길 만한 결함으로 취급하는 경우도 있다. 균열의 자분모양이 미시적으로는 지그재그 모양인 데 비해 비금속 개재물의 자분모양은 직선모양이다. 또한 잔류법에서는 비금속 개재물의 자분모양이 나타나기 어렵기 때문에 균열과 구별이 가능하다.

나. 용접부

용접부의 보수검사에서도 새로 발견되는 결함은 표면이 열린 균열과 그 외의 결함이다. 균열의 종류는 기기나 구조물의 종류에 따라 다르지만, 일반적으로 피로균열(fatigue crack)이 가장 많다. 그 다음으로 많은 것은 각종 내용물을 담는 용기나 배관에 발생하기 쉬운 응력부식균열(stress corrosion crack)이다. 이 외에 발생할 수 있는 균열로서는 400℃ 이상의 고온에서 사용하는 경우에 발생하는 크리프 균열(creep crack)이 있다. 그리고 균열은 아니지만 고속 유체와의 접촉으로 인하여 발생하는 침식(erosion), 접촉 분위기와의 화학작용에 의해 발생하는 부식(corrosion) 등도 주요한 결함이다. 이들 결함은 모두 두께가 감소되기 때문에 두께 측정에 의해 확인할 수 있다. 피로균열과 응력부식균열 및 크리프 균열에는 다음과 같은 특징이 있다.

✎ 1) 피로균열(fatigue crack)

피로균열의 발생 원인에는 여러 가지가 있지만, 가장 일반적으로 피로(疲勞)라 부르는 것은 기계적인 반복응력에 의한 피로이다. 그 밖에 열응력의 반복에 의한 피로와 부식 분위기 속에서 발생하는 피로 등 여러 가지가 있다. 각각의 원인에 따라 발생하기 쉬운 곳은 비교적 한정되어 있기 때문에, 검사를 할 때에는 가능성이 있는 곳을 미리 검토하여 그 부분에 대하여 중점적으로 검사를 하면 매우 효율적이다. 그 장소란 반복 응력이 가해지며,

게다가 응력집중이 발생되는 부분이다. 물론 이러한 부분이 어디인지는 미리 설계에 의해 지시되어 있어야 하지만, 덧살 각(**그림 6-63** 참조)이 큰 경우, 예를 들면 노즐 코너 (corner) 용접부와 필릿 용접부 등 형상의 급변부 또한 용접 비드의 시작과 끝나는 부분 등은 특히 주의하여 검사해야 한다.

지금까지 설명한 모든 균열과 마찬가지로 피로균열도 항상 응력방향과 직교방향으로 진행하며, 또한 응력이 높은 점을 향하여 진행을 계속한다. 또한 진행방향으로 짧게 나누어져서 가지가 생기기도 하지만, 이는 표면상태에 따라 그 모습은 다르다. 일반적으로 용접부에서 피로균열이 발생하기 쉬운 곳은 용접부의 형상에 따라 다르지만, 몇 가지의 예를 **그림 6-64, 그림 6-65, 그림 6-66** 에 나타낸다.

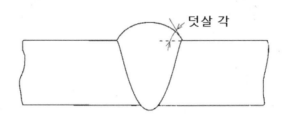

그림 6-63 덧살 각의 설명도

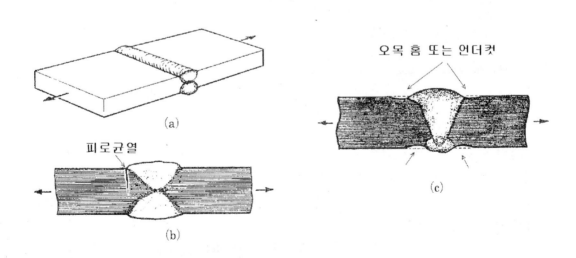

그림 6-64 평판 맞대기 용접 이음매에 발생한 피로균열

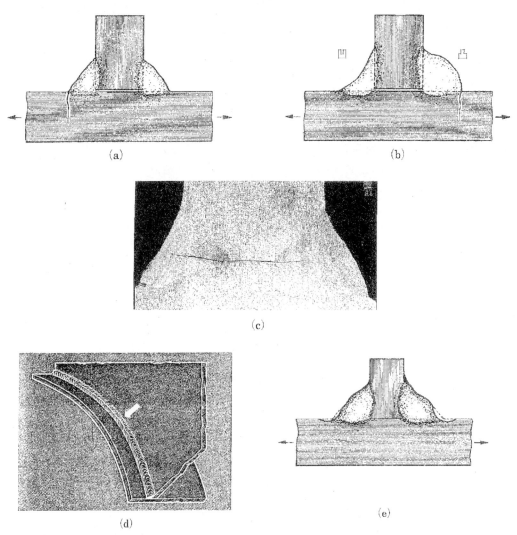

그림 6-65 필릿 용접 이음매에 발생한 피로균열

그림 6-64 는 맞대기 용접 이음부에 화살표 방향으로 반복응력이 가해지는 전형적인
예이다. 이 경우에는 (b)와 같이 용접비드 지단부(toe of weld)에서 판의 두께 방향으로
균열이 진행한다. 여기서 피로균열이 발생하기 쉬운지의 여부는 우선 용접 덧살 각(지단부
에서 모재와 비드가 이루는 각)의 크기와 지단부의 형상, 특히 날카로운 언더 컷의 유무가
큰 인자가 된다. 그러므로 반복 응력이 걸릴 가능성이 있는 용접부에서는 우선 제조 중의
검사 단계에서 언더 컷을 없애고, 또한 지단부는 (c)에 점선으로 나타낸 그림과 같이 모재
와 가능한 한 평탄하게 해야 한다. 보수검사의 경우에는 우선 용접부의 형상을 조사하여

형상적으로 위와 같은 문제가 있는 곳을 중점적으로 검사를 실시해야 한다. 언더 컷 밑부분에 발생한 균열은 검출하기가 매우 어려우므로 특히 주의해야 한다. **그림 6-65** 는 각종 필릿 용접의 예를 나타낸 것이다. 이중 (a)는 필릿 용접부에 발생하는 전형적인 피로균열이다. 필릿 용접부를 검사할 때 주의해야 할 점은 용접 비드의 형상이다. (b)와 같이 오목(concave fillet)하게 되어 있는 곳과 볼록(convex fillet)하게 되어 있는 곳에서는 볼록하게 되어 있는 비드 쪽이 지단부에서의 응력집중이 크게 되기 때문에 균열이 발생하기 쉽다. 또한 오목하게 파인 경우에는 지단부로부터의 균열이 발생하기 어렵지만, 부분 용입의 경우에는 잠재해 있는 내부 균열이 있는 것과 같기 때문에, 비(非)용접부가 노치(notch)로써 작용하여 용접선 중앙으로 향하는 균열이 발생·전파한다. 이것을 나타낸 것이 (c)이며, 비드 중앙을 거쳐 균열이 전파되어 바깥 표면에까지 이른다.

그리고 용접비드의 형상이 좌우가 같은 형상인 경우에 지단부에 피로균열이 발생할 때는 일반적으로 한쪽에만 발생한다. 이러한 피로균열의 발생을 방지하기 위해서는 우선 완전 용입이 되도록 용접하고, 다음에 용접 덧살 각을 가급적 작게 하고, 동시에 정해진 덧살 두께를 반드시 지키도록 해야 한다. 또한 이들 항목을 검사대상으로 해야 한다. 물론 언더 컷을 제거하고, (e) 에 점선으로 나타낸 그림과 같이 평활하게 하는 것이 바람직하다.

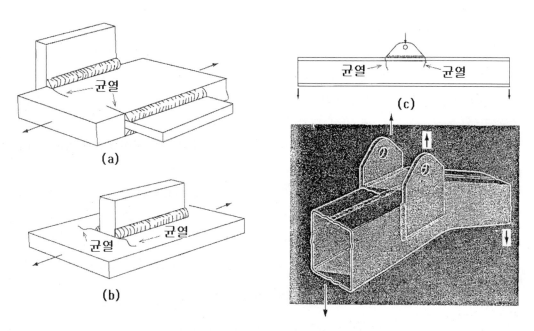

그림 6-66 구조물의 용접부에 발생한 피로균열

그림 6-66 은 용접의 시작과 끝부분이 피로균열의 발생원인이 되는 것을 나타낸 것이다. 그림 중 화살표 방향으로 반복응력이 가해지는 경우에는 용접 끝에서부터 모재 쪽으로 피로균열이 발생하여 진행하는 것을 나타내고 있다. (a) 및 (b)는 인장응력, 그리고 (c)는 굽힘 응력이 가해진 때의 균열의 발생상황을 나타낸다. 이와 같이 피로균열은 반복응력이 작용하는 부분의 응력 집중부로부터 발생하기 때문에, 응력 집중부를 가능한 한 적게 해야 한다.

🦋 2) 응력 부식균열(stress corrosion crack)

응력 부식균열은 응력이 존재하는 곳에 부식 분위기에 의해 재료 중에 발생하는 균열을 말한다. 반드시 재료와 그 재료에 특유(特有)의 부식 환경 그리고 일정 크기 이상의 인장응력(引張應力)의 3가지 조건이 갖추어지기 시작하면 발생한다. 이 중 어느 한 조건이라도 만족되지 않는 경우에는 응력 부식균열은 발생하지 않는다. 이러한 3가지 조건을 갖추는 데는 제조 중일 때보다도 가동 중 더 많다. 그래서 이 결함은 오로지 보수검사를 할 경우의 대상 결함으로 취급하고 있다. 그러나 발생하기까지의 시간은 5~6시간으로 대단히 짧은 것에서부터 10년이 넘게 걸리는 매우 긴 것까지 여러 가지가 있다. 그러므로 제조 중이라도 3가지 조건이 갖추어지면 언제라도 발생할 가능성이 있기 때문에, 응력 부식균열의 발생 우려가 있는 재료와 분위기가 조합되는 부분에 대해서는 항상 감시(監視)하지 않으면 안 된다.

용접부에 발생하는 응력 부식균열은 재질, 응력의 종류와 방향 및 부식 분위기의 성질에 따라 발생위치 및 발생방향이 다르며, 또한 균열의 진행경로도 다르다. 즉 동일한 강(鋼) 용접부에 발생하는 응력 부식균열에서도 부식 분위기의 종류에 따라 입계 부식균열(intergranular corrosion crack)이 되거나 입내 부식균열(transgranular corrosion crack)이 된다. 또한 잔류응력의 분포 차이에 따라 용접비드에 평행하게 열영향부에 발생할 때와 용접금속을 포함하여 좌우 양쪽에 걸쳐서 그물(meshes)모양으로 발생할 때도 있다. 그러므로 균열의 위치와 자분모양의 형상만으로 응력 부식균열이라 단정하는 것은 곤란하다. 그러나 용접부에서 부식 분위기와 접하고 있는 장소라면 일단 의심해 볼 필요는 있다. 응력 부식균열은 열린(開口) 폭이 전 길이에 걸쳐서 비교적 크게 열려 있으므로, 자분모양은 균열의 전 길이에 걸쳐서 뚜렷하게 나타나는 경우가 많다. 또한 특징으로 아주 가는 가지모양의 수지상(樹枝狀)으로 성장하기 때문에 이 점에도 착안하여 판단 자료로 하는 것이 바람직하다.

그림 6-67 에 알칼리 환경에서 발생한 입계 응력 부식균열의 미세 조직을 나타낸다. 이와 같이 응력 부식균열은 자분탐상시험의 대상으로는 비교적 쉽게 검출할 수 있는 결함이기

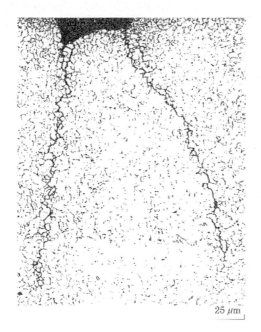

$25\ \mu m$

그림 6-67 입계 응력부식균열의 "예"

때문에 조금만 조사를 하면 그 종류를 판단하는 것도 그다지 곤란하지 않다. 그러나 부식 분위기와 직접 접촉되고 있는 면(面)에서 발생하므로, 예를 들면 관에서는 관(tube)의 내부에서 발생하며, 용기에서는 용기 안쪽 면에 발생한다. 안쪽 면에 접근할 수 있는 경우는 괜찮지만 접근할 수 없는 경우에는 자분탐상시험을 적용할 수 없어서, 바깥 표면에서의 초음파탐상시험에 의존할 수밖에 없다. 그러므로 형상 분포 등을 정확히 알지 못하면 확실한 판단을 하기 어렵고, 빠뜨리거나 잘못된 판정을 하기 쉽다. 결함을 판단할 경우는 항상 똑같게 하고, 미리 검사 대상부에 발생하는 결함을 예상하고, 비파괴검사에 의해 발생이 예상되는 신호의 변화를 상정(想定)하면서 시험을 실시하는 것이 필요하다.

✎ 3) 크리프 균열(creep crack)

크리프 균열은 약 400℃ 이상의 온도에서 일정한 하중(荷重)조건 하에서 장시간 사용한 재료에 발생하는 파괴(creep fracture)로써, 일반적으로 모재에 많이 발생한다. 이 균열은 금속재료를 고온(高溫) 하에서 장시간 사용하면 결정입계(結晶粒界)에 석출(析出)이 일어나고, 이것이 서서히 증대하여 마침내는 입계 강도가 약해져서 입계 균열(intergranular crack)을 일으키는 것이다. 입계에서의 석출량을 보수검사할 때에 점검하여 그 경향을 파악하면 파단을 방지할 수 있다. 균열의 특징으로는 재료 내부는 물론 표면에도 수많은 입계균열이 발생하여, 그 방향은 응력방향과 직교하며 또한 서로는 거의 평행하게 되어 있다. 그러므로 자분탐상시험에 의해 충분히 그 존재를 확인할 수 있다. 발생하는 곳은 모재부가 대부분이며, 게다가 약 400℃ 이상에서 장시간 사용되고 있는 재료에 한하여 발생하는 결함이기 때문에, 사전에 재료의 크리프 특성 및 사용 이력 등을 조사하면 그 경향을 파악할 수 있다.

다. 압력용기

압력용기의 보수검사에서 자분탐상시험을 적용하는 경우는 특별한 경우를 제외하고, 용기를 개방하여 실시하는 정기(定期) 개방검사라고 부르는 검사이므로 검사대상부는 안쪽 면의 용접부가 주체가 된다. 이때의 자분탐상시험 방법은 제조할 때의 최종 용접면에 적용하는 시험 방법과 원칙적으로 동일하다. 그러므로 여기서는 보수검사에 있어서 특히 다른 점만을 설명한다.

✎ 1) 시험 면의 준비

보수검사에서 대상이 되는 용접부는 제조할 때에 이미 자분탐상시험을 실시해서 용접표면은 일반적으로 평탄하게 손질되어 있다. 그러나 용접 덧살(돋움살)이 있는 표면상태에서 자분탐상시험을 적용하는 경우는 많지 않으나, 시험 면의 상태가 자분탐상시험의 결과에 중대한 영향을 미치므로, 어떠한 방법으로든 시험 면에 대한 손질을 할 필요가 있다. 가벼운 녹이나 들 떠있는 스케일(scale)의 제거는 쇠솔(wire brush) 및 연삭기(grinder)를 사용하여 탐상 전 준비로서 검사원이 실시할 수도 있다. 그러나 코팅(coating) 피막의 박리 및 유지류의 제거 등의 작업은 전문업체에 맡겨 처리해야 한다. 마무리 정도에 대해서는 사전에 충분히 협의를 해서 마무리 상태를 스스로 점검하여 검사가 잘 되도록 해야 한다. 시험 면에 코팅 피막 등이 있는 경우에는 비록 얇더라도 자분모양의 형성에 나쁜 영향을 미치기 때문에 원칙적으로 이들은 제거해야 한다. 다만 이들의 제거 및 복구가 아주 곤란하고, 또한 초기의 응력 부식균열 등과 같은 아주 작은 결함보다도 어느 정도 진전된 큰 균열의 검출에 검사목적을 한정한 경우에는 피막 위에서 검사를 할 수도 있다.

일반적으로 자분탐상시험이 가능한 피막 두께는 KS B ISO 9934-1-2006에서는 $50\mu m$ 이하를 규정하고 있으며, 그 이상의 상한 값을 기준으로 두께가 약 $100\mu m$ 이하라고 하는 실험 결과도 보고되어 있다. 그러나 이들 값은 탐상조건에 따라 변동되는 것이므로, 해당 대상물에서 검출해야 하는 한계의 결함치수를 기본으로 기술사 또는 기사 자격이 있는 검사원(level III 에 해당)과 설계자가 함께 검토해서 필요하다면 확인 실험을 하여 결정해야 한다. 또한 피막 위의 탐상에서는 피막두께와 더불어 검사액의 적심성(wet characteristic)에도 여러모로 신경을 써야 한다. 원래 내부식성(耐腐蝕性)을 목적으로 하는 코팅 피막 등은 검사액을 튀게 하는 등 검사액의 적용을 방해하여 결함 자분모양의 형성을 어렵게 하는 경향이 있으므로, 계면활성제를 첨가하는 등으로 적심성을 좋게 하는 등의 대책이 필요하다.

✎ 2) 자화방법 및 자화전류

용접부의 자분탐상시험에서는 자화방법으로 극간법 또는 프로드법이 일반적으로 사용되고 있다. 그러나 보수검사로 한정하면 보수 용접을 시공하는 경우를 제외하고 대상이 최종 용접면일 때는 프로드법 전극 접촉부의 스파-크에 의한 시험 면의 손상 및 검사원의 부담 등을 고려하여 극간법을 사용한다.

자화전류는 표면결함이 대상이므로 교류를 선정한다. 특히 피막 위에서 자화를 할 때는, 직류 전자석은 비자성(非磁性) 피막두께[시험 면과 자극 사이의 에어 갭(air gap)에 해당]의 영향을 받아 시험체 속의 자속이 크게 감소하기 때문에 반드시 에어 갭의 영향이 적은 교류 전자석을 이용해야 한다.

극간법을 현장에서 적용할 때에는 다음과 같은 문제점이 있음을 항상 염두에 두고 시험을 실시해야 한다.

1) 일반적으로 극간식 탐상기는 자화전류의 조정기능이 없고, 또한 구조상 전자속(全磁束)이 한정되어 있기 때문에 시험체에 대하여 가장 적절한 자화를 할 수 없는 경우가 있다.
2) 탐상유효범위 내에서도 각 위치에서 자화의 세기 및 방향이 다르므로, 검출 한계치수 부근에서의 작은 결함에 대한 재현성이 떨어진다.
3) 단순한 반복 작업을 강화하기 위한 탐상 피치(pitch)와 통전시간 등의 관리가 느슨(loose)해지기 쉽다.

✎ 3) 자분의 적용

검출대상인 결함에 미세한 표면 결함이 포함되므로 자분은 원칙적으로 습식의 형광자분을 사용한다. **그림 6-68** 에 암모니아 구형 탱크(spherical tank)의 보수검사에서 검출된 응력 부식균열(stress corrosion crack)의 예를 나타낸다.

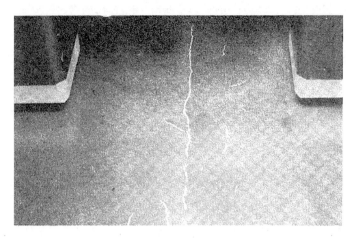

그림 6-68 응력 부식균열

라. 교량, 기타 대형 강구조 용접물

교량 및 기타 내형 강구조(鋼構造) 용접물의 보수검사에서는 지금까지는 육안검사를 주체로 한 검사를 해 왔으나, 요즘에는 노후화가 진전된 교량 및 대형 강구조 용접물에 피로균열 등이 보이는 사례도 있어서, 자분탐상시험의 적용이 증가되고 있다. 자분탐상시험의 적용에 관해서는 기본적으로는 다른 용접부의 탐상과 다르지 않으나, 여기서는 특히 주의가 필요한 사항에 대하여 설명한다.

✎ 1) 시험 면의 준비

교량 및 기타 대형 강구조 용접물에 대하여 자분탐상시험을 적용함에 있어 최대의 문제점은 시험대상인 용접부에 도장(paint 등)이 되어 있으면 보통은 그 상태에서는 자분탐상시험을 적용할 수 없다는 점이다. 제조할 때에는 일반적으로 자분탐상시험을 실시하지 않으므로, 도장 제거 후에 또다시 덧살(돋움살)에 대한 손질이 필요한 경우가 대부분이다. 도장 피막(皮膜)의 박리(剝離) 및 덧살 마무리 등의 작업은 이를 전문으로 하는 업체에 맡겨 처리해야 한다. 마무리 정도에 대해서는 사전에 충분히 협의를 하고, 또한 스스로 마무리 점검하여 실수하지 않는 검사가 되도록 해야 한다. 그러나 도장 피막이 얇고, 시험 면에 밀착되어 있을 때에는 앞(다. 압력용기)에서 설명한 주의사항을 잘 지키게 되면 도장 위에서라도 자분탐상시험을 실시할 수가 있다.

✎ 2) 자화방법 및 자화전류

검사현장은 발판(scaffolding)이 좋지 않고, 좁은 부분도 많아서, 특별한 경우를 제외하고 교류 극간식 탐상기를 사용하고 있다. 특히 자극 접촉부에 도장 피막이 남아 있을 때에는 자화전류는 반드시 교류를 사용해야 한다.

3) 자분의 적용

일반적으로는 미세한 피로균열의 검출을 목적으로 형광 자분을 사용하는 습식법으로 적용한다. 그러나 시험환경을 어둡게 할 수 없는 경우 및 대형 구조물과 같이 높은 곳에서의 발판(scaffolding)작업이 요구되는 등 안정성에 문제가 있는 경우에는 비형광 자분을 사용하는 편이 좋다. 비형광 자분을 사용하는 경우에는 배경(background)과의 대비(contrast)가 좋은 색깔의 자분을 선정해야 하지만, 자분모양의 식별성은 형광 자분에 비하면 현격히 떨어진다. 그래서 결함으로부터의 누설 자속밀도가 약간 저하되는 것은 희생하더라도 식별성을 향상시킬 목적으로 시험면에 콘트라스트 페인트를 도포하는 방법을 채택하여 사용하는 것이다. 이때 주의할 점은 적심성이 좋은 탐상 전용의 콘트라스트 페인트를 사용할 것과 막 두께에 대한 관리이다. 도포는 바탕 표면이 완전히 흰색으로 덮힐 정도로 두껍게 도포해서는 안 되며, 바탕이 보일 정도(약 $20\mu m$)에서 충분히 식별성 향상이 기대된다고 보고되어 있다.

마. 항공기, 기타 기계부품

항공기의 자분탐상시험은 엔진 및 이착륙(離着陸) 장치의 부품 중 강자성체를 대상으로, 대부분 정비(整備)를 위하여 분해하여 검사할 때에 실시한다. 대상부품에는 형상이 복잡한 것도 많고, 또한 초기의 피로균열 등 미세한 결함의 검출이 요구되므로, 시험조건의 설정에서부터 각 시험공정을 통하여 엄밀하고 신중한 배려와 시험조작이 필요하다.

1) 자화방법 및 자화전류

자화방법은 코일법과 전류 관통법 또는 이 2 가지를 조합한 방법이 자주 사용된다. 이들 방법으로 적정한 자화가 어려운 부분에 대해서는 보조적으로 극간법이나 자속 관통법을 적용하고 있다. 축 통전법과 직각 통전법 그리고 프로드법은 시험체의 전극 접촉부를 태울 염려가 있기 때문에 일반적으로 바람직한 방법은 아니다. 특히 프로드법은 전극이 접촉하는 점에서 문제가 되기 때문에 열처리로 강도를 높인 시험체에는 사용해서는 안 된다. 그러나 접촉부에 문제가 발생하지 않도록 조치하고 주의하게 되면 사용할 수도 있다. 그리고 어떠한 자화방법을 채택하여 사용하는가는 가동 중의 시험체에 발생이 예상되는 표면 결함을 확실히 검출할 수 있는 자화방법이어야 하는 것이 절대조건이다. 또한 시험이 끝난 후에 탈자가 요구되는 시험체에 대해서는 탈자를 쉽게 하는 자화방법을 선정하는 것도 조건이 된다.

자화전류는 연속법과 잔류법에 따라 설정하는 방법이 다른데, 연속법에서는 시험체의 초기 자화곡선상의 어깨부분에 해당하는 자속밀도(포화자속밀도의 약 80%) 이상으로 포화 자속밀도 이하의 자화가 얻어지는 범위에서 시험 면의 상태를 고려하여 결정해야 한다. 잔류법에서는 최대 잔류자속밀도가 일반적으로는 초기 자화곡선의 어깨부분에 해당하는 자속밀도보다 낮고, 더구나 이 자속밀도가 포화 자속밀도에 대응하는 자계의 세기가 걸릴 때에 얻어지기 때문에 그 시험체의 재료에 대하여 포화 자속밀도가 얻어지는 자계의 세기를 구하고, 이것보다 조금 큰 자계의 세기가 얻어지도록 자화전류치를 결정해야 한다.

보수검사에서는 표면 균열을 대상으로 하기 때문에, 자화전류로서 교류도 자주 사용한다. 그러나 시험체에 도금(plating), 쇼트 피닝(shot pinning), 질화(窒化, nitrification) 및 고주파 담금질이 되어 있으면, 균열은 표면 아래에서 발생하기도 한다. 이러한 경우에는 직류를 사용한다. 원통모양과 링 모양 시험체의 축 방향의 균열은 전류관통법을 사용하여 탐상한다.

그림 6-69 와 같이 관통봉[(central conductor(threader bar)] 대신에 유연한(flexible) 케이블을 통과시키고 돌기부(lug)의 구멍 주위를 자화하는데도 전류 관통법이 사용된다. 관통봉은 시험체의 안쪽 지름(內徑)에 가급적 꽉차는 굵은 것을 사용하는 것이 바람직하지만, 시험체의 지름이 큰 경우에는 관통봉을 편심(偏心)시켜 자화해도 된다. 다만, 이때에는 자화의 유효범위는 원둘레면 위에서 관통봉 지름의 4 배 정도로 되어 있는 것에 주의해야 한다(그림 6-70 참조). 자화전류는 앞에서 설명한 것과 같이 결정하지만, 간편하게는 규격 값을 사용한다. 이 값은 자기적(磁氣的)으로 어느 정도 경(硬)한 재료에 대하여 정한 값이기 때문에 일반 재료에 대해서는 비교적 큰 값으로서 기준으로 해야 한다. 원통이나 환봉 시험체의 원둘레 방향의 균열은 코일법으로 자화하여 검사한다. 지름의 2배 이상의 길이를 가진 코일 속에 시험체를 넣어 자화하는 경우와 그림 6-71 과 같이 길이(폭)가 짧은 동심원 모양의 코일에 넣어 자화하는 경우가 있다.

소형 기계부품들은 전자(前者)에 의한 자화가 바람직하지만, 대형 기계부품은 후자(後者)의 동심원 모양의 코일을 사용할 수밖에 없다. 그리고 현장에서 코일법을 적용하는 경우에는 유연한 케이블을 시험체에 감아서 자화하기도 한다.

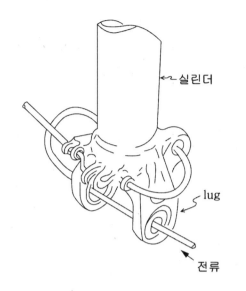

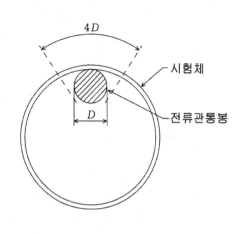

그림 6-69 전류 관통법에 의한 lug 구멍
주위의 자화

그림 6-70 관통봉을 편심시켰을 때의
유효자계의 범위

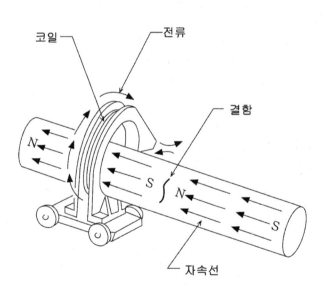

그림 6-71 동심원 모양 코일을 사용한 자화

 동심원 모양의 코일을 사용하여 비교적 긴 시험체를 자화하는 경우에는 시험체를 가급적 한쪽 코일 벽에 치우치게 배치하고, 자화를 몇 회로 나누어 실시해야 한다. 동심원 모양의 코일로 자화하는 경우의 자화전류의 산출 예로써, ASTM E-709 -2001 규격에 정해진

방법을 다음에 나타낸다. 이들 계산식은 경험에 의해 정해진 것으로, 이론적인 근거는 없기 때문에 가늠하는 값으로 생각하고, 가능하면 테슬라 미터(tesla meter) 등을 사용하여 실제 자계의 세기를 측정하여 자화전류치를 결정하도록 동 규격에서는 권고하고 있다.

다음의 식에서

N : 코일의 감은 수, I : 자화전류(A), L : 시험체의 길이(인치),

D : 시험체의 지름(인치),   45,000, 43,000, 35,000 : 경험에 의해 구해진 값,

NI : ampere turn.

① 단면비(코일과 시험체의 단면적 비)가 10 을 초과하는 경우

　ㄱ)　시험체를 코일 내벽에 가까이 한 경우

$$NI = \frac{45,000}{L/D} \quad (\pm 10\%)$$

　ㄴ)　시험체를 코일의 중심 축에 놓은 경우

$$NI = \frac{43,000 \times (코일의\ 반지름\ ;\ 인치)}{6L/D - 5} \quad (\pm 10\%)$$

② 단면비가 2 미만인 경우

$$NI = \frac{35,000}{L/D + 2} \quad (\pm 10\%)$$

③ 단면비가 2~10 인 경우

$$NI = (NI)_2 (10 - Y) + (NI)_1 (Y - 2)/8$$

여기서 $(NI)_1$　: 위의 ①을 적용한 계산 값,

　　　　$(NI)_2$　: 위의 ②를 적용한 계산 값,

그리고 Y : 단면 비이다.

다만, 다음을 주의해야 한다.

ㄱ) 1회의 통전에 의한 유효 자화범위는 코일 중심위치에서 축 방향으로 각각 코일 반지름과 같은 거리로 한다.

ㄴ) $3 \leq L/D \leq 15$의 범위에서 적용한다.

ㄷ) $L/D < 3$ 의 경우는 이음 철봉을 사용한다.

ㄹ) $L/D > 15$ 의 경우는 $L/D = 15$ 로 한다.

볼트(bolt)류는 축 방향의 결함보다 원둘레 방향의 결함이 문제가 되기 때문에 코일법 또는 극간법으로 자화한다. 코일법으로 시험하는 경우에는 교류 자화와 동시에 철봉을 잇거나 같은 종류의 볼트를 연결하여 반자계의 영향을 적게 해야 한다. **그림 6-72** 및 **그림 6-73** 에 소형 볼트를 극간법으로 자화하는 "예"와 이 방법에 의해 검출된 볼트 및 나사부분의 피로균열의 예를 나타낸다. 극간법을 국부 탐상에 이용한 예를 **그림 6-73** 에 나타낸다. 전류 관통법이나 코일법에서는 적정한 자화가 얻어지지 않는 곳에 보조적으로 극간법을 이용할 때가 자주 있다. 또한 현장에서 시험체를 분해하지 않고 국부 탐상할 경우에도 극간법이 자주 사용되고 있다.

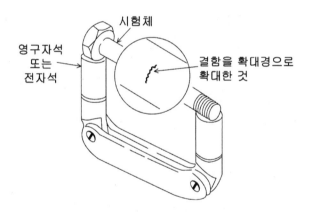

그림 6-72 극간법을 이용한 볼트의 자화

↳ 2) 자분의 적용

자분은 비형광 자분 또는 형광 자분 중 어느 것을 사용해도 되지만, 형광 자분이 검출 감도가 우수하기 때문에 미세한 균열을 검출 목적으로 하는 경우에는 형광 자분을 사용한다.

자분의 분산매는 물 또는 백등유를 사용하지만, 인장응력(tensile stress)이 높은 저합금강에서 특히 녹의 발생 우려가 있을 경우에는 백등유를 사용한다.

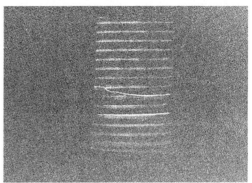

그림 6-73 소형 볼트의 피로균열

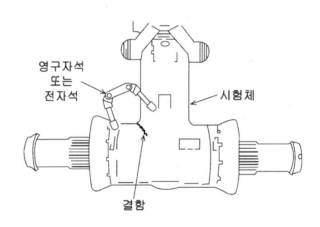

그림 6-74 극간법으로 국부 탐상하는 "예"

물을 사용하는 경우에도 방청제를 첨가하여 사용할 때가 많다. 자분의 적용에 대한 자화시기는 연속법 또는 잔류법 중 어느 것을 사용해도 된다.

표면에 도금(plating), 쇼트 피닝(shot pinning), 질화(nitrification) 또는 고주파 담금질이 되어 있는 시험체에 대해서는 표면 아래의 균열도 대상이 되기 때문에 연속법으로 하는 편이 바람직하다. 다만, 나사, 스프라인(spline)과 모퉁이각과 같은 부분은 연속법으로는 누설자속 때문에 자분이 많이 부착되므로 잔류법을 이용하는 편이 좋다.

자분을 연속법으로 적용할 때는 검사액의 적용 시작에서 정지하기까지 통전하는 것이 기본이며, 검사액은 검사면 전체 영역에 충분히 뿌려지게 해야 한다. 뿌리는 힘이 너무 강하면 그 부분에 자분모양이 형성되었다가 흘려버리게 되어 뚜렷한 자분모양이 형성되지 않으므로, 검사액은 가급적 힘을 가하지 않고 가볍게 적용하여 균일한 검사액의 피막이 형성되게 해야 한다. 시험체의 형상에 따라서는 검사액이 고이는 곳도 있으므로, 자화 중에 시험체를 적당한 기울기를 유지하여 액이 고이는 것을 방지해야 한다. 시험 면이 넓은 경우에는 검사액의 이상적(理想的)인 흐름을 만들기가 어렵기 때문에 적당한 넓이로 시험 면을 분할하여 실시한다. 큰 자화전류를 필요로 하는 장치에 있어서는 전류용량에 제한이 있어서 검사액이 정지할 때까지 자화전류의 연속적인 통전이 되지 않는 경우가 있다. 이러한 장치는 검사액이 정지하기 직전에 0.5~1.0초의 길이로, 2~3회 통전하는 방법을 인정하는 규격도 있다.

잔류법의 경우에는 검사액을 시험 면에 가볍게 뿌려서 적용하는 방법이외에 시험체를 검사액 속에 담그고 일정시간(십 몇초 이상) 유지시킨 후 가볍게 꺼내는 방법도 행해지고 있다. 다만, 잔류법은 연속법에 비하여 자분이 결함부에 약하게 부착되므로 검사액의 적용은 보다 차분하게 할 필요가 있다.

제 5 절 자화 고무법(Magnetic Rubber Inspection)

자화 고무법은 강자성체인 시험체의 표면 근처에 있는 불연속을 검출하기 위하여 상온에서 일정시간 경과 후 응고되는 특수 고무(liquid rubber)를 이용하여 불연속을 검출하는 검사방법이다. 이 방법은 미세한 자분(흑색 자분)을 현탁시킨 실리콘 러버(silicon rubber)에 경화제를 넣고 잘 섞어 균일하게 분산시킨 다음 이것을 주사기 또는 튜브로 시험체에 적용하고 자화하면 일정시간이 경과되고 나서, 이 고화(固化)된 고무(replica casting)를 떼어내어 육안 또는 저배율 현미경으로 관찰하여 시험하는 방법이다. **그림 6-75 e)** 와 같이 표면 결함의 근방에서는 특수 고무 속에 자분이 부분적으로 집중되어 검게 나타나므로 결함을 확인할 수 있다. 관의 내면(內面), 나사, 기타 정밀탐상에 적용된다. 이 검사는 통전법, 프로드법, 코일법, 극간법 등 대부분의 검사에 적용할 수 있으나 일반적으로 직류 극간법이 많이 사용된다.

이 검사의 특징은 다음과 같다.

(1) 육안으로 검사하기 힘든 부분. 즉 좁고, 깊은 구멍의 내면 및 구석진 곳도 검사가 가능하다.

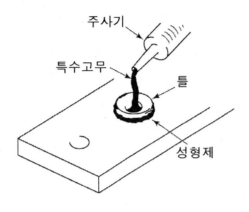

(a) 시험체의 구멍에 적용

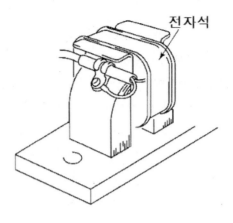

(b) 극간식 탐상기 배치

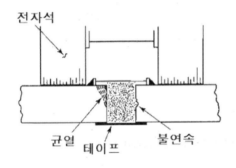

(c) 자화

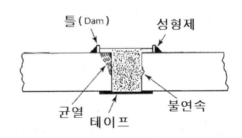

(d) 구멍을 검사한 단면

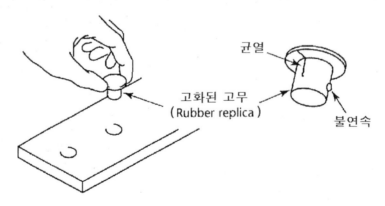

(e) 떼어낸 후 관찰

그림 6-75 자화 고무법

(2) 코팅된 표면에도 적용할 수 있다.

(3) 피로균열의 발생과 성장을 검출할 수 있다.

(4) 응고시간이 필요하므로 신속한 검사를 할 수 없어 다량 검사에 불리하다.

(5) 자분모양을 형성시키기 위하여 상당시간 자화상태를 유지해야 한다.

(6) 모양이나 크기가 불규칙하면 검사가 곤란하다.

(7) 표면상태에 영향을 많이 받으므로 전처리를 철저히 해야 한다.

(8) 자분모양이 형성된 덩어리(replica casting)를 보존하는 동안 수축되므로 정확한 측정은 응고 후 72시간이내에 이루어져야 한다.

제 6 절 보고서 작성

시험 결과의 기록은 실제로 시험을 실시하지 않은 사람이 결함 자분모양이 있는지 여부와 만약 있다면 어느 곳, 어느 부분, 어느 위치, 어느 정도의 크기, 어떠한 형상의 자분모양이 어느 방향을 향하여 존재하는지를 정확히 전달하여, 결과를 판단하기 위한 근거 자료를 만드는데 있다. 여기서 말하는 기록이란 시험결과의 등급분류 또는 치수의 측정결과를 포함한 시험 성적서 또는 시험 보고서로써, 국가 기술자격의 기사 또는 산업기사가 실제로 시험을 하였거나 또는 입회하지 않아도 시험결과를 보고 충분히 이해되도록, 탐상결과를 정확히 기록한 문서나 도면을 말한다. 이를 위해서는 언제, 누가, 어디서, 무엇에 대하여 어떠한 탐상제를 사용하여, 어떠한 방법으로 시험을 해서, 그 결과로 어떠한 자분모양이 얻어졌는지에 대한 정보가 포함되어 있어야 하며, 또한 그 기록 내용은 재현성이 있어야 한다. 탐상기록은 크게 2 부분으로 나눌 수 있는데, 하나는 탐상조건을 포함한 탐상방법에 관한 기록이며, 또 하나는 탐상결과에 대한 기록이다.

1. 탐상조건에 관한 기록

탐상조건을 명확히 상대에게 전하기 위해서는 최소한 다음 항목에 대한 기록이 필요하다.

가. 검사원의 성명과 자격

탐상기록에는 시험을 실시한 검사원이 기록 전체에 대한 책임을 짐과 동시에 기록의 내용에 대한 신뢰성을 높이기 위하여 성명 및 자격은 반드시 기입해야 한다.

나. 시험 실시장소 및 시험 년월일

탐상기록에는 반드시 그 장소와 시험일시를 기재하여 시험기록에 대한 신뢰성을 높이도록 해야 한다.

다. 시험체의 명칭 및 시험부위

시험을 한 대상물에 대한 명칭과 시험부위에 대하여 명확하게 기록해야 한다. 그리고 그 기재도 가급적 상세하게 기록하는 것이 바람직하다.

라. 시험조건

시험조건은 시험결과를 보고 합격여부를 결정할 때에 필요한 항목으로, 시험조건에 따라서는 재시험이 요구되는 경우도 있다. 따라서 같은 조건이 재현될 수 있도록 기록해야 한다.

시험조건으로 기록해야 할 최소한의 필요한 내용은 다음과 같다.
1) 탐상방법
2) 사용기기(형식, 기계번호, 명칭 등)
3) 자극의 탐상 배치도
4) 탐상 피치(pitch)
5) 통전시간과 자분의 적용시간

   탐상작업은 동일한 조건으로 일관되게 실시하는 것이 시험결과의 신뢰성을 확보하는 데 필요하다. 작업을 연속적으로 하면 누구라도 피로하게 되어, 처음에 비해 나중에는 주의를 덜 기울이게 될 가능성이 있다. 그래서 작업조건을 일관되게 하기 위해서는 통전시간과 자분의 적용시간은 처음부터 마지막까지 일정하도록 스스로 관리해야 한다. 물론 기록 초시계(stop watch)로 시간을 측정할 필요는 없지만, 필요로 하는 시간을 지키도록 노력하며 작업을 해야 한다.
6) 자분의 적용방법 및 검사액

   결함의 검출능력은 사용한 자분의 종류에 따라 상당히 다르므로, 우선 건식법인지 습식법인지를 명확하게 해둘 필요가 있다. 그리고 습식법이라면 매질로 무엇을 사용했는지, 사용한 자분의 종류, 입도 및 농도 등의 정보도 명확히 해야 한다.

위에서 설명한 것과 같이, 연속된 작업으로 검사원이 피로하면 탐상피치, 통전시간, 자분의 적용방법, 적용시간 등을 잊게 되어 의사모양이 발생하며, 심지어는 결함 자분모양을 빠뜨리는 일도 발생하게 된다. 이러한 것은 매우 중대한 결과를 초래하므로, 검사원은 절대로 피해야 한다. 이를 위해서는 사전에 충분한 지식을 쌓고, 시험체에 대한 조사와 만족할 만한 시험결과가 얻어지는 작업시간 및 주의가 산만해지지 않는 작업시간도 고려하여 작업계획을 세우고 절차에 따라야 한다.

또한 공정이 급한 나머지 물리적으로 무리한 시험공정에서 시험실시를 요구하는 경우에는 검사원도 그 조건을 정확히 기록해 두어 참고가 되도록 해야 한다. 이러한 것을 포함하여 탐상조건의 기록은 가능한 한 상세하고 정확하게 작성해야 한다.

2. 탐상결과의 기록

탐상결과의 기록에는 실제로 검출된 자분모양에 관한 일체의 정보가 포함되어야 하며, 기록으로 표시된 정보의 모든 것은 기록한 사람뿐만 아니라 실제로 시험에 참여하지 않은 제 3 자도 충분히 이해할 수 있도록 기록되어야 한다. 자분모양의 기록방법은 앞에서 설명한 ① 스케치(도면)에 의한 방법, ② 전사에 의한 방법, ③ 사진 촬영에 의한 방법 등이 있으나, 가장 많이 사용되고 있으며 작성법이 까다로운 스케치에 의한 방법의 기본에 대해서 설명하기로 한다.

가. 스케치를 하는 기본 기술

탐상결과를 기록한 도면은 그것으로 시험체의 형상 및 크기를 파악하고 또한 그 중에서 스케치한 자분모양으로부터 결함의 위치, 형상, 크기를 알아서, 등급 분류를 할 수 있도록 작성되어야 한다. 이를 위해서는 시험체의 형태나 크기를 정확하고 효과적으로 나타낼 수 있게 일정한 규칙에 따라 선·문자·기호 등을 이용하여 작성해야 하는데, 문자와 기호, 치수의 표시방법과 기입방법 등에 대해서는 제도 통칙(KS A 0005) 등 기본적인 제도법이 규정되어 있는 한국산업규격(KS)을 참고하기 바라며, 여기서는 전체적으로 선을 이용하여 나타내는 스케치의 기본인 선을 그리는 방법부터 알아본다.

✎ 1) 선을 그리는 방법

스케치는 시험체의 형상과 더불어 자분모양의 위치 및 크기 등을 선으로 스케치하여 나타내야 하므로, 사용하는 선의 종류를 표현하는 부분에 따라 다르게 해서, 보는 사람이 각각의 선이 무엇을 의미하는지를 이해할 수 있고, 그린 사람의 의도를 충분히 짐작할 수 있도록 스케치해야 한다. 그러므로 스케치를 할 때에는 정해진 선을 바르게 사용하여 그려야 한다.

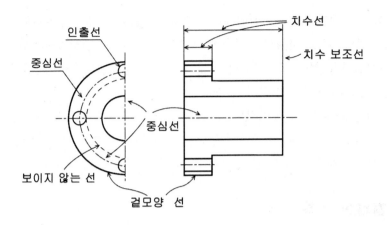

그림 6-76 스케치 방법

선의 명칭, 종류와 그 용도는 대략 **그림 6-76** 에 나타낸다.

2) 용도에 따른 종류

용도에 따른 선의 종류를 **표 6-7** 에 나타낸다.

표 6-7 용도에 따른 선의 종류

명 칭	선의 종류		용　도
겉모양 선	굵은 실선 (0.8~0.4mm)	——	물체가 보이는 부분은 굵은 실선으로 표시한다.
보이지 않는 선	가는 점선 또는 굵은 점선	········	물체가 보이지 않는 부분의 형상을 나타내는데 이용한다.
중심선	가는 실 점선	—·—	도형의 중심을 표시하는데 사용한다.
치수를 나타내는 선	가는 실선 (0.3mm 이하)	＿＿	치수를 표시하고, 기입하는 데에 사용한다. 치수를 기입하기 위해 도형으로부터 인출하는데 사용한다.
인출 선	가는 실선 (0.3mm 이하)	——	기술, 기호 등을 표시하기 위하여 인출하는데 사용한다.

나. 탐상결과를 스케치하는 방법

탐상결과를 스케치로 나타낼 때에는 기본적으로 다음과 같은 점에 주의해야 한다.

① 시험체 또는 시험부의 형상, 치수 및 위치를 뚜렷하게 알 수 있도록 해야 한다.

② 결함의 위치, 형상 및 크기를 알 수 있도록 해야 한다.

③ 결함의 위치는 x 및 y 축으로부터의 위치에 따라 정한다. 따라서 자분모양은 도면 위에 x 및 y 축으로부터의 거리가 분명하게 나타나야 한다.

④ 치수는 반드시 기준면, 기준선 또는 기준점으로부터 나타나야 한다.

⑤ 자분모양의 형상은 가급적 실제에 가깝게 나타내도록 해야 한다.

⑥ 자분모양의 치수는 가능한 한 정확히 측정해야 한다.

탐상결과를 나타내는 스케치는 시험체의 형상, 크기 및 시험부의 범위 등에 따라 다르므로, 다음에 용접부에 대한 몇 가지 시험체의 대표적인 기록의 작도법의 예를 나타낸다.

✎ 1) 평판 용접부

평판을 용접한 시험편과 같이 소형이며, 형상이 간단한 시험체를 탐상한 경우의 시험결과를 스케치하는 방법에 대하여 예를 들어 설명한다.

용접부도 대형 구조물과 배관 그리고 각종 시험편의 용접부 등 여러 가지로 각각에 따라 규모나 형상은 다르지만, 용접부의 시험결과를 기록 작성하는 기본원칙은 모두 공통이므로, 한 가지 원칙을 지켜 이를 모든 것에 적용하면 어느 경우든 올바르게 기록을 작성할 수 있다. 그 원칙이란 도면 위의 위치를 분명하게 나타내는 기준선을 용접부 근방에 결정하고, 이것을 원점으로 하여 자분모양의 위치와 자분모양의 길이 및 폭 등의 치수를 기입하는 것이다.

가) 기준선(면)의 설정

일반적으로 **그림 6-77** 과 같이 직사각형 또는 정사각형의 어느 한 변에 평행인 용접부의 경우에는 길이방향에 평행한 1변(x축)과 이것과 직교하는 1변(y축)을 기준선으로 설정하여, 필요한 각 부분의 위치를 정한다. 기준점이 필요한 경우는 탐상범위에서 조금 떨어진 부분에서 가장 쉽게 확인할 수 있는 곳에 기준점을 설정하여 표시하고, 이 점을 기준으로 하여 거리를 측정하면 된다. 만일 구조상 특징이 있는 부분이 있다면 그것을 이용하여 기준점으로 하여 거리를 측정해도 된다. 기준선 및 기준점은 어느 경우든 검사기간 중에는 소멸 또는 손실되어서는 안 된다. 기준점을 어떻게 설정했는지는 기록해야 한다.

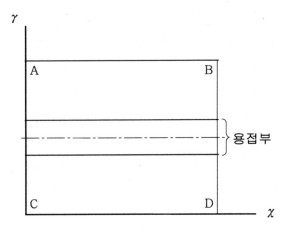

그림 6-77 기준선의 설정

용접부의 위치는 일반적으로 그 중심선의 위치로 나타내며, 중심선으로부터 용접 비드의 지단부까지의 치수를 재어 용접부의 폭을 나타낸다. 그러나 여기서 도면의 목적은 용접부에 존재하는 자분모양의 위치, 형상, 크기 등을 나타내는 것이므로, 중심선을 그려서 나타내는데 방해가 되는 경우에는 그리지 않아도 되며, 용접부의 위치와 폭만을 나타내면 된다.

나) 자분모양의 기록방법

기준선을 설정한 후, 용접부에 나타난 결함 자분모양을 어떻게 기록하는 것이 좋은지는 용접부에 나타날 것으로 예상되는 각종 형상의 자분모양을 대상으로 하여 그의 기록방법의 예를 다음에 나타낸다.

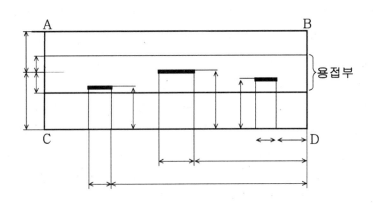

그림 6-78 용접부와 거의 평행한 자분모양의 기록

① 자분모양이 용접선과 거의 평행한 경우

그림 6-78 과 같이 시험체의 임의의 직교하는 2 단면(端面)을 기준선으로 하여 각각 자분모양의 한쪽 끝까지의 거리와 자분모양의 길이를 측정하여 기록한다. 또한 용접 비드 위의 위치는 기준선으로부터 거리를 측정하여 기록한다. 여기서는 CD 단면을 x 축, BD 단면을 y 축으로 하여 기록한다.

② 자분모양이 용접선과 각도를 갖고 있는 경우

그림 6-79 와 같이 각각 자분모양의 한쪽 끝까지를 하나의 기준선(y 축)(이하 거리측 정을 기준으로 한 선을 기준선이라 한다)으로부터 측정하고, 자분모양의 길이도 각각 에 대하여 측정하여 기록한다. 그리고 자분모양의 양쪽 끝의 높이를 기준선(x 축)로부 터 측정하여 기록한다.

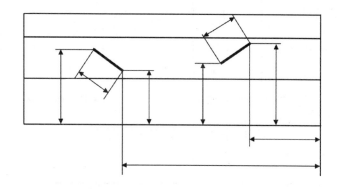

그림 6-79 용접부와 각도를 갖고 있는 자분모양의 기록

③ 작은 선상(線狀)의 자분모양이 모여 있는 경우

그림 6-80 과 같이 작은 선상의 자분모양이 모여 있는 경우에는 그 모여 있는 자분 모양을 결함 군(group)으로 보고, 결함 군의 치수를 측정 기록함과 동시에 각각 결함 군에 대한 상세도를 그려서 자분모양을 자세하게 기록한다. 이 예를 그림 6-81 에 나 타낸다. 물론 여기서 상세도를 별도로 그리지 않더라도 한 도면에 그 자세한 부분까지 포함시켜 기록할 수 있으면 특별히 상세도를 만들지 않아도 된다. 이러한 것은 모두 약속이므로, 미리 기록에 대하여 협의하여 결정해두는 것이 좋다. 예를 들면 그림 6-82 와 같이 점 모양 또는 원형상(圓形狀)의 자분모양이 나타난 경우에는 그들을 결 함 군의 자분모양으로 보고, 점 모양(또는 원형)의 자분모양이 몇 개 포함되어 있는지 를 나타내는 것도 하나의 표시방법이다.

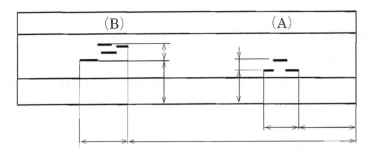

그림 6-80 작은 선상의 자분모양이 모여 있는 경우

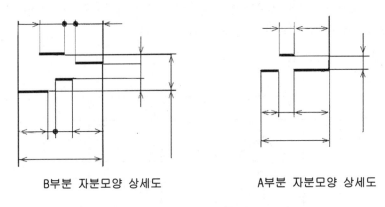

B부분 자분모양 상세도　　　　A부분 자분모양 상세도

그림 6-81 A, B 부분의 상세도

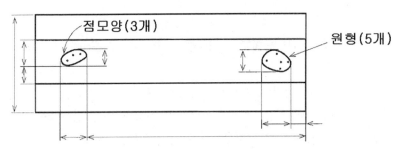

그림 6-82 점 모양과 원형상의 자분모양인 경우의 기록

④ 용접부의 경계에 있는 경우

위에서 설명한 용접선과 평행한 자분모양의 기록방법과 같으며, **그림 6-83** 과 같이
위치와 길이를 명확히 알 수 있도록 기록한다. 이때 그 위치가 용접부의 경계에 있는
것이 명확히 확인되는 경우에는 기준선(x 축)으로부터의 위치의 측정 및 기입은 하지
않아도 된다(그림에서 ※로 나타낸 선). 그러나 표면이 매끄럽게 다듬어져 있고 용접

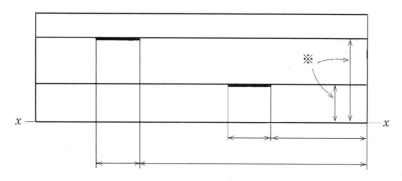

그림 6-83 용접부의 경계에 있는 자분모양의 기록

부와 모재와의 경계가 어디인지 구별하기 어려운 경우와 현재는 쉽게 식별할 수 있으나 나중에 식별이 곤란할 것 같으면 그림과 같이 기준선으로부터의 위치를 기입하고, 용접부의 경계에 자분모양이 있다는 것을 기입해 두는 것이 바람직하다.

⑤ 원형모양의 자분모양 등 폭이 있는 경우

자분모양의 용접 세로방향의 위치는 기준점으로부터 각각 자분모양의 한쪽 끝까지의 거리를 측정하여 기입한다. 또한 각각의 자분모양에 대하여는 **그림 6-84** 와 같이 가장 폭이 넓은 부분을 측정하여, 이것을 세로방향의 길이로 하고, 이것과 직각방향의 길이를 가로방향의 길이로 하여 측정 기록한다.

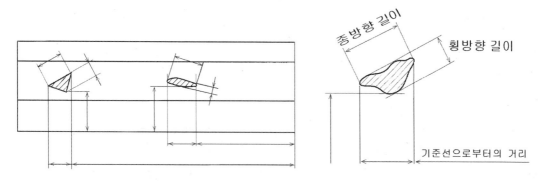

그림 6-84 원형상의 자분모양 등 폭이 있는 자분모양의 기록

⑥ 자분모양이 곡선을 이루고 있는 경우

그림 6-85 와 같이 곡선을 이루고 있는 자분모양이 얻어진 경우의 기록은 그림과

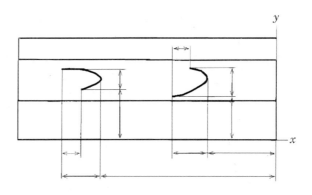

그림 6-85 용접부에 나타난 곡선의 결함 자분모양의 기록

과 같이 용접 세로방향에서의 위치 및 가로방향에서의 위치를 각각 기준선(x, y 축)을 이용하여 측정 기록한다. 그밖에 자분모양의 성질과 상태를 평가하는데 필요하다고 생각되는 것이 있으면 각 부분의 길이를 측정 기록한다.

⑦ 용접 구조물 등의 긴 평판 용접부
　지금까지는 용접시험편과 같이 비교적 길이가 짧은 용접부의 결함에 대한 기록빙법에 대해서 설명하였다. 그러나 용접 구조물과 같이 길이가 길어도 기록방법의 원칙은 그대로 적용된다. 즉 자분모양의 위치 및 형상 등은 지금까지 설명한 기록방법을 사용하여 기록하면 된다. 다만 기준점을 잡는 방법이 다른데, 보통은 개선면으로부터 일정한 거리 또는 같은 간격(같은 간격으로 하지 않아도 됨)으로 몇 개의 기준점을 용접 전에 표면 위에 만들어 놓거나 표시하고, 그것을 잇는 선을 기준선으로 하여 측정한다.

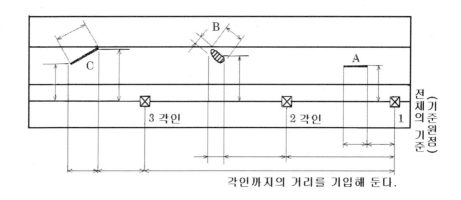

그림 6-86 긴 평판 용접부의 결함 자분모양의 기록

자분모양이 발견되면 가장 가까운 기준점과 기준선을 이용하여 위치를 측정한다. 또한 기준점으로부터의 거리 측정은 항상 한 방향으로 하는데, 예를 들면 **그림 6-86**에서 A의 결함의 위치를 기준점 1에서부터 측정한 다음에 B의 자분모양은 기준점 3에서, 또한 C도 기준점 3에서 각각 측정하는 방법을 사용한다.

✎ 2) 곡면의 용접부

예를 들면 **그림 6-87(a)**와 같이 반경 R인 곡면에 용접선이 있는 경우에 그 기록은 모두 전개도와 같이 펴서 기록해야 한다. 즉, **그림 6-87(b)**가 곡면 용접부의 기록 도면이다. 그러므로 예를 들면 ※ 로 표시된 길이는 입체도와 전개도의 ※ 로 표시된 길이와 같게 한다. 또한 자분모양의 길이, 기준점으로부터의 거리 등은 모두 곡면을 따라서 측정하여 기록해야 한다.

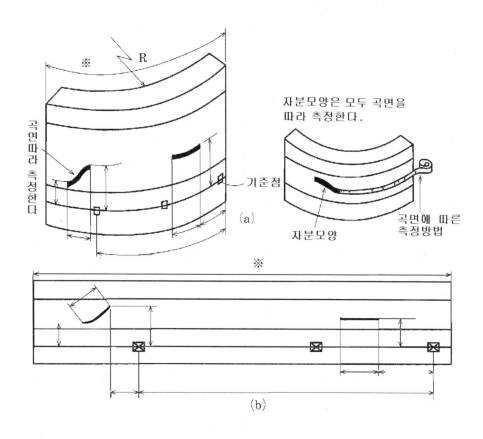

그림 6-87 곡면 용접부의 결함 자분모양의 기록

✎ 3) 필릿 용접부

필릿 용접부의 기록방법은 위에서 설명한 각종 평판 맞대기 용접부의 기록방법과 원칙은 같다. 그러나 우선 기준 단면을 결정하고 난 후 각 면에 표를 하고, 각각의 면에 대한 자분모양의 기록을 작성한다.

✎ 4) 봉의 가공품 및 관 등

지금까지는 용접부의 탐상결과의 기록에 대하여 설명했지만, 여기서는 비교적 형상이 간단한 결함 자분모양이 검출된 경우의 기록에 관하여 예를 들어 설명한다. 다만, 자분모양의 측정 및 기록방법은 용접부의 경우와 같으며, 여기에서 문제가 되는 점은 주로 기준점이나 기준선 또는 기준면을 어떻게 잡느냐 하는 점이다.

가) 각형(角形)단면을 가진 가공품(예 : 각형 강재 등)

그림 6-88 에 나타낸 각형 가공품의 경우에는 각각의 면에 기호를 붙여서 기록한다. 그 면에 대하여 기준점 또는 기준선을 설정하고, 결함 자분모양의 위치와 치수 측정을 하여 기록한다. 즉 그림 6-88(a) 의 A면의 기록 그림은 그림 6-88(b) 이며, B면, C면 및 E면, F면의 기록은 각각 별개로 작성한다. 물론 길이가 긴 경우에는 앞에서 설명한 예와 같이 기준점을 적당한 간격으로 만들고(보통은 전체길이의 N 등분점을 잡는다) 이것을 기준으로 한다.

여기서는 직 6 면체에 대한 예를 들었지만 그것이 어떠한 모양이든 관계없이 기록하는 방법은 같다.

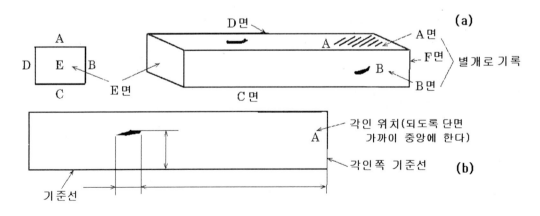

그림 6-88 각형 가공품의 결함 자분모양의 기록 "예"

나) 원형 단면을 갖는 가공품(예 : 환봉, 관 표면 등)

시험체의 길이가 길거나 짧거나 관계없이 기준면을 양 끝에 설정하고 표시를 한다. 그 다음 길이가 짧은 것이면 그대로 표면에 기준점을 만들고, 긴 것이면 일정한 간격으로 몇 개의 기준점을 만든다. 그 다음은 길이가 길든 짧든 위치의 측정방법 및 표시는 동일하기 때문에 여기서는 짧은 시험체를 예를 들어 기록방법을 설명한다.

그림 6-89(a) 와 같은 원형 단면의 시험체에 대하여 기록을 하는 경우에는 우선 좌우 양쪽에 A, B의 명칭을 붙인다. 그리고 표면 위 A, B 어느 쪽의 끝면에 가까운 표면 위 임의의 점에 표시를 하여 이것을 기준점으로 한 다음, 이 기준점을 통하여 중심축과 평행하게 직선을 그어 이것을 기준선으로 한다. 표면 위에 나타난 결함의 기록은 모두 이 기준점 및 기준선을 기초로 표면을 전개시킨 도형으로 하는 것이 가장 간단하다. 즉 그림 속에 표시한 결함은 일반적으로 그림 6-89(b) 와 같이 기록한다. 이때 원주방향의 치수는 곡면을 따라 측정한 길이로 한다.

그림 6-89(c) 와 같이 2곳에 나타난 결함을 기준점과 기준선을 별개로 만들어 그림 6-89(d) 와 같이 그려도 된다. 이 때 각각의 기준점과 기준선은 명확하게 하지 않으면 안 된다.

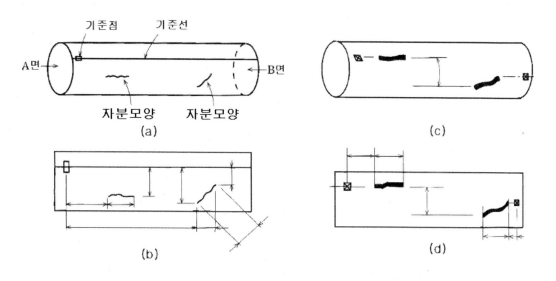

그림 6-89 원형 단면을 갖는 가공품의 결함 자분모양의 기록

다) L형 단면을 갖는 가공품

L형 단면의 경우도 각형(角形), 원형(圓形) 단면(斷面)의 경우와 같이 우선 기준으로 하는 면을 결정하고 나서, 기준면에 기호를 붙이고, 각각의 면에 대하여 결함 자분모양의 기록을 작성하면 된다. **그림 6-90** 은 이 예를 나타낸 것이다.

그림 6-90(a) 는 시험 대상물을 입체적으로 나타낸 것으로, 여기서는 우선 결함 자분모양의 개별 기록을 별도로 기재할 때의 편의를 생각하여 각 면에 **그림**과 같이 명칭을 붙이거나 자분모양을 도면 위에만 기록하면 되는 경우에는 그럴 필요는 없다. **그림 6-90(a)**의 입체도를 도면에 나타낸 것이 **그림 6-90 (b)**, **그림 6-90(c)**이며, 전체의 자분모양을 나타내고 있다.

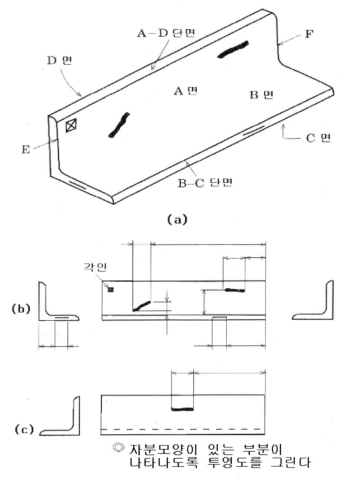

(a)

(b)

(c)

◎ 자분모양이 있는 부분이
　나타나도록 투영도를 그린다

그림 6-90 L형 단면을 갖는 가공품의 결함 자분모양의 기록

(라) 주조품과 단조품 또는 기계 가공품 등 형상이 복잡한 가공품

이러한 종류의 가공품에는 대형에서 소형까지 여러 종류가 포함되지만, 원칙적으로는 개개의 물품에 대한 도면을 이용하여 결함 자분모양을 해당 장소에 기입하는 방법을 사용한다. 다만, 자분모양이 나타나는 부분이 한정되어 있는 경우에는 결함 자분모양이 나타난 부분이 뚜렷하게 확인되는 위치에서 제품(製品)의 도면을 그리고, 이 자분모양의 위치와 크기의 측정결과를 기입하면 된다. 이때 측정을 위한 기준점이나 기준선은 결함위치를 표시하는데 가장 좋은 점이나 선을 선정하면 된다. 예를 들면 **그림 6-91(a)** 와 같은 형상의 단조품에 그림과 같은 자분모양이 나타났다고 하면 이것을 가장 명확히 표시할 수 있는 것은 화살표 방향으로부터의 도면이며, 다른 방향에서의 도면은 필요하지 않다. 그러므로 굵은 실선의 방향으로부터의 도면을 이용하여 가장 쉽고 간단하게 위치를 재현할 수 있는 기준점과 기준선을 기록한 것이 **그림 6-91(b)** 이다.

이상 몇 가지의 실제 [예를 들어 결함 자분모양을 기록하는 방법에 대하여 설명하였는데, 이 탐상결과의 기록은 직접 시험에 참여하지 않은 사람이라도 제출된 기록을 보고, 그 자분모양을 확인할 수 있도록 하기 위해서 이다. 기록을 작성한 사람만이 이해가 되며, 다른 사람에게는 이해가 되지 않는 기록은 전혀 기록으로서 의미가 없다는 점에 주의하여 가장 알기 쉬운 방법으로 기록되어야 한다. 특히 중요한 기준점과 기준선을 잡는 방법에 꼭 맞는 법칙은 없으며, 기록을 작성하는 검사원이 기준을 세우고 나서 작성을 하는 것이므로, 그 법칙을 다른 사람에게도 알려 줄 필요가 있다. 시험체의 종류, 모양, 크기 등에 따라 다소의 차이는 있지만, 모든 기록은 누가 보더라도 이해되도록 기록되어야 한다.

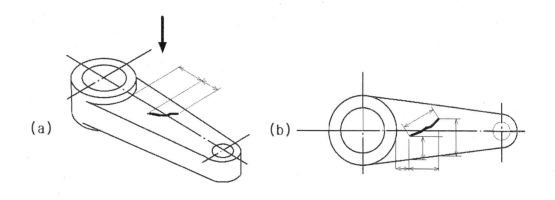

그림 6-91 주조품과 단조품 등의 결함 자분모양의 기록 "예"

제 7 절 자분탐상시험에 관한 규격

자분탐상시험의 규격은 그 동안 한국산업규격(KS)과 미국 규격 등에 치우쳐 사용해 왔으나 우리나라도 2002년도부터 국제화 추세에 따라 국제 표준화기구(ISO)의 규격을 채택, 번역하여 기존의 규격과 함께 사용해 오고 있다. 비파괴검사원이라면 반드시 이들 규격에 대하여 알고 검사에 임해야 하므로, 자분탐상검사 관련 한국산업규격과 국제 표준화기구의 규격의 목록을 나타낸다.

1. 한국산업규격(KS)의 자분탐상시험 규격

KS B ISO 9934-1-2006   비파괴검사-자분탐상검사-제1부 : 일반원리

KS B ISO 9934-2-2007   비파괴검사-자분탐상검사-제2부 : 검출매체

KS D 0213-1994   철강 재료의 자분탐상시험방법 및 결함자분모양의 분류

KS W 4041-1984   항공 우주용 자기탐상검사 방법

KS D ISO 9402-2002   압력용 이음매 없는 용접강관(서브머지드 아크 용접 제외) - 길이방향 결함탐지용 강자성 강관 자기 탐촉자/누설자속시험

KS D ISO 4986-2002   주강품-자분탐상검사

KS D ISO 6933-2002   철도차량용 압연재료-자분탐상시험 방법

KS D ISO 9598-2002   압력용 이음매 없는 강관-나비방향 결함탐지용 강자성 강관 자기 탐촉자/누설 자속시험

KS D ISO13664-2002   압력용 이음매 없는 강관-층상결함 탐지용 끝단부 자분탐상시험

KS D ISO13665-2002   압력용 이음매 없는 강관-표면결함 탐지용 관체 자분탐상검사

KS B ISO24497-1 2008   비파괴시험-금속자기 기억법-제 1 부 용어 정의

KS B ISO24497-2 2008   비파괴시험-금속자기 기억법-제 2 부 일반 요구사항

KS B ISO24497-3 2008   비파괴시험-금속자기 기억법-제 3 부 용접부 시험

2. ASTM의 자분탐상시험 규격

ASTM E 709 : 2001   Guide for Magnetic Particle Examination
(자분탐상시험에 대한 표준지침).

ASTM E 1444 : 2001   Practice for Magnetic Particle Testing
(자분탐상시험에 대한 표준시험).

ASTM E 125 : 1963(2003) Reference Photographs for Magnetic Particle

Indications on Ferrous Castings
(철강 주조품의 자분 모양에 대한 표준 비교사진).

3. ISO (국제 표준화기구)의 자분탐상시험 규격

ISO 9934   NDT - Magnetic particle testing (비파괴시험 - 자분탐상시험).
                    - part 1 :2001   General principle(일반원칙).
                    - part 2 :2002   Detection media(시험매체).
                    - part 3 :2002   Equipment(장치).

ISO 17638-2003   Non-destructive testing of welds - Magnetic particle testing
                    (용접부의 비파괴시험 - 자분탐상시험).

ISO 9402-1989   Seamless and welded (except submerged arc-welded) steel tubes
                    for pressure purposes - Full peripheral transducer/flux leakage
                    testing of ferromagnetic steel tubes for the detection of
                    longitudinal imperfections
                    (압력용 이음매 없는 강관 및 용접 (서브머지드 아크 용접 제외) 강관
                    - 자성강관의 축 방향의 결함 검출용 누설 자속탐상시험).

ISO 9598-1989   Seamless steel tubes for pressure purposes - Full peripheral
                    transducer/flux leakage testing of ferromagnetic steel tubes for the
                    detection of transverse imperfections
                    (압력용 이음매 없는 강관 - 자성강관의 횡방향의 결함 검출용 누설
                    자속탐상시험).

ISO 13664-1997   Seamless steel tubes for pressure purposes - Magnetic particle
                    inspection of the tube ends for the detection of laminar
                    imperfections
                    (압력용 이음매 없는 강관 - 관 끝부의 층상 결함 검출용 자분탐상
                    검사).

ISO 4986-2010   Steel casting - Magnetic particle inspection
                    (주강품 - 자분탐상검사).

ISO 13665-1997   Seamless and welded steel tubes for pressure purposes - Magnetic
                    particle inspection of the tube body for the detection of surface
                    imperfections
                    (압력용 이음매 없는 강관 및 용접강관 - 관 본체의 표면 결함 검출

	용 자분탐상검사).
ISO 6933-1986	Railway rolling stock material - Magnetic particle inspection acceptance testing
	(철도용 압연재 - 자분탐상검사법에 의한 인수시험).
ISO 2178-1982	Non-magnetic coatings on magnetic substrates - Measurement of coating thickness - Magnetic method
	(자성 바탕 위의 비자성 피복 - 피막 두께측정 - 자력식 시험방법).
ISO 2361-1982	Electrodeposited nickel coatings on magnetic and non-magnetic substrates - Measurement of coating thickness - Magnetic method
	(비자성 바탕 위의 전기 니켈 도금 - 피막 두께 측정 - 자력식 시험 방법).
ISO 3059-2001	Non-destructive testing-Penetrant testing and magnetic particle testing - Viewing conditions
	(비파괴시험-침투탐상시험 및 자분탐상시험-관찰조건)

4. 한국산업규격(KS D 0213)과 ASME 코드(Sec. V)와의 비교

국내에서 널리 사용되고 있는 KS D 0213-1994(철강 재료의 자분탐상시험방법 및 자분모양의 분류)와 미국의 ASME Sec. V, art. 7에 대하여 비교 설명한다.

1. 전처리

KS :

① 원칙적으로 단일 부품으로 분해하고, 필요에 따라 탈자한다.

② 전처리의 범위는 시험범위보다 넓게 잡아야 하며, 용접부인 경우는 원칙적으로 시험범위에서 모재 쪽으로 약 20mm 넓게 잡는다.

③ 유지(油脂), 오염 그 밖의 부착물, 도료, 도금 등의 피막이 시험정밀도에 영향을 미치는 경우는 제거해야 한다.

④ 건식자분을 사용하는 경우는 표면을 잘 건조시켜야 한다.

⑤ 소손(燒損)을 방지하고 전류가 흐르기 쉽게 하기 위하여 시험체와 전극의 접촉부분을 모두 깨끗하게 닦아야 하고, 필요에 따라 전극에 도체패드를 부착한다.

⑥ 기름구멍과 그 밖의 구멍 등에서 시험 후 내부의 자분을 제거하는 것이 곤란한 곳은 검사 전에 미리 해가 없는 물질로 채워 둔다.

ASME :

① 시험 면이 용접, 압연, 주조 및 단조상태로 되어 있을 때, 전처리가 꼭 필요하지는 않으나, 표면이 불규칙하여 시험에 영향을 미치는 경우는 연삭기(grinder)나 기계 가공 등의 표면처리를 해야 한다.

② 시험하기 전에 시험 면과 최소 1인치(25mm) 이내의 인접부위는 먼지, 그리스(grease), 실 보푸라기(lint), 스케일(scale), 용접 용재(flux), 스패터(spatter), 기름 또는 기타 검사를 방해하는 물질을 제거하고 건조시켜야 한다.

③ 표면세척은 세척액, 유기 용제, 녹 제거액, 페인트 제거제, 증기세척, 샌드 블라스팅(sand blasting) 또는 그리트 블라스팅(grit blasting)이나 초음파 세척법 등을 사용하여 세척한다.

④ 도막이 시험체 위에 남아 있으면 최대 예상 도막두께에서 지시가 검출될 수 있다는 것을 입증해야 한다.

2. 자분 및 검사액

KS :

① 자분은 건식용과 습식용으로 나누고, 다시 형광 자분과 비형광 자분으로 분류한다.

② 자분은 시험체의 재질, 표면상황, 결함의 성질에 따라 적당한 자성, 입도, 분산성, 현탁성 및 색조를 갖고 있는 것이어야 한다.

③ 자분의 입도는 현미경 측정방법으로 입자의 정방향 지름을 측정하고, 누적체 상 20% 및 80%를 표시하는 입자 지름의 범위로 나타낸다.

④ 습식법은 등유, 물 등을 분산매로 하고, 필요에 따라 적당한 방청제 및 계면활성제를 넣은 검사액을 사용한다.

⑤ 검사액 속의 자분 분산농도는 단위 용적(1ℓ) 중에 포함되는 자분의 무게(g) 또는 단위 용적(100ml) 중에 포함되는 자분의 침전용적(ml)으로 나타내고, 자분의 종류 및 입도를 고려하여 설정한다. 특히 형광 자분은 자분의 입도 외에 자분의 적용시간 및 적용방법을 고려하여 자분 분산농도를 정한다.

⑥ 자분의 농도는 원칙적으로 비형광 습식법은 2~10g/ℓ, 형광 습식법은 0.2~2g/ℓ의 범위로 한다.

⑦ 검사액 및 자분은 표준시험편 등을 사용하여 필요에 따라 성능을 확인해야 한다.

ASME :

① 자분은 시험체 표면과 대비(contrast)가 잘 되도록 하기 위해 착색(형광안료, 비형광

안료 또는 양쪽 모두)된 것을 사용한다.

② 습식용 자분은 형광 자분과 비형광 자분으로 나누며, 형광 자분은 자외선 조사등 아래에서는 황록색을 발하는 염료로 착색한 자분이고, 비형광 자분은 엷은 회색, 흑색, 적색 또는 황색이 많이 사용되며, 보통 가시광선 아래에서 관찰한다.

③ 습식자분의 분산매는 기름(경질유) 또는 물을 사용한다. 계면활성제가 첨가된 물을 사용하는 경우는 분산제를 사용하고, 활성제 및 방청제를 넣는다.

④ 건식용 자분은 공급된 상태 그대로 적용하며, 대부분 재사용을 하지 않는다. 건식자분은 극한의 환경조건에서도 사용되며, 형광 건식자분은 비싸고 사용상의 제약으로 많이 사용하지 않는다.

⑤ 자분은 모두 투자율이 높고, 보자성이 낮으며 쉽게 자분모양을 형성하는 적당한 형상과 크기를 갖고 있어야 한다.

⑥ 검사액 속의 자분 분산농도는 침전관(centrifuge tube)의 $100ml$ 의 검사액을 샘플(sample)로 하여 30분간 세워 놓은 후의 침전량으로 나타낸다. 형광 자분은 $100ml$ 당 $0.1{\sim}0.4ml$, 비형광 자분은 $100ml$ 당 $1.2{\sim}2.4ml$의 침전량이 바람직한 농도이다.

⑦ 시험 면의 온도는 건식자분을 사용 할 때에는 $600°F(315.6℃)$, 습식자분은 $135°F(57.2℃)$를 초과하여 사용해서는 안 된다.

3. 시험편

KS :

① A형 표준시험편
- A형 표준시험편의 재질은 KS C 2504(전자연철판)의 1 종을 풀림(어닐링) 한 것(A1)과, 1종의 냉간 압연한 것(A2)의 2종류가 있으며, 각각 시험편의 두께가 다른 2종류, 인공 홈의 깊이가 다른 3종류가 있다.
- A형 표준시험편은 장치, 자분, 검사액의 성능과 연속법에서의 시험체표면의 유효자계 강도 및 방향, 탐상유효범위, 시험조작의 적합여부를 조사하는데 사용한다.
- A형 표준시험편의 사용방법은 인공 홈이 있는 면이 탐상 면에 잘 밀착되도록 적당한 점착성 테이프로 붙여 사용한다. 점착성 테이프를 사용할 때 인공 홈의 부분을 덮어서는 안 된다.

② C형 표준시험편
- C형 표준시험편은 A형 표준시험편과 같은 재질로 A형 표준시험편을 적용하기 곤란한 경우에 사용되며, 분할선을 따라 5mm×10mm의 작은 조각으로 나누어 사용한다. 시험편의 판 두께는 $50\mu m$인 C1과 C2의 2종류가 있으며, 인공 홈의 치수는

깊이 $8 \pm 1\mu m$, 폭 $50 \pm 8\mu m$이다.

- C형 표준시험편의 사용방법은 인공 홈이 있는 면이 탐상 면에 잘 밀착되도록 적당한 양면 점착테이프(두께 $100\mu m$이하인 것) 또는 접착제로 탐상 면에 붙여 사용한다.
- C형 표준시험편의 C1은 A1-7/50, C2는 A2-7/50에 각각 가까운 값의 유효자계에서 자분모양이 나타난다.

③ B형 대비시험편

- B형 대비시험편은 장치, 자분 및 검사액의 성능을 조사하는데 사용하며, 원칙적으로 KS C 2503(전자 연철봉)의 재료를 사용한다. 용도에 따라 시험체와 같은 재질 및 지름의 것을 사용해도 된다.
- B형 대비시험편의 사용방법은 전류관통법에 의해 연속법으로 사용한다.

ASME : 시험편

① 자분탐상용 ASME 시험편 [= 파이형 (자분탐상용) 자장지시계, pie-shaped magnetic particle field indicator]

- 8각형의 탄소강편으로 만들어진 자분탐상용 ASME 시험편은 자계의 적정성과 방향을 확인할 필요가 있을 때에 사용한다.
- 자분탐상용 ASME 시험편의 사용방법은 시험체 표면에 놓고, 자계를 가하면서 자분을 적용하여 시험편의 구리 도금 면의 인공결함이 뚜렷한 자분의 선으로 나타나면 시험체는 적절한 자계의 강도에 의하여 자화되고 있음을 나타낸다.
- 자분탐상용 ASME 시험편은 건식자분과 함께 사용하는 것이 가장 좋다.

② 링 시험편

- ketos(Betz) 링 시험편은 전류 관통법으로 사용하는 건식 및 습식, 형광 및 비형광 자분탐상시험 방법의 전반적인 성능 및 감도를 평가하고 비교하는데 사용한다.
- 관통봉의 지름은 $25 \sim 32mm$(1~1.25인치)을 사용한다.
- 사용하는 전류는 1,400A, 2,500A 및 3,400A(암페어)이어야 하고, 나타나야 하는 최소한의 구멍지시는 3개, 5개 및 6개이어야 한다.

4. 자화전류치

KS :

① KS에서는 자화전류치에 대해서는 특별한 지시는 없고, 자화전류치의 선정은 원칙적으로 A형 표준시험편을 사용하여 실시한다.

② 자화할 때 장치의 특성, 시험체의 자기특성, 모양, 치수, 표면상태, 예측되는 결함의 성

질 등에 따라 자분의 적용시기와 필요한 자계의 방향 및 강도를 결정하여 자화방법, 자화전류의 종류, 자화전류치 및 유효범위를 선정한다.

③ 탐상에 필요한 자계의 강도의 설정은 아래 표에 따라 선택한다. 다만, 자계의 강도는 예측되는 결함의 방향에 대하여 직각인 방향의 자계강도이며, 자계의 방향 및 강도를 확인할 필요가 있을 때에는 원칙적으로 A형, C형 표준시험편 또는 가우스미터와 같은 자기 측정기를 사용한다.

시험방법	시험체	자계의 강도(A/m)
연속법	일반적인 구조물 및 용접부	1,200 ~ 2,000
	주단조품 및 기계부품	2,400 ~ 3,600
	담금질(quenching)한 기계부품	5,600이상
잔류법	일반적인 담금질(quenching)한 부품	6,400 ~ 8,000
	공구강 등의 특수재 부품	12,000이상

ASME :

✎ 가. Prod 법

① 직류 또는 정류 전류를 사용하며, 자화전류는 시험체의 두께(t)

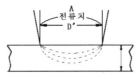

A : Ampere
D : 전극간 거리 (인치)

$t \geq \frac{3}{4}"(19mm)$ 일 때, 전류치 A = D" × 100~125Amp

$t < \frac{3}{4}"(19mm)$ 일 때, 전류치 A = D" × 90~110Amp 이어야 한다.

② 단, 3"(75mm) < D" < 8"(200mm) 일 것.

✎ 나. Coil 법

① 직류 또는 정류 전류를 사용하며, 자계 강도의 계산은 시험체의 길이(L)와 지름(D)을 기초로 아래에 같이 계산한다.

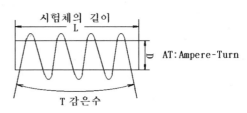

AT : Ampere-Turn

가) $\frac{L}{D} \geq 4$ 일때 $AT = \dfrac{35,000}{(L/D)+2}$ (AT : Ampere-Turn)

나) $\frac{L}{D} = 2 \sim 4$ 일때 $AT = \dfrac{45,000}{(L/D)}$

1회 검사 길이는 18인치를 초과해서는 안 된다고 규정하고 있다.

다) $\dfrac{L}{D} < 2$ 일 때는 Coil 법을 적용하지 않는다.

(원주형이 아닌 시험체의 지름(D)은 최대 단면 대각선의 길이로 한다.)

다. 직접 통전법(direct contact method, 축 통전법과 직각 통전법)

① 직류 또는 정류 전류(반파 정류 또는 전파 정류)를 사용하며, 자화전류는 시험체의 바깥지름(외경)에 대해 300A/in~800A/in 이어야 한다. 다만, 원주형이 아닌 시험체는 전류흐름에 직각인 최대 단면 대각선 길이를 바깥지름으로 하여 ①과 같이 계산하도록 하고 있다.

② ①에서 요구된 전류가 얻어지지 않는 경우는 자분탐상용 ASME 시험편 등을 사용하여 자계의 적정성을 입증해야 한다.

라. 전류 관통법(= 중심 도체법)

① 직접 통전법과 같은 자화전류로서 자화한다. 자계는 구멍을 통과하는 중심도체 케이블의 수에 비례하여 증가한다.

② 자계의 적정성은 자분탐상용 ASME 시험편 등을 사용하여 입증해야 한다.

③ 시험체의 내부를 관통하는 도체가 한쪽으로 치우쳐서 시험체의 안쪽 벽에 위치할 때 직접통전법의 ①과 같은 자화전류를 적용한다. 다만 이때 전류계산에 사용하는 지름은 중심도체의 지름과 벽두께의 2배 값을 합한 값으로 한다.

④ 한쪽으로 치우친 중심 도체를 사용할 때의 검사 유효범위는 중심도체 지름의 4배로 한다.

마. 극간법

① 자화는 교류나 직류 전자석 요크(yoke) 또는 영구자석 요크를 사용하며, 자화력은 인상력(lifting power)으로 측정한다. 인상력은 교류를 사용할 때는 최대 극간 거리에서 10 lbs(4.5kg)이상, 직류 또는 영구자석을 사용할 때는 40 lbs(18.1kg)이상이어야 한다.

5. 자외선 조사 장치

KS :

① 사용상태에서 형광 자분모양을 뚜렷하게 식별할 수 있는 자외선 강도를 가진 것으로, 관찰에 필요한 자외선의 강도는 시험 면에서 $800\mu W/cm^2$ 이상으로 규정하고 있다.

ASME :

① 시험 면에서의 강도측정은 최소 5분간 예열한 후 측정하고, 계속 사용할 경우에는 적어도 8시간마다, 작업장소가 바뀔 때도 측정해야 한다. 측정방법은 자외선 강도계를 사용하여 측정하며, 시험 면에서 최소 $1,000\mu W/cm^2$ 이상이 요구된다.

익 힘 문 제

1. 자화전류(교류와 직류)와 자분(건식과 습식)의 적용에 따른 검출감도에 대하여 어느 경우가 높은 감도를 나타내는지 설명하시오.
2. 자분을 선택하는 방법에 대하여 설명하시오.
3. 자화조건을 결정하는 방법에 대하여 설명하시오.
4. 용접부의 개선 면에 대한 검사에서 대상 결함 및 자화방법에 대하여 설명하시오.
5. 용접부의 중간층 검사에서 대상 결함 및 자화방법에 대하여 설명하시오.
6. 용접부의 표면검사에서 대상 결함 및 자화방법에 대하여 설명하시오.
7. 주단조품에서 대상 결함은 어떤 것이 있는지 설명하시오.
8. 단조품의 탐상에서 적용하는 자분은 어느 것이 좋은지 설명하시오.
9. 강판 및 봉강 그리고 강관의 대상이 되는 결함에 대하여 설명하시오.
10. 보수검사에서 대표적인 결함 3가지를 들고 이에 대하여 설명하시오.
11. 자화 고무법에 대한 설명 및 특징을 설명하시오.
12. 보고서 작성에 있어서 탐상조건을 명확하게 상대에게 전하기 위해서 필요한 최소한 항목에 대하여 설명하시오.
13. 탐상결과를 스케치할 경우, 기본적으로 나타내야 하는 점에 대하여 설명하시오.

제 7 장 누설 자속 탐상시험

제 1 절 누설 자속 탐상시험의 일반

누설 자속 탐상시험은 선진국에서는 1970년대부터 급속히 발전되어 이제는 활발하게 각 분야에 적용되고 있는 시험방법이지만, 우리나라는 아직도 몇몇 곳에서만 활용되고 있다. 누설 자속 탐상시험(magnetic leakage flux testing : MLFT) 방법은 강자성체를 자화했을 때, 결함 등으로부터 누설되는 자속을 자분을 이용하지 않고 직접 또는 간접적인 전기신호로써 검출하는 탐상법이다. 즉, 강자성체인 강재(鋼材)를 자화했을 때, 강재의 표면에 결함이 있으면 그 부분에서 결함 깊이에 대응하는 양의 자속이 누설하게 되는데, 이 누설 자속을 반도체 자기(半導體 磁氣) 센서(sensor), 탐사코일(search coil), 자기(磁氣) 테이프(tape) 등을 이용하여 검출하는 자기탐상법(磁氣探傷法)이다. 센서는 일반적으로 센서에 의한 전기신호의 크기로부터 결함의 치수를 추정하는데, 자속량에 대응하는 전기량을 출력하므로, 그 전기량으로부터 결함 깊이를 알 수가 있다. 이것은 결함 위치만을 아는 자분 탐상시험과 비교할 때 큰 특징이다. 누설 자속 탐상시험은 현재 제품과 반제품의 시험 및 현장시험에 적용되고 있으며, 그 장치는 거의 자동화되어 있다.

1. 누설 자속 탐상시험의 종류

누설 자속 탐상시험을 여러 가지 관점으로 분류하면 다음과 같다.

가. 센서의 종류에 의한 분류   ⇒ 표 7-1 참조

```
┬── 탐사 코일(search coil)법
├── 반도체 자기 센서법  ┐
│                      ├─자계 측정법
├── 집적형법          ┘
└── 자기 테이프 법(자기기록(녹자) 탐상법)
```

나. 자화방법에 의한 분류 ⇒ 표 7-3 참조

```
┬── 극간법 ──┬── 전체 자화법
│             └── 국부 자화법
├── 축통전법
├── 전류관통법
└── 코일법
```

다. 자화전류의 종류에 의한 분류 ⇒ 표 7-3 참조

```
┬── 직류 자화법
└── 교류 자화법
```

라. 주사방법에 의한 분류 ⇒ 표 7-4 참조

```
┬── 탐상 헤드(head) : 고정
│    재료(시험체) : helical 이동 : SH
├── 탐상 헤드 : 직진
│    재료(시험체) : 회전 : TR
├── 탐상 헤드 : 회전
│    재료(시험체) : 직진 : RT
├── 탐상 헤드 : 고정
│    재료(시험체) : 직진 : ST
├── 탐상 헤드 : 센서(sensor) 주사
│    재료(시험체) : 직진 : ──
└── 탐상 헤드 : helical 이동
     재료(시험체): 고정 : HS
```

- **참고 :**
  위의 기호는 운동상태를 나타내는 다음 영어의 앞 글자이다.
  C : circular rotating, H : helical moving, R : rotating,
  S : stationary,   T : travelling

이들 분류 중에서 위의 가. 의 분류가 전 부터 사용되고 있는 것이며, 원리적인 차이를 나타내고 있다. 즉 자기 테이프를 이용하는 자기기록(녹자) 탐상법 이외는 결함 누설자속을 직접 전기신호로 변환시키는 것이다.

2. 누설 자속 탐상시험의 특징

누설 자속 탐상시험의 특징을 자분탐상시험과 비교하면 다음과 같다.

① 결함에 대한 정량 평가가 가능하여 유해한 결함만을 검출할 수 있다.

② 객관적인 검사가 가능하여 시험 기록이 남는다.

③ 자동 및 고속으로 시험이 가능하지만, 그 적용은 봉, 관, 판 등과 같이 형상이 단순한 것에 한한다. 복잡한 형상에는 적용이 곤란하다.

④ 자분탐상시험에 비해 작업환경이 양호하며, 검사원의 기량과는 관계가 없다.

⑤ 검출할 수 있는 한계의 결함깊이가 자분탐상시험에 비해 깊다.

3. 결함 누설 자속과 그의 검출

가. 결함과 결함 누설 자속

자화한 강재의 표면 결함으로부터 누설되는 자속에 대해서 앞에서 설명하였지만, 여기서는 결함의 성질과 상태와 결함 누설 자속의 관계를 설명한다.

ᗘ 1) 결함 누설 자속

결함에서 누설되는 자속의 단면도는 **그림 7-1** 과 같으며, 현재 실용되고 있는 누설 자속 탐상장치의 대부분은 이 자속의 법선 성분(normal component)을 검출하는 방법을 채택하고 있다.

아래에 인공결함(각홈)과 결함 누설 자속의 법선 성분의 관계를 나타낸다.

ᗘ 2) 결함 깊이와 누설 자속

그림 7-2 에 자성체 표면에 대하여 수직인 결함의 깊이와 결함 누설 자속밀도의 관계를 나타냈다. 그림에서 결함 깊이와 결함 누설 자속밀도와는 거의 직선 관계임을 알 수 있다.

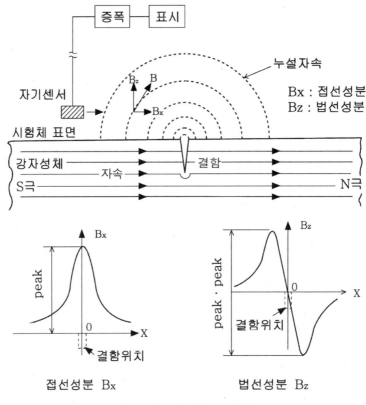

그림 7-1 누설 자속의 단면도

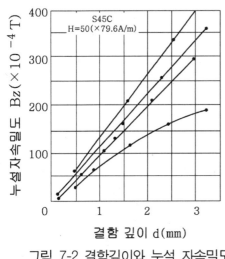

그림 7-2 결함깊이와 누설 자속밀도

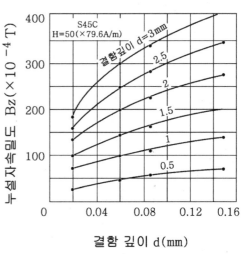

그림 7-3 결함 폭과 누설 자속밀도

♻ 3) 결함 폭과 누설 자속

그림 7-3 에 결함 폭과 결함 누설 자속밀도의 관계를 나타낸다. 누설 자속은 결함 폭이 좁은 경우, 결함 폭과 더불어 증가하지만, 폭이 커짐에 따라 포화되는 경향이 있다.

♻ 4) 결함의 경사각도와 결함 누설 자속

그림 7-4 에 결함의 경사각도와 결함 누설 자속밀도의 관계를 나타낸다. 그림은 결함의 깊이방향에 그 경사 길이를 일정하게 하고 경사각도 θ 를 변화시킨 경우로 경사각도 θ가 작아짐에 따라 누설 자속은 적어지며, 그 변화는 $\sin\theta$ 에 거의 비례한다. 이와 같이 결함 형상의 각 매개변수(parameter)와 누설 자속의 관계의 경향은 뚜렷하게 되어 있지만, 자연 결함의 형상은 이들 각 매개변수가 복합되어 변화하기 때문에, 자연 결함치수의 정확한 평가는 실제로 어려워서, 항상 문제가 되는 부분이다.

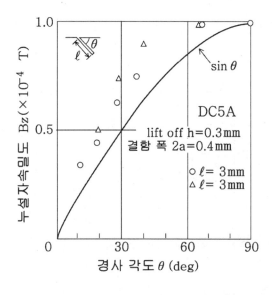

그림 7-4 결함 각도와 누설 자속밀도

나. 결함 누설 자속의 검출

결함 누설 자속의 검출에 대해서는 앞에서 설명하였으므로, 여기서는 누설 자속 탐상장치에 실제로 사용되고 있는 센서와 검출할 때의 문제가 되는 것에 대하여 설명한다. 센서에 요구되는 특성의 첫째는 자기(磁氣)감도가 높아야 한다는 것이다. 현재 일반적으로 사용 가능한 자전(磁電) 변환소자는 $10\mu V/Oe$ 이상의 감도를 지니고 있어 증폭기의 고성능화와 더불어, 실용상 특별히 큰 문제는 되지 않는다. 둘째는 누설 자속을 관측할 수 있는 범위가 매우 좁기 때문에 검출에 사용하는 센서의 치수가 중요하다. 그림 7-5 에 센서의 치수와 검출할 수 있는 외관의 누설 자속량의 관계 "예"를 나타냈지만, 누설 자속을 충실히 검출하려면 가급적 작은 치수의 센서를 사용해야 한다. 그리고 누설 자속을 검출할 때 주의해야 할 문제로서는 재료(시험체) 표면으로부터 센서까지의 거리인 리프트 오프(lift-off)이다.

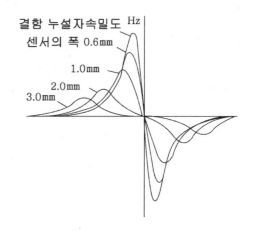

그림 7-5 센서의 치수와 누설 자속량

리프트 오프(lift-off)와 센서 출력과의 관계(lift-off와 누설 자속량의 관계)는 그림 7-6 과 같이 누설 자속량은 리프트 오프의 제곱에 반비례한다. 그러므로 리프트 오프를 고정시키고 측정하는 것이 중요하다는 것을 알 수 있다.

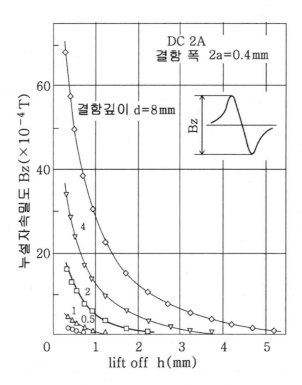

그림 7-6 lift-off 와 누설 자속

4. 누설자속 탐상장치

가. 누설자속 센서

결함부분으로부터 누설하는 자속을 검출하는 센서에 요구되는 기능 및 특성은 다음과 같다.

① 결함으로부터의 누설자속을 충실히 검출할 수 있는 형상과 치수를 갖고 있을 것.
② 자기 감도(磁氣感度)가 높을 것.
③ 기계적으로 견고하고, 온도 등 사용 환경의 영향을 적게 받을 것.
④ 공업 계측용 센서로써 장기간 사용할 수 있고, 또한 가격이 비싸지 않을 것.

현재 누설자속 탐상장치에 사용되고 있는 센서에 대하여 설명한다.

✎ 1) 탐사코일(search coil)

오래 전부터 사용되고 있는 자계 검출용 센서로써, 큰 영역을 주사(走査)하는데 적합하며, 자속의 누설영역이 넓고 오목하게 파여 있는 결함 등의 검출에 적합하다. 탐사코일(search coil)의 출력은 식 (7. 1)과 같이 자속의 시간을 미분하여 표시하기 때문에 시험체와 센서의 상대속도가 빠를수록 출력은 많아진다. 또 교류자화의 경우에는 주파수가 높을수록 출력은 많아진다.

$$E = -N \cdot d\phi/dt \quad \cdots\cdots\cdots\cdots\cdots\cdots\cdots\cdots\cdots\cdots\cdots\cdots (7.\ 1)$$

여기서 E : 출력전압, N : 감은 수, ϕ : 코일에 교차하는 자속, t : 시간

✎ 2) 홀 소자(hall element)

그림 7-7 에 나타낸 원리도와 같은 반도체의 홀 효과(hall effect)를 이용한 것으로, 반도체 자계 센서로써 오래 전부터 사용되고 있다. 그림과 같이 반도체에 전류 I 가 흐를 때, 전류의 방향과 직교한 자속이 관통하면 반도체 속의 정공(正孔, electron hole, 양공이라고도 한다) 또는 전자가 로렌츠(Lorentz) 힘에 의해 전류와 자속의 양쪽에 직교하는 방향으로 굽어져, 그림에 나타난 출력단자에는 식 (7. 2)으로 나타낸 전류와 자속밀도의 곱에 비례하는 홀(hall) 전압이 얻어진다. 홀 소자에서는 시험체가 정지상태에 있어도 결함에 의한 출력이 얻어진다.

$$V_H = K_H \cdot I \cdot B \quad\cdots\cdots\cdots\cdots\cdots\cdots\cdots\cdots\cdots\cdots\cdots\cdots\cdots\cdots\cdots\cdots\cdots (7.\ 2)$$

여기서 V_H : 출력전압(홀 전압), K_H : 홀 상수, I : 전류, B : 자속밀도

홀 소자의 감도를 나타낼 때에는 보통 전류와 자속밀도의 곱에 의해 나타낸다. 이것은 전류 1A, 자속밀도 1kg 인 경우의 홀 전압치로 환산된 값으로 실용감도를 알고자 하는 경우에는 소자의 허용전류가 100mA 정도인 것을 고려할 필요가 있다.

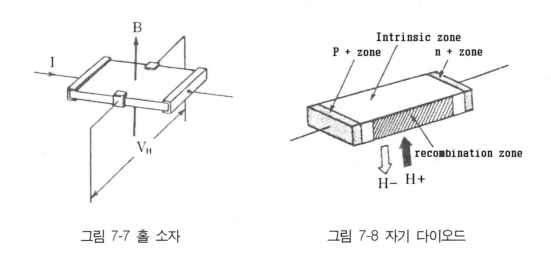

| 그림 7-7 홀 소자 | 그림 7-8 자기 다이오드 |

✎ 3) 자기 다이오드(magnetodiode)

전류 자기효과를 이용한 자속 검출 센서로써, **그림 7-8** 에 나타낸 다이오드 특성을 지닌 소자에 자속이 관통했을 때, 겉보기의 저항이 변화하는 것을 이용한다. 자기 다이오드의 구조는 그림과 같이 Ge 의 작은 조각 양쪽에 $P-i$, $P-n$ 접합을 만들어, i 영역의 한쪽면에 r 영역이라 부르는 주입 담체(注入擔體)의 재결합 확률이 높은 영역을 형성한 것이다. 이 소자에 원래 방향으로 전압을 가하면 $P-i$ 접합으로부터 정공(正孔)이, $n-i$ 접합으로부터 전자가 주입되어 i 영역의 저항은 내려간다. 이때 정방향의 자속(그림의 H^+)이 소자를 관통하면 정공이나 전자는 로렌츠 힘을 받아, r 영역 쪽으로 굽어져 재결합하여 소멸하므로 전류는 감소한다.

자속의 방향이 반대인 경우에는 정공이나 전자는 r 영역과 반대방향으로 굽어지므로 전류는 증가하게 된다. 그러므로 출력은 **그림 7-9** 의 전류-전압특성 B 로부터 전원전압, 부하저항 등의 회로상수를 결정하면 구해진다.

그림 7-9 의 경우, 전원 전압 9V, 부하저항 $3k\Omega$으로 자기 다이오드를 구동하여, 자속이 없는 경우의 전압 4.5V에 대해 정방향의 자속(그림의 H^+)이 관통한 경우에는 $\Delta V+$의 출력이 얻어진다.

$1kOe$의 자계 속의 측정에서는 $\Delta V+$ 는 0.9V가 얻어지며, 보통의 홀 소자에 비해 100배 가까운 출력이 얻어진다.

↳ 4) 자기 저항효과 소자

오래 전부터 자계의 검출 등에 이용되어온 반도체의 전류 자기효과를 이용한 자기 저항효과 소자는 낮은 감도로 인하여 누설 자속탐상의 센서로써 실용되지 못했지만, 최근에 $Ni-Co$ 나 $Fe-Ni$ 합금 등의 강자성체 박막의 자기 저항효과를 이용한 자속 검출센서가 만들어져서 실용화에 이르게 되었다. 그림 7-10 에 나타낸 저항율 ρ_o의 소자에 흐르는 전류의 방향과 자화의 방향이 이루는 각도를 θ라 하면 소자의 저항율 $\rho(\theta)$ 는 식 (7. 3)과 같이 변하므로 단자전압 e 의 변화를 출력으로서 얻게 되는 것이다.

$$\rho(\theta) = \rho_o + \Delta\rho\cos^2\theta \quad \text{.. (7. 3)}$$

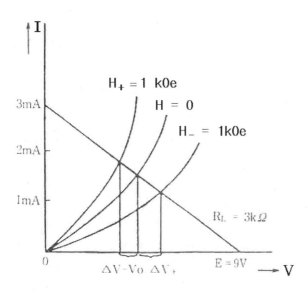

그림 7-9 자기 다이오드의 전류-전압 특성

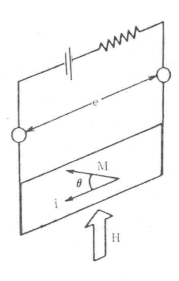

그림 7-10 자기 저항효과 소자

여기서 $\Delta\rho$는 저항율의 최대 변화량이다. 보통, 자화와 전류의 방향이 동일한 경우에 $\Delta\rho$가 최대인 재료가 많다. 그 외 자기 테이프가 누설자속의 검출에 사용되는 경우가 있지만 테이프에 기록된 자기 기록신호를 검출하는 자기 헤드의 특성에 따라 누설 자속신호가 다른 등의 문제가 있어 엄밀하게는 누설자속의 전사(copy)라 생각하는 것이 좋다.

표 7-1 결함 누설 자속의 검출에 사용되는 센서

종류	특　　징
탐사코일 (search coil)	자계 검출용 센서. 출력은 코일의 감은 수, 재료와 코일의 상대 속도 등에 의해 정해진다.　$E = -N \cdot d\phi/dt$ (E: 출력전압, N: 감은 수, ϕ: 코일에 교차하는 자속, t: 시간)
반도체 자기 센서 홀 소자 자기 다이오드 자기 저항효과소자	누설 자속량을 직접 전기신호로 변환한다. 센서의 치수 [유효 감자(減磁)면적] 와 자기(磁氣) 감도(출력/자계의 세기)가 중요하다. 또한 감도의 온도 의존성이 크기 때문에 사용에 있어서 주의해야 한다.
집적형(集積型)	직류 자계 검출용으로 고감도이지만, 출력은 자심(磁芯)의 자기특성에 의존한다.
자기 테이프 (磁氣 Tape)	누설 자속을 직접 자기 테이프 위의 자성 막에 기록한다. 전기신호로의 변환은 2차적이다.

나. 장치의 구성

누설 자속 탐상장치의 원리는 봉강, 강관, 강판 등의 강재(鋼材)를 자화하여, 그 표면 결함으로부터의 누설 자속을 탐사코일이나 반도체 자기 센서 등으로 검출하여, 그 결함의 크기를 평가하는 것이다. 실제로 자동탐상을 실시하기 위하여 필요한 장치로는 **표 7-2** 에 표시한 기능이 있는 장치가 필요하다. 이들 장치는 각각의 기능을 충분히 발휘하는 것과 서로의 관계가 목적한 데로 조정되는 것이어야 비로소 안정된 높은 정밀도의 결함 검출로부터 기록지시, 마킹(marking)을 연속적으로 실시할 수가 있다.

표 7-2 누설 자속 탐상장치의 구성

주요 장치명	주요 기능
1) 재료의 반입, 검출, 반출 라인(line)	검사능률에 맞춘 라인 속도 및 단말 위치 정돈 또는 필요에 따라 전처리 설비, 후처리 설비가 첨가된다.
2) 자화 및 검출, 추종장치 (검출부 구동계를 포함)	자화된 시험체의 표면 결함을 전면에 걸쳐 검사하여 결함신호를 잡아낸다.
3) 신호처리 장치	검출부에서의 결함신호를 판정하여 기록, 지시, 마킹, 출력을 하는 회로계(回路系).
4) 표시 및 기록장치	검사개수, 불합격 개수 등의 표시 또는 필요에 따라 회로 속의 신호 크기, 주파수 등의 표시를 하는 CRT및 신호의 기록을 행한다.
5) 마킹장치	시험체 결함 위치에 마킹을 행한다.

다. 자화방법과 특징

일반적으로 강재(鋼材)를 자기탐상시험을 하는 경우, 자화방법에는 통전법(축, 직각), 프로드법, 코일법, 극간법, 자속 관통법이 일반적이지만, 자동탐상의 경우에는 통전법, 프로드법은 전극과 재료의 접촉에 문제가 있기 때문에 적용이 곤란하다. 또한 전류 관통법은 관통봉을 삽입할 공간이 필요한 것과 실제로 탐상 능률면에서 특수한 경우를 제외하고 실용적이 못 된다. 그러므로 이러한 이유에서 코일법 및 극간법이 자동 자기탐상시험의 자화방법으로 적합하다. 이 2가지 방법을 자동 자기탐상시험에 사용하는 경우, 자화전류의 종류에 따라 선택해야 한다.

✎ 1) 자화 방법

누설 자속탐상은 주로 자동탐상(정량성, 객관성, 기록성)을 목적으로 발전되어 왔으며, 자화방법은 본질적으로 자분탐상시험과 동일하지만, 자동화가 쉬운 특징이 있다. 표 7-3 은 현재 사용되고 있는 자화방법을 정리하여 나타낸 것이다. 또 그림 7-11 은 자화방법의 예를 나타냈다. 극간법이 가장 많지만, 관의 둘레 방향의 결함을 검출할 목적으로는 코일법이 사용되고 있다. 축 통전법과 전류관통법도 일부 사용되고 있으나 현재는 그다지 사용되지 않는다.

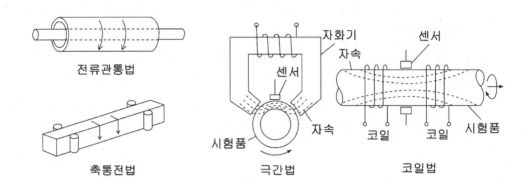

전류관통법

축통전법

자화기

센서

시험품

극간법

센서

자속

자속

코일

코일

시험품

코일법

그림 7-11 누설 자속 탐상시험에 사용되는 자화방법

표 7-3 실제 누설 자속 탐상기로 사용되고 있는 자화방법

자화방법	자화전류	장치명(marker)	대상	비고
극간법	직류	ROTOMAT(Förster)	강관	장치 회전형
		AMALOG(Tuboscope)		장치 회전형
		STATOMAT(Förster)		장치 고정형
	교류	CIRCOFLUX(Förster)	강관, 봉강	장치 회전형
		ROTO-HAM(Krautkrämer)		장치 회전형
		STATOFLUX(Förster)		장치 고정형
		RET-FLUX(Förster)		관 끝부분 전용
		SAM(Sumitomo Automatic Magnetic Inspection System)	강관, 둥근 Billet, 각(角)Billet	장치 고정형
코일법	직류	TRANSOMAT(Förster)	강관	장치 고정형
		SONOSCOPE(Tuboscope)		장치 고정형
축통전법	직류	MAGNETOGRAPH(Förster)	각(角) Billet	구형(舊型)
전류관통법	직류	ROTOFLUX (Förster)	강관	구형(舊型)
자기 테이프식	직류	MAGNETOGRAPH(Förster)	각(角) Billet	구형(舊型)

⇨ 2) 자화의 종류

누설 자속 탐상시험에서는 자화전류로 직류와 교류 양쪽 다 사용되고 있다. 특히 직류 자화는 강관의 안쪽면 결함을 바깥쪽에서 검출하는 경우에 많이 사용된다. 봉강 등의 거친 표면의 결함을 검출하는 경우는 교류를 사용하는 것이 S/N 이 좋게 검출할 수 있기 때문에, 10 KHz 까지의 교류 자화가 주로 사용되고 있다.

직류자화에 있어서도 재료와 자화장치(yoke 등)의 상대운동이 있으면 교류 자화와 똑같이 되어 표피효과가 생기기 때문에, 위에서 설명한 관의 안쪽 면 결함의 검출에는 자연히 한계가 있다.

라. 탐상 헤드와 추종장치

탐상 헤드(head)는 자화용의 자석(magnet), 센서(sensor)를 필요한 수만큼 넣어 만든 센서 홀더(sensor holder) 등으로 이루어져 있다.

센서의 리프트 오프(lift-off)를 일정하게 유지하기 위한 센서의 추종(追從)과 더불어 자석 등이 포함된 탐상 헤드의 추종장치도 없어서는 안 된다. 그림 7-12 는 검출부와 추종장치의 한 예를 나타낸 것으로, 탐상 헤드(자화 자석과 검출부)는 시험체가 휘거나 한쪽으로 치우치거나, 이송(移送) 중의 진동 등에도 추종되도록 시험체에 접촉시키는 1조의 roller stand에 메달아 두며, 스탠드는 상하와 좌우는 물론이고 두 방향으로의 회전도 가능하다.

센서를 넣는 센서 홀더의 아래 부분은 시험체 표면으로의 접촉에 의해 센서가 닳는 것을 방지하고, 센서 홀더의 마모를 방지할 목적으로 마모성(磨耗性)이 강한 세라믹(ceramic) 등의 wear shoe를 부착한다.

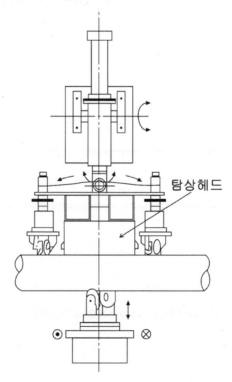

그림 7-12 검출부의 추종형 스탠드(stand)

마. 시험체 표면의 주사

탐상 헤드와 시험체의 상대적인 운동에 의해 시험체의 전체 표면이 탐상 헤드에 의해 주사된다. 이들의 운동은 **표 7-4** 와 같이 4가지 방법이 있으며, 차츰 실용화 장치로서 실현되고 있다.

표 7-4 탐상 헤드와 시험체의 상대 운동

TYPE	검출 head	시험체	적용 예
SH	고정	회전이동	소구경 파이프, 봉강
TR	고정 이동	회전	관재(管材), 각재(角材)
RT	회전	직진 이동	파이프
HS	회전 이동	고정	소구경 파이프

표 7-5 누설 자속탐상기의 성능 일람표(catalog의 값)

장치명 (marker) / 항목	ROTOMAT (Förster)	CIRCOFLUX (Förster)	AMALOG/SONOSCOPE (Tuboscope)	SAM-S (일본)	SAM-T (일본)	ROTO-HAM (일본)
대상재료	봉, 관	관, 봉	관	관, 봉	둥근 빌릿	관, 봉
치수 바깥지름	16~80 20~140	10~260	1.7~16″	18~435	130~340	10~105
두께 (mm)						
길이(m)		25,000-8,000				
휨 정도(mm/mm)	교정재	1/1,000		3/1,000	10/1,000	
전처리	불필요		불필요	0.3 이상	0.3 이상	불필요
검출할 수 있는 결함 깊이(mm)	0.3	0.15	바깥면 5% t - 안쪽면 WT% -	0.3	0.3	0.1 (인공결함)
결함 길이(mm)	17.5이상	20 이상				
탐상피치(mm/회전)	50		300	200 (×3)	150(×2)	
재료의 이송방법	직진	직진	직진	Spiral	회전	직진
탐상헤드의 주사법	회전	회전	회전/multi배치	고정	직진	회전
자화전류의 종류	DC/AC	AC	DC	AC	AC	AC

바. 대표적인 누설 자속 탐상장치

현재 실제로 사용되고 있는 대표적인 누설 자속 탐상장치의 성능을 표 7-5 에 나타냈다. ROTOMAT은 요크(yoke)와 센서가 하나로 된 검출헤드를 회전시키는 형식의 장치로, 강관의 탐상에는 직류자화를 사용하며, 봉강의 탐상에는 교류자화를 이용하여 탐상한다. 이 장치를 이용하면 강관에서는 두께의 5% 깊이의 바깥면 결함 및 10% 깊이의 안쪽면 결함과 봉강의 깊이 0.2mm의 결함을 검출할 수 있다고 보고되어 있다. CIRCOFLUX는 ㄷ자형 자화기의 극 사이에 탐사 코일을 배치한 센서 헤드(sensor head)를 시험체의 주위에서 고속 회전시키는 형식의 장치로, 처리능력이 높아 0.15mm 깊이의 결함 검출이 가능하다.

표 7-6 Förster사 제품의 누설 자속 탐상장치

장치의 명칭	대상	주사방식	개략도	비고
ROTOMAT	강관	탐상헤드 회전, 재료 직진방식		센서 : 탐사코일 또는 홀 소자 내외면 결함 판별 기능부착
STATOFLUX	강관	탐상헤드 고정, 재료 Spiral 이송, 탐상헤드 직진, 재료 회전의 2주사 방식		센서 : 홀 소자
MAGNETOGRAPH	각(角) 빌릿	탐상헤드 고정, 재료 직진 방식		센서 : 자기 테이프

AMALOG/SONOSCOPE는 TUBOSCOPE AMF사가 개발한 누설 자속탐상기로, 축방향 결함 탐상용의 AMALOG와 둘레방향 결함 탐상용의 SONOSCOPE 로 되어 있어, 유정관(油井管), 송유관의 공장 출하검사, 현장검사에 사용되고 있다. 이 검사부문에서는 잘 알려져 있는 탐상기이다.

SAM(Sumitomo automatic magnetic inspection system)은 일본에서 개발된 것으로 교류 국부자화와 고감도 자기 다이오드(SMD)를 채택한 고감도 탐상장치이다. 봉강, 강재의 둥근 빌릿(billet), 강관의 탐상에 이용되고 있다.

ROTO-HAM은 일본에서 개발한 교류 누설 자속 탐상장치로써, ㄷ자형 자화기의 극 사이에 탐사코일을 배치한 센서 헤드를 시험체의 주위에서 고속 회전시키는 형식의 장치이다.

미국에서 사용하고 있는 VETCOSCAN, VETCOLOG(VETCO inspection service 사), SCANALOG(P. A 사) 등과 강 후프(hoop)의 검사용의 장치(세딩, Bergstrand 사) 등이 있지만 상세한 것은 알려져 있지 않다.

표 7-6 에 서독 Förster사 제품의 누설 자속탐상장치를 나타냈다.

Magnetograph는 각형 빌릿 탐상용의 장치로써, 교류 전자석으로 자화하여 결함 누설자속은 Endless 자기 테이프 위에 전사(轉寫)시킨 후, 재생 헤드에 의해 전기신호로 변환시키는 것이다.

표 7-7에 AMF TUBOSCOPE 사의 AMALOG와 SONOSCOPE를 나타냈다.

표 7-7 AMF TUBOSCOPE 사의 누설 자속 탐상장치

장치의 명칭	주사방식	개략도	비고
AMALOG	탐상헤드 : 회전 재료 직진방식		센서 : 탐사코일 내외면 결함 판별기 능부착
SONOSCOPE	탐상헤드 : 고정 재료 : 직진,		

그림 7-13 에는 둥근 빌릿을 대상으로 한 SAM 탐상장치의 예를 나타냈다.

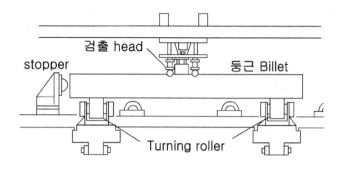

그림 7-13 둥근 빌릿의 SAM 탐상장치

5. 누설 자속 탐상시험의 적용

현재 외국에서는 철강제품과 반제품의 검사에 누설 자속 탐상시험이 많이 사용되고 있다. 봉강을 대상으로 하는 검사는 완성품에 대한 것이 주된 목적으로 전부터 자분탐상시험 대신에 사용하고 있으며, 이 탐상법의 특징인 정량검사와 객관적인 검사로 큰 효과를 얻을 수 있고, 자동검사이므로 힘이 덜 들며, 작업환경도 개선할 수 있다는 점이다.

강관을 대상으로 하는 검사에서는 API 규격의 관계로 이음매 없는 강관 중 유정용(油井用) 강관을 주 대상으로 한 것이 대부분으로 제품검사에 사용되고 있다. 이들 탐상의 검속도는 1.0~60m/min 로 자분탐상검사와 비교하여 매우 빠르며, 검사비용도 줄일 수 있다. 누설 자속 탐상시험은 거친 표면의 탐상에 적당하기 때문에 빌릿 등의 반제품의 탐상에도 사용되고 있다.

가. 대비시험편

대비시험편은 다음 2 가지의 목적으로 가장 많이 사용한다.
① 탐상장치의 종합 성능을 평가할 때.
② 실제로 탐상 작업할 때의 합격·불합격 판정등급을 결정하기 위하여 표준 시험편으로 사용할 때.

따라서 각각의 목적에 따라 시험편의 제작에서부터 감도 설정까지 해야 한다. 즉, ①의 목적에서는 누설 자속탐상시험에 대한 성능을 좌우하는 인자이므로, 계기(計器) 관계류, 검출부 센서류, 탐상 면에 작용하는 자계의 세기와 방향 및 검출부 장치와 시험체의 상대적인 추종성의 적합여부 등을 조사한다. 그리고 ②의 목적으로 사용되는 대비시험편은 규격에서 요구되는 경우 이외에, 발주자의 요구에 따라 실시될 경우가 더 많다. 표 7-8 에 대표적인 인공 결함의 예를 나타낸다.

우선, 시험편을 제작할 때에는 사용 목적과 그 내용을 잘 알고, 재료를 선정해야 한다. 일반적인 시험편의 재료 선정의 조건으로는 다음사항을 고려해야 한다.

① 재료 치수 : 바깥지름, 두께, 길이와 각각 치수의 정밀도
② 재질 : 같은 재질인지 또는 유사 재질인지 또는 다른 재질인지 여부
③ 열처리의 유무 및 재료의 마무리 가공방법의 차이 : 열처리를 한 것인지 등
④ 표면 형상 : 스케일 부착 유무 또는 휨 등
⑤ 자연 결함 등이 없을 것.

표 7-8 대비시험편에 사용되는 인공 결함(API)

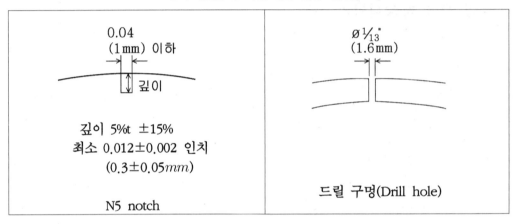

일반적으로 대비시험편을 만드는 재료는 검사하고자 하는 대상품(대부분 동일한 가공 또는 동일한 열처리 등, 같은 시기에 같은 가공공정에서 얻는다) 중에서 채취하기 때문에, 위의 ① ~ ④ 항은 채취할 때 점검(check) 정도로도 되지만, ⑤ 항은 동일한 탐상기로 자연 결함의 유무를 미리 조사해서 자연결함과 시험재료에 다른 문제가 되는 것은 없는지를 확인해야 한다.

시험편의 인공결함 가공방법은 일반적으로 기계가공에 의하거나 방전가공에 의한 경우가 많다. 가공 결함의 시방에 따라, 가공 후는 반드시 결함 깊이, 결함의 폭, 결함 길이를 점검해야 한다. 필요에 따라서는 결함 형상을 점검하기 위하여 동일한 방법으로 다른 시험편 또는 다른 부분에 가공된 인공 결함의 단면(斷面)을 절단하여 점검도 해야 한다. 이들 인공 결함의 치수 및 형상 등을 점검한 후에는 대비시험편의 목록에 기록하여 관리해야 한다.

목록에는 다음 사항을 기록해 두는 것이 중요하다.

- 시험편 관리 번호
- 시험편 제작자의 성명과 제작 연월일
- 시험편을 가공한 기계 명(방전가공을 했으면 전류치, 방전시간, 전극의 재질, 치수 등의 조건도 포함시켜 기입한다)
- 시험편의 사용 목적
- 시험편의 조건(치수, 재질 등)
- 인공 결함의 측정결과
- 인공 결함의 위치 관계 도면

나. 의사 신호

의사 신호에는 여러 가지 신호가 있기 때문에, 탐상기 종류, 탐상재료, 탐상기의 설치장소 등에 따라 탐상기에 들어 온 신호가 달라서

o 다른 계통의 전원으로 인한 의사신호

o Sequence 불량에 의한 의사신호

o 시험체에서 기인하는 의사신호

로 분류할 수 있다.

1) 다른 계통의 전원으로 인한 의사신호

- 펄스 작동용 등의 다른 계전기(繼電器, relay)에서 들어온 신호
- 가까운 곳에서 용접을 하고 있어서 접지가 불충분한 경우
- 기중기(crane)가 탐상기 가까이 에서 주행하는 경우

등으로 의사신호가 들어온다.

잡음(noise) 방지용 콘덴서(condenser), 탐상신호 케이블과 전원 케이블과의 배선분리, 접지방법의 개선 등으로 해결한다.

2) Sequence 불량에 의한 의사신호

검출부가 시험체에 접근, 시험체로부터 후퇴할 때에는 자속밀도가 급격히 변화한다. 일반적으로는 탐상 게이트를 설치하여 접근시킨 후에 탐상 게이트를 열고, 탐상 게이트를 닫은 후에 후퇴되도록 하고 있지만, 이 시기를 맞추는 조정이 불량일 경우에 의사신호가 발생한다.

↳ 3) 시험체에서 기인하는 의사신호

- 시험체의 표면에 부착(압착)된 강자성체에 의한 의사신호
- 불연속부로부터의 의사신호

등이 있다.

제 2 절 누설 자속탐상시험의 실제

실제로 강재를 탐상하는 경우에는 기본적으로 알아두어야 할 중요한 사항은

- 장치의 허용치를 초과하여 휜(구부러짐) 재료는 자화조건, 누설 자속 센서의 lift-off가 일정하지 않기 때문에, 신뢰성이 있는 시험결과를 얻을 수가 없다. 허용치 이상 휜 시험체를 시험할 때에는 교정 등의 전처리를 해야 한다.
- marking level의 설정과 센서를 교환할 때의 감도 교정에는 인공 결함이 있는 대비시험편을 이용하고, 장치의 사용상태에 대한 검출력의 확인과 검정을 실시해야 한다.

1. 봉강의 탐상

열간 압연한 봉강의 완성품 검사에 자분탐상시험을 대신하여 널리 사용되고 있다. 일반적으로 지름이 30mm에서부터 100mm의 봉강이 그 대상으로, 대상재에 따라 0.1mm 깊이 이상의 결함을 100 % 검출할 수 있다.

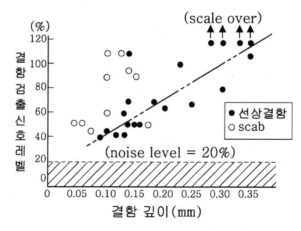

그림 7-14 봉강의 결함 깊이와 신호출력의 관계

결함 누설 자속은 결함 깊이 이외에 결함 폭, 길이, 결함의 경사 정도 등과 관련이 있으므로, 결함의 종류가 달라지면 같은 깊이라도 결함 신호 크기가 달라진다. **그림 7-14** 에 나타낸 것과 같이 결함 깊이와 검출신호의 관계에서 결함 깊이와 결함 신호의 편차가 선상(linear) 결함보다도 스캐브(scab)에서 더 크게 되어 있다. 이것은 스캐브의 결함 형상이 다양하다는 것을 시사한다. 이와 같이 결함 깊이를 결함 신호로부터 판정하는 경우에는 결함의 종류에 따라서는 큰 오차가 생길 수 있으므로 주의해야 한다.

2. 강관의 탐상

강관도 결함의 종류와 형상이 다양하기 때문에 결함 신호의 크기로부터 결함 깊이를 추정하는 경우에는 주의를 해야 하지만 **그림 7-15** 와 같이 이 둘은 대체로 양호한 상관관계를 나타낸다.

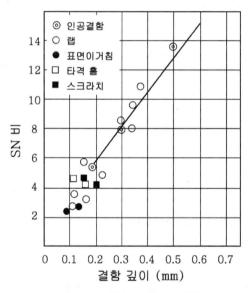

그림 7-15 강관의 결함 깊이와 검출력의 관계

가. 내외면 동시 탐상

직류 자화에 의한 내외면 동시 탐상에서는 기자력(起磁力)이 일정한 경우, 모재 두께의 증가에 따라 관 두께의 자속밀도가 감소하기 때문에, 내면(內面) 결함의 검출능이 저하되는 것에 주의해야 한다.

그림 7-16 은 내면의 모재 두께 비 12.5% 깊이의 인공결함을 이용한 실험결과로써, 모재 두께 16mm의 관에서는 모재 두께 6mm 관에 비해, 약 1/5 로 출력신호가 감소하는

것을 알 수 있다.

또한 **그림 7-17** 에는 같은 모재 두께 비 12.5 % 깊이의 내면 인공결함의 신호 출력을 일정하게 하는데 필요한 기자력을 나타내고 있지만, 단면적비(斷面績比)와 소요되는 기자력이 거의 같은 변화를 나타내고 있으며, 자속밀도를 일정하게 함에 따라 내면 결함이 일정한 출력에서 얻어지는 것을 알 수 있다.

내외면 결함의 판별은 일반적으로 주파수 해석에 따라 행해지고 있다. 이는 내면 결함에 의한 누설 자속의 주파수 성분이 외면(外面)의 그것과 비교하여 아주 낮은 것을 이용하고 있다.

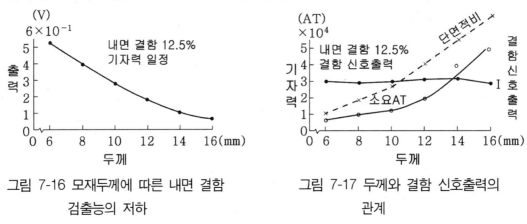

그림 7-16 모재두께에 따른 내면 결함   그림 7-17 두께와 결함 신호출력의
　　　검출능의 저하　　　　　　　　　　　　　　　관계

그림 7-18 은 ROTOMAT 의 내외면 결함 분리 회로의 예이다.

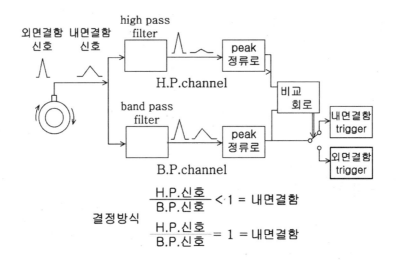

그림 7-18 내외면 결함 분리 회로(ROTOMAT IDC)

그림 7-19 는 AMALOG/SONOSCOPE에서 검출된 외면 결함 내면의 검출 예 이다.

a) AMALOG 에 의한 관 외면 결함 검출예

b) AMALOG 에 의한 관 내면 결함 검출예

c) SONOSCOPE 에 의한 관 외면 결함 검출예

d) SONOSCOPE 에 의한 관 내면 결함 검출예

검출상황(CRT)

깊이
0.24mm

검출된 결함

검출상황(chart 기록

그림 7-19(a) 관 외면 결함 검출 "예"(AMALOG)

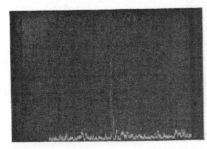

검출상황(CRT)

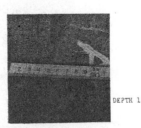

DEPTH 1

검출된 결함

검출상황(Chart 기록)

그림 7-19(b) 관 내면 결함 검출 "예"(AMALOG)

DEPTH 0.4mm

검출된 결함

MARK LEVEL (R)
MARK LEVEL (Q)

검출상황(Chart 기록)

그림 7-19(c) 관 외면 결함 검출 "예"(SONOSCOPE)

DEPTH 1.4mm

검출된 결함

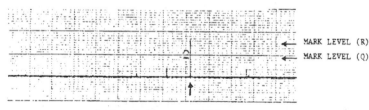

MARK LEVEL (R)
MARK LEVEL (Q)

검출상황(Chart 기록)

그림 7-19(d) 관 내면 결함 검출 "예"(SONOSCOPE)

나. 외면 결함 탐상

관의 외면 결함을 높은 정밀도로 검출할 경우에는 교류자화가 이용된다. 교류자화를 이용하면 0.1mm 깊이 정도의 아주 작은 결함을 검출할 수 있다.

다. 내면 결함 탐상

내면의 모재 두께 비 5% 깊이의 결함 검출을 목적으로 하는 내면 탐상장치도 실용화되고 있다.

3. 빌릿(billet)의 탐상

거친 재료인 둥근 빌릿은 형상 및 표면의 성상(性狀)이 제품인 봉강에 비해 좋지 않기 때문에 결함 검출한계도 봉강에 비해 나쁘다. 깊이도 0.3~0.5mm 정도이다. 각형 빌릿에 적용한 결함 검출특성의 한 예를 **그림 7-20** 에 나타낸다. 검출한계 결함 깊이는 0.3mm 정도이다. 자기 테이프를 검출 수단으로 이용하는 탐상장치는 유럽에서 실용되고 있다.

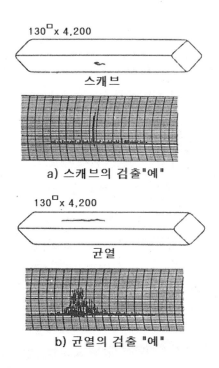

그림 7-20 각형 빌릿의 결함 검출 기록의 "예"

4. 강판의 탐상

캔(can)을 만드는 용기의 소재인 얇은 강판에 개재물이 조금만 있어도 유해성이 높기 때문에, 최근에는 캔 용기 등에 사용되는 0.15~0.5mm 두께의 얇은 강판에 대하여 비금속 개재물(nonmetallic inclusion)을 검출할 목적으로 각종 누설자속 탐상방법이 개발되어 실용화되고 있다. 장치 중에는 폭 방향으로 자화하여 결함 누설자속을 집적형 고감도의 센서를 이용하여 검출을 하는 것도 있다. 이들 장치의 검출 한계는 내부 결함 체적에서 $5 \times 10^{-4} mm^3$ 정도이다.

제 3 절 기타 누설 자속탐상법

1. 자기기록 탐상법(= 녹자 탐상법, magnetography)

자화한 강재의 표면에 자기 테이프를 접촉시키고, 결함부분으로부터 누설되는 누설자속을 테이프 위에 기록하여 자기검출기(자기기록 재생용 헤드와 홀 소자 등)를 이용해서 자기 기록신호로부터 결함을 측정하는 방법이다. 녹자탐상법이라고도 한다. 각형 빌릿에 적용하며, 전기저항 용접관의 용접부의 탐상에 사용되고 있다.

그림 7-21 에 각형 빌릿용 탐상장치의 개략도를 나타낸다.

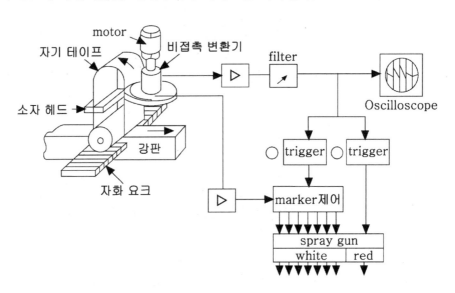

그림 7-21 각형 빌릿용 자기기록 탐상장치

2. 복합 자계 탐상법(複合磁界探傷法)

　현재 사용되고 있는 누설 자속 탐상법은 시험체 표면에 평행하게 자계를 작용시켜 균열과 같은 결함을 검출하는 것이 일반적이다. 이 방법에서는 자계의 방향과 평행한 결함과 오목하게 파인 결함은 검출할 수 없다. 이 단점을 해소하는 수단으로 시험체를 복수방향으로 자화하며, 누설자속뿐만 아니라, 와전류에 의한 반응자계도 검출하는 새로운 방법이다. 그림 7-22 에 검출원리를 나타낸다.

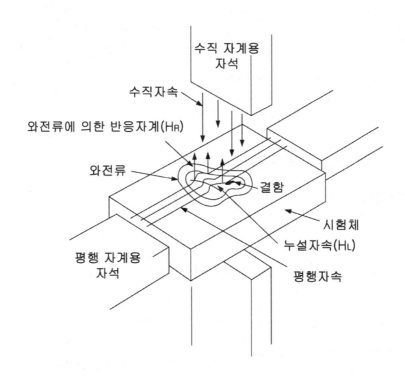

3. 자기 광학 탐상법(磁氣光學探傷法)

　수직자화 가닛 필름(garnet film)을 자기 센서로써 이용하는 새로운 탐상방법이다. 그림 7-23 과 같이 자기 광학소자를 시험체 표면에 근접시켜 배치하고, 자기 광학효과에 의해 누설자속을 직선 편향파의 편향면의 회전으로부터 검지한다. 이 방법으로 누설자속의 단면도(profile)를 양호하게 측정할 수 있다. 또한 결함으로부터의 누설자속을 화상화하여 결함의 존재를 직접 화면상으로 검출하는 방법도 있다.

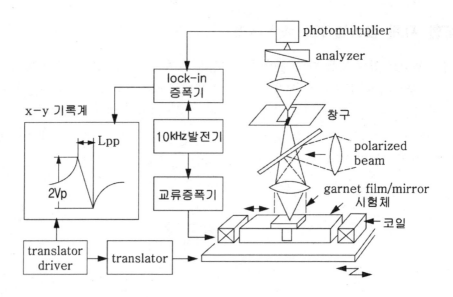

4. 누설 자속 탐상시험 방법의 규격

가. 시험방법에 관한 규격

현재 사용되고 있는 규격에 대해 표 7-9 에 나타냈다.

나. 누설 자속 탐상시험 방법을 규정한 재료 규격

　　API (미국석유협회) 규격으로 유정용(油井用) 강관의 검사규정에 대한 누설 자속탐상시험이 포함되어 있다. 이 규격에서는 와류 탐상시험과 누설 자속 탐상시험을 합쳐서, 전자기 탐상시험(electro-magnetic inspection : EMI) 으로 취급하고 있다.

표 7-9 누설자속 탐상시험 방법의 규격

규격	적용범위	대비시험편	시험방법
KS D ISO 9402-2003 압력용 이음매 없는 용접강관(서브머지드 아크 용접 제외)-길이방향 결함탐지용 강자성 강관 자기 탐촉자/누설 자속시험	강관 : 외경 9mm 이상	인공결함의 형상 : 각(角)형홈	길이방향 결함 탐지, 교정방법, 이상에 대한 조치 등
KS D ISO 9598-2002 압력용 이음매 없는 강관-나비방향 결함탐지용 강자성 강관 자기 탐촉자/누설 자속시험	강관 : 외경 9mm 이상	인공결함의 형상 : 각형 홈	나비방향 결함 탐지, 교정방법, 이상에 대한 조치 등
JIS Z 2319-1991 누설 자속탐상시험 방법	강관 : 외경 10~660mm 환봉강 : 직경 10~400mm	인공결함의 형상 : 각형 홈, 드릴구멍	교정방법, 이상에 대한 조치 등
ASTM E 570-1984 Flux Leakage Examination of Ferromagnetic Steel Tubular Products	강관 : 외경 12.7~610mm 두께 : 12.7mm 까지	인공결함의 형상 : 각형 홈, 드릴구멍	교정방법, 감도점검의 주기, 이상에 대한 조치
DIN 54130-1974 Nondestructive Testing : magnetic Leakage Flux : General	자성재료의 표면 및 내부의 결함		

익힘문제

1. 누설 자속 탐상시험의 특징에 대하여 설명하시오.
2. 누설 자속 탐상장치에서 결함 누설 자속의 검출에 사용되는 센서에 요구되는 특성에 대하여 설명하시오.
3. 자기 다이오드에 대하여 설명하시오.
4. 누설 자속 탐상시험에 사용되는 자화방법에 대하여 설명하시오.
5. 대비시험편의 목적을 설명하시오.
6. 대비시험편의 제작에 있어 재료의 선정조건으로 고려할 사항에 대하여 설명하시오.
7. 자기기록 탐상법에 대하여 설명하시오.
8. 복합 자계 탐상법에 대하여 설명하시오.

| 참고 문헌 |

1. 자분탐상검사 : 한기수, 골드 2000년
2. 비파괴검사의 기초(자분탐상검사) : 이용 세진사 1988
3. 비파괴검사 용어사전 : 한기수, 골드 2008년
4. 자분탐상사험 I : 일본 비파괴검사협회 2007년
5. 자분탐상시험 II : 일본 비파괴검사협회 2007년
6. 자분탐상시험 III : 일본 비파괴검사협회 1998년
7. 신 비파괴검사 편람 : 일본 비파괴검사 협회 1992년
8. 금속재료 입문 : 일본 비파괴검사 협회 1998년
9. 금속재료 개론 : 일본 비파괴검사 협회 1998년
10. 신판 비파괴검사 매뉴얼 : 일본 규격협회 1995년
11. 신판 비파괴검사 공학 : 일본 비파괴검사협회
12. 철강재료의 자분 및 침투탐상시험에 의한 결함지시모양의 참고사진집 :
    일본 비파괴검사협회 1991
13. 고등학교 물리 II :(주) 지학사(저자 : 장준성 외 2인)
14. 전기자기학 : 문운당 (저자 : 우형주, 이윤종)
15. Magnetic Particle testing : General Dynamics
16. Metal Handbook : ASM
17. Nondestructive testing Hand book(third Edition)-Volume 8 : ASNT
18. Principle of Magnetic particle Testing : Magnaflux corporation
19. KS D 0213 철강재료의 자분탐상시험방법 및 자분모양의 분류, 한국표준협회 2004
20. KS B ISO 9934-1 비파괴검사-자분탐상검사-제1부 : 일반원리 2006
21. KS B ISO 9934-2 비파괴검사-자분탐상검사-제2부 : 검출매체 2007
22. ASME Boiler and Pressure Vessel Code, Section V Art. 7 2007
23. ASME SE 709 Standard Guide for Magnetic particle Examination, 2007

■ 著者略歷 ■

韓 起 秀

- 한양대학교 원자력공학과 졸업
- 비파괴검사 기술사

現, 동양검사기술주식회사 대표이사
　　한국 비파괴검사학회 감사
　　한국 엔지니어링협회 이사
　　한국 기술사회 이사

비파괴검사 이론 & 응용 ❹
자분탐상검사

발 행 일 ｜ 2012년 1월 10일
개 정 일 ｜ 2019년 8월 1일
저　　자 ｜ 한국비파괴검사학회
　　　　　 한기수
발 행 인 ｜ 박승합
발 행 처 ｜ 노드미디어
등　　록 ｜ 제 106-99-21699 (1998년 1월 21일)
주　　소 ｜ 서울특별시 용산구 한강대로 341 대한빌딩 206호
전　　화 ｜ 02-754-1867
팩　　스 ｜ 02-753-1867
홈페이지 ｜ http://www.enodemedia.co.kr
I S B N ｜ 978-89-8458-258-3-94550
　　　　　 978-89-8458-249-1-94550 (세트)

정가 30,000원